新・明解 Python 入門

柴田望洋
BohYoh Shibata

第2版

SB Creative

はじめに

こんにちは。

ユーザ数・学習者数が大きく増え続けている Python は、機械学習、ディープラーニングなどの AI 分野、データ解析、科学技術計算、Web アプリケーションなど、極めて多くの分野を得意とするプログラミング言語です。

本書『新・明解 Python 入門 第2版』は、Python の基礎を、系統立てて徹底的に学習するための《本格派の入門用テキスト》です。

たとえば、17 ページにもおよぶ「索引」に目をとおしていただき、そこに並んだ語句を見ていただくだけでも "徹底的" という意味がお分かりいただけるでしょう。基礎的な文法や組込み関数などは網羅されていますので、一通り学習が終了した後でも、調べものをするためのマニュアルとしても利用できます。

さて、本書では、次の2点をバランスよく学習していきます。

- Python という言語の基礎
- プログラミングの基礎

語学の学習にたとえると、前者は『基礎的な文法や単語』に相当し、後者は『文書を書くことや会話をすること』に相当します。

言語とプログラミングの本質を、深く、かつ、広く学習していきますので、Python プログラミングの初学者だけでなく、他のプログラミング言語の経験者の方にも、きっと満足いただけることでしょう。

基礎とはいえ、決して簡単ではありません。難解な概念や文法を視覚的に理解して学習できるように、本書では 180 点もの図表を掲載しています。

さらに、例題として示すプログラムリストは 327 編にも及びます。プログラム数が多いことを語学のテキストにたとえると、例文や会話文がたくさん示されていることに相当します。数多くのプログラムに触れて Python のプログラムになじみましょう。

本書の全編が語り口調です。長年の教育経験をもとに、初学者が理解しにくい点・勘違いしやすい点を丁寧に解説しています。私の講義を受講しているような感じで、全 13 章におつき合いいただければ幸いです。

2023 年 7 月

柴田 望洋

本書の構成

　プログラミング言語 Python と、それを用いたプログラミングの基礎を学習するための入門書である本書は、全 13 章の本文と付録で構成されています。

　第 1 章　Python をはじめよう!
　第 2 章　画面への表示とキーボードからの入力
　第 3 章　プログラムの流れの分岐
　第 4 章　プログラムの流れの繰返し
　第 5 章　オブジェクトと型
　第 6 章　文字列
　第 7 章　リスト
　第 8 章　タプルと辞書と集合
　第 9 章　関数
　第10章　モジュールとパッケージ
　第11章　クラス
　第12章　例外処理
　第13章　ファイル処理
　付　　録　インストールと実行

　学習にあたっての注意点があります。Python は、見かけよりも奥が深く複雑なプログラミング言語であることから、習得が決して容易ではないことです。

　一つの概念の理解には、他の複数の概念の知識が前提となります。たとえば、プログラムの流れを繰り返す **for** 文（第 4 章）を理解するには、**リスト**などを含めた**イテラブルオブジェクト**（第 6 章～第 8 章）の知識が必要です（しかも、イテラブルオブジェクトの理解には、**for** 文の理解が前提となります）。

　私の長年にわたるプログラミング教育の経験を活かして、なるべく順序よく学習できるように構成していますが、後ろの章の知識が必要な文脈も少なくありません。

　本書の順序どおりに学習を進めるのを基本として、必要に応じて、後ろの章を参照するようにするとよいでしょう（どこを参照すべきかも示しています）。

　巻末の『おわりに』では、このような章構成となっている理由や、本書で学習する内容についての補足解説を行っています。特に、他のプログラミング言語の経験者は、こちらを先に読まれてもよいでしょう。

　なお、本文の補足的なことや応用的なことをまとめた "Column" は、他のプログラミング言語の経験者向けの内容や、高度な技術を含んだ内容のものもありますので、難しく感じるのであれば、いったん飛ばしておいて、後から読んでも構いません。

　日頃から手の届くところに本書をおいて、ご愛読・ご愛用いただけると幸いです。

■ コンピュータ関連の基礎用語について

本書では、『ビット』、『記憶域』といったコンピュータの一般的な基礎用語や、ファイルの操作などの解説は行っていません。それらを解説すると、分量が増えてしまいますし、知っている読者にとっては無用なものとなるからです。基礎用語や基本的な操作などについては、他の書籍やインターネットのサイトなどで学習しましょう。

■ 数字文字ゼロの表記について

数字のゼロは、中に斜線が入った "∅" で表記して、アルファベット大文字のオー "O" と区別しやすくしています（ただし、章・節・図表・ページなどの番号や年月表示などのゼロは、斜線のない 0 で表記しています）。

なお、数字の 1、小文字の l、大文字の I、記号文字の | も、識別しやすい文字を使って表記しています。

■ 逆斜線記号 \ と円記号 ¥ の表記について

Python のプログラムで用いられる逆斜線記号 \ は、環境によっては円記号 ¥ に置きかえられます。必要に応じて、すべての \ を ¥ に読みかえるようにしましょう。

■ スクリプトプログラムについて

本書では、327 編のスクリプトプログラムを参照しながら学習を進めていきます。ただし、掲載プログラムを少し変更しただけのプログラムなどは、一部あるいはすべてを割愛しています。具体的には、本書に示しているのは 246 編のみで、81 編は掲載していません。

すべてのプログラムは、次のサイトからダウンロードできます。

柴田望洋後援会オフィシャルホームページ　https://www.bohyoh.com/

なお、掲載を割愛しているプログラムは、'chap99/****.py' という形式で、フォルダ名を含むファイル名を本文中に示しています。

プログラムの実行方法については、付録 A–2（p.382 ～）にまとめています。統合開発環境 IDLE 上で、スクリプトプログラムを読み込んで、[F5] キーを押すだけで実行できます。

327 編のプログラムすべてを実行しながら学習を進めていきましょう。

■ 索引について

私の他の本と同様に、充実した『索引』を用意しています。索引をご覧いただくと、本書で解説している内容の深さ・網羅性がお分かりいただけます。

上記のホームページでは、本書の索引を、PDF 形式の文書ファイルとして公開しています。おもちのプリンタで印刷してお手元に置いていただくと、本書内の調べものがスムーズに行えます（本文と索引を行き来するためにページをめくらなくてすみます）。

目次

第6章　文字列　　　　　　　　　　　　　　　　　　　　133

第7章　リスト　　　　　　　　　　　　　　　　　　　　163

第8章　タプルと辞書と集合　　　203

第 12 章　例外処理 341

第 13 章　ファイル処理 355

第1章

Pythonをはじめよう!

さあ、Python の学習を始めましょう。本章では、Python の特徴などを理解するとともに、Python の基礎を学習します。

- Python とは
- Python プログラムの実行
- インタラクティブシェル（基本対話モード）
- 演算子とオペランド
- 単項演算子と 2 項演算子
- 基本的な算術演算子
- 演算子の優先度
- 型と type 関数
- 数値型
- 整数型（int 型）／浮動小数点数型（float 型）／複素数型（complex 型）
- 数値リテラル
- 整数リテラル（2 進／8 進／10 進／16 進）と浮動小数点数リテラル
- 文字列型（str 型）
- 文字列リテラルと原文字列リテラル
- エスケープシーケンス
- 変数
- 代入文
- \ による行の継続
- Python の哲学（The Zen of Python）

1-1 Python とは

さあ、Python の学習を始めましょう。まずは、Python の特徴や、歴史的変遷などを学習していきます。

■ Python について

コンピュータが処理を行う際は、何らかの**プログラム**が動いています。そのプログラムは、**コンピュータを動作させるための命令**で構成されています。

プログラムの記述のために使うのが、**プログラミング言語**（programming language）と呼ばれる人工言語です。

これから学習する Python は、オランダ出身のグイド・ヴァン・ロッサム（Guido van Rossum）氏が開発したプログラミング言語です。

> ▶ Python の名前は、イギリスの BBC が製作したコメディ番組『**空飛ぶモンティ・パイソン**（Monty Python's Flying Circus）』に由来します。ただし、英語の名詞 python は、『ニシキヘビ』のことであり、Python のロゴマークはヘビの絵です（**Fig.1-1**）。

Python の開発・維持は、**Python ソフトウェア財団**（Python Software Foundation）で行われています。私たちが、Python の情報を得るための定番ともいえるのが、次の三つのサイトです。

Ⓐ **Python の基本的な情報：Python ソフトウェア財団**

`https://www.python.org/`

Python のダウンロードなどは、このページから行います。

Ⓑ **日本語の情報：Python Japan（日本の Python 情報サイト）**

`https://www.python.jp/`

日本語での情報発信が行われています。

Ⓒ **日本語のドキュメント（Python Ver.3）**

`https://docs.python.org/ja/3/`

チュートリアル（入門）、言語リファレンス、ライブラリーリファレンス、FAQ（よくある質問と、その回答）など、Ⓐの多くのドキュメント類が日本語に翻訳されて公開されています。

> ▶ もともとⒷのサイトの一部として公開されていましたが、現在はⒶのサイトの一部となっています。

Fig.1-1　Python のロゴマーク

☐ Python の特徴

プログラミング言語の一つである Python の特徴を眺めていきましょう（専門用語を使って解説していますので、現時点では理解できない箇所があっても構いません）。

▪ フリーのオープンソースソフトウェアである

Python は、**無料**で使えます。しかも、その**ソース**までもが公開されています（Python 自体が、どのように作られているのかが公開されています）。そのため、Python を使ってプログラムを作るだけでなく、Python 自身の中身を調べたり学習したりすることも可能です。

▪ マルチプラットフォームである

MS–Windows、macOS、Linux など、多くの環境で動作します。

▪ 各種ドキュメントが豊富

チュートリアルを含むドキュメントがインターネット上で公開されています。

▪ 幅広い分野に適用できる汎用言語である

すべてのプログラミング言語が、あるゆる分野に適用できるわけではありません。数値計算が得意な言語、事務処理やデータベースが得意な言語、といった具合で、言語ごとに得意分野があります。

その意味で、Python は、オールラウンドプレーヤー的な存在です。

機械学習、ディープラーニングなどの AI（人工知能）分野、データ解析、科学技術計算、Web アプリケーション、GUI（graphical user interface）など、極めて多くの分野を得意としています。

しかも、他の言語で開発したプログラムとの組合せが容易な "グルー言語（接着剤のような言語という意味です）" としての性格をもちますので、Python が不得意な分野では、それを得意とする言語で作ったプログラムと組み合わせて開発する、といったことが可能です。

なお、教育の現場でも、学習すべきプログラミング言語としての採用が増えつつあります。

▪ 多くのプログラミングパラダイムに対応している

プログラムには、その根本となる思想・発想法・開発法を表す各種の**パラダイム**があります。

Python は、**命令型プログラミング**、**手続き型プログラミング**、**関数型プログラミング**、**オブジェクト指向プログラミング**といった、複数のプログラミングパラダイムに対応します。すなわち、極めて、懐が深い言語です。

Python を学習すれば、複数のプログラミングパラダイムに精通できます。また、作成者が得意とするプログラミング技術や、作成するプログラムの性格などに応じて、採用するプログラミングパラダイム（や、その比率）を自由に変えることができます。

▪ スクリプト言語である

　スクリプト言語とは、プログラムの作成・実行・テストなどが行いやすい、比較的小規模な体系をもつプログラミング言語です。Python には、次のような特徴があります。

　　・**記述性が高い**：他の言語よりも数割ほど短く記述できる。
　　・**可読性が高い**：プログラムが読みやすい。
　　・**インタプリタ形式である**：プログラムを対話的に１行ずつ実行でき、試行錯誤しやすい。

▪ ライブラリが豊富

　多くのプログラミング言語がそうなのですが、プログラミング言語自体で行えることは限られています。グラフィック、ネットワークといった処理は、ライブラリ（処理を行うための**部品**が集められたもの）に任せます。

　Python は、急速な普及とともに、幅広い分野のライブラリが充実しています。

▪ プログラムの実行が高速ではない

　インタプリタ形式であること（さらに、**動的な型付け言語**であることなど、いろいろな理由によって）Python のプログラムは、決して高速には動作しません。

　ただし、「高速な技術計算のライブラリを利用する」といった感じで、処理の主要部分を高速なライブラリなどに委ねることで、それなりの速度でプログラムを実行できます。

▪ 習得は決して容易ではない

　Python は習得が容易、と宣伝されますが、そうではありません。記述性が高いことを裏返すと、短い記述の中に、多くの深い意図が潜んでいるわけです。また、Python には、いわゆる（習得が難しいといわれる）「ポインタ」は表面的にはありませんが、その内部はポインタ（参照）だらけです。

　学習においては、一つ一つの式や文の意味を正しく理解していく必要があります。

◻ Python のバージョンについて ────────────

　Python はバージョンアップを重ね続けています。そのバージョン番号は、A.B あるいは A.B.C 形式で表されています。A はメジャーバージョン番号、B はマイナーバージョン番号です。末尾の C は、小変更やバグフィックスのときに上げられる番号です。

　0.9 は 1991 年、1.0 は 1994 年、2.0 は 2000 年、3.0 は 2008 年に発表されました。

　Python が大きな注目を浴びたのは、２系からであって、数多くのライブラリが作成されました。３系は、言語レベルで大きな変化が施されました。２系と３系は、互換性に欠けており、２系で作成したプログラムの大部分は、そのままでは３系では動作しません。

　本書で学習するのは、Python 3.11 です。

Pythonプログラムの実行

　Pythonでプログラムを作るためには、コンピュータにPythonをインストールする必要があります。p.377から始まる『付録』を読んでインストールを行いましょう。

　なお、『付録』でも学習するよう、Pythonプログラムの実行方法には、主として次の3種類があります。

インタラクティブシェル（基本対話モード）

　プログラムを1行ずつ実行します（**Fig.1-2 a**）。本章では、この方法のみを使います。

統合開発環境での実行

　IDLE（integrated development environment）と呼ばれる統合開発環境（図**b**）を使って実行します。

pythonコマンドによる実行

　OSのシェル上で、**python**コマンドに対して、保存ずみのプログラムをパラメータとして与えて実行します。

a インタラクティブシェル（基本対話モード）

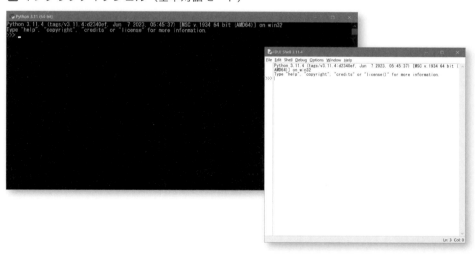

b 統合開発環境（IDLE）

Fig.1-2　Pythonプログラムの実行

　なお、サードパーティーから提供される統合開発環境を使う方法や、コンパイルと呼ばれる作業を行うことで、高速にプログラムを実行する方法などもあります。

1-2　Python の基本

　　本節では、インタラクティブシェル（基本対話モード）を利用して Python に慣れるとともに、基本的なことがらを学習します。

☐ インタラクティブシェル（基本対話モード）

　Python プログラムの実行方法に、いくつかの種類があることが分かりました。さっそく、基本対話モードとも呼ばれるインタラクティブシェルを使っていきましょう。

☐ インタラクティブシェル（基本対話モード）の起動と終了

　まずは、**python** コマンドによって、インタラクティブシェルを起動します。

▶　起動の方法は、OS のバージョンや Python のバージョンなどに依存します。次に示す手続きは、一例です。

- MS–Windows　：Powershell あるいはコマンドプロンプト上で **python** と入力します。
　　　　　　　　　スタートメニューから、次のようにたどっていくことによっても起動できます。
　　　　　　　　　［スタートメニュー］－［Python 3.11］－［Python 3.11 (64bit)］
- Linux　　　　　：シェルのプロンプトで **python** と入力します。
- macOS　　　　：ターミナルで **python3** と入力します。

　起動すると、右向き不等号が 3 個並んだ **>>>** が基本プロンプト（primary prompt）として表示されます。

▶　**>>>** の後ろに 1 個のスペースが表示されます。

　プロンプトの後ろには、いろいろなコマンドが入力できます。

　まずは、**copyright** と入力しましょう。そうすると、著作権情報が表示されます。

例 1-1　インタラクティブシェル（基本対話モード）における著作権情報の表示

```
Python 3.11.4 (tags/v3.11.4:d2340ef, Jun  7 2023, 05:45:37)
Type "help", "copyright", "credits" or "license" for more information.
>>> copyright⏎
Copyright (c) 2001-2023 Python Software Foundation.
All Rights Reserved.

Copyright (c) 2000 BeOpen.com.
All Rights Reserved.

Copyright (c) 1995-2001 Corporation for National Research Initiatives.
All Rights Reserved.

Copyright (c) 1991-1995 Stichting Mathematisch Centrum, Amsterdam.
All Rights Reserved.
>>>
```

▶　赤い文字が、みなさんが打ち込む箇所です。また、水色の文字は、Python のシェルによって表示される箇所です。なお、表示される内容は、Python のバージョンなどによって異なります。

インタラクティブシェルを本格的に使っていく前に、次のことを理解しておきましょう。

▪ 終了方法

複数の終了方法が用意されています。

▫ quit 関数／exit 関数による終了

quit() あるいは exit() と入力します。まずは、quit() を試します。

例1-2　インタラクティブシェルの終了（その1：quit関数）

```
>>> quit()⏎
```

インタラクティブシェルが終了しました。もう一度起動して、exit() を打ち込みましょう。

例1-3　インタラクティブシェルの終了（その2：exit関数）

```
>>> exit()⏎
```

▶　関数という専門用語が登場しました。関数や ( ) の意味などについては、今後少しずつ学習していきます。

▫ キー操作による強制的な終了

強制的に終了する場合は、次のキー操作を行います。

- ▪ MS–Windows　　　　：［Control］キーを押しながら［Z］キーを押して、それから［Enter］キーを押す。

- ▪ macOS や Linux など　：［Control］キーを押しながら［D］キーを押します。

この方法は、実行中のプログラムが終了しなくなったときなどに行う、最終手段です。

▶　［Control］＋［Z］や、［Control］＋［D］は、ファイル終端文字と呼ばれます。

▪ コマンドの履歴を呼び出す

既に打ち込んだコマンドと、同一あるいは類似したコマンドを打ち込むときに、最初から打ち込み直していては手間がかかります。

［↑］、［↓］、［Page Up］、［Page Down］などのキーを使用すると、それまでに入力したコマンドが順に出てきます。

過去に打ち込んだものと同じコマンドを打ち込むのであれば、そのまま［Enter］キーを押します。また、少しだけ書きかえるのであれば、カーソルを［←］と［→］で移動して必要な修正や変更などを行った上で、［Enter］キーを押します。

重要	同一あるいは類似したコマンドを打ち込む際は、過去に打ち込みずみのものを取り出した上で修正・変更するとよい。

演算子とオペランド

それでは、インタラクティブシェルを"電卓代わり"に使って、Python に慣れていきます。まずは《四則演算》です。計算式を打ち込むと、演算結果が表示されます。

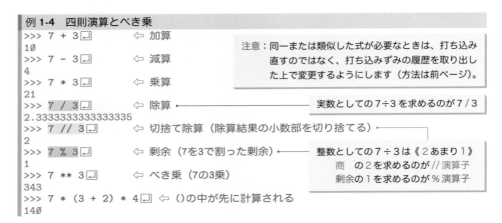

```
例 1-4   四則演算とべき乗
>>> 7 + 3 ⏎          ⇦ 加算
10
>>> 7 - 3 ⏎          ⇦ 減算
4
>>> 7 * 3 ⏎          ⇦ 乗算
21
>>> 7 / 3 ⏎          ⇦ 除算
2.3333333333333335
>>> 7 // 3 ⏎         ⇦ 切捨て除算（除算結果の小数部を切り捨てる）
2
>>> 7 % 3 ⏎          ⇦ 剰余（7を3で割った剰余）
1
>>> 7 ** 3 ⏎         ⇦ べき乗（7の3乗）
343
>>> 7 * (3 + 2) * 4 ⏎  ⇦ ()の中が先に計算される
140
```

注意：同一または類似した式が必要なときは、打ち込み直すのではなく、打ち込みずみの履歴を取り出した上で変更するようにします（方法は前ページ）。

実数としての 7÷3 を求めるのが 7 / 3

整数としての 7÷3 は《2 あまり 1》
商　の 2 を求めるのが // 演算子
剰余の 1 を求めるのが % 演算子

▶ 緑色の文字は、補足解説です（打ち込んだり表示されたりするのではありません）。
　　式を打ち込むだけで演算結果が表示される理由は、p.18 で学習します。

プロンプトの直後（7 の前）にスペースを打ち込んではいけません。ただし、7 と + のあいだ、+ と 3 のあいだ、3 と ⏎ のあいだはスペースがあっても（なくても）構いません。

▶ その理由は、3–4 節で学習します。また、7 / 3 の演算結果の末尾の桁が 3 ではなくて 5 となる
　　理由は第 5 章で学習します。

演算子とオペランド

さて、演算を行うための + や - などの記号は演算子（operator）と呼ばれ、7 や 3 といった演算の対象はオペランド（operand）と呼ばれます（**Fig.1-3**）。

加減算の演算子 + と - は、日常の計算と同じ記号ですが、乗除算の演算子は違います。乗算は×ではなく＊で、除算は÷ではなく / です。また、演算結果の小数部を切り捨てる除算は // で、剰余（あまり）を求める演算は % です（右ページの **Table 1-1**）。

四則演算の他に、《べき乗》を求める ** 演算子も使えます。

▶ 7 ** 3 は、7 * 7 * 7 を求めます。なお、二つの ＊ のあいだにスペースを入れてはいけません。

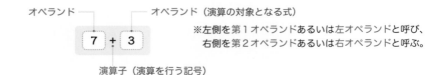

オペランド　　　　　オペランド（演算の対象となる式）

※左側を第 1 オペランドあるいは左オペランドと呼び、
　右側を第 2 オペランドあるいは右オペランドと呼ぶ。

演算子（演算を行う記号）

Fig.1-3　演算子とオペランド

Table 1-1　基本的な算術演算子

x ** y	べき乗演算子	x を y 乗した値を生成。	右結合演算子
+x	単項 + 演算子	x そのものの値を生成。	
-x	単項 - 演算子	x の符号を反転した値を生成。	
x * y	乗算演算子	x に y を乗じた値を生成。	
x / y	除算演算子	x を y で除した値を生成（演算は実数で行われる）。	
x // y	切捨て除算演算子	x を y で除した値を生成（小数部を切り捨てて整数値を生成）。	
x % y	剰余演算子	x を y で除したときの剰余（あまり）を生成。	
x + y	加算演算子	x に y を加えた値を生成。	
x - y	減算演算子	x から y を減じた値を生成。	

さて、最後に計算した 7 * (3 + 2) * 4 の ( ) を省略すると、7 * 3 と 2 * 4 が加算されて、演算結果は 29 となります。すなわち、次の点も、日常の算術演算と同じです。

- 四則演算は左から右へと行われるのが基本。
- 乗除算は、加減算よりも優先される（演算子の優先度が高い）。
- 先に行うべき演算は ( ) で囲む。

( ) は**入れ子**にできます。たとえば、7 * ((3 + 5) % 2) といった具合です。なお、入れ子にすることを、"**ネストする**" といいます。

▶ 演算が左側から順に行われる演算子は、左結合です（べき乗 ** は例外的に右結合です）。演算子の結合規則については、p.77 で学習します。

演算子の優先度

利用した演算子は、オペランドが 2 個の 2 項演算子（binary operator）でした。2 項演算子の他に、オペランドが 3 個の 3 項演算子（trinary operator）と、オペランドが 1 個だけの単項演算子（unary operator）があります。

それでは、日常の計算でもおなじみの単項演算子 + と - を使ってみましょう。

```
例 1-5　2 項演算子と単項演算子
>>> 7*+3 ⏎            ⇦ 7 * (+3) のこと：7 と (+3) の積を求める
21
>>> 7*-3 ⏎            ⇦ 7 * (-3) のこと：7 と (-3) の積を求める
-21
```

この例から、次のことが分かります。

- 単項 + 演算子と単項 - 演算子は、乗除演算子よりも優先して演算が行われる。

インタラクティブシェルを電卓代わりに使いながら、9 個の演算子を学習しました。

これらの演算子は、優先度としては 4 種類に分かれます。**Table 1-1** は、優先度が高いほうから順に並んでいます（優先度ごとに色分けしています）。

数値型と数値リテラル

例 1-4 で《整数どうしの算術演算》を行いましたが、演算子 / による演算結果のみが小数部をもつ実数となっていて、他の演算結果は、すべて整数でした。

数値型

数値を表す方法は、プログラミング言語によって異なります。

数値や文字などを表す種類や方法は型（type）と呼ばれます。Python では、数値を表す型として、次に示す3種類の数値型が提供されます。

- int 型　　　整数を表す整数型（integer type）です。
- float 型　　実数を表す浮動小数点数型（floating type）です。
- complex 型　複素数を表す複素数型（complex type）です。

> ▶ 他の多くのプログラミング言語では、int 型で表せる数値は有限であり、『-2,147,483,648 から 2,147,483,647 までの範囲に収まらねばならない』といったような制限がありますが、そのような制限は、Python にはありません。
>
> また、float 型は、C言語やJava言語の（float 型ではなく）double 型に相当します（Python には double 型はありません）。

整数型と浮動小数点数型が混在した演算を行いましょう。

```
例 1-6　整数と浮動小数点数の演算
>>> 7 + 3 ⏎        ⇦ int   + int   の演算結果はint
10
>>> 7.0 + 3 ⏎      ⇦ float + int   の演算結果はfloat
10.0
>>> 7 + 3.0 ⏎      ⇦ int   + float の演算結果はfloat
10.0
>>> 7.0 + 3.0 ⏎    ⇦ float + float の演算結果はfloat
10.0
```

この結果のみ int 型

int 型どうしの加算結果は int 型ですが、それ以外の加算結果は float 型です。このように、演算結果の型は、オペランドの型によって変わります（詳細は第5章で学習します）。

数値リテラル（整数リテラルと浮動小数点数リテラル）

さて、7 や 3.0 などの数値を表す表記は数値リテラル（numeric literal）と呼ばれます。

数値リテラルには2種類があり、整数の 7 は整数リテラル（integer literal）で、実数の 3.0 は浮動小数点数リテラル（floating point literal）です。

> ▶ リテラルは、『文字どおりの』『文字で表された』という意味です。

整数リテラルは、10 進数だけでなく、2進数、8進数、16 進数でも表記できます。

> ▶ 一般に、n 進数は、n を基数とする数です（Column 1-2：p.24）。

各基数のリテラルは、次のように表記します。1Ø進以外は"前置き"が必要です。

- 2進リテラル … 前置きは **Øb**。使う数字は **Ø ～ 1** の2個。
- 8進リテラル … 前置きは **Øo**。使う数字は **Ø ～ 7** の8個。
- 1Ø進リテラル … 　　　　　使う数字は **Ø ～ 9** の1Ø個。
- 16進リテラル … 前置きは **Øx**。使う文字は **Ø ～ 9** と **a ～ f**（**A ～ F** もOK）の16個。

▶ 2進、8進、16進リテラルの前置きは、b と o と x を大文字にした **ØB**、**ØO**、**ØX** も OK です（ただし、8進数の **ØO** は、見分けにくいゼロ **Ø** とオー **O** が連続するため、利用はお薦めしません）。

各基数の整数リテラルを打ち込んで、確かめましょう。

```
例 1-7　2進／8進／1Ø進／16進リテラル
>>> Øb1Ø⏎          ⇦ 2進数の10（1Ø進数の2）
2
>>> Øo1Ø⏎          ⇦ 8進数の10（1Ø進数の8）
8
>>> 1Ø⏎            ⇦ 1Ø進数の10
1Ø
>>> Øx1Ø⏎          ⇦ 16進数の10（1Ø進数の16）
16
>>> Ø1Ø⏎          ⬅ 1Ø進数の10とはみなされない    ┌──────────────────┐
  File "<stdin>", line 1                           │ 1Ø進リテラルの前に Ø を │
    Ø1Ø                                            │ 置くとエラーになる      │
      ^                                            └──────────────────┘
SyntaxError: leading zeros in decimal integer literals are not permitted;
use an Øo prefix for octal integers
```

最後の **Ø1Ø** ではエラーが発生しています。**Øb** や **Øx** で使われる **Ø** は前置き用の文字なので、1Ø進リテラルの先頭を **Ø** とすることはできません（ただし、ただの **Ø** は OK です）。

▶ ここで発生している**構文エラー**（syntax error）については、第3章で学習します。

この例から、次のことが分かります。

- 演算を行わずに、数値リテラルのみを打ち込んでも、その値が表示される。
- 整数値は1Ø進数で表示される。

数値リテラルには、途中の好きな箇所に下線 _ を入れてよいことになっています（実質的に無視されます）。桁数の多い数値を読みやすく表記したいときに便利です。

```
例 1-8　整数リテラルに下線を含める
>>> 38_239_521_489_247⏎      ⇦ 1Ø進数の38,239,521,489,247
38239521489247
```

浮動小数点数リテラルは、整数部と小数部の一方を省略できます。また、1Ø の指数表記を末尾に付加できます。次に示すのが、一例です。

```
6.52   1Ø.   .ØØ1   1e5   3.14e-7   3.141_592_653_5
```

▶ e5 は 10^5 を表し、e-7 は 10^{-7} を表します。

文字列リテラルとエスケープシーケンス

ここまでは《数値》を扱ってきました。次は、《文字》を扱うことにします。早速、打ち込んで試しましょう。

例 1-9　文字の並び（エラー）
```
>>> Fukuoka⏎
Traceback (most recent call last):
  File "<stdin>", line 1, in <module>
NameError: name 'Fukuoka' is not defined
```
> 単なる文字の並びは文字列ではない

残念ながら、エラーが発生しました。というのも、ここで打ち込んだ **Fukuoka** は、文字の並びではなく、《名前》として認識されるからです。

> ▶　エラーメッセージの最後の行を直訳すると、次のようになります。
> 　　名前エラー：**'Fukuoka'** という名前は定義されていません。

その《名前》が、いったい何の名前なのかは後回しにして、文字の学習を進めます。

文字列リテラル

文字の並びは文字列（string）と呼ばれ、その綴りを表記するのが文字列リテラル（string literal）です。

文字列リテラルでは、単一引用符 **'** で文字の並びを囲んで、**'A'** や **'Fukuoka'** と表記します。確かめましょう。

例 1-10　文字列リテラルと加算／乗算
```
>>> 'A'⏎                         ⇦ 1 個の文字で構成される文字列
'A'
>>> 'Fukuoka'⏎                   ⇦ 7 個の文字で構成される文字列
'Fukuoka'
>>> '福岡'⏎                      ⇦ 2 個の文字で構成される文字列
'福岡'
>>> '福' + '岡' + '市'⏎          ⇦ 演算子+によって文字列を連結
'福岡市'
>>> '福岡' * 3⏎                  ⇦ 演算子*によって文字列を繰り返す（3回）
'福岡福岡福岡'
>>> 3 * '福岡' + 'です。'⏎       ⇦ 演算子*による繰返しと演算子+による連結
'福岡福岡福岡です。'
>>> 3 * '福岡' * 2⏎              ⇦ 演算子*によって文字列を繰り返す（6回）
'福岡福岡福岡福岡福岡福岡'
>>> ''⏎                          ⇦ 空の文字列（0 個の文字で構成される文字列）
''
```

後半の対話例から、次のことが分かります。

- "文字列 ＋ 文字列" の演算によって、連結した文字列が得られる。
- 文字列と整数を＊で掛けあわせると、その回数だけ繰り返された文字列が得られる。
  - ※注意：文字列どうしを＊演算子で掛けあわせることはできない。
- 文字列を構成する文字は 0 個でもよい（空の文字列）。

　数値と文字列は、性質がまったく異なります。文字列リテラルの型は、**int** 型や **float** 型ではなく、文字列を表す **str** 型です。

　それでは、文字列と数値の違いを確認します。

例 1-11　文字列どうしの加算と文字列と整数の加算

```
>>> '12' + '34'⏎        ⇦ 文字列の加算（連結）：46ではない
'1234'
>>> 'Python' + 3⏎       ⬅ 'Python3'ではない（'Python' + '3'であれば'Python3'）
Traceback (most recent call last):
  File "<stdin>", line 1, in <module>
TypeError: can only concatenate str (not "int") to str
```

　"文字列 + 数値" の演算は行えないことが分かりました。

エスケープシーケンス

　単一引用符 **'** は、文字列リテラルの開始と終了を表すための特別な文字ですから、たとえば **'This isn't a pen.'** といった表記は行えません。

　文字列リテラルの途中に置く文字 **'** は2個の文字 **\'** で表記します（見かけは2文字ですが、表すのは1文字です）。正しい表記は **'This isn\'t a pen.'** です。

> ✕ **'This isn't a pen.'**　　　○ **'This isn\'t a pen.'**

　逆斜線記号 **** を先頭にした複数個の文字で、（通常の文字として表記が不可能あるいは困難な）単一の文字を表す表記法が、**エスケープシーケンス**（escape sequence）です。

　Table 1-2 に示すのが、その一覧です。

　▶　注意：日本語版の MS-Windows では、逆斜線 \ の代わりに円記号 ¥ を使います（p.21）。

Table 1-2　エスケープシーケンス

\a	警報（alert）	聴覚的または視覚的な警報を発する。	
\b	後退（backspace）	表示位置を直前の位置へ移動する。	
\f	書式送り（form feed）	改ページして、次のページの先頭へ移動する。	
\n	改行（new line）	改行して、次の行の先頭へ移動する。	
\r	復帰（carriage return）	現在の行の先頭位置へ移動する。	
\t	水平タブ（horizontal tab）	次の水平タブ位置へ移動する。	
\v	垂直タブ（vertical tab）	次の垂直タブ位置へ移動する。	
\\	逆斜線文字 \		
\?	疑問符 ?		
\'	単一引用符 '		
\"	二重引用符 "		
\newline	バックスラッシュと改行文字を無視する（newline は改行文字）。		p.20
\ooo	ooo は1〜3桁の8進数	8進数で ooo の値をもつ文字。	
\xhh	hh は2桁の16進数	16進数で hh の値をもつ文字。	

文字列リテラルの表記方法

単一引用符 ' 1個だけの文字列リテラルは、文字列リテラル開始の ' と、単一引用符を表す \' と、文字列リテラル終了の ' を合わせた4文字で表します。確かめましょう。

```
例 1-12   単一引用符
>>> '\''⏎        ⇦ 単一引用符1個の文字のみで構成される文字列
"'"
```

これまでとは違って、文字列を囲む記号が、単一引用符 ' ではなく、二重引用符 " で表示されました。

実は、文字列リテラルの表記方法には、次の4種類があります。

- **単一引用符 ' で囲む**　　　　　　　　　　　　　　　　　例 'String'

  二重引用符 " をそのまま表記できる。単一引用符は \' で表記する。

- **二重引用符 " で囲む**　　　　　　　　　　　　　　　　　例 "String"

  単一引用符 ' をそのまま表記できる。二重引用符は \" で表記する。

- **3個の単一引用符 ''' で囲む**　　　　　　　　　　　　　例 '''String'''

  二重引用符 " をそのまま表記でき、改行文字を含めることができる。

- **3個の二重引用符 """ で囲む**　　　　　　　　　　　　例 """String"""

  単一引用符 ' をそのまま表記でき、改行文字を含めることができる。

引用符や改行文字を含まない限り、どれも同じように使えます。確認しましょう。

```
例 1-13   4種類の文字列リテラル
>>> 'String'⏎                              文字列を囲む記号は4種類
'String'
>>> "String"⏎
'String'
>>> '''String'''⏎
'String'
>>> """String"""⏎
'String'
```

インタラクティブシェルが表示する結果は、すべて単一引用符 ' で囲まれていて、すべての場合で 'String' と表示されました。

それでは、文字列リテラル内に引用符や改行を入れてみましょう。

```
例 1-14   引用符／改行を含む文字列リテラル
>>> 'それは"ABC"です。'⏎
'それは"ABC"です。'
>>> "文字列\"ABC\"を構成するのは'A'と'B'と'C'です。"⏎
'文字列"ABC"を構成するのは\'A\'と\'B\'と\'C\'です。'
>>> '''途中で⏎
... 改行⏎
... できます。'''⏎
'途中で\n改行\nできます。'
```

注意：''' あるいは """ の記述の途中で改行を行うと、基本プロンプト >>> ではなく、補助プロンプト (secondary prompt) と呼ばれる ... が表示されます。

さて、これまでの対話から、インタラクティブシェルでは、文字列リテラルの内容が次のように表示されることが分かります。

- 基本的には `''` で囲んで表示される。
- 文字列内に単一引用符が含まれていれば、文字列全体が `""` で囲んで表示される。
- 改行文字と単一引用符は、エスケープシーケンス `\n` と `\'` として表示される。

文字列リテラルには複数の記述法がありますが、シェル上で打ち込む際や、プログラムを書く際は、なるべく統一すべきです。

▶ 本書では `''` で囲みます（ただし、単一引用符を含むときは `""` で囲みます）。

さて、`'''` 形式と `"""` 形式は、改行文字を含む文字列リテラルを表すとき以外は、使い道がないように感じられるかもしれません。しかし、そうではありません。

プログラム中に埋め込んだ記述をもとに、プログラムのドキュメント（マニュアルのようなもの）を生成する機能があります。`"""` 形式の文字列リテラルは、その記述で使います。

▶ `"""` 形式の文字列リテラルについては、第 9 章で学習します。

隣接した文字列リテラルの連結

スペース、タブ、改行などの空白文字をはさんで並べられた文字列リテラルは、連続して記述されたものとみなされます。

たとえば、`'ABC'` `'DEF'` は連結されて、`'ABCDEF'` とみなされます。確認しましょう。

例 1-15　空白をはさんで隣接した文字列リテラル（字句上の連結）
```
>>> 'ABC'    'DEF' ⏎
'ABCDEF'
```

連結された `'ABCDEF'` が表示されます。

▶ あくまでも字句上の連結であって、演算による連結（例：`'ABC'` + `'DEF'`）とは異なります。

原文字列リテラル

`r` もしくは `R` の"前置き"付きの文字列リテラルは、原文字列リテラル（raw string literal）と呼ばれ、その中に置かれたエスケープシーケンスが綴りどおりに解釈されます。

次に示すのが、文字列リテラルと原文字列リテラルの表記の違いの具体例です。

> 例　逆斜線文字 \ が 4 個連続する文字列を表記するための文字列リテラル
>
> 　　文字列リテラル　　　`'\\\\\\\\'`　　　※ エスケープシーケンス `\\` が 4 個
>
> 　　原文字列リテラル　`r'\\\\'`　　　※ 逆斜線文字 \ が 4 個

▶ raw は、『生の』『未加工の』という意味であり、原文字列リテラルは、『生文字列リテラル』とも呼ばれます。

☐ 変数と型

引用符で囲まれていない **Fukuoka** は、文字列リテラルではなくて名前でした（p.12）。

何の名前かというと、ずばり変数（variable）の名前です。変数については、次章以降で詳しく学習しますので、まずは次のように理解しておきます。

> **重要** 変数とは、整数や浮動小数点数や文字列などの値を格納するための《箱》のようなものであり、いったん値を入れておけば、いつでも取り出せる。

▶ なお、この理解は不正確であって、のちのち完全に覆（くつがえ）されます（主として第 5 章で学習します）。

それでは、実際に確かめましょう。

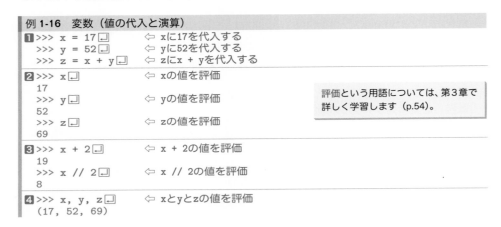

例 1-16　変数（値の代入と演算）	
1 >>> x = 17 ⏎	⇦ xに17を代入する
>>> y = 52 ⏎	⇦ yに52を代入する
>>> z = x + y ⏎	⇦ zにx + yを代入する
2 >>> x ⏎	⇦ xの値を評価
17	
>>> y ⏎	⇦ yの値を評価
52	
>>> z ⏎	⇦ zの値を評価
69	
3 >>> x + 2 ⏎	⇦ x + 2の値を評価
19	
>>> x // 2 ⏎	⇦ x // 2の値を評価
8	
4 >>> x, y, z ⏎	⇦ xとyとzの値を評価
(17, 52, 69)	

> 評価という用語については、第3章で詳しく学習します（p.54）。

1 = は代入を指示する記号です（数学のように "**x** と **17** が等しい" といっているのではありません）。ここでは、変数 **x** と **y** と **z** に値を代入しています。

2 インタラクティブシェル上で変数名だけを打ち込むと、その変数の値が表示されます。

3 算術演算を行うと、その演算結果が表示されます。

4 コンマ , で区切って複数の式を打ち込むと、対応する各値が、（ ）の中にコンマで区切られて表示されます。とても便利な方法です。

単独で **Fukuoka** と打ち込んだ例 **1-9**（p.12）では、名前が定義されていないというエラーが発生しました。ところが、今回の "**x = 17**" ではエラーは発生しません。というのも、

> **重要** 初めて使う名前の変数に値を代入すると、その名前の変数が自動的に用意される。

からです。三つの変数 **x** と **y** と **z** は、整数値が代入されていますので、自動的に **int** 型として用意されます。

ところが、変数の型は固定されておらず、いつでも変更できます。確認しましょう。

例 1-17 変数の型を変化させる

```
>>> x = 17 ⏎        ⇦ xにint型の整数値17を代入
>>> x ⏎             ⇦ xの値を評価
17
>>> x = 3.14 ⏎      ⇦ xにfloat型の浮動小数点数値3.14を代入
>>> x ⏎             ⇦ xの値を評価
3.14
>>> x = 'ABC' ⏎     ⇦ xにstr型の文字列'ABC'を代入
>>> x ⏎             ⇦ xの値を評価
'ABC'
```

変数の型を変化させて《値》を確認

変数 x は、《整数の int 型 ⇨ 浮動小数点数の float 型 ⇨ 文字列の str 型》と、変身し続けています。

type 関数による型の調査

実は、型は簡単に確認できます。type(式)とすると、( )で囲まれた式の型が得られます。それでは確認しましょう。

例 1-18 変数の型の確認

```
>>> x = 17 ⏎
>>> type(x) ⏎
<class 'int'>
>>> x = 3.14 ⏎
>>> type(x) ⏎
<class 'float'>
>>> x = 'ABC' ⏎
>>> type(x) ⏎
<class 'str'>
```

変数の型を変化させて《型》を確認

変数 x の型が、次々と変身していく様子が確認できました。

なお、type() は、リテラルに対しても適用できます。確認しましょう。

例 1-19 リテラルの型の確認

```
>>> type(5) ⏎
<class 'int'>
>>> type(5.5) ⏎
<class 'float'>
>>> type('ABC') ⏎
<class 'str'>
```

リテラルの《型》を確認

ここまでの変数名は、単純な1文字の名前でした。どんな名前でもよいわけではありません。命名の大雑把な規則は次のとおりです（詳細は p.77 で学習します）。

- 使える文字は、アルファベットと数字と下線。
- アルファベットの大文字と小文字は区別される。
- 数字を先頭文字にすることはできない。

たとえば、次のような名前が利用できます。

```
a    abc    point    point_3d    a1    x2
```

式と文

次は、代入と加算を比べます。次のように打ち込みましょう。

```
例 1-20   代入と加算
>>> x = 17 ⏎        ⇦ xに17を代入する
>>> x + 17 ⏎        ⇦ xに17を加えた値
34
```

最初の "x = 17" では何も表示されませんが、続く "x + 17" では演算結果の値が表示されます。次のような決定的な違いがあるからです。

- **x = 17 は、文（statement）である。**　　※ 式ではない文である。
- **x + 17 は、式（expression）である。**　　※ 式であって文でもある（p.52）。

式を打ち込むと、その値が表示されるのですが、文を打ち込んでも、その処理（この例では代入の演算）が行われるだけで、値の表示は行われません。

▶ もちろん、表示を命じる文（次章で学習します）を実行すると、表示が行われます。

"x + 17" が式であって、"x = 17" が式でないことの確認は容易です。

```
例 1-21   加算と代入の型を調べる
>>> x = 0 ⏎
>>> type(x + 17) ⏎ ─────────────────────    加算 x + 17 は int 型
<class 'int'>
>>> type(x = 17) ⏎ ─────────────────────    代入 x = 17 には型がない
Traceback (most recent call last):
  File "<stdin>", line 1, in <module>
TypeError: type() takes 1 or 3 arguments
```

式ではない x = 17 は、《型》を調べられないため、エラーとなります。式と文という言葉は、いずれも漢字で 1 文字ですが、奥深いものです。次章以降で少しずつ学習していきます。

代入文

既に学習したとおり、+ は加算の演算子です。その一方で、= は演算子ではありません。

重要　代入を行う記号 = は、演算子ではない。

▶ **Table 3-5**（p.78）に示している全演算子の一覧に = は含まれていません。ただし、演算子ではないにもかかわらず、（慣習上）代入演算子と呼ばれますので、本書もそれにしたがっています。

記号 = を使って代入を行う文は代入文（assignment statement）と呼ばれます。代入文は、極めて（おそらく、みなさんの想像をはるかに超えるくらい）多機能です。

▶ 初めて使う名前の変数に値を代入するだけで自動的に変数が用意される機能を、学習ずみです。

詳細は、少しずつ学習していきます。ここでは、二つの便利な機能を学習します。

複数の変数への同一値の一括代入

複数の変数に対して、同一の値を一括して代入できます。確かめましょう。

```
例 1-22  複数の変数への同一値の一括代入
>>> x = y = 1 ⏎          ⇦ xとyの両方に1を代入する
>>> x ⏎
1
>>> y ⏎
1
```

x と y の二つの変数（が自動的に用意されるととも）に 1 が代入されます。

複数の変数への異なる値の一括代入

複数の変数に対する一括代入は、コンマ , で区切ることで行えます。確かめましょう。

```
例 1-23  複数の変数への異なる値の一括代入
>>> x, y, z = 1, 2, 3 ⏎      ⇦ xとyとzに、それぞれ1と2と3を代入する
>>> x ⏎
1
>>> y ⏎
2
>>> z ⏎
3
```

変数 x と y と z に、それぞれ 1 と 2 と 3 が代入されます。次は、応用例です。

```
例 1-24  複数の変数への一括代入を同時に行う
>>> x = 6 ⏎
>>> y = 2 ⏎
>>> x, y  = y + 2, x + 3 ⏎   ⇦ xにy+2を代入／yにx+3を代入
>>> x ⏎
4
>>> y ⏎
9
```

『x への y + 2 の代入』と『y への x + 3 の代入』とが指示されています。これらの代入
が逐次（順番に）行われるのであれば、次のようになるはずです。

✕ ① x = y + 2 によって、x は 4 に更新される。
    ② y = x + 3 によって、（更新された x の 4 と 3 の和が代入されて）y は 7 になる。

実際は、そうではありません。二つの代入は（論理的に）同時に行われます。すなわち、

○ ▪ x = y + 2 によって、x は 4 になる。
    ▪ y = x + 3 によって、y は 9 になる。

となります（**Column 1-3**：p.28）。

重要 コンマを使った複数の変数に対する一括代入は、論理的に同時に行われる。

▶ コンマを使った複数の変数への代入には、第 8 章で学習するタプルが使われています。

☐ \ による行の継続

　行の終端（改行文字の直前）に \ を置くと、現在の行が、そのまま次の行へと継続します。すなわち、行末の \ は、次の目印となります。

この行は終わっていません。次の行に続いています。

　これは、\ と改行文字が連続したエスケープシーケンスが無視される（**Table 1-2**：p.13）ことをうまく利用したテクニックです。実際に確かめましょう。

例 1-25　行末に\を置くことによる行の継続

```
>>> x \⏎              ⇦ 途中で改行（次行に続く）          x = 17
... = 17⏎             ⇦ 前の行の続き
>>> x⏎
17
>>> x = 5    \⏎       ⇦ 途中で改行（次行に続く）          x = 5 + 3
... + 3 ⏎             ⇦ 前の行の続き
>>> x⏎
8                     ───────────── \ の後ろにスペースを置くとエラーになる
>>> x = \   ⏎
  File "<stdin>", line 1
    x = \
        ^
SyntaxError: unexpected character after line continuation character
```

　最後の例のように、\ と改行文字のあいだにスペースを入れるとエラーとなります。

*

　行末の \ による行の継続は、インタラクティブシェル特有ではありません。次章以降で学習するスクリプトプログラム内でも利用できます。

> **重要**　現在の行の続きを次行にもちこしたいときは、行末に \ を置く。
> すなわち、行の終端の文字が \ となっている行は、次の行に続く。

▶　この他にも、カッコ記号 ( ) による継続などもあります（第 3 章で学習します）。

Column 1-1　　インタラクティブシェルで最後に表示した値

　インタラクティブシェルで最後に表示した値は、下線 1 個の _ という名前の変数に自動的に入れられます。この変数は、計算結果の値を、そのまま次の計算で使う際に有用です。

```
>>> 5 + 3⏎
8
>>> _ * 2⏎            ⇦ 最後に表示した値 * 2
16
>>> 7 + _⏎            ⇦ 7 + 最後に表示した値
23
```

▶　電話のボタンでも使われていて、Python のプログラムでも多用される # は、番号記号であって、横線が右上がりに傾く音楽のシャープ記号♯とは異なる記号文字です。
　ただし、# は、日本ではシャープと勘違いされたまま定着しています。

記号文字の読み方

Pythonで利用する記号文字の読み方を、俗称を含めてまとめたのが **Table 1-3** です。

Table 1-3　記号文字の読み方

記号	読み方
+	プラス符号、正符号、プラス、たす
-	マイナス符号、負符号、ハイフン、マイナス、ひく
*	アステリスク、アスタリスク、アスター、かけ、こめ、ほし
/	スラッシュ、スラ、わる
\	逆斜線、バックスラッシュ、バックスラ、バック　　※JISコードでは¥
¥	円記号、円、円マーク
%	パーセント
.	ピリオド、小数点文字、ドット、てん
,	コンマ、カンマ
:	コロン、ダブルドット
;	セミコロン
'	単一引用符、一重引用符、引用符、シングルクォーテーション
"	二重引用符、ダブルクォーテーション
(	左括弧、開き括弧、左丸括弧、始め丸括弧、左小括弧、始め小括弧、左パーレン
)	右括弧、閉じ括弧、右丸括弧、終り丸括弧、右小括弧、終り小括弧、右パーレン
{	左波括弧、左中括弧、始め中括弧、左ブレイス、左カーリーブラケット、左カール
}	右波括弧、右中括弧、終り中括弧、右ブレイス、右カーリーブラケット、右カール
[	左角括弧、始め角括弧、左大括弧、始め大括弧、左ブラケット
]	右角括弧、終り角括弧、右大括弧、終り大括弧、右ブラケット
<	小なり、左アングル括弧、左向き不等号
>	大なり、右アングル括弧、右向き不等号
?	疑問符、はてな、クエッション、クエスチョン
!	感嘆符、エクスクラメーション、びっくりマーク、びっくり、ノット
&	アンド、アンパサンド
~	チルダ、チルド、なみ、にょろ　　※JISコードでは￣（オーバライン）
￣	オーバライン、上線、アッパライン
^	アクサンシルコンフレックス、ハット、カレット、キャレット
#	番号記号、ナンバー、ハッシュ、スクエア、オクトソープ、ダブルクロス、井桁
_	下線、アンダライン、アンダバー、アンダスコア
=	等号、イクオール、イコール
|	縦線、バーチカルライン

注意!

▶　注意：日本語版のMS–Windowsでは、逆斜線 \ の代わりに円記号 ¥ を使います。たとえば、
改行文字を表すエスケープシーケンス \n は、¥n となります。
　　お使いのシステムが ¥ を使う環境であれば、本書のすべての \ を ¥ と読みかえてください。

Python の哲学

インタラクティブシェルで、次のように打ち込んでみましょう。

例 1-26　import thisの実行によるThe Zen of Pythonの表示

```
>>> import this ⏎
The Zen of Python, by Tim Peters

Beautiful is better than ugly.
Explicit is better than implicit.
Simple is better than complex.
Complex is better than complicated.
Flat is better than nested.
Sparse is better than dense.
Readability counts.
Special cases aren't special enough to break the rules.
Although practicality beats purity.
Errors should never pass silently.
Unless explicitly silenced.
In the face of ambiguity, refuse the temptation to guess.
There should be one-- and preferably only one --obvious way to do it.
Although that way may not be obvious at first unless you're Dutch.
Now is better than never.
Although never is often better than *right* now.
If the implementation is hard to explain, it's a bad idea.
If the implementation is easy to explain, it may be a good idea.
Namespaces are one honking great idea -- let's do more of those!
```

ズラズラズラっと英語の文書が表示されます。これは、Tim Peters 氏によってまとめられた "The Zen of Python" です。Zen は、日本語の禅に由来します。

> ▶ 同じ内容が、PEP 内の下記のサイトに掲載されています。
> https://peps.python.org/pep-0020/
> ※ PEP については、p.84 で学習します。

それでは、ひととおり読んでいきましょう（現時点では理解できなくても構いません）。

- Beautiful is better than ugly.

醜いよりも美しいほうがよい。

- Explicit is better than implicit.

暗示するより明示するほうがよい。

- Simple is better than complex.

複雑であるよりも単純なほうがよい。

- Complex is better than complicated.

複雑すぎるよりも、ただ複雑なほうがよい。

- Flat is better than nested.

ネストしているよりも、しないほうがよい。

- Sparse is better than dense.

　密よりも疎のほうがよい。

- Readability counts.

　可読性（読みやすさ）が大切だ。

- Special cases aren't special enough to break the rules.

　特殊だからといって規則を破る理由にならない。

- Although practicality beats purity.

　とはいえ、実用性は、純粋さに勝る。

- Errors should never pass silently.

　エラーを黙って渡してはならない。

- Unless explicitly silenced.

　とはいえ、わざと隠されているのならば見逃せばよい。

- In the face of ambiguity, refuse the temptation to guess.

　曖昧なものに出会ったときに、その意味を推測してはならない。

- There should be one-- and preferably only one --obvious way to do it.

　何かよい方法があるはずだ。誰にとっても明らかな、唯一の方法が。

- Although that way may not be obvious at first unless you're Dutch.

　オランダ人でない限り、そのような方法が明らかとは思えないだろうけど。

　　▶　"オランダ人" は、Python 開発者の Guido van Rossum 氏がオランダ人であることに由来します。

- Now is better than never.

　いつまでもやらないのではなく、やるのは今でしょ。

- Although never is often better than *right* now.

　とはいえ、今《すぐ》にやるより、やらないほうがよいことも多い。

- If the implementation is hard to explain, it's a bad idea.

　実装を説明するのが難しければ、アイディアが悪い。

- If the implementation is easy to explain, it may be a good idea.

　実装が説明しやすければ、アイディアがよいはずだ。

- Namespaces are one honking great idea -- let's do more of those!

　複数の名前空間の使い分けは、とても優れたアイディアだ。他にもたくさんのアイディアを使おう。

Column 1-2	基数について

　私たちが日常の計算で利用する 10 進数は、「10 を基数とする数」です。

　同様に、2 進数は「2 を基数とする数」であり、8 進数は「8 を基数とする数」であり、16 進数は「16 を基数とする数」です。

　各基数について簡単に学習していきましょう。

・10 進数

　10 進数では、次に示す 10 種類の数字で数を表現します。

　0 1 2 3 4 5 6 7 8 9

　これらを使い切ったら、桁が繰り上がって 10 となります。2 桁の数は、10 から始まって 99 までです。その次は、さらに繰り上がった 100 です。すなわち、次のようになります。

　　1桁　…　0〜　9の　　10種類の数を表す。
　　〜2桁 …　0〜　99の　　100種類の数を表す。
　　〜3桁 …　0〜999の 1,000種類の数を表す。

　10 進数の各桁は、下の桁から順に 10^0、10^1、10^2、… と、10 のべき乗の重みをもちます。そのため、たとえば 1234 は、次のように解釈できます。

　　$1234 = 1×10^3 + 2×10^2 + 3×10^1 + 4×10^0$
　　　　　　※ 10^0 は 1 です（2^0 でも 8^0 でも、とにかく 0 乗の値は 1 です）。

・2進数

　2 進数では、次に示す 2 種類の数字で数を表現します。

　0 1

　これらを使い切ったら、桁が繰り上がって 10 となります。2 桁の数は、10 から始まって 11 までです。その次は、さらに繰り上がった 100 です。すなわち、次のようになります。

　　1桁　…　0〜　1の2種類の数を表す。
　　〜2桁 …　0〜　11の4種類の数を表す。
　　〜3桁 …　0〜111の8種類の数を表す。

　2 進数の各桁は、下の桁から順に 2^0、2^1、2^2、… と、2 のべき乗の重みをもちます。そのため、たとえば 1011 は、次のように解釈できます。

　　$1011 = 1×2^3 + 0×2^2 + 1×2^1 + 1×1^0$

　この値を 10 進数で表すと 11 です。
　※ Python の 2 進整数リテラルの表記では、0b1011 となります。

・8進数

　8 進数では、次に示す 8 種類の数字で数を表現します。

　0 1 2 3 4 5 6 7

　これらを使い切ったら、桁が繰り上がって 10 となり、さらにその次の数は 11 となります。2 桁の数は、10 から始まって 77 までです。これで 2 桁を使い切りますので、その次は 100 です。すなわち、次のようになります。

1桁　…　**0** ～　**7** の　8種類の数を表す。
～2桁　…　**0** ～ **77** の　64種類の数を表す。
～3桁　…　**0** ～ **777** の 512種類の数を表す。

8進数の各桁は、下の桁から順に 8^0、8^1、8^2、… と、8のべき乗の重みをもちます。そのため、たとえば 5316 は、次のように解釈できます。

$$5316 = 5 \times 8^3 + 3 \times 8^2 + 1 \times 8^1 + 6 \times 8^0$$

この値を 10 進数で表すと 2766 です。

※ Python の8進整数リテラルの表記では、**0o5316** となります。

▪ 16 進数

16 進数では、次に示す 16 種類の数字で数を表現します。

0 1 2 3 4 5 6 7 8 9 A B C D E F

先頭から順に、10 進数の **0** ～ **15** に対応します（A ～ F は、小文字の a ～ f でもOKです）。

これらを使い切ったら、桁が繰り上がって **10** となります。2桁の数は、**10** から始まって **FF** までです。その次は、さらに繰り上がった **100** です。

16 進数の各桁は、下の桁から順に 16^0、16^1、16^2、… と、16 のべき乗の重みをもちます。そのため、たとえば 12A3 は、次のように解釈できます。

$$12A3 = 1 \times 16^3 + 2 \times 16^2 + 10 \times 16^1 + 3 \times 16^0$$

この値を 10 進数で表すと 4771 です。

※ Python の 16 進整数リテラルの表記では、**0x12a3** となります。

▪ 2進数と16 進数／8進数の相互変換

Table 1C-1 に示すように、4桁の2進数は、1桁の 16 進数に対応します（すなわち、4桁の2進数で表せる **0000** ～ **1111** は、1桁の 16 進数 **0** ～ **F** です）。

このことを利用すると、2進数から16 進数への基数変換、あるいは16 進数から2進数への基数変換は、容易に行えます。

たとえば、2進数 **0111101010011100** を 16 進数に変換するには、4桁ごとに区切って、それぞれを1桁の 16 進数に置きかえるだけです。

```
0 1 1 1 1 0 1 0 1 0 0 1 1 1 0 0
    7       A       9       C
```

16 進数から2進数への変換では、逆の作業を行います（16 進数の1桁を2進数の4桁に置きかえます）。

2進数と8進数の相互変換も同様です。8進数の1桁が2進数の3桁に対応する（3桁の2進数で表せる **000** ～ **111** は、1桁の8進数 **0** ～ **7** です）ことを利用します。

Table 1C-1　2進数と16進数の対応

2進数	16進数	2進数	16進数
0000	0	1000	8
0001	1	1001	9
0010	2	1010	A
0011	3	1011	B
0100	4	1100	C
0101	5	1101	D
0110	6	1110	E
0111	7	1111	F

まとめ

- 急速に普及している Python は、**命令型プログラミング**、**手続き型プログラミング**、**関数型プログラミング**、**オブジェクト指向プログラミング**といった、複数のプログラミングパラダイムに対応する、スクリプト系のプログラミング言語である。

- バージョンアップを重ね続けている Python の現在のバージョンは 3 系である。

- Python のプログラムは、インタラクティブシェル（基本対話モード）における対話的な実行、コマンドによる実行、統合開発環境での実行などが行える。

- 基本対話モードでは、基本プロンプトと呼ばれる >>> が表示される。コマンドや式などは、基本プロンプトの後ろに打ち込む。**quit()** あるいは **exit()** と打ち込むと終了する。

- 乗算や加算など各種の演算を行うための * や + などの記号は演算子と呼ばれ、演算の対象となる式はオペランドと呼ばれる。

- 演算子は、オペランドの個数に応じて単項演算子、2 項演算子、3 項演算子に分類される。

- 基本的な算術演算子は、べき乗を求める **、単項の + と -、2 項の *、/、//、%、+、- である。

- 演算子によって優先度が異なる。たとえば除算を行う / は、加算を行う + よりも優先度が高いため、先に行われる。優先度とは無関係に、先に行うべき演算は、( ) で囲む。

- 数値や文字の特性を表すのが型である。

- 数値型には、整数型（int 型）、浮動小数点数型（float 型）、複素数型（complex 型）がある。

- 数字や文字の並びによって、数値を表す表記が、数値リテラルである。

- 整数リテラルは、2 進リテラル、8 進リテラル、10 進リテラル、16 進リテラルの 4 種類の基数で表記できる。

- 浮動小数点数リテラルの末尾には、10 の指数表記を e^n 形式で付加できる（例：1.5e3）。

● 逆斜線記号 \ を先頭にした複数個の文字によって、単一の文字を表すエスケープシーケンスには、**改行文字 \n**、**復帰文字 \r** などがある。

● 行の終端（改行文字の直前）に \ を置くと、現在の行を、次の行へと継続できる。

● 日本語版の MS–Windows では、逆斜線記号 \ の代わりに円記号 ¥ を使う。

● 文字の並びを表す型は文字列型（str 型）である。その綴りを表記する文字列リテラルは、表すべき文字の並びを、単一引用符 '、二重引用符 "、それらを 3 個並べた ''' もしくは """ で囲む。

● 空白文字をはさんで隣接した文字列リテラルは自動的に連結される。

● 原文字列リテラルでは、含まれるエスケープシーケンスが綴りどおりに解釈される。

● 演算子 + による数値どうしの加算、文字列どうしの加算（連結）は行えるが、文字列と数値の加算は行えない。

● 変数には、整数や浮動小数点数や文字列などの値を格納でき、その値はいつでも取り出せる。

● $x + 17$ は式であるが、$x = 17$ は式ではなく文である。代入を行うための記号 = は、極めて多機能であって、演算子ではない。

● 初めて使う名前の変数に値を代入すると、その名前の変数が自動的に用意される。

● 変数には、現在の型とは異なる型の値を代入できる。

● 複数の変数をコンマ , で区切ったものを左辺に置けば、一度に複数の値を代入できる。それらの代入は、論理的には同時に行われる。

● 変数やリテラルの型は、type(式) で調べられる。

● Tim Peters 氏によってまとめられた、19 項目で構成される "The Zen of Python" は、世界中の Python プログラマに愛読されている、Python プログラミングの指針である。

$x ** y$	べき乗演算子	x を y 乗した値（右結合）	7 ** 3	⇨ 343
$+x$	単項 + 演算子	x そのものの値	+7	⇨ 7
$-x$	単項 - 演算子	x の符号を反転した値	-7	⇨ -7
$x * y$	乗算演算子	x に y を乗じた値	7 * 3	⇨ 21
x / y	除算演算子	x を y で除した値（実数値）	7 / 3	⇨ 2.3333333333333335
$x // y$	切捨て除算演算子	x を y で除した値（小数部は切捨て）	7 // 3	⇨ 2
$x \% y$	剰余演算子	x を y で除したときの剰余（あまり）	7 % 3	⇨ 1
$x + y$	加算演算子	x に y を加えた値	7 + 3	⇨ 10
$x - y$	減算演算子	x から y を減じた値	7 - 3	⇨ 4

Column 1-3	代入演算子 = に関する補足

本 Column は、他言語の経験をおもちの方に向けた解説です。経験がなければ、後半の章の学習が終わった後で読むようにしましょう（今後の Column にも、同様の趣旨のものがあります）。

▪ 他言語の代入演算子と混同しないようにする

C 言語、C++、Java の経験があれば、それらの言語での = が**右結合**の**演算子**であることや、代入式の評価によって代入後の左オペランドの型と値が得られることなどを知っているでしょう。

たとえば、変数 a と b が `int` 型であるとき、代入式

```
    a = b = 1                        // C 言語、C++、Java
```

では、まず b に 1 が代入されます。その後、代入式 b = 1 の評価で得られる 1 が a に代入されます。このような 2 段階の評価の結果、a にも b にも 1 が代入される、という仕組みです。

本文でも学習したように、Python の = は演算子ではないため、右結合とか左結合といった結合性は存在しません。

そもそも式ではない b = 1 は、評価することができませんので、当然のことながら、a = (b = 1) はエラーとなります。確認するのは簡単です。

> **例 1-27　a = (b = 1) は行えない**

```
>>> a = (b = 1) ⏎
File "<stdin>", line 1
    a = (b = 1)
          ^
SyntaxError: invalid syntax. Maybe you meant '==' or ':=' instead of '='?
```

『= は右結合の演算子である。a = b = 1 は、a = (b = 1) とみなされるため、b = 1 の評価によって得られた 1 が a に代入される。その結果、a にも b にも 1 が代入される。』と解説する書籍やサイトがありますので注意しましょう。鵜呑みにすると、Python の代入の本質を見失います。

▪ 左辺内で変数が重複する代入の挙動

p.19 の例 1-24 では、x が 6 で y が 2 のときにおける

```
    x, y = y + 2, x + 3
```

において、次の二つの代入が論理的に“同時”に行われると学習しました。

x = y + 2 によって、x は 4 になる。

y = x + 3 によって、y は 9 になる。

もう少し厳密に学習しましょう。まず、右辺の式が**左から順番**に評価されます。式 y + 2 の評価で 4 が得られ、式 x + 3 の評価で 9 が得られます。そして、得られた 4 と 9 が、左辺の変数 x と y に**左から順番**に代入されます。代入は、厳密には“同時”ではなく、このような順番で行われるのです。

この細かい規則に対する知識は、**左辺内で変数が重複する代入**で必須となります。変数 i の値が 0 であって、（他言語の配列に相当する）リスト x が [6, 7, 8] であるとして、次の代入を考えましょう。

```
    i, x[i] = 2, 5        # i⇐2  x[2]⇐5      ※ i⇐2  x[0]⇐5ではない
```

まず 2 が i に代入されます。その後で x[i] に 5 が代入されるのですが、変数 i が 0 から 2 に更新ずみであるため、5 の代入先は x[0] ではなく x[2] となります。

すなわち、代入後のリスト x は [6, 7, 5] です（[5, 7, 8] ではありません）。

第2章

画面への表示と
キーボードからの入力

画面への表示やキーボードからの入力を行うプログラムを通じて、いろいろ
なことがらを学習します。

- スクリプトプログラム
- スクリプトファイルと拡張子 .py
- コメント（注釈）
- 空行
- 式と文
- 関数
- 組込み関数
- 関数呼出し／呼出し演算子／実引数
- print 関数による画面への表示
- print 関数に与える end 引数と sep 引数
- input 関数によるキーボードからの読込み
- int 関数による文字列から整数値への変換
- float 関数による文字列から浮動小数点数値への変換
- str 関数による数値から文字列への変換
- bin 関数／oct 関数／hex 関数による整数値から文字列への変換
- f 文字列による書式化した文字列の生成
- マジックナンバー
- 定数を格納する変数
- エンコーディングの指定と UTF-8

2-1 画面への表示

　前章では、インタラクティブシェルを利用しながら学習を進めました。本章からは、プログラムをファイルとして保存・実行していきます。

▢ print 関数による画面への表示

　あらかじめ決まった値ではなく、希望する数値の演算を行うことを考えていきましょう。

　たとえば、右のように、二つの整数値を読み込んで、その和を表示させます（打ち込んだ値に応じて演算結果が変わります）。

> 整数a：12⏎
> 整数b：3⏎
> a + b は 15 です。

　インタラクティブシェル上で、1行ずつ対話的に実行することも可能です。しかし、そのような方法だと、毎回プログラムを打ち込み直さなければなりません。

▢ スクリプトプログラム

　みなさんは、ワープロやテキストエディタで文書を作ったら、保存するでしょう。保存したファイルを読み込むことで、いつでも印刷や修正が行えるからです。

　プログラムも同様です。ファイルに保存しておけば、実行や修正がいつでも行えます。

　そのようなプログラムはスクリプトプログラム（script program）と呼ばれ、それを格納したファイルはスクリプトファイル（script file）と呼ばれます。

　まずは、**List 2-1** から始めましょう。画面に『**Hello!**』と表示するプログラムです。

> ▶ プログラムの保存と実行については、付録A-2（p.382～）にまとめています。
> ファイルの拡張子を **.py** とすることや、統合開発環境 IDLE 上で、プログラムを打ち込んで／ファイルから読み込んで、**[F5] キーを押すと実行できること**などを解説しています。

List 2-1	chap02/list0201.py

```
#  『Hello!』 と表示する

print('Hello!')       # print関数を呼び出して表示を行う
```

実行結果
```
Hello!
```

└── 必ず行の先頭から記述します（スペースを入れた 'chap02/list0201x.py' はエラーとなり実行不能です）

▢ コメント（注釈）

　プログラムの最初の行に着目します。先頭の **#** は、次の表明です。

> この行のこれ以降は、プログラムの読み手に伝えたいことです。

　すなわち、プログラムに対するコメント（comment）＝ 注釈です。

　コメントの有無や内容は、プログラムの動作に影響を与えません。 作成者自身を含めて、プログラムの読み手に伝えたいことを、日本語や英語などの簡潔な言葉で記述します。

> ▶ **#** の直後には、スペースを1個入れるのが基本です（**#** はシャープ記号ではありません：p.20）。
> なお、**'ABC#DEF'** のような文字列リテラルの中の **#** は、コメントの開始とはみなされません。

他人が作成したプログラムに適切なコメントが書かれていれば、読みやすく、理解しやすくなります。また、自分が作ったプログラムを永遠に記憶することも不可能ですから、コメントの記入は作成者自身にとっても重要です。

> **重要** スクリプトプログラムには、作成者自身を含めた読み手に伝えるべきコメントを簡潔に記入する。

空行

2行目は空行（blank line）です。空行もプログラムの動作に影響を与えません。すべての行を詰めずに、空行を適切に入れておけばプログラムが読みやすくなります。

print 関数による画面への表示

画面への表示を行うプログラムを、自分自身でゼロから作るのは至難の業です。文字の表示は、printという関数（function）に委ねるのが基本です（**Fig.2-1**）。

処理を行う部品である関数に対しては、関数呼出し（function call）によって処理の依頼を行います。依頼の際の補助的な指示は、( )の中に実引数（argument）として与えます。

なお、実引数を囲む( )は、呼出し演算子（call operator）と呼ばれる演算子です。

本プログラムの関数呼出し print('Hello!') による処理の依頼は、次のイメージです。

print 関数さん、文字列 'Hello!' を渡しますので画面に表示してくださいね！

呼び出された print 関数は、受け取った文字列（と改行文字）を画面に出力します。

▶ 表示されるのは文字列の中身です（開始と終了の引用符 ' は表示されません）。

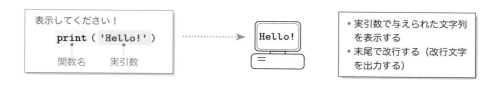

表示してください！
print ('Hello!')
関数名　実引数

Hello!

- 実引数で与えられた文字列を表示する
- 末尾で改行する（改行文字を出力する）

Fig.2-1　print 関数の呼出しによる画面への表示

なお、print 関数のような、標準で利用できる関数は組込み関数（built-in function）と呼ばれます（組込みではない関数もあります）。

本プログラムは、（コメントと空文を除くと）実質的に1行だけです。print 関数の呼出しが行われて、その実行が終了すると、プログラムも終了します。

▶ 関数については、これからも少しずつ学習していきます。

表示と改行

次は、『こんにちは。』『はじめまして。』と表示しましょう。List 2-2 のプログラムを実行すると
二つの print 関数の呼出しが順に実行されます（それぞれの表示で改行されます）。

```
List 2-2                                              chap02/list0202.py
# 『こんにちは。』『はじめまして。』と表示する            実行結果
                                                      こんにちは。
print('こんにちは。')          # 改行される   順に実行される   はじめまして。
print('はじめまして。')        # 改行される
```

表示の最後に改行しない

表示の最後に改行したくない（勝手に改行されては困る）こともありますので、改行させな
い方法をマスターしましょう。List 2-3 のように実現します。

```
List 2-3                                              chap02/list0203.py
# 『こんにちは。はじめまして。』と表示する               実行結果
                                                      こんにちは。はじめまして。
print('こんにちは。', end='')   # 改行されない
print('はじめまして。')         # 改行される
```

最初の呼出しに着目します。関数に与える実引数が複数あるためコンマ , で区切っています。
print 関数に対して与えている2番目の実引数 end='' は、

▶ 表示の最後に自動出力する文字列 end を、（改行ではなく）空文字列 '' に変更してください。

という指示です。

> ▶ 本書の解説では、『』と「」を次のように使い分けています。
> - 最後に改行文字を出力する場合：　"『こんにちは。』と表示" と表現します。
> - 最後に改行文字を出力しない場合：　"「こんにちは。」と表示" と表現します。

表示の途中で改行する

表示の途中で改行したいときは、改行文字を表す \n （p.13）を文字列リテラルの中に埋め
込みます。そのプログラム例が List 2-4 です（List 2-5 は別解です）。

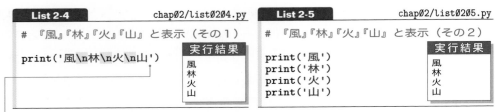

```
List 2-4              chap02/list0204.py        List 2-5              chap02/list0205.py
# 『風』『林』『火』『山』と表示（その1）        # 『風』『林』『火』『山』と表示（その2）
                          実行結果                                          実行結果
print('風\n林\n火\n山')    風            print('風')                      風
                          林            print('林')                      林
                          火            print('火')                      火
                          山            print('山')                      山
```

ここには改行文字のエスケープシーケンス \n は不要（print 関数が自動的に改行文字を出力するため）

改行だけを行う

改行だけを行いたいときは、( )の中を空にして **print** 関数を呼び出します。すなわち、実引数を1個も与えずに **print()** と呼び出すと、改行文字だけが出力されます。

List 2-6 のプログラムで確認しましょう。

List 2-6	chap02/list0206.py

```
# 『こんにちは。』『はじめまして。』を改行をはさんで表示する

print('こんにちは。')      # 文字列を表示
print()                    # 空の行を表示
print('はじめまして。')    # 文字列を表示
```

実行結果
```
こんにちは。

はじめまして。
```

なお、関数の呼出しは、式（expression）であるとともに、文（statement）と解釈されます。プログラム内の各文は、順次（一つずつ順番に）実行されるのが基本です。

▶ 式と文については、第1章で学習しました。さらに詳しいことは、次章で学習します。

文字列リテラルの評価と print 関数

第1章では、インタラクティブシェルで文字列リテラルを打ち込んで、そのまま表示させる対話の演習を行いました。そこで行われた表示と、**print** 関数による表示は、動作の意味がまったく異なります。インタラクティブシェルで確認しましょう。

まずは、**文字列リテラル**です。

例 2-1　文字列リテラル　　　　　　　　　　　　コンピュータ向き
```
>>> 'Hello!\nGood Bye!' ⏎        ⇐ 式
'Hello!\nGood Bye!'               ⇐ … 文字列の中身が表示される
```

文字列リテラル **'Hello!\nGood Bye!'** は**式**です。そのため、その式を評価した値（文字列の中身）がインタラクティブシェルの"返答"として表示されます。

改行文字が「**\n**」と表示されるため、人間向きというよりも、コンピュータ向きの表示です。

▶ 《評価》の詳細は、次章の p.54 で学習します。

次は、**関数呼出し**です。

例 2-2　関数呼出し　　　　　　　　　　　　　　人間向き
```
>>> print('Hello!\nGood Bye!') ⏎    ⇐ 文
Hello!                              ⇐ … 命令に基づいて表示される
Good Bye!                          ※\nで改行される
```

文字列リテラル **'Hello\nGood Bye!'** を与えて **print** 関数を呼び出しました。

処理を依頼された **print** 関数が、『Hello!』『Good Bye!』を2行にわたって表示しています。改行文字が「**\n**」ではなく実際の改行として表示されるため、人間向きの表示です。

▶ 式が"文"となることについては、p.52 で学習します。

2–2　キーボードからの読込み

前節では、画面への表示を行うプログラムを作成しました。本節では、キーボードから文字列の読込みを行って、対話的に実行できるプログラムを作成します。

☐ input 関数によるキーボードからの文字列の読込み

次は、キーボードからの読込みを行います。**List 2-7** のプログラムは、名前を入力するように促し、文字列として読み込んで表示するプログラムです。

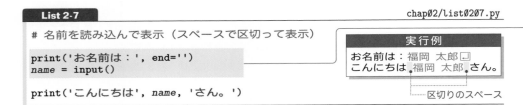

```
# 名前を読み込んで表示（スペースで区切って表示）

print('お名前は：', end='')
name = input()

print('こんにちは', name, 'さん。')
```

chap02/list0207.py

実行例
お名前は：福岡　太郎⏎ こんにちは 福岡　太郎 さん。

区切りのスペース

初登場の input 関数は、キーボードから文字列を読み込んで、その文字列を返却する組込み関数です（**Fig.2-2**）。関数からの《**返却**》の詳細は第 9 章で学習しますので、

input() という式が、キーボードから読み込んだ文字列そのものになる。

と理解しておきましょう。

そのため、実行例であれば、式 input() が、読み込んだ文字列 '福岡　太郎' そのものとなり、その文字列が変数 name に代入されます。

`name = input()`

読み込んだ文字列

input()

- 改行文字（エンターキー）までを読み込む
- 末尾の改行文字を除去した文字列を返却する

Fig.2-2　キーボードからの文字列の読込み

第 1 章で学習したように、代入によって変数が作られるとともに、変数の型が自動決定しますので、代入後の変数 name は、**型**が文字列型（**str** 型）で、**値**が '福岡　太郎' です。

さて、input 関数の呼出しの際に、実引数として文字列を与えることができます。

```
input('表示文字列')
```

この形式だと、画面に「表示文字列」が表示された上で（その際は改行文字は出力されません）、文字列の読込みが行われます。

この形式を使って書きかえたのが、右ページの **List 2-8** のプログラムです。

```
List 2-8                                          chap02/list0208.py
# 名前を読み込んで表示（input関数で入力を促す）
name = input('お名前は：')
print('こんにちは', name, 'さん。')
```

実行例
お名前は：福岡　太郎⏎
こんにちは 福岡　太郎 さん。

2行にわたっていた箇所が1行にまとまった結果、プログラムが簡潔になりました。

実行例では、式 input('お名前は：') が、読み込んだ文字列 '福岡　太郎' そのものとなり、それが変数 name に代入されます。

▶ input 関数は、改行に相当するエンターキーまでの1行分を読み込みますが、返却する文字列の末尾に改行文字は含まれません。

複数の文字列の表示

これまでの二つのプログラムの最後の行に着目します。'こんにちは' と name と 'さん。' の3個の実引数を print 関数に与えています。このように、複数の実引数をコンマ , で区切って print 関数に与えると、それらが先頭（左側）から順に表示されます。

さて、複数の文字列を受け取った print 関数は、それらの《区切り》としてスペースを出力する仕様です。

区切りのスペースを表示させないようにしましょう。それが、**List 2-9** のプログラムです。

```
List 2-9                                          chap02/list0209.py
# 名前を読み込んで表示（区切らずに詰めて表示）
name = input('お名前は：')
print('こんにちは', name, 'さん。', sep='')
```

実行例
お名前は：福岡　太郎⏎
こんにちは福岡　太郎さん。

print 関数に対して与えている最後の実引数 sep='' は、次の指示です。

▶ 表示の《区切り》文字列 sep を、（スペースでなくて）空文字列 '' に変更してください。

▶ sep には任意の文字列を指定できます。sep='--' とすると、『こんにちは -- 福岡　太郎 -- さん。』と表示されます。また、sep='\n' とすると、1個ずつ改行されます。

なお、文字列を + で連結した上で表示する方法もあります。**List 2-10** で確認しましょう。

```
List 2-10                                         chap02/list0210.py
# 名前を読み込んで表示（文字列を連結して表示）
name = input('お名前は：')
print('こんにちは' + name + 'さん。')
```

実行例
お名前は：福岡　太郎⏎
こんにちは福岡　太郎さん。

▶ print 関数に渡される引数は、連結によって作られた "こんにちは福岡　太郎さん。" という1個の文字列です。

2

画面への表示とキーボードからの入力

文字列と数値の相互変換

　次は、二つの整数値を読み込んで、それらを加減乗除した値を表示しましょう。**List 2-11** に示すのが、そのプログラムです。

> ▶ 加減乗除に加えて、べき乗値も求めて表示しています。なお、変数 *b* の値が Ø だと、ゼロによる 除算が行われるためエラーが発生します（対策法は、第 3 章と第 12 章で学習します）。

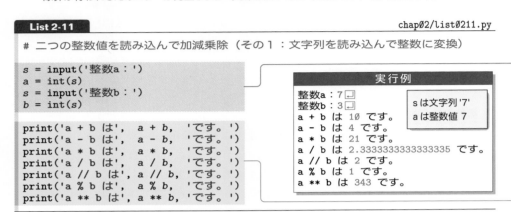

List 2-11　　　　　　　　　　　　　　　　　　　　　　　chapØ2/listØ211.py

```
# 二つの整数値を読み込んで加減乗除（その１：文字列を読み込んで整数に変換）

s = input('整数a：')
a = int(s)
s = input('整数b：')
b = int(s)

print('a + b は', a + b, 'です。')
print('a - b は', a - b, 'です。')
print('a * b は', a * b, 'です。')
print('a / b は', a / b, 'です。')
print('a // b は', a // b, 'です。')
print('a % b は', a % b, 'です。')
print('a ** b は', a ** b, 'です。')
```

```
実行例
整数a：7 ⏎
整数b：3 ⏎
a + b は 10 です。
a - b は 4 です。
a * b は 21 です。
a / b は 2.3333333333333335 です。
a // b は 2 です。
a % b は 1 です。
a ** b は 343 です。
```

> s は文字列 '7'
> a は整数値 7

　実行例では、読み込んだ文字列 **'7'** が変数 *s* に代入されます。その **'7'** は**数値**（int 型あるいは float 型の値）ではなく、**str 型**の**文字列**です。

　文字列のままでは計算が行えませんので、**文字列を整数値に変換する**処理を、組込みの int 関数に委ねています。

　int(文字列) と呼び出すと、与えた文字列を **int** 型整数値に変換した値が返却されます（**Fig.2-3**）。そのため、**int(s)** そのものが整数 7 となって、変数 *a* に 7 が代入されます。

　なお、2 進、8 進、1Ø 進、16 進の整数文字列の変換は **int(文字列, 基数)** で行い、実数文字列の変換は、float 関数を呼び出す **float(文字列)** で行います。

> ▶ 数値に変換不可能な文字列を与えた **int('H2O')** や **float('5X.2')** はエラーになります。

int('7')	➡ 7	int(文字列)	1Ø 進整数とみなして変換
int('Øb11Ø', 2)	➡ 6		
int('Øo75', 8)	➡ 61	int(文字列, 基数)	指定された基数の整数とみなして変換
int('13', 1Ø)	➡ 13		
int('Øx3F', 16)	➡ 63		
float('3.14')	➡ 3.14	float(文字列)	浮動小数点数とみなして変換

Fig.2-3　文字列から数値への変換

　さて、文字列の読込みと数値への変換をまとめると簡潔になります。それが、右ページの **List 2-12** のプログラムです。

List 2-12　　　　　　　　　　　　　　　　　　　　　　chap02/list0212.py

```
# 二つの整数値を読み込んで加減乗除（その２：読込みと変換を単一の文で行う）
```

```
a = int(input('整数a：'))
b = int(input('整数b：'))
```
変更部以外は省略しています。
今後も、このような提示をすることがあります。

▶　左ページの実行例と同じ値を入力すると、二つの変数への代入は次のように行われます。
- input('整数a:') が '7' となる ⇨ int('7') が 7 となる ⇨ その 7 が a に代入される。
- input('整数b:') が '3' となる ⇨ int('3') が 3 となる ⇨ その 3 が b に代入される。

なお、演算結果の表示では、各項目のあいだ（すなわち演算結果の数値の前後）にスペースが出力されます。

スペースを削ろうとして、次のように **List 2-10**（p.35）をまねるのはNGです。

```
print('a + b は' + a + b + 'です。')    # エラー ：文字列と数値は連結できない
```

文字列と数値を + で連結することはできないからです（第 1 章で学習しました）。

∗

数値を文字列に変換した上で連結すれば、エラーを回避できます。

数値を文字列に変換するのが、**Fig.2-4** に示す str 関数です（int 関数や float 関数と逆の変換を行います）。なお、図にも示すように、2 進数、8 進数、16 進数の文字列への変換は、bin 関数、oct 関数、hex 関数で行います。

▶　たとえば str(52) は、int 型の 52 から、str 型の '52'（数字文字が 2 個並んだ文字列）を作ります。

str(52)	⇨ '52'	1Ø進数の文字列に変換
str(3.14)	⇨ '3.14'	
bin(6)	⇨ 'Øb11Ø'	2 進数の文字列に変換
oct(61)	⇨ 'Øo75'	8 進数の文字列に変換
hex(63)	⇨ 'Øx3F'	16進数の文字列に変換

Fig.2-4　数値から文字列への変換

str 関数を利用して書きかえたのが **List 2-13** です。区切りのスペースは表示されません。

List 2-13　　　　　　　　　　　　　　　　　　　　　　chap02/list0213.py

```
# 二つの整数値を読み込んで加減乗除（その３：str関数を利用して詰めて表示）
```

```
print('a + b は' + str(a + b) + 'です。')
print('a - b は' + str(a - b) + 'です。')
print('a * b は' + str(a * b) + 'です。')
print('a / b は' + str(a / b) + 'です。')
print('a // b は' + str(a // b) + 'です。')
print('a % b は' + str(a % b) + 'です。')
print('a ** b は' + str(a ** b) + 'です。')
```

```
                実行例
整数a：7⏎
整数b：3⏎
a + b は10です。
a - b は4です。
a * b は21です。
… 以下省略 …
```

整形ずみ文字列リテラル（f文字列）による書式化

表示項目のあいだのスペースを取る手続きが面倒であることが分かりました。

整形ずみ文字列リテラル（formatted string literal）、略して f 文字列（f–string）を使うと問題が解決します。

List 2-14 に示すのが、プログラム例です。

▶ プログラムと実行例を見比べると、プログラムのコードの厳密な意味は分からなくても、何を行っているのかが推測できるでしょう（記述・読解を直観的に行えます）。

List 2-14	chap02/list0214.py

```
# 二つの整数値の和を表示

a = int(input('整数a：'))
b = int(input('整数b：'))

print(f'aとbの和は{a + b}です。')
print(f'{a}と{b}の和は{a + b}です。')
```

実行例
```
整数a：5␣
整数b：3␣
aとbの和は8です。
5と3の和は8です。
```

f 文字列は、文字列リテラルの前置きを f あるいは F とした、f'…' あるいは F'…' 形式の文字列リテラルです。その中に { 式 } という形式を記述すると、式の値が埋め込まれた文字列が生成されます。

▶ 波括弧文字 { と } 自体を埋め込みたい場合は、それぞれ {{ および }} と記述します。

実行例での埋込みの様子を **Fig.2-5** に示しています。この図を見ると理解できるでしょう。

▶ { } の中に埋め込まれた式 a、b、a + b の値が、それぞれ 5、3、8 として文字列の中に埋め込まれます。

もちろん、print 関数に渡されて表示されるのは、埋込みによって生成された文字列です。

```
f'aとbの和は{a + b}です。'
```
⬇式の値を埋め込んだ新しい文字列を生成
```
'aとbの和は8です。'
```

```
f'{a}と{b}の和は{a + b}です。'
```
⬇各式の値を埋め込んだ新しい文字列を生成
```
'5と3の和は8です。'
```

Fig.2-5　f文字列による値の埋込み

それでは、これまでのプログラムを f 文字列を使って書きかえましょう。

List 2-9（p.35）を書きかえたのが **List 2-15** です。

List 2-15	chap02/list0215.py

```
# 名前を読み込んで表示（f文字列を利用して表示）

name = input('お名前は：')

print(f'こんにちは{name}さん。')
```

実行例
```
お名前は：福岡　太郎␣
こんにちは福岡　太郎さん。
```

このプログラムでは、数値でなく文字列が埋め込まれています。

次は、**List 2-13**（p.37）を書きかえます。右ページの **List 2-16** のプログラムです。

List 2-16   chap02/list0216.py

```
# 二つの整数値を読み込んで加減乗除（その４：f文字列を利用して整形して表示）

a = int(input('整数a：'))
b = int(input('整数b：'))

print(f'a + b  は{a + b :8}です。')
print(f'a - b  は{a - b :8}です。')
print(f'a * b  は{a * b :8}です。')
print(f'a / b  は{a / b :8.3}です。')
print(f'a // b は{a // b:8}です。')
print(f'a % b  は{a % b :8}です。')
print(f'a ** b は{a ** b:8}です。')
```

```
            実行例
整数a：7□
整数b：3□
a + b  は       10です。
a - b  は        4です。
a * b  は       21です。
a / b  は     2.33です。
a // b は        2です。
a % b  は        1です。
a ** b は      343です。
```

本プログラムでは、**桁数指定による**書式化を行った上での埋込みを行っています。

| {整数：n}   … 整数値を少なくとも n 桁で書式化。 |
| {実数：n.m} … 実数値を小数部を m 桁で全体を少なくとも n 桁で書式化。 |
| ※数値が指定桁数に満たなければ、先頭側にスペースが埋められます。 |

書式化のおかげで、各数値の表示（の右端）が揃っています。
なお、数値の基数も指定できます。**List 2-17** に示すのが、プログラム例です。

２進を指定する :b、８進を指定する :o、10 進を指定する :d、16 進を指定する :x を使っています。

なお、16 進の指定 :x を大文字の :X に変更すると、アルファベット a～f が、大文字の A～F で表示されます。

List 2-17   chap02/list0217.py

```
# 読み込んだ整数を各基数で表示

n = int(input('整数：'))

print(f'２進={n:b}')
print(f'８進={n:o}')
print(f'10進={n:d}')
print(f'16進={n:x}')
```

```
      実行例
整数：123□
２進=1111011
８進=173
10進=123
16進=7b
```

▶ 先ほど学習した **bin** 関数、**oct** 関数、**str** 関数、**hex** 関数を使うのであれば、プログラムの表示部は次のようになります（'chap02/list0217a.py'）。

```
print('２進=' + bin(n))
print('８進=' + oct(n))
print('10進=' + str(n))
print('16進=' + hex(n))
```

```
２進=0b1111011
８進=0o173
10進=123
16進=0x7b
```

10 進数への変換を行う **str** 関数以外の関数が生成する文字列に、基数を示す **'0b'**、**'0o'**、**'0x'** の前置きが付くことに注意しましょう。

重要　文字列の中に、別の文字列や数値を（そのまま、あるいは書式化して）埋め込んだ文字列を生成するには、**f** 文字列を使う。

ここでは f 文字列を利用して書式化を行う方法を学習しました。この他にも、**%** 演算子を使う方法、**format** メソッドを使う方法などがあります。

▶ 詳細は、第 6 章で学習します。

定数値を表す変数

　円の半径をキーボードから読み込んで、その円の"円周の長さ"と"面積"を求めて表示するプログラムを作りましょう。**List 2-18** に示すのが、そのプログラムです。

```
# 円周の長さと円の面積を求める（その１：円周率を浮動小数点数リテラルで表す）

r = float(input('半径：'))

print(f'円周の長さは{2 * 3.14 * r}です。')
print(f'面積は{3.14 * r * r}です。')
```

List 2-18　chap02/list0218.py

実行例
```
半径：7.2⏎
円周の長さは45.216です。
面積は162.7776です。
```

▶　読み込んだ文字列を浮動小数点数（実数）に変換するために float 関数を使っています。なお、円周の長さと面積の求め方は公式どおりです（半径 r の円周の長さは 2 π r で、面積は π r² です）。

　さて、円周率πの値は、**3.14** ではなく、**3.1415926535…** と無限に続く値です。
　もし円周の長さと面積をより正確に求めるために、円周率を **3.14159** にするのであれば、プログラム中の **3.14** を 3.14159 に変更することになります。
　変更は2箇所だけです。もっとも、大規模な数値計算プログラムであれば、円周率πが数百箇所で使われるかもしれません。
　エディタの《置換》機能を使えば、すべての **3.14** を 3.14159 に変更するのは容易です。とはいえ、円周率ではない別の値として、たまたま **3.14** という値を使っている箇所が存在するかもしれません。そのような箇所は、置換の対象から外す必要があります。**すなわち、選択的な置換が要求されます。**
　このような、プログラム中に埋め込まれた（意図が分かりにくい）数値は、マジックナンバー（magic number）と呼ばれます。マジックナンバーの利用は、可能な限り避けるべきです。

　マジックナンバーを除去するために、円周率を表す《変数》を導入しましょう。**List 2-19** に示すのが、そのプログラムです。

```
# 円周の長さと円の面積を求める（その２：円周率を変数で表す）

PI = 3.14159        # 円周率
r = float(input('半径：'))

print(f'円周の長さは{2 * PI * r}です。')
print(f'面積は{PI * r * r}です。')
```

List 2-19　chap02/list0219.py

実行例
```
半径：7.2⏎
円周の長さは45.238896です。
面積は162.8600256です。
```

　プログラムの冒頭で、変数 PI に 3.14159 を代入し、それ以降では、その変数 PI を使って計算を行っています。
　変数 PI のように、定数的な用途で使う（いったん代入した値を変更しない）変数名の構成文字としては、大文字と下線記号 _ のみを使う（p.84）のが原則です。

このプログラムには、大きく二つのメリットがあります。

① 値の管理を1箇所に集約できる

円周率の値 **3.14159** は、プログラム冒頭で変数 *PI* に代入されています。もし他の値（たとえば **3.14159265**）に変えるとしても、プログラムの変更は1箇所ですみます。

そのため、タイプミスやエディタ上での置換操作の失敗などによって、たとえば **3.14159** と **3.14159265** とを混在させてしまう、あるいは、円周率以外の用途の同一あるいは類似した値を置換してしまう、といったミスも防げます。

プログラムの保守性（maintainability）**が向上しています。**

② プログラムが読みやすくなる

プログラムの中では、数値ではなく変数名 *PI* で円周率を参照できますので、プログラムが読みやすくなります。

プログラムの可読性（readability）**が向上しています。**

> **重要** プログラム中にはマジックナンバーを埋め込むべきではない。大文字（と下線）で構成される名前の変数に値を入れておき、その変数を使う。

▶ 円周率を表す変数として、`math.pi` が用意されています。この変数を使うと、プログラムは次のようになります（`'chap02/list0219a.py'`）。

```
# 円周の長さと円の面積を求める（その3：円周率としてmath.piを利用）
from math import pi
r = float(input('半径：'))
print(f'円周の長さは{2 * pi * r}です。')
print(f'面積は{pi * r * r}です。')
```

本プログラムでは、`math` モジュールから変数 `pi` をインポートして（取り込んで）います。そのために必要な `from ～ import ～` については、第10章で学習します。

Column 2-1	**エンコーディングの指定**

Python のスクリプトプログラムには、エンコーディング（**Column 13-1**：p.361）の指定を記述できるようになっています。次に示すのは、UTF–8 の指定の一例です。

```
# coding: utf-8
```

ただし、プログラムのコーディング（記述）の指針となる PEP 8（p.84）では、

> UTF–8 を使用しているファイル（Python 2 では ASCII）では、エンコーディング宣言を入れるべきではない。

とされています。Python 3 で UTF–8 を使用している限り、エンコーディング宣言は不要です。

まとめ

- Python のスクリプトプログラムは、拡張子 **.py** のスクリプトファイルとして保存する。

- プログラム内の文は、順次実行されるのが基本である。

- スクリプトプログラムには、作成者自身を含めた**読み手**に伝えるべきコメント＝注釈を簡潔に記入する。番号記号 **#** から、その行末までがコメントとなる。

- **コメント**と**空行**は、プログラムの実行に影響を与えない。

- **print** 関数や **input** 関数など、数多くの便利な部品が組込み関数として提供される。

- 関数への処理の依頼は、呼出し演算子 **( )** を適用した、**関数名（実引数の並び）**形式の関数呼出しで行う。

- 文字列を画面に表示するには、表示すべき（Ø 個以上の任意の個数の）文字列を実引数として与えて、**print** 関数を呼び出す。
与える実引数の文字列の中に **\n** を含めれば、表示の途中で改行できる。

- **print** 関数は、受け取った引数のあいだの"区切り"としてスペースを出力するとともに、最後の"締め"に改行文字を出力する。"区切り"を変更するには **sep=' 文字列 '** を与え、"締め"を変更するには **end=' 文字列 '** を与える。

- **input** 関数は、キーボードから打ち込まれた文字列を読み込んで返却する。読込みは行末のエンターキーまで行われるが、返却する文字列には改行文字は含まれない。
なお、実引数として文字列を与えると、その文字列を表示した上での読込みが行える。

2

画面への表示とキーボードからの入力

● 文字列を整数値に変換するには、その文字列を実引数として与えて int 関数を呼び出す。省略可能な第2引数には、2、8、10、16 の**基数**を指定できる。

● 文字列を浮動小数点数値に変換するには、float 関数を呼び出す。

● 数値を文字列に変換するには、10進数であれば str 関数、2進数であれば bin 関数、8進数であれば oct 関数、16進数であれば hex 関数を呼び出す。

● f 文字列を使うと、文字列の中に、別の文字列や数値を（そのまま、あるいは書式化して）埋め込んだ文字列を生成できる。埋め込む式は、f 文字列の中の { } の中に含める。

● スクリプトプログラム中に数値リテラルを埋め込むと、正体不明のマジックナンバーとなりかねない。大文字（と下線）で構成される名前の変数に値を入れておき、その変数を使うとよい。

スクリプトプログラムを格納するスクリプトファイルの拡張子は .py とする

```
# 第2章 まとめ                                          chap02/gist.py

print('ABC', 'XYZ')
print('ABC', 'XYZ', end='')    # 最後で改行しない
print('ABC', 'XYZ', sep='')    # 区切りを入れない
print()                        # 改行
print('ABC\n\nXYZ', sep='')    # 途中で2回改行
print()                        # 改行

s = input('文字列：')
print('あなたは' , s , 'と入力しました。')
print('あなたは' + s + 'と入力しました。')
print(f'あなたは{s}と入力しました。')
print()

no = int(input('正の整数値：'))
print('最下位桁：', str(no % 10), sep='')
print('2進：' + bin(no))    # 2進文字列に変換
print('8進：' + oct(no))    # 8進文字列に変換
print('10進：' + str(no))    # 10進文字列に変換
print('16進：' + hex(no))    # 16進文字列に変換
print()

no = int(input('正の整数値：'))
print(f'{no:3}')      # 少なくとも3桁で表示
print(f'{no:5}')      # 少なくとも5桁で表示
print(f'{no:7}')      # 少なくとも7桁で表示
print()

PI = 3.14159          # 円周率を表す定数
print('長方形と円の面積を求めます。')
width  = float(input('長方形の横幅：'))
height = float(input('長方形の高さ：'))
radius = float(input('円の直径：'))

print(f'長方形：{width * height:.3f}')        # 小数点以下を3桁で表示
print(f'円    ：{PI * radius * radius:.3f}')    # 小数点以下を3桁で表示
```

実 行 例

```
ABC XYZ
ABC XYZABCXYZ

ABC

XYZ

文字列：Fukuoka□
あなたは Fukuoka と入力しました。
あなたはFukuokaと入力しました。
あなたはFukuokaと入力しました。

正の整数値：123□
最下位桁：3
2進：0b1111011
8進：0o173
10進：123
16進：0x7b

正の整数値：456□
456
  456
    456

長方形と円の面積を求めます。
長方形の横幅：5.3□
長方形の高さ：7.2□
円の直径：6.4□
長方形：38.160
円    ：128.680
```

| Column 2-2 | パフォーマンスの計測 |

次章のp.70では、二つの変数 *a* と *b* の値を交換する2種類の方法を学習します。

> ① `t = a;  a = b;  b = t;`　　# 作業用の変数 *t* を使って *a* と *b* の値を交換
>
> ② `a, b = b, a`　　　　　　　# 一括代入によって *a* と *b* の値を交換

※ ②の方法は、次章だけでなく、第5章と第8章でも詳細を学習します。

また、第6章のp.149では、文字列の連結に関して、次のように学習します。

> `+` 演算子や `+=` 演算子による連結よりも、`join` メソッドによる連結のほうが（一般的には）高速です。

これらの例に限らず、同じ目的に対するコードの実現法は複数あります。現実のプログラミングでは、高パフォーマンスのコードを選択することが望まれます。

それでは、二つのコードのパフォーマンスを実際に計測して比較しましょう。

まずは、2値の交換のパフォーマンス計測です。

例 2-3　値aとbの2値の交換のパフォーマンス計測

```
>>> import timeit ⏎
>>> timeit.timeit('t = a; a = b; b = t', 'a = 1; b = 2', number = 100) ⏎
3.99999953515362e-06
>>> timeit.timeit('a, b = b, a', 'a = 1; b = 2', number = 100) ⏎
2.49999902734998e-06
```

`timeit` モジュールに含まれる `timeit` 関数を使います。まず第2引数のコードを1回実行して、その後、第1引数のコードを `number` に指定された回数（指定しなければ 100 万回）実行するのに要した秒数が表示されます。

本書で多用する実現法②のほうが高速であることが確認できます。

※ 最初に1回だけ実行するコードがないケースでは、第2引数は省略できます。

　なお、`import` によるモジュールのインポートは第4章と第10章で学習し、文をセミコロンで区切る方法は次章で学習します。

次は、文字列の連結の計測です。タプル（第8章）に入れられた2個の文字列 `'ABC'` と `'XYZ'` を、スペースをはさんで連結します（得られる文字列は `'ABC XYZ'` です）。

例 2-4　タプル内の文字列の連結のパフォーマンス計測

```
>>> import timeit ⏎
>>> timeit.timeit("' '.join(s)", "s = ('ABC', 'XYZ')") ⏎
0.0564534000000464
>>> timeit.timeit("s[0] + ' ' + s[1]", "s = ('ABC', 'XYZ')") ⏎
0.0860816000000221687
```

この例では、`join` メソッドによる連結のほうが高速に実行されました。

`timeit` モジュールの `timeit` 関数の使い方（のごく一部）を簡単に学習しました。同モジュール内の別の関数やクラスを使う方法や、コマンドライン上で計測を依頼する方法など、豊富な手段が提供されています。

また、大きなコードブロックが対象であれば、`profile` モジュールや `pstats` モジュールなどを利用することもできます。

Python の公式ドキュメントをよく読んで、学習を進めましょう。

第 3 章

プログラムの流れの分岐

本章では、プログラムの流れを分岐する if 文と match 文を中心に、文や、スイート、演算子式、構文、スタイルガイドなどを学習します。

- if 文（if 節、elif 節、else 節）
- インデント
- フローチャート（流れ図）
- 値比較演算子（< 演算子、> 演算子、<= 演算子、>= 演算子、== 演算子、!= 演算子）
- pass 文
- 論理型／真と偽／ True と False
- 式と評価
- 論理演算子（and 演算子、or 演算子、not 演算子）と短絡評価
- 集合による判定
- 条件演算子（if else 演算子）
- 入れ子の if 文
- 単純文と複合文／スイート
- min 関数と max 関数
- ソート（昇順／降順）と sorted 関数
- 代入演算子 := と代入式
- match 文
- トークン／キーワード／識別子／演算子／区切り子／リテラル
- 構文エラーと例外
- スタイルガイドと PEP 8

3-1 if文

ある条件が成立するかどうかによって、行うべき処理を選択的に決定するのが if 文です。本節では、if 文とともに、基本的な演算子を学習します。

☐ if文（その1）

キーボードから数値を読み込んで、正であれば『その値は正です。』と表示するプログラムを作りましょう。**List 3-1** に示すのが、そのプログラムです。

なお、最終行の `print` の前にはスペースが必要です。行の先頭にスペースを入れて**字下げ**を行うことを**インデント**（indent）といいます。

▶ インデント用のスペースの個数は任意です（少なくとも1個は必要です）。
　なお、スペースの代わりに《タブ文字》も利用できますが、お薦めできません。また、全角文字のスペースは NG です。このあたりの詳細は、p.84 で学習します。
　最終行の `print` の前にインデントがないとエラーとなります（'chap03/list0301x.py'）。

List 3-1　　　　　　　　　　　　　　　　　　　　　　chap03/list0301.py

```
# 読み込んだ整数値は正の値か（その1）

n = int(input('整数値：'))

if n > 0:
    print('その値は正です。')          ← if文
```

インデント 1個以上のスペース（本書では4個のスペース）

実行例
① 整数値：15 ⏎ 　その値は正です。
② 整数値：-5 ⏎

キーボードから読み込んだ **n** が正であるか（**0** より大きいか）の**判定**と、判定成立時の画面への表示を行うのが、プログラムの水色部です。

この部分の形式を右に示しています。これは、if 文（if statement）と呼ばれる文であって、次のように働きます。

```
            ┌ 判定式
if 式：
    文
```

`if` とコロン `:` とで囲まれた**式**（これ以降 "判定式" と呼びます）を**評価**して、その結果が**真**であれば、コロン `:` の後ろ（次の行）に置かれている**文**を実行する。

▶ いうまでもなく、先頭の `if` は『もしも〜』という意味です。

本プログラムの判定式 **n > 0** に着目しましょう。`>` 演算子は、左オペランドの値が右オペランドより大きければ真である `True` を、そうでなければ偽である `False` を生成する演算子です。

▶ 評価、真、偽、`True`、`False` といった用語の詳細は、この後で詳しく学習します。

右ページの **Fig.3-1** に示すのは、本プログラムの **if** 文のフローチャート（流れ図）です。図に描かれた線や矢印をたどっていくと、プログラムの流れが分かります。

▶ フローチャートの記号は、p.88 でまとめて学習します。

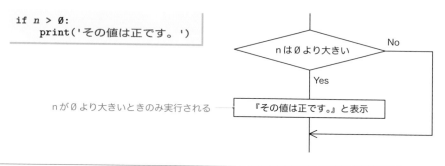

```
if n > 0:
    print('その値は正です。')
```

nが0より大きいときのみ実行される —— 『その値は正です。』と表示

Fig.3-1 List 3-1 の if 文のフローチャート

　実行例①の場合、判定式 **n > 0** を評価した値は **True** です。フローチャートの Yes 側の線を たどるため、次の文が実行されて『その値は正です。』と表示されます。

```
print('その値は正です。') —————————  n > 0 が真のときにのみ実行される
```

　なお、実行例②のように **n** の値が **0** 以下であれば、No 側の線をたどるため、この文の実行 はスキップされます。すなわち、**画面には何も表示されません。**

重要 ある条件が成立したときに行うべきことがあれば、if 文で実現する。

値比較演算子

　演算子 **>** を始めとして、左右のオペランドの値を比較する演算子は、値比較演算子（value comparison operator）と呼ばれ、**Table 3-1** に示す6種類があります。

Table 3-1 値比較演算子

x < y	xがyより小さければ True を、そうでなければ False を生成。
x > y	xがyより大きければ True を、そうでなければ False を生成。
x <= y	xがyより小さいか等しければ True を、そうでなければ False を生成。
x >= y	xがyより大きいか等しければ True を、そうでなければ False を生成。
x == y	xとyが等しければ True を、そうでなければ False を生成。
x != y	xとyが等しくなければ True を、そうでなければ False を生成。

▶ 値比較演算子は、2個以上を連続して適用することができます（p.60 で学習します）。
記述上の注意があります。次の例はNGです。
  ▪ 演算子 <= と >= の等号 = を左側にもってきて =< あるいは => とする。
  ▪ 不等号と等号のあいだにスペースを入れて < = あるいは > = とする。

　値比較演算子の両オペランドは、同一型である必要はありません。そのため、整数と浮動 小数点数といった、異なる型の値を **>** や **==** などで比較することが可能です（例 **3.14 < 5**）。

3

プログラムの流れの分岐

■ if 文（その2：else 節付き）

前のプログラムは、正でない値を読み込むと、何も表示せずに実行を終了します。

正でなければ、『その値は0か負です。』と表示するように変更しましょう。**List 3-2** に示すのが、そのプログラムです。

▶ 今回のプログラムでは、それぞれの **print** の前にインデントが必要です。

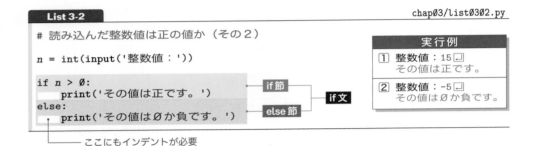

前のプログラムに対して、else: 以降の部分が追加されています。

水色部は if 節と呼ばれ、赤色部は else 節と呼ばれます。両者をあわせた全体が if 文であり、次のように働きます。

```
if 式:
    文
else:
    文
```

判定式を評価した値が**真**であれば **if 節**に置かれた**文**を実行して、そうでなければ（**偽**であれば）**else 節**に置かれた**文**を実行する。

そのため、**Fig.3-2** に示すように、**n** が正であるかどうかで異なる処理が行われます。

重要 条件の真偽によって異なる処理を行う場合は、else 節付きの if 文で実現する。

▶ else は『～でなければ』という意味です。
　　この形式の if 文では、二つの文のいずれか一方が実行されます。両方とも実行されない、あるいは、両方とも実行される、ということはありません。

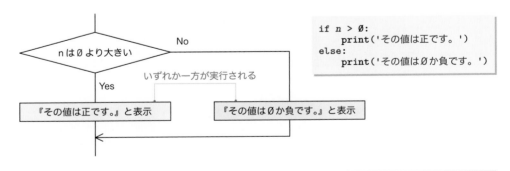

Fig.3-2 List 3-2 の if 文のフローチャート

等価性の判定

キーボードから読み込んだ二つの整数値が等しいかどうかを判定して表示するプログラムを作りましょう。それが、**List 3-3** に示すプログラムです。

List 3-3 chap03/list0303.py

```
# 読み込んだ二つの整数値は等しいか（その1：==演算子を利用）

a = int(input('整数a：'))
b = int(input('整数b：'))

if a == b:
    print('二つの値は等しいです。')
else:
    print('二つの値は等しくありません。')
```

実行例
整数a：37
整数b：52
二つの値は等しくありません。

変数 a と b に整数値を読み込んで、それらの値の**等価性**を判定しています。

if 文の判定式内の == 演算子は、左右のオペランドが "等しいかどうか" を判定する**値比較演算子**です（**Table 3-1**：p.47）。

▶ 整数と浮動小数点数の等価性を判定する 37 == 37.0 は True となりますが、整数と文字列の等価性を判定する 37 == '37' は False です。

左右のオペランドが "等しくないかどうか" を判定する != 演算子を使うと、プログラムは **List 3-4** のように実現できます。

List 3-4 chap03/list0304.py

```
# 読み込んだ二つの整数値は等しいか（その2：!=演算子を利用）

a = int(input('整数a：'))
b = int(input('整数b：'))

if a != b:
    print('二つの値は等しくありません。')
else:
    print('二つの値は等しいです。')
```

実行例
整数a：37
整数b：52
二つの値は等しくありません。

List 3-3 とは順序が反転

print 関数を呼び出す二つの文の順序が反転していることに注意しましょう。

＊

if、判定式、コロン :、else は、それぞれが独立した語句です。そのため、式と : のあいだや、else と : のあいだにはスペースを入れても構いません（エラーになりません）。

ただし、スペースを入れないスタイルが一般的です。

▶ p.84 で学習するスタイルガイドでは、コンマ、コロン、セミコロンの直前にはスペースを入れないことが推奨されてます。

if文（その3：elif節付き）

次に学習する **List 3-5** は、整数値の**符号**（正であるか／0であるか／負であるか）を判定して表示するプログラムです。

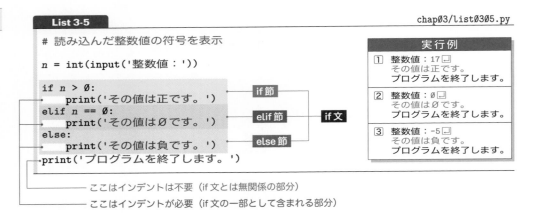

```
# 読み込んだ整数値の符号を表示

n = int(input('整数値：'))

if n > 0:
    print('その値は正です。')    ← if節
elif n == 0:
    print('その値は0です。')    ← elif節        if文
else:
    print('その値は負です。')    ← else節
print('プログラムを終了します。')
```

```
List 3-5                                    chap03/list0305.py
```

```
実 行 例
① 整数値：17⏎
  その値は正です。
  プログラムを終了します。
② 整数値：0⏎
  その値は0です。
  プログラムを終了します。
③ 整数値：-5⏎
  その値は負です。
  プログラムを終了します。
```

── ここはインデントは不要（if 文とは無関係の部分）
── ここはインデントが必要（if 文の一部として含まれる部分）

今回の **if** 文は、**if** 節と **else** 節のあいだに、"**elif 式 : 文**" という形式の **elif** 節が含まれています。

```
if 式:
    文
elif 式:
    文
else:
    文
```

elif は、"else if" の略であり、『〜でなくて、もしも〜』という意味です。

これまでの **if** 文もそうですが、**いずれかの節の中の文の実行が終了した時点で if 文は終了します**（それ以降の節は実行されません）。

そのため、三つの **print** 関数の呼出しは、どれか一つだけが実行されます。どれも実行されない、あるいは、二つ以上が実行される、といったことはありません。

> **重要**　複数の条件で異なる処理を行う場合は、**elif** 節付きの **if** 文で実現する。

さて、プログラムの最終行では、**print** 関数の呼出しによって『プログラムを終了します。』と表示しています。

インデントを与えないことが、それより前の if 文とは無関係の文であることを示します。

▶ プログラム最終行の **print** 関数の行に、その前の行と同じインデントを挿入して、次のように変更してみます（'chap03/list0305a.py'）。

```
if n > 0:
    print('その値は正です。')
elif n == 0:
    print('その値は0です。')
else:
    print('その値は負です。')
    print('プログラムを終了します。')
```

```
① 整数値：17⏎
  その値は正です。
② 整数値：0⏎
  その値は0です。
③ 整数値：-5⏎
  その値は負です。
  プログラムを終了します。
```

実行しましょう。『プログラムを終了します。』と表示されるのが、**n** が負のときのみとなります。

インデントの意味や与え方については、次節で詳しく学習します。

☐ 複数の elif 節

`elif` 節は、他の節とは異なって複数を置けることになっています。**List 3-6** で確かめます。

List 3-6 chap03/list0306.py

```
# 読み込んだ整数値に応じた印刷色の4原色を表示

n = int(input('整数値：'))

if n == 0:
    print('Cyan')
elif n == 1:
    print('Magenta')
elif n == 2:
    print('Yellow')
elif n == 3:
    print('Key plate')
```

実行例

① 整数値：0⏎
Cyan

② 整数値：1⏎
Magenta

③ 整数値：2⏎
Yellow

④ 整数値：3⏎
Key plate

⑤ 整数値：4⏎

インクジェットプリンタのインクでおなじみの CMYK の英語の綴りを、0〜3 に対応させて表示するプログラムです。

`elif` 節が3個ありますが、`else` 節はありません。0〜3 以外の値を入力すると、何も表示されないことからも分かるように、プログラムの流れは四つではなく、五つに分岐しています。

▶ プログラムの流れの多分岐を行う文として、`match` 文（3–3 節）が用意されています。

☐ if 文の羅列

次は、**List 3-7** のプログラムを考えましょう。

List 3-7 chap03/list0307.py

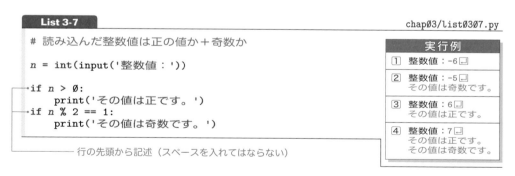

```
# 読み込んだ整数値は正の値か＋奇数か

n = int(input('整数値：'))

if n > 0:
    print('その値は正です。')
if n % 2 == 1:
    print('その値は奇数です。')
```

────── 行の先頭から記述（スペースを入れてはならない）

実行例

① 整数値：-6⏎

② 整数値：-5⏎
その値は奇数です。

③ 整数値：6⏎
その値は正です。

④ 整数値：7⏎
その値は正です。
その値は奇数です。

このプログラムは、2個の（`elif` 節や `else` 節のない）`if` 文が並んでいて、それらが順に実行される構造です。そのため、それぞれの `if` 文で、判定式が真となったときに表示が行われます。

2個の `if` 文が並んでいるだけであって、`elif` 節や `else` 節付きの `if` 文とは、まったく異なります。混同しないようにしましょう。

▶ 本プログラムを少しだけ書きかえたプログラムの挙動の確認を p.68 で行います。

pass 文

整数の符号を表示する **List 3-5** のプログラムに戻ります。プログラムの流れを分岐して表示を行いますが、そもそもゼロが符号であるかどうかは微妙なところです。読み込んだ値が 0 であれば、何も表示しないように変更したのが、**List 3-8** のプログラムです。

```
List 3-8                                          chap03/list0308.py
# 読み込んだ整数値の符号を表示（ゼロはパス）

n = int(input('整数値：'))

if n > 0:
    print('その値は正です。')
elif n == 0:
    pass ←————————————————— pass文
else:
    print('その値は負です。')
```

実行例
1 整数値：17↵
その値は正です。
2 整数値：0↵
3 整数値：-5↵
その値は負です。

n がゼロのときに実行される **pass** は、何も行わない文である pass 文（pass statement）です。

if 文内の特定の節で実行することがなければ pass 文を置くとよいことが分かるでしょう。

▶ pass の代わりにコメントのみを置くのはNGです。各節には何らかの文を置かなければならないからです（コメントが文であると解説している書籍やサイトがありますので注意しましょう）。

pass 文は、『行うべき処理が確定していない（決まってから記述したい）』、『何も行わないことを明示したい』といった文脈で使います。

重要 構文上、文が必要な箇所で何も行わないのであれば pass 文を置く。

▶ pass 文を利用するプログラム例は、第 11 章や第 12 章で学習します。

単純文

ここで学習した **pass** 文は、単純文（simple statement）と呼ばれる文の一種です。単純文の中でも、特によく使われるのが、次の二つの文です。

▪ 式文（expression statement）

呼出し式などの式は、そのまま文となります。　　例 `print('ABC')`

▪ 代入文（assignment statement）

代入を行う文です（第 1 章で学習しました）。　　例 `a = b`

この他の単純文としては、**break** 文、**continue** 文、**del** 文などがあります。

論理型（bool 型）

偽と真を表すのは、論理型（bool type）と呼ばれる bool 型です。論理型が取り得るのは False（偽）、True（真）のいずれかであって、それぞれ内部的に Ø と 1 で表現されます。

数値や文字列などのすべての値は、次の規則に基づいて偽と真のいずれかとみなされます。

> 偽（false）… False、Ø、Ø.Ø、None、空の値（空文字列 ''、空リスト []、空タプル ()、空辞書 {}、空集合 set()）。
>
> 真（true）… 上記以外のものと True。

▶ None は第5章で、文字列は第6章で、リストは第7章で、タプル・辞書・集合は第8章で学習します。

すなわち、偽とみなされる（Ø や空文字列 '' などの）値は決して False とは限りません。同様に、真とみなされる値が True とは限りません。

▶ たとえば、整数の 5 は真とみなされます。ただし、その 5 は、True の 1 とは異なる値です。

*

論理値（論理型の値）を文字列に変換すると、'False' と 'True' が得られます。そのため、print 関数で論理値を出力すると、（Ø や 1 ではなく）それらの文字列として表示されます。

List 3-9 のプログラムで確かめましょう。

List 3-9   chap03/listØ3Ø9.py

```
# 論理型の値を表示

a = int(input('整数a：'))
b = int(input('整数b：'))

print('a <  b  :', a <  b)
print('a <= b  :', a <= b)
print('a >  b  :', a >  b)
print('a >= b  :', a >= b)
print('a == b  :', a == b)
print('a != b  :', a != b)

print('False    :', False)
print('True     :', True)
print('True + 5:', True + 5)  # 1 + 5とみなされる
```

```
            実行例
整数a：5⏎
整数b：3⏎
a <  b  : False
a <= b  : False
a >  b  : True
a >= b  : True
a == b  : False
a != b  : True
False    : False
True     : True
True + 5: 6
```

プログラムの前半では、整数 a と b に**値比較演算子**を適用した式の値を出力しています。真と偽が文字列 'True' あるいは 'False' に自動的に変換されています。

重要 論理型（bool 型）の値は、内部的に False は Ø、True は 1 として表される。なお、文字列に変換すると、それぞれ 'False' および 'True' となる。

後半では、False、True、True + 5 の3個の式の値を表示しています（**Fig.3-4**：p.55）。

▶ 論理型と整数の加算は、現実のプログラムでも使われるテクニックです。
なお、ダウンロードファイルには、str 関数で明示的に文字列に変換するプログラム（'chapØ3/listØ3Ø9a.py'）と、f 文字列を利用したプログラム（'chapØ3/listØ3Ø9b.py'）も含まれます。

式と評価

これまで**式**と**評価**という用語を漠然と使ってきました。それらについて学習しましょう。

式

式（expression）という用語の定義は、極めて複雑です（解説には少なくとも数ページ程度が必要となります）。本書では、次に示す三つの総称であると理解することにします。

- 変数
- リテラル
- 変数やリテラルなどの式を演算子で結んだもの

たとえば、"*no* + 135" を考えましょう。変数 *no*、整数リテラル 135、それらを + 演算子で結んだ *no* + 135 のいずれもが式です。

なお、オペランドに "○○演算子" を適用した式は、"○○式" と呼ばれます。たとえば、*no* と 135 に**値比較演算子 >** を適用した式 *no* > 135 は、**値比較式**です。

評価

式には、基本的に《型》と《値》があり、その値は、プログラム実行時に調べられます。式の値を調べることが、**評価**（evaluation）です。

> **重要** 式には型と値がある。プログラムの実行時に、式の値が評価される。

評価のイメージの具体例を **Fig.3-3** に示しています（変数 *no* は、`int` 型で値が 52 であるとしています）。

変数 *no* の値が 52 ですから、図に示すように、式 *no*、135、*no* + 135 の評価で得られるのは、それぞれ 52、135、187 となります。もちろん、三つとも `int` 型です。

ここで評価値を示しているのは、ディジタル温度計のような図ですが、左側の小さな文字が型で、右側の大きな文字が値です。

加算式の評価
`int` + `int`

Fig.3-3 式の評価（その１：全オペランドの型と式の型が一致）

各オペランドと、式全体の型が同一であるとは限りません。**Fig.3-4** は、その例です。

- 図**a** … 値比較式　　　　　　　　　　　　　　　　　　　　`int > int ⇨ bool`

　`int` 型変数 *no* の値が 52 のときに、式 *no* `> 135` の評価によって得られるのは、論理型（すなわち `bool` 型）の `False` です。

- 図**b** … 加算式　　　　　　　　　　　　　　　　　　　　　`bool + int ⇨ int`

　この式は **List 3-9**（p.53）で学習しました。論理型の `True` は、内部的には整数の 1 であるため、それに 5 を加算した結果は、`int` 型の 6 となります。

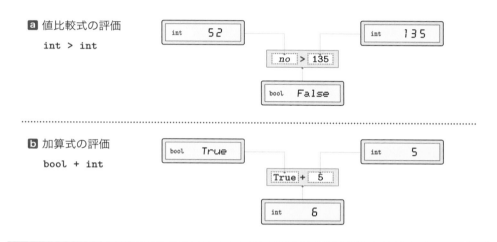

a 値比較式の評価
`int > int`

b 加算式の評価
`bool + int`

Fig.3-4　式の評価（その2：オペランドと式の型が異なる）

　ここでは、評価、型、値について学習しました。**List 3-10** のプログラムを実行して確認しましょう。

List 3-10　　　　　　　　　　　　　　　　　　　　　　　　`chap03/list0310.py`

```python
# 加算を行う式と値比較を行う式の型と値

no = int(input('noの値：'))

print(f'no + 135の型は{type(no + 135)}で値は{no + 135}です。')
print(f'no > 135の型は{type(no > 135)}で値は{no > 135}です。')
```

p.17 で学習した `type` 関数を利用して
型を調べています。

```
　　　　　　　　　実行例
noの値：52⏎
no + 135の型は<class 'int'>で値は187です。
no > 135の型は<class 'bool'>で値はFalseです。
```

▶　値という用語については、**Column 5-4**（p.132）でも学習します。

論理演算子

整数値を読み込んで、ゼロなのか／1桁の値なのか／それ以上の桁数の値なのかを判定して表示するプログラムを作りましょう。それが **List 3-11** に示すプログラムです。

List 3-11 chap03/list0311.py

```
# 整数値の桁数（ゼロ／1桁／2桁以上）を判定

n = int(input('整数値：'))

if n == 0:                      # ゼロ
    print('その値はゼロです。')
elif n >= -9 and n <= 9:        # 1桁
    print('その値は1桁です。')
else:                           # 2桁以上
    print('その値は2桁以上です。')
```

実行例
① 整数値：0⏎
　　その値はゼロです。
② 整数値：5⏎
　　その値は1桁です。
③ 整数値：-25⏎
　　その値は2桁以上です。

論理積演算子 and

読み込んだ値が1桁かどうかの判定を行う **n >= -9 and n <= 9** に着目しましょう。

and演算子を適用した "*x* and *y*" は、日本語でいえば《*x* かつ *y*》の判定です。そのため、**n が -9 以上かつ 9 以下**であれば、『その値は1桁です。』と表示されます。

▶ 正しく判定できるのは、(n >= -9) and (n <= 9)とみなされるからです（優先度を含めた全演算子は **Table 3-5**（p.78）に示しています。and演算子（と or演算子）は優先度が極めて低いため、左右のオペランドを ( ) で囲まなければならない文脈が限られます）。

なお、n が 0 であれば『その値はゼロです。』の表示後に if 文が終了します。『その値は1桁です。』と表示されるのは、n が -9、-8、…、-2、-1、1、2、…、8、9 のいずれかのときです。

論理和演算子 or

次は、読み込んだ値が2桁以上かどうかを判定して表示するプログラムを作ります。それが、**List 3-12** のプログラムです。

List 3-12 chap03/list0312.py

```
# 読み込んだ整数値が2桁以上かどうかを判定（その1）

n = int(input('整数値：'))

if n <= -10 or n >= 10:         # 2桁以上
    print('その値は2桁以上です。')
else:                           # 2桁未満
    print('その値は2桁未満です。')
```

実行例
① 整数値：-15⏎
　　その値は2桁以上です。
② 整数値：5⏎
　　その値は2桁未満です。

or演算子を適用した "*x* or *y*" は、日本語でいえば《*x* または *y*》の判定です。"または"のニュアンスは、『いずれか一方のみ』ではなく、『いずれか一方でも』です。

そのため、**変数 n の値が -10 以下または 10 以上**であれば（二つの条件のいずれか一方でも成立すれば）、『その値は2桁以上です。』と表示されます。

論理否定演算子 not

このプログラムの判定を反転する（裏返す）ことを考えましょう。オペランドの論理値を反転した値を生成する not 演算子を使って書きかえたのが、**List 3-13** のプログラムです。

```
List 3-13                                          chap03/list0313.py
# 読み込んだ整数値が２桁以上かどうかを判定（その２）

n = int(input('整数値：'))

if not (n <= -10 or n >= 10):      # ２桁未満
    print('その値は２桁未満です。')
else:                              # ２桁以上
    print('その値は２桁以上です。')
```

実行例
① 整数値：-15↵
　その値は２桁以上です。
② 整数値：5↵
　その値は２桁未満です。

List 3-12 とは順序が反転

赤色の判定は、前のプログラムの水色の判定の否定です。変数 **n** の値が **-10** 以下または **10** 以上の値ではないときに真と評価され『その値は２桁未満です。』と表示されます。

ここで学習した三つの演算子の総称は、**論理演算子**（bool operator）です。

Fig.3-5 に示すのは、一般的な**論理積**、**論理和**、**論理否定**の演算結果です。極めて紛らわしいことに、Python の **and** 演算子と **or** 演算子は、この表とは異なる演算を行います。

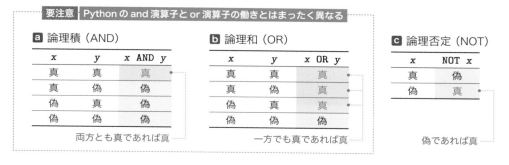

Fig.3-5　一般的な論理積と論理和と論理否定の真理値表

Table 3-2 に示すのが、Python の論理演算子の概要です。True や False を生成するのは、not 演算子だけです。論理演算子を正確に理解していきましょう。

Table 3-2　論理演算子

x and y	x を評価して偽であれば、その値 x を生成。そうでなければ y を評価して、その値 y を生成。
x or y	x を評価して真であれば、その値 x を生成。そうでなければ y を評価して、その値 y を生成。
not x	x が真であれば False を、そうでなければ True を生成。

▶ 優先度は、高いほうから順に not 演算子、and 演算子、or 演算子です。

論理演算式の評価と短絡評価

まずは、List 3-14 のプログラムで、論理積演算子 and の働きを正しく理解します。

▶ 赤い点線 ⬚ 内の式を評価した値が変数 c に代入されることに注意しましょう。

List 3-14　　　　　　　　　　　　　　　　　　　chap03/list0314.py

```
# aはbで割り切れるか

a = int(input('整数a：'))
b = int(input('整数b：'))

c = b != 0 and a % b
print(c, end='…')

if c:
    print('aはbで割り切れません。')
else:
    print('bが0またはaがbで割り切れます。')
```

実行例
① 整数a：12⏎ 　 整数b：0⏎ 　 False…bが0またはaがbで割り切れます。
② 整数a：12⏎ 　 整数b：4⏎ 　 0…bが0またはaがbで割り切れます。
③ 整数a：12⏎ 　 整数b：7⏎ 　 5…aはbで割り切れません。

└── b != 0 が偽であれば a % b は評価されない

前ページの **Table 3-2** では、and 演算子は次のように解説されています。

x を評価して偽であれば、その値 x を生成。そうでなければ y を評価して、その値 y を生成。

三つの実行例のそれぞれを検証して理解していきましょう。

▪ **実行例①**（b の値が 0 ➡ 左オペランド x は偽）

左オペランド b != 0 が偽であることを確認した時点で、and 式の評価は終了します（その結果 c に False が代入されます）。というのも、左オペランドが偽であれば、論理積 and の結果も必ず偽になるからです。規則により、and 演算子の左オペランドを評価した値が偽であれば、右オペランドの評価は省略されます。

右オペランド a % b の評価が省略されることは、0 で除算することによる実行時エラーが発生しないことで確認できます。

▪ **実行例②**（b の値が 4 ➡ 左オペランド x は真）

左オペランドの b != 0 が真であるため、右オペランド a % b が評価されます。12 を 4 で割った剰余である 0 が c に代入されます。

▪ **実行例③**（b の値が 5 ➡ 左オペランド x は真）

左オペランドの b != 0 が真であるため、右オペランド a % b が評価されます。12 を 7 で割った剰余である 5 が c に代入されます。

まとめましょう。判定結果によって、c に代入される値の型までもが変わります。

▪ b が 0 であれば　　：論理値（bool 型）の False。　　※注意：a % b の除算は行われない
▪ b が 0 でなければ：整数値（int 型）の a を b で割った剰余。

もう一方の or 演算子の働きは、次のとおりです。

x を評価して真であれば、その値 x を生成。そうでなければ y を評価して、その値 y を生成。

List 3-15 のプログラムで確認しましょう。

```
List 3-15                                          chap03/list0315.py
# bが0でないときにのみaをbで割った商を表示

a = int(input('整数a : '))
b = int(input('整数b : '))

b == 0 or print('a // b = ', a // b)
```

実行例
1. 整数a : 12⏎
   整数b : 0⏎

2. 整数a : 12⏎
   整数b : 4⏎
   a // b = 3

b == 0 が真であればこの式は評価されない

実行例①のように、 b == 0 が成立すると評価は終了します。左オペランドが真であれば、論理和 or の結果も必ず真になるからです。規則により、or 演算子の左オペランドを評価した値が真であれば、右オペランドの評価は省略されます。

実行例②では、 b == 0 が成立しないため、右オペランドが評価がされます。右オペランドの式 print('a // b = ', a // b) の評価によって画面への表示が行われます。

＊

論理演算の評価結果が、左オペランドの評価の結果のみで明確になる場合に、右オペランドの評価が省略されることは、短絡評価（short circuit evaluation）と呼ばれます。

重要　and 演算子と or 演算子は短絡評価を行うため、右オペランドが評価されるとは限らない。いずれの演算子も、最終的に生成する値は、最後に評価した式の値であり、真偽の論理値とは限らない。

Python の論理演算の働きをまとめると、Fig.3-6 のようになります。

ⓐ 論理積（and演算子）

x	y	x and y
真	真	y
真	偽	y
偽	真	x
偽	偽	x

両方とも真であれば真

ⓑ 論理和（or演算子）

x	y	x or y
真	真	x
真	偽	x
偽	真	y
偽	偽	y

一方でも真であれば真

ⓒ 論理否定（not演算子）

x	not x
真	False
偽	True

偽であれば True

灰色部のオペランドは評価が省略されます（実質的に無視されます）。
赤文字の真と偽が、演算結果として採用されるオペランドです。
　※たとえば、x and y を評価した値は、"真 and 偽" では、偽である y の値となり、
　　　　　　　　　　　　　　　　　　　"偽 and 真" では、偽である x の値となります。

Fig.3-6　Python の and 演算子と or 演算子と not 演算子

多重の値比較

論理積演算子 and と論理和演算子 or を利用して、1 〜 12 の月の値から季節を判定するプログラムを作りましょう。**List 3-16** が、そのプログラムです。

List 3-16　　　　　　　　　　　　　　　chap03/list0316.py

```
# 読み込んだ月の季節を表示（その 1）

month = int(input('季節を求めます。\n何月ですか：'))

if 3 <= month and month <= 5:
    print('それは春です。')
elif 6 <= month and month <= 8:
    print('それは夏です。')
elif 9 <= month and month <= 11:
    print('それは秋です。')
elif month == 1 or month == 2 or month == 12:
    print('それは冬です。')
else:
    print('そんな月はありませんよ。')
```

```
実行例
① 季節を求めます。
   何月ですか：3 ↵
   それは春です。
② 季節を求めます。
   何月ですか：7 ↵
   それは夏です。
③ 季節を求めます。
   何月ですか：1 ↵
   それは冬です。
```

and 演算子と or 演算子をうまく利用することで各季節の判定を行っています。

さて、本プログラムのすべての判定は1行に収まっていますが、もっと複雑な判定であれば、1行に収まらなくなります。長い式は、( ) で囲むことで複数行にわたって記述できます。

それを利用して "冬" の判定を書きかえたのが、**List 3-17** のプログラムです。

List 3-17　　　　　　　　　　　　　　　chap03/list0317.py

```
# 読み込んだ月の季節を表示（その 2：冬の判定を複数行で表記）

elif (month == 1 or      # 1月は冬
      month == 2 or      # 2月も冬
      month == 12        # 12月も冬
     ):
    print('それは冬です。')
```

このように、( ) 内の行には、コメントも記述しやすくなります。

重要　1行に収まらない複雑な長い式は ( ) で囲むと複数行にわたって記述できる。

▶ 記述がしやすくなる上に、コメントも記入できる点で、第1章で学習した \ 方式よりも優れています。なお、単語（変数名や演算子など）の途中で改行できない点は、\ 方式と同じです。

実は、春と夏と秋の判定は、and 演算子を使わずに実現できます。右ページの **List 3-18** に示すのが、そのプログラムです。

値比較演算子（**Table 3-1**：p.47）を連続適用すると、and で結合されたものとみなされることを利用しています。たとえば $x < y <= z$ は、$x < y$ and $y <= z$ と等価です。

▶ $x < y <= z$ において $x < y$ が偽になると、式 z の値の評価が省略されます（短絡評価）。

```
List 3-18                                          chap03/list0318.py
# 読み込んだ月の季節を表示（その３：値比較演算子を連続適用）

if 3 <= month <= 5:
    print('それは春です。')        ┌─────────────────────────────┐
elif 6 <= month <= 8:             │ 3 <= month and month <= 5   │─┐
    print('それは夏です。')        │                             │ ├ 同じ
elif 9 <= month <= 11:            │ 3 <= month <= 5             │─┘
    print('それは秋です。')        └─────────────────────────────┘
```

▶ 等価性を判定する値比較演算子 == も連続適用できます。たとえば、三つの変数 a、b、c の値が
すべて等しいかどうかの判定式は a == b == c で実現できます（'chap03/list0318a.py'）。

```
    if a == b == c:
        print('三つとも等しいです。')
    else:
        print('三つとも等しいわけではありません。')
```

値比較演算子の連続適用は、コードを単純明快にします。

重要　連続適用した値比較演算は and 結合とみなされる（コードを簡潔にできる）。

　　例　a <= n <= c … a <= n and n <= c　n は a 以上で c 以下か？

　　例　a == b == c … a == b and b == c　a と b と c はすべて等しいか？

▢ 集合を用いた判定

三つのプログラムを示しました。いずれも季節の判定式を理解するには、じっくりと読む必
要があります。もう少し直感的に分かるようにしたのが、**List 3-19** のプログラムです。

```
List 3-19                                          chap03/list0319.py
# 読み込んだ月の季節を表示（その４：集合を利用）

month = int(input('季節を求めます。\n何月ですか：'))    ┌──── 実行例 ────┐
                                                    │ ① 季節を求めます。│
if month in {3, 4, 5}:                              │   何月ですか：3↵ │
    print('それは春です。')                           │   それは春です。 │
elif month in {6, 7, 8}:                            ├───────────────┤
    print('それは夏です。')                           │ ② 季節を求めます。│
elif month in {9, 10, 11}:                          │   何月ですか：7↵ │
    print('それは秋です。')                           │   それは夏です。 │
elif month in {1, 2, 12}:                           ├───────────────┤
    print('それは冬です。')                           │ ③ 季節を求めます。│
else:                                               │   何月ですか：1↵ │
    print('そんな月はありませんよ。')                   │   それは冬です。 │
                                                    └───────────────┘
```

データを , で区切って { } で囲んだ集合（set）を使った別解です。コードを読むだけで
（英文的な感覚で）何となく理解できるでしょう。

一般に、"**a in 集合**" は、a が集合に含まれているかどうかを判定します。

▶ 集合は第 8 章で学習し、帰属性判定演算子 in は第 6 章、第 7 章、第 8 章で学習します。

条件演算子

List 3-20 は、二つの値を読み込んで小さいほうの値を求めて表示するプログラムです。

List 3-20　　　　　　　　　　　　　　　　　　　　chap03/list0320.py

```
# ２値の小さいほうの値を表示（その１：if文）

a = int(input('整数a：'))
b = int(input('整数b：'))

if a < b:
    min2 = a
else:
    min2 = b
print(f'小さいほうの値は{min2}です。')
```

実行例
```
① 整数a：29 ⏎
   整数b：52 ⏎
   小さいほうの値は29です。

② 整数a：31 ⏎
   整数b：15 ⏎
   小さいほうの値は15です。
```

if 文では、変数 a と b に読み込んだ値を比較して、a のほうが b より小さければ変数 *min2* に a を代入し、そうでなければ変数 *min2* に b を代入します。その結果、if 文の実行終了時の変数 *min2* には小さいほうの値が入っています。

▶ a と b の値が同じであれば、*min2* に代入されるのは b です。

プログラム最終行の **print** 関数の呼出しは、先頭にインデントが与えられていませんので、if 文とは無関係です。変数 a と b の大小関係にかかわらず実行されます。

条件演算子

このプログラムを、if 文を用いずに書きかえたのが **List 3-21** のプログラムです。

List 3-21　　　　　　　　　　　　　　　　　　　　chap03/list0321.py

```
# ２値の小さいほうの値を表示（その２：条件演算子）

min2 = a if a < b else b
```
　　　　└ a < b であれば a 　└ そうでなければ b

初登場の **if else** は、**Table 3-3** に示す条件演算子（conditional operator）です。条件演算子が適用された条件式（conditional expression）には、**if** 文の働きが凝縮されています。

右ページ **Fig.3-7** のように評価が行われるため、変数 *min2* に代入されるのは、a が b より小さければ a の値、そうでなければ b の値となります。

Table 3-3　条件演算子

x if y else z　y を評価した値が真であれば x を評価した値を、そうでなければ z を評価した値を生成。

▶ 条件演算子は、唯一の3項演算子です（他の演算子は、単項もしくは2項の演算子です）。
なお、y を評価した値が真であれば式 z の評価は省略されますし、偽であれば式 x の評価は省略されます。すなわち、短絡評価が行われます。

条件式

$$式_1 \quad if \quad 式_2 \quad else \quad 式_3$$

の評価で得られる値は、次のようになる。

まず 式$_2$ を評価。その値が
- ⓐ 真であれば 式$_1$ を評価した値となる。
- ⓑ 偽であれば 式$_3$ を評価した値となる。

ⓐ aが29でbが52のとき

`a if a < b else b` → int `29`

この式の評価値が採用される

ⓑ aが31でbが15のとき

`a if a < b else b` → int `15`

この式の評価値が採用される

3-1
文

Fig.3-7 条件式の評価

差を求める

本プログラムを少し書きかえるだけで、《二つの整数値の差》を求めるプログラムが完成します。**List 3-22** が、そのプログラムです。

List 3-22   chap03/list0322.py

```python
# 2値の差を表示

a = int(input('整数a : '))
b = int(input('整数b : '))

print(f'差は{b - a if a < b else a - b}です。')
```
└─ a < b であれば b − a   └─ そうでなければ a − b

実 行 例
1 整数a : 4⏎
   整数b : 1⏎
   差は3です。
2 整数a : 2⏎
   整数b : 7⏎
   差は5です。

大きいほうの値から小さいほうの値を引くことで、2値の差を求めています。

重 要 3項演算子である条件演算子 `if else` を適用すれば、判定結果の真偽に応じて異なる値を作り出す条件式が簡潔に記述できる。

条件演算子の適用は**入れ子**にすることもできます。その例となっている **List 3-23** は、読み込んだ整数値の符号を表示するプログラムです。

List 3-23   chap03/list0323.py

```python
# 読み込んだ整数値の符号を表示（条件演算子）

n = int(input('整数値 : '))

print(f'その値は{"正" if n > 0 else "0" if n == 0 else "負"}です。')
```

実 行 例
整数値 : 17⏎
その値は正です。

この程度であれば、何とか読めますが、入れ子が深すぎると、プログラムが逆に読みづらくなります。注意しましょう。

▶ "正"と"0"と"負"の二重引用符 " を単一引用符 ' に変更するとエラーとなります（'chap03/list0323x.py'）。文字列リテラル ' … ' の途中に ' 文字を使うことができないからです。

3-2 入れ子の if 文とスイート

前節では、if 文の基礎を学習しました。本節では、if 文の中に if 文が入る《入れ子》の文や、if 文で実行すべき文が複数の場合など、複雑な if 文を学習します。

入れ子の if 文

次のプログラムを作りましょう。

- 読み込んだ整数値が正であれば : 偶数／奇数のいずれであるのかを表示する。
- そうでなければ : その旨のメッセージを表示する。

List 3-24 に示すのが、そのプログラムです。

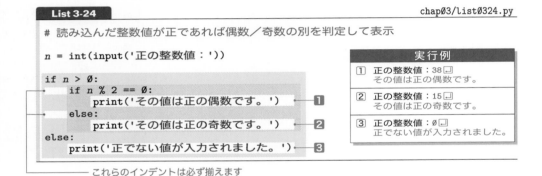

```
List 3-24                                              chap03/list0324.py
# 読み込んだ整数値が正であれば偶数／奇数の別を判定して表示

n = int(input('正の整数値：'))

if n > 0:
    if n % 2 == 0:
        print('その値は正の偶数です。')
    else:
        print('その値は正の奇数です。')
else:
    print('正でない値が入力されました。')
```

実行例
① 正の整数値：38⏎ その値は正の偶数です。
② 正の整数値：15⏎ その値は正の奇数です。
③ 正の整数値：0⏎ 正でない値が入力されました。

—— これらのインデントは必ず揃えます

Fig.3-8 に示すように、本プログラムの if 文は、その中に if 文が入る《入れ子》の構造です。外側の if 文の if 節で実行する文が、内側の if 文です（if 文は単一の文とみなされます）。その内側の if 文では、n が偶数か奇数かによって、■1 あるいは ■2 の文を実行します。

なお、外側の if 文の else 節で実行されるのは、■3 の文です。

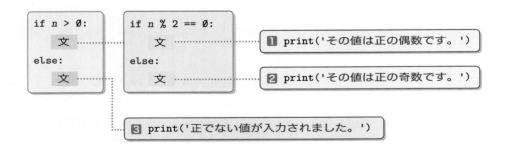

Fig.3-8 入れ子になった if 文

注意：内側の if 文に含まれる "if n % 2 == 0:" と "else:" のインデントが揃っていないと、
それらの対応関係を示せなくなるため、エラーとなります（'chap03/list0324x.py'）。

本章のここまでのプログラムでは、if 節、else 節、elif 節の各部で条件成立時に実行する文は、**判定式の次の行に**（スペース4個のインデントとともに）置いていました。

文法規則により、実行する文は、**判定式と**同じ行（コロン：から改行文字までのあいだ）に置くこともできます。

Fig.3-9 に示すのが、その具体例です（左右どちらの記述でも OK です）。

List 3-1

どちらでも OK!!

```
if n > 0:
    print('その値は正です。')
```
```
if n > 0: print('その値は正です。')
```

List 3-5

どちらでも OK!!

```
if n > 0:
    print('その値は正です。')
elif n == 0:
    print('その値は0です。')
else:
    print('その値は負です。')
```
```
if n > 0: print('その値は正です。')
elif n == 0: print('その値は0です。')
else: print('その値は負です。')
```

Fig.3-9　if 文の記述

次章以降の学習内容とも深く関わってきますので、一般化して学習を進めます。

本章の if 文や、次章の while 文と for 文などの文は、**複合文**（compound statement）と呼ばれる文であり、**単純文**（p.52）とは根本的に異なる文です。

その複合文では、制御する文（判定条件の成立時に実行する文）が**単純文**であるときに限り、その単純文は、判定式と同じ行内のコロン：の後ろに置けるようになっています。

重要　複合文で制御する単純文は、改行することなく：の後ろに置いてもよい。

今回のプログラムの if 文は、次のように記述できます（'chap03/list0324a.py'）。

```
if n > 0:
    if n % 2 == 0: print('その値は正の偶数です。')
    else: print('その値は正の奇数です。')
else:
    print('正でない値が入力されました。')
```

▶ 条件演算子 if else を利用すると、次のように簡潔になります（'chap03/list0324b.py'）。
```
if n > 0:
    print(f'その値は正の{"奇数" if n % 2 else "偶数"}です。')
else:
    print('正でない値が入力されました。')
```

複数の文を実行する if 文

　二つの整数値を読み込んで、小さいほうの値と大きいほうの値の両方を求めましょう。その
プログラムを **List 3-25** に示します。

List 3-25 chap03/list0325.py

```
# 小さいほうの値と大きいほうの値を求めて表示（その１）

a = int(input('整数a : '))
b = int(input('整数b : '))

if a < b:
    min2 = a          ■1
    max2 = b
else:
    min2 = b          ■2
    max2 = a

print(f'小さいほうの値は{min2}です。')
print(f'大きいほうの値は{max2}です。')
```

実行例
```
整数a : 37 ⏎
整数b : 52 ⏎
小さいほうの値は37です。
大きいほうの値は52です。
```

　本プログラムの **if** 文は、次のように処理を行います。

- *a* が *b* より小さければ：■1の２個の文を実行する。
- そうでなければ　　　　：■2の２個の文を実行する。

　■1の２個の文と、■2の２個の文のインデントは、それぞれ
揃える必要があります（各節内の制御対象が複数の文の場
合は、インデントが揃っていないとエラーが発生します）。

重要 複合文で制御するのが複数個の文であれば、それ
らの文は、複数行にわたってインデントを統一し
て記述する。

　なお、**Fig.3-10** に示すように、**if** 節、**elif** 節、**else** 節の
各節の中でインデントが統一されていればよく、節をまたい
での統一は不要です。

　▶ 紛らわしさを避けるために、節をまたいでも統一すべきであることは、いうまでもないでしょう。

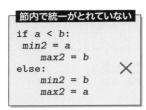

節内で統一がとれていない
```
if a < b:
  min2 = a
    max2 = b
else:
    min2 = b
    max2 = a
```
　×

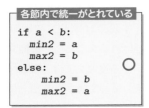

各節内で統一がとれている
```
if a < b:
  min2 = a
  max2 = b
else:
    min2 = b
    max2 = a
```
　○

Fig.3-10　if文とインデント

スイート

複合文が制御の対象とする文（の並び）は、スイート（suite）と呼ばれます。

　スイートが複数個の単純文であれば、セミコロン ; で各文を区切ることで、１行内に並べら
れるようになっています。それを利用して書きかえたのが、右ページの **List 3-26** です。

　各節で制御されるスイートが１行にまとめられました。

　▶ スイートは、『一式』という意味です。

List 3-26 `chap03/list0326.py`

```
# 小さいほうの値と大きいほうの値を求めて表示（その２）
```

```
if a < b:
    min2 = a; max2 = b;
else:
    min2 = b; max2 = a;
```

```
# その３：各節を１行に収める   'chap03/list0326a.py'
if a < b: min2 = a; max2 = b;
else: min2 = b; max2 = a;
```

末尾の ; は省略できる

▶ 枠内に示す「その３」のプログラムでは、各節を１行に収めています（詰め込みすぎているため、逆に読みづらくなっています）。

　さて、条件演算子（p.62）と、複数の変数への値の一括代入（p.19）を組み合わせると、たった１行で実現できます。**List 3-27** に示すのが、そのプログラムです。

List 3-27 `chap03/list0327.py`

```
# 小さいほうの値と大きいほうの値を求めて表示（その４：条件演算子）
```

```
min2, max2 = (a, b) if a < b else (b, a)
```

a < b であれば (a, b)　　そうでなければ (b, a)

注意：右辺の式 (a, b) と (b, a) の丸括弧 ( ) を省略すると、式の区切りが不明となるため、
　　　エラーが発生します。

▶ 丸括弧 ( ) の詳細は、第８章で学習します。
　なお、次のようにすれば、小さいほうの値、大きいほうの値、差の３値を一度に求めることができます（'chap03/list0327a.py'）。

```
min2, max2, diff = (a, b, b - a) if a < b else (b, a, a - b)
```

☐ min 関数と max 関数（最小値を求める関数と最大値を求める関数）

　最小値を求める min 関数と、最大値を求める max 関数が、組込み関数として提供されています。それを利用して簡潔に実現したのが、**List 3-28** のプログラムです。

List 3-28 `chap03/list0328.py`

```
# 小さいほうの値と大きいほうの値を求めて表示（その５：min関数とmax関数）
```

```
min2 = min(a, b)
max2 = max(a, b)
```

　min 関数と max 関数は、与えられた値の最小値あるいは最大値を返却します。なお、与える引数は、２個に限られておらず、任意の個数が OK です。

▶ 関数を呼び出す式を右辺に置いて代入を行うと、関数が返却した値が変数に代入されることは、p.34 で学習しました。詳しい原理は、第９章で学習します。

☐ if 文とインデント

次に考えるのは、**List 3-29** のプログラムです。これは、**List 3-7**（p.51）の2番目の **if** 文に
インデントを加えただけですが、挙動が変わります。

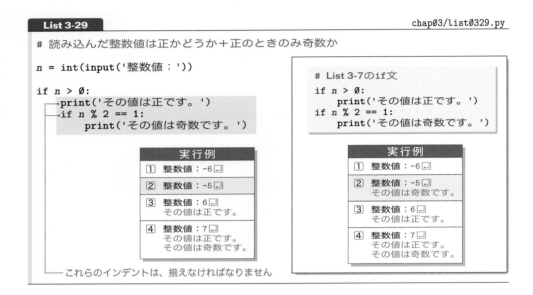

■ **List 3-7** … 独立した2個の if 文

二つの **if** 文が並んでおり、それらは無関係です。そのため、**n** の値が正であるかどうかにか
かわらず、奇数かどうかの判定が行われ、奇数であれば、その旨が表示されます。

■ **本プログラム＝ List 3-29** … 入れ子の if 文

2番目の **if** 文は、最初の（外側の）**if** 文の中に入っています。**n** の値が正のときに水色部が
実行されるため、奇数かどうかの判定が行われるのは、**n** が正のときに限られます（奇数であ
れば、その旨が表示されます）。

▶ すなわち、**n** が **0** 以下であれば、奇数かどうかの判定・表示は行われません（実行例①と②）。

さて、外側の **if** 文が制御する（判定式 **n > 0** が真のときに実行される）スイートは、次の
2個の文🅐と🅑で構成されています。

```
🅐 print('その値は正です。')
🅑 if n % 2 == 1: print('その値は奇数です。')←🅒
```

そのため、🅐と🅑のインデントは、最初の **if** 文よりレベルが一つ深いインデントとなって、
しかも、揃っている必要があります。

▶ プログラムでは、🅑の **if** 文中の **if** 節が制御する🅒を、次の行に置いています。そのため🅒は、さ
らに1レベル深いインデントとなっています。

if 文の構文とスイート

ここまで、if 文の形式を表した図を、p.46、p.48、p.50 の3回にわたって紹介しました。

3回目に紹介したのが **Fig.3-11 ** です。この図を、より正確に構文（文法上の形式）を表すように書きかえたのが図 **b** です。

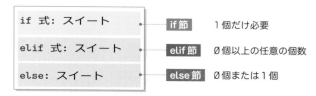

Fig.3-11 if 文の構文

さて、if 文内の各節の冒頭部分は、if や else などで始まって、コロン : で終わります。

この部分は頭部（header）と呼ばれ、末尾の : は、『この後にスイートが続きますよ。』という目印です。

スイートは、次のように記述します。

- スイートは、1レベル深いインデントで（スペースの個数を多くして）頭部の次の行に置くのが基本である。
  なお、スイートに含まれる文が複数であれば、それらのインデントのレベルは揃えなければならない（文は、単純文でも複合文でも構わない）。

- スイートが単純文のみで構成される場合に限り、頭部と同じ行（頭部末尾の : から改行までのあいだ）に置くことができる。
  単純文が2個以上であれば、セミコロン ; で各文を区切る（セミコロン ; は最後の文の後ろにも置いてよい）。

  例 `if a < b: min2 = a`
  例 `if a < b: min2 = a; max2 = b;`

▶ 頭部と同じ行に置けるスイートは単純文に限られますので、次のように複合文を含めると、エラーが発生します。

  ✗`if a < b: if c < d: x = u`　　　# **エラー** コロン : の後ろに複合文は置けない
      複合文

2値のソートと2値の交換

二つの整数値を読み込んで、それらを昇順に並びかえる＝ソート（sort）するプログラムを作りましょう。**List 3-30** に示すのが、そのプログラムです。

▶ 昇順は「小さいほうから順」という意味です。逆の「大きいほうから順」は降順です。

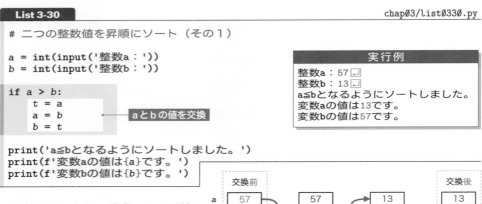

List 3-30   chap03/list0330.py

```python
# 二つの整数値を昇順にソート（その１）

a = int(input('整数a：'))
b = int(input('整数b：'))

if a > b:
    t = a
    a = b          aとbの値を交換
    b = t

print('a≦bとなるようにソートしました。')
print(f'変数aの値は{a}です。')
print(f'変数bの値は{b}です。')
```

実行例
整数a：57 ⏎
整数b：13 ⏎
a≦bとなるようにソートしました。
変数aの値は13です。
変数bの値は57です。

２値のソートは、変数 a と b の値を交換することで行います。ただし、交換を行うのは、a の値が b の値より大きいときのみです。

本プログラムでは、**Fig.3-12** に示す３ステップで２値の交換を行っています。

▶ ① a の値を t に保存しておく。
　　② b の値を a に代入する。
　　③ t に保存していた最初の a の値を b に代入する。

Fig.3-12　２値の交換手順

なお、p.19 で学習した "複数の変数への一括代入" を利用すると、**List 3-31** のように簡潔になります。a への b の代入と、b への a の代入は（論理的に）同時に行われます。

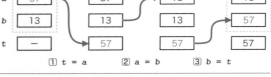

List 3-31   chap03/list0331.py

```python
# 二つの整数値を昇順にソート（その２）

if a > b:
    a, b = b, a          aとbの値を交換
```

余分な変数が不要であり、コードも簡潔です。

重要　変数 a と b の２値の交換は a, b = b, a で行う。

▶ このコードは定石的に使われます。このコードの深い意味は、p.117 と p.210 で学習します。

3値のソート

次は、三つの整数値を昇順にソートしましょう。それが、**List 3-32** のプログラムです。

List 3-32 chap03/list0332.py

```
# 三つの整数値を昇順にソート

a = int(input('整数a：'))
b = int(input('整数b：'))
c = int(input('整数c：'))

if a > b: a, b = b, a ←1
if b > c: b, c = c, b ←2
if a > b: a, b = b, a ←3

print('a≦b≦cとなるようにソートしました。')
print(f'変数aの値は{a}です。')
print(f'変数bの値は{b}です。')
print(f'変数cの値は{c}です。')
```

実行例

```
整数a：5⏎
整数b：3⏎
整数c：2⏎
a≦b≦cとなるようにソートしました。
変数aの値は2です。
変数bの値は3です。
変数cの値は5です。
```

三つの **if** 文で3値のソートを行う様子を、**Fig.3-13** を見ながら理解していきます。

1 a と b の値を比べます。左側の a が右側の b よりも大きければ、それらの値を交換します。

2 b と c に対しても同様に行います（必要なときにのみ b と c の値を交換します）。

ここまでの2段階の手続きによって、最も大きい値が c に格納されます。というのも、これは右側の図に示す《**トーナメント**》だからです。

3 最大値が c に格納されました。最後に行うのは、第2位を決定する《**敗者復活戦**》です。この **if** 文によって、a と b の大きいほうの値が b に格納されます。

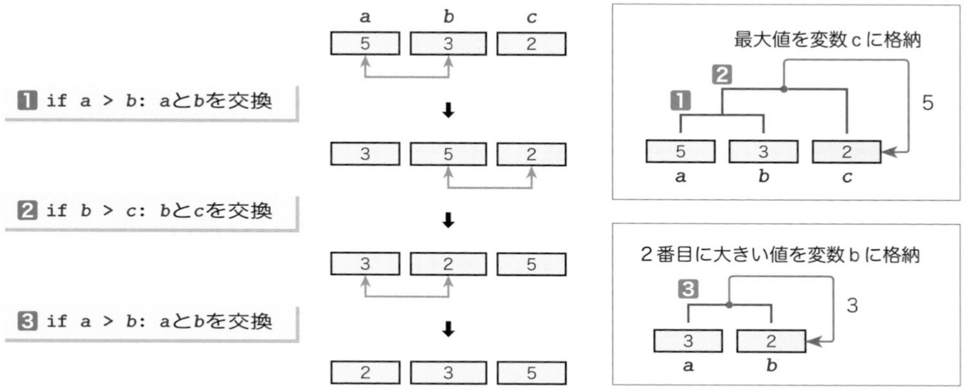

Fig.3-13　3値のソートの手順

☐ ソートを行う組込み関数 sorted

　2値のソートと3値のソートのプログラムを作成してきました。対象が4値以上になると、ソートの手順はもっと複雑になります。

　ソートの手続きを理解することは、プログラミングの学習過程において必須ですが、現実のプログラムでは、組込みの sorted 関数を利用します。

　この関数を利用して、2値のソートを行うプログラムを書きかえたのが **List 3-33** です。

List 3-33　　　　　　　　　　　　　　　　　　　　　　　　　chap03/list0333.py

```
# 二つの整数値を昇順にソート（その3）

a = int(input('整数a：'))
b = int(input('整数b：'))

a, b = sorted([a, b])          # 昇順にソート

print('a≦bとなるようにソートしました。')
print(f'変数aの値は{a}です。')
print(f'変数bの値は{b}です。')
```

```
実行例
整数a：52 ⏎
整数b：37 ⏎
a≦bとなるようにソートしました。
変数aの値は37です。
変数bの値は52です。
```

　第7章で学習するリストなどが使われていますので、本プログラムを現時点で正確に理解する必要はありません。

> ▶ sorted は、「ソートを行う関数」というよりも、「ソートを行った後のリストを新しく生成して返却する関数」です。現時点では、見よう見まねで使えるようになっておけば、十分です。

　sorted 関数を使うと、3値のソート（'chap03/sort03.py'）と4値のソート（'chap03/sort04.py'）は、次のように行えます。

```
a, b, c    = sorted([a, b, c])        # 3値を昇順にソート
a, b, c, d = sorted([a, b, c, d])     # 4値を昇順にソート
```

　なお、降順にソートするのであれば、sorted 関数の第2引数に reverse=True を与えます。**List 3-34** に示すのが、そのプログラムです。

List 3-34　　　　　　　　　　　　　　　　　　　　　　　　　chap03/list0334.py

```
# 二つの整数値を降順にソート

a = int(input('整数a：'))
b = int(input('整数b：'))

a, b = sorted([a, b], reverse=True)

print('a≧bとなるようにソートしました。')
print(f'変数aの値は{a}です。')
print(f'変数bの値は{b}です。')
```

```
実行例
整数a：17 ⏎
整数b：23 ⏎
a≧bとなるようにソートしました。
変数aの値は23です。
変数bの値は17です。
```

└─ 降順ソートの指定

　実行しましょう。期待どおりに降順にソートされます。

代入演算子と代入式

代入を行う記号 = が演算子でないことは既に学習しました。代入用の演算子は := 演算子であって、その := 演算子を適用した式が代入式です。

▶ := がセイウチの目と牙に似ていることから、**セイウチ演算子**（walrus operator）と呼ばれます。

式である**代入式**は、評価によって型と値が得られます（この点も、文である**代入文**と大きく異なります）。代入式の評価によって得られるのは、**右オペランドの型と値**です。

たとえば、変数 a が int 型の 5 で、変数 b が int 型の 3 であるときに、代入式 a := b を評価すると、b の型と値である "int 型の 3" が得られます。

List 3-35 に示すのが、代入式の典型的な利用例のプログラムです。

List 3-35　　　　　　　　　　　　　　　　　　　　chap03/list0335.py

```python
# 読み込んだ整数値が正であれば偶数／奇数の別を判定して表示

if (n := int(input('正の整数値：'))) > 0:
    if n % 2 == 0:
        print('その値は正の偶数です。')
    else:
        print('その値は正の奇数です。')
else:
    print('正でない値が入力されました。')
```

実行例
① 正の整数値：38↵ 　その値は正の偶数です。
② 正の整数値：15↵ 　その値は正の奇数です。
③ 正の整数値：0↵ 　正でない値が入力されました。

List 3-24（p.64）とまったく同じ動作をしますが、プログラムが短く簡潔になっています。

整数値の読込みと、読み込んだ値の判定の二つの処理が、if 文の判定式で行われています（**Fig.3-14**）。

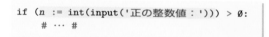

① int 関数が返却した数値（input 関数が読み込んだ文字列を int 関数で整数値に変換した値）が、変数 n に代入されます。

② 代入式 n := int(…中略…) を評価した値が 0 より大きいかどうかの判定が行われます。

① int 関数が返した値を n に代入

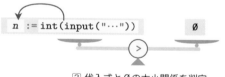

② 代入式と 0 の大小関係を判定

Fig.3-14　代入式を用いた判定

代入式の評価で得られるのは、右オペランド int(…中略…) の型と値ですから、この判定を日本語で表現すると、次のようになります。

読み込んだ数値を n に代入して、その値が 0 より大きければ …

▶ スライス式、条件式、ラムダ式、キーワード引数式、内包式、assert 文、with 文の中で使用する際は、代入式は必ず括弧で囲む必要があります。

3–3 match 文

本節で学習するのは、match 文です。if 文とは異なり、プログラムの流れを複数に分岐するコードを簡潔に記述できます。

match 文

ここまで学習してきた **if** 文では、プログラムの流れを複数に分岐する場合は、それに応じた個数の **elif** 節が必要です。

流れの複数分岐を簡潔に実現するのが、**match** 文（match statement）です。

4原色を表示する **List 3-6**（p.51）を、**match** 文で書きかえたのが、**List 3-36** のプログラムです。

match の後ろに置かれた n の値に応じてプログラムの流れが分岐します。

たとえば、実行例③のように、n の値が2であれば、プログラムの流れは、一気に"**case 2:**"へと飛びます。

そして、そこに置かれたスイート（この場合は **print** 関数を呼び出す文）が実行されて『Yellow』と表示されます。

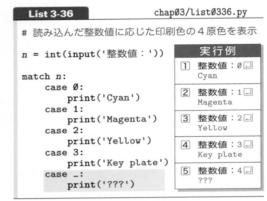

```
List 3-36                chap03/list0336.py
# 読み込んだ整数値に応じた印刷色の4原色を表示

n = int(input('整数値：'))

match n:
    case 0:
        print('Cyan')
    case 1:
        print('Magenta')
    case 2:
        print('Yellow')
    case 3:
        print('Key plate')
    case _:
        print('???')
```

実行例

① 整数値：0⏎
　Cyan

② 整数値：1⏎
　Magenta

③ 整数値：2⏎
　Yellow

④ 整数値：3⏎
　Key plate

⑤ 整数値：4⏎
　???

スイートの実行が終了すると、**match** 文としての実行も終了します（すなわち、それ以降の"**case 3:**"や"**case _:**"などに置かれているスイートが実行されることはありません）。

最後の"**case _:**"は、下線記号 **_** が指定されています。**それより前の case と一致しなかったときに、プログラムの流れが飛んでくるための目印です。**

▶ そのため、"**case _:**"は、必ず末尾に置かなければなりません。
　なお、赤色部を削除すると、変数 n に読み込んだ値が0～3でない場合に何も表示されなくなります。プログラムを実行して確かめましょう（'chap03/list0336a.py'）。

複数の値に対して同じスイートを実行させたい場合は、**case** の後に置く値を | でつないで指定します。次に示すのが、その一例です（'chap03/list0336b.py'）。

```
match n := int(input('整数値：')):
    case 1    : print('nは1です。')
    case 2 | 3: print('nは2または3です。')
    case 4    : print('nは4です。')
```

n に読み込んだ値が2か3であれば、『n は2または3です。』と表示されます。

▶ **match** 文は、分岐の対象となる式との照合を行います。"**case 1:**"のパターンはリテラルパターン、"**|**"を使った指定は OR パターン、"**_**"を使った指定はワイルドカードパターンと呼ばれます。

複数の変数の値を一度に調べて分岐するのも容易です。**List 3-37** に示すのが、そのプログラム例です。

List 3-37　　　　　　　　　　　　　　　　　　　　chap03/list0337.py

```
# 読み込んだ二つの整数値に応じて分岐
print('二つの変数に0か1を入力せよ。')

x = int(input('x : '))
y = int(input('y : '))

match x, y:
    case 0, 0 : print('xとyの両方が0。')
    case 1, 0 : print('xが1でyが0。')
    case 0, 1 : print('xが0でyが1。')
    case 1, 1 : print('xが1でyが1。')
    case _    : print('不正な値。')
```

実行例

二つの変数に0か1を入力せよ。

① x：0⏎ y：0⏎ xとyの両方が0。	④ x：1⏎ y：1⏎ xが1でyが1。
② x：1⏎ y：0⏎ xが1でyが0。	⑤ x：2⏎ y：0⏎ 不正な値。
③ x：0⏎ y：1⏎ xが0でyが1。	⑥ x：3⏎ y：5⏎ 不正な値。

3-3

match文

このように、**match** の後ろに置く式と、**case** の後ろに置く式を、コンマで区切ることで複数を指定できます。プログラムの流れは、実行結果を読むと分かるでしょう。

▶ matchやcaseは、次ページで学習する**キーワード**ではなく、ソフトキーワード（soft keyword）として扱われます。これは、特定の文脈でのみキーワードであるかのように働く名前です。
そのため、変数（や関数やクラスなど）に対して、matchやcaseといった名前を与えて利用する、といったことが可能となっています。

Column 3-1　　　match 文に関する補足

C言語やJavaなどのプログラミング言語では、プログラムの流れを複数に分岐する文は **switch 文**としてサポートされています。この文に相当する文は、Pythonでは長年にわたって提供されていなかったのですが、Python 3.10 でようやく **match** 文としてサポートされるようになりました。

その **match** 文は、他の言語の **switch** 文よりも遙かに高機能です。単なる『値に応じた多分岐』ではなはく、『高度なマッチングを行った結果に応じた多分岐』といった感じです（本書の後半で学習する辞書やクラスとのマッチングも行えます）。

なお、**case** には計算式を置くことはできませんので、注意しましょう。たとえば、次のようなコードはエラーとなります（'chap03/match01.py'）。

```
match n :
    case n % 2 == 0: print('２で割り切れる。')
    case n % 3 == 0: print('３で割り切れる。')
    case _         : print('２と３では割り切れない。')
```

正しいコードは、次のとおりです（'chap03/match02.py'）。

```
match n :
    case n if n % 2 == 0: print('２で割り切れる。')
    case n if n % 3 == 0: print('３で割り切れる。')
    case _              : print('２と３では割り切れない。')
```

"if 式"の部分はガードと呼ばれ、式が真となったときにのみスイートが実行されます。

なお、前ページで学習した三つのパターン以外に、キャプチャパターン、値パターン、グループパターン、シーケンスパターン、マッピングパターン、クラスパターンが利用できます（いろいろな方法での照合が可能です）。

3-4　プログラムの構成要素

　本節では、キーワード、識別子、リテラル、演算子などのプログラムを構成する各種の要素について学習します。

プログラムの構成要素

　Python のプログラムでは、行（改行文字）やインデント（スペース）に対して意味が与えられています。

　次の点については、既に学習しました。

① 行末に \ を置くと、現在の行を次の行へと継続できること。
② 空行が実質的に無視されること。
③ インデントの意味や記述上の詳細なルール。
④ （ ）の中では自由に改行できること。

　最後の④に補足があります。（ ）だけでなく、第 6 章以降で学習する、[ ] と { } の中でも自由に改行が行えます。まとめると、次のとおりです。

> **重要**　カッコ記号（ ）、[ ]、{ }で囲まれた箇所は、複数行にわたって記述できる。

　改行とスペース以外のプログラムの構成要素には、キーワード、識別子、コメント、演算子、区切り子などがあります。

　これらは、日本語での "単語" のようなものであり、トークン（token）と呼ばれます。

　▶　コメントについては、p.30 で学習しましたが、第 9 章でも学習します。

キーワード

　本章で学習した if や else など、特別な意味をもつ語句がキーワード（keyword）です。
Table 3-4 に示すのが、その一覧です。

Table 3-4　キーワードの一覧

and	as	assert	async	await	break
class	continue	def	del	elif	else
except	False	finally	for	from	global
if	import	in	is	lambda	None
nonlocal	not	or	pass	raise	return
True	try	while	with	yield	

　▶　キーワードは、予約語（reserved word）とも呼ばれます。

識別子

変数、関数、クラスなどに与えられる名前が、識別子（identifier）です。

識別子は、次の文字で構成するのが基本です（大文字と小文字は別の文字であるため区別されます。また、文法上は、漢字文字なども利用できますが、お薦めできません）。

- 大文字アルファベット　A B C D E F G H I J K L M N O P Q R S T U V W X Y Z
- 小文字アルファベット　a b c d e f g h i j k l m n o p q r s t u v w z y z
- 下線　　　　　　　　　_
- 数字　　　　　　　　　0 1 2 3 4 5 6 7 8 9

先頭文字は、数字以外の文字でなければなりません。また、キーワードを識別子として使うことはできません。

- 正しい例　　x1　　_x1　　abc　　_　　abc_def
- 誤った例　　1x　　if

▶ Table 6-2（p.153）で学習する str.isidentifier メソッドを利用すると、識別子として使うことのできる名前＝文字列であるかどうかを調べることができます。

なお、__ で始まる名前と、__ で始まって __ で終わる名前は、予約ずみ識別子クラス（reserved classes of identifiers）と呼ばれ、特別な意味が与えられています。

演算子

演算子（operator）の一覧表を、次ページの **Table 3-5** に示しています。

優先度

演算子の優先度（precedence）については、第1章で学習しました。この演算子の表は、優先度の高いほうから順に、18のグループに分かれて並んでいます。

結合規則

ほとんどの演算子は、左側から演算が行われます。このことは、左結合と呼ばれます。たとえば、24 // 4 // 2 の演算結果は 3 です。

▶ もし右側から演算が行われるのであれば、24 // (4 // 2) とみなされて、演算結果は 12 になってしまいます。

一つだけ例外的な演算子があります。べき乗値を求める ** 演算子は右結合です。

▶ たとえば、2 ** 1 ** 4 は、2 ** (1 ** 4) とみなされるため、演算結果は 2 となります。

代入は演算子ではない

多機能な（次章で学習する累算代入を含めた）代入のための記号 = や += などは、演算子ではありません（p.18、p.93）。

Table 3-5　全演算子の優先度と名称と結合規則

優先順位	演算子	名　称	
1	(式 ...)	式結合演算子（タプル表記演算子）	
	[式 ...]	リスト表記演算子	
	{ キー ： 値 }	辞書表記演算子	
	{ 式 ... }	集合表記演算子	
2	*x*[インデックス]	インデックス演算子	
	x[インデックス1：インデックス2：ステップ]	スライス演算子	
	x(実引数 ...)	呼出し演算子	
	x.属性	属性参照演算子	
3	await	**await** 演算子	
4	*x* ** *y*	べき乗演算子	
5	+*x*	単項 + 演算子	
	-*x*	単項 - 演算子	
	~*x*	ビット反転演算子	
6	*x* * *y*	乗算演算子	
	x @ *y*	行列乗算演算子	
	x / *y*	除算演算子	
	x // *y*	切捨て除算演算子	
	x % *y*	剰余演算子	
7	*x* + *y*	加算演算子	
	x - *y*	減算演算子	
8	*x* << *y*	左シフト演算子	
	x >> *y*	右シフト演算子	
9	*x* & *y*	ビット積演算子	2項ビット単位演算子
10	*x* ^ *y*	ビット排他的論理和演算子	
11	*x* | *y*	ビット和演算子	
12	*x* in *y*	帰属性判定演算子	比較演算子
	x not in *y*		
	x is *y*	同一性判定演算子	
	x is not *y*		
	x < *y*	値比較演算子	※連続適用すると、and 結合とみなされる
	x <= *y*		
	x > *y*		
	x >= *y*		
	x == *y*		
	x != *y*		
13	not *x*	論理否定演算子	論理演算子
14	*x* and *y*	論理積演算子	
15	*x* or *y*	論理和演算子	
16	*x* if *y* else *z*	条件演算子	
17	lambda	ラムダ演算子	
18	*x* := *y*	代入演算子	

3

プログラムの流れの分岐

= や += などの代入のための記号は演算子ではないため、本表には含まれていません（p.18、p.93）。

主な働き
指定された式を結合してタプル化する。
指定された式を結合してリスト化する。
指定されたキーと値を結合して辞書化する。
指定された式を結合して集合化する。
指定されたインデックスをもつ x 内の要素。
インデックスで指定された範囲をスライス化する。
実引数を与えて関数あるいはメソッド x を呼び出す。
指定された属性をもつ x の要素。
awaitable オブジェクトでのコルーチン実行を一時停止する。
x を y 乗した値を生成。　　　　　　　　　　　　　　　　　　　　　右結合演算子
x そのものの値を生成。
x の符号を反転した値を生成。
x のビットを反転した値 $-(x + 1)$ を生成。
x に y を乗じた値を生成。
行列 x と行列 y を乗じた値を生成（組込み型では利用できない）。
x を y で除した値を生成（演算は実数で行われる）。
x を y で除した値を生成（小数部を切り捨てて整数値を生成）。
x を y で除したときの剰余（あまり）を生成。
x に y を加えた値を生成。
x から y を減じた値を生成。
x の全ビットを y ビットだけ左シフトした値を生成。
x の全ビットを y ビットだけ右シフトした値を生成。
x と y のビット単位の論理積を生成。
x と y のビット単位の排他的論理和を生成。
x と y のビット単位の論理和を生成。
x が y の要素であれば True を、そうでなければ False を生成。
x が y の要素でなければ True を、そうでなければ False を生成。
x と y が同一のオブジェクトであれば True を、そうでなければ False を生成。
x と y が異なるオブジェクトであれば True を、そうでなければ False を生成。
x が y より小さければ True を、そうでなければ False を生成。
x が y より小さいか等しければ True を、そうでなければ False を生成。
x が y より大きければ True を、そうでなければ False を生成。
x が y より大きいか等しければ True を、そうでなければ False を生成。
x と y が等しければ True を、そうでなければ False を生成。
x と y が等しくなければ True を、そうでなければ False を生成。
x が真であれば False を、そうでなければ True を生成。
x を評価して偽であれば、その値を生成。そうでなければ y を評価して、その値を生成。
x を評価して真であれば、その値を生成。そうでなければ y を評価して、その値を生成。
y を評価した値が真であれば x を評価した値を、そうでなければ z を評価した値を生成。
無名関数を作る。
y を x に代入する。

▢ 区切り子

識別子やキーワードなどの各トークンのあいだには、基本的には空白が必要です。たとえば、"if a == Ø:" の if と a をくっつけて "ifa == Ø:" とすることはできません。

ただし、区切り子（delimiter）が置かれていれば、その前後の空白は不要です。そのため、区切り子 ( ) を使えば、空白を入れずに "if(a==Ø):" と記述できます。

すなわち、次のようになります。

```
✕  ifa == Ø:        ※ if と a が区切られていない
○  if a == Ø:       ※ if と a がスペースで区切られている
○  if(a==Ø):        ※ if と a が区切り子 ( で区切られている
```

Table 3-6 に示すのが、区切り子の一覧です。

Table 3-6　区切り子の一覧

(	)	[	]	{	}	,	:	.	;	@	=	->
+=	-=	*=	/=	//=	%=	@=	&=	|=	^=	>>=	<<=	**=

▶ ピリオド . は、浮動小数点数リテラルと虚数リテラルの中でも利用されます。また、省略符号 ... としても使われます（このように使われる場合は区切り子として働きません）。

▢ 数値リテラル

第 1 章では、整数リテラルと浮動小数点数リテラルを学習しました。これらを含め、3 種類の数値リテラル（numeric literal）があります。

▢ 整数リテラル

int 型の整数値を表現するのが、整数リテラル（integer literal）です。主記憶に収まる限り、桁数には制限がありません。

1Ø 進／2 進／8 進／16 進で表記できること、リテラルの途中の任意の位置に下線を入れられることを第 1 章で学習しました。

整数リテラルの一例を示します。

```
7        2147483647                        Øo177        Øb1ØØ11Ø111
3        7922816251426433759354395Ø336     Øo377        Øxdeadbeef
         1ØØ_ØØØ_ØØØ_ØØØ                   Øb_111Ø_Ø1Ø1
```

▶ 値が Ø でない 1Ø 進リテラルの先頭を Ø とすることはできないことなども学習しました。

◻ 浮動小数点数リテラル

`float` 型の実数値を 10 進数で表記するリテラルが、浮動小数点数リテラル（floating point literal）です。

浮動小数点数リテラルの一例を示します。

```
3.14     10.      .001      1e100     003.14e-010     0e0     3.14_15_93
```

なお、整数部と指数部のいずれにも、先頭に余分な 0 を置けます（この点は、10 進整数リテラルとは異なります）。

  ▶ そのため、上に示している `003.14e-010` は、`3.14e-10` と同じです。

◻ 虚数リテラル

実数部が `0.0` の複素数（complex）を表すのが、虚数リテラル（imaginary literal）です。

虚数リテラルの形式は、浮動小数点数リテラルの直後に `j` を付けた形です（小文字の `j` ではなく、大文字の `J` としてもよいことになっています）。

虚数リテラルの一例を示します。

```
3.14j    10.j     10j      .001j     1e100j     3.14e-10j     3.14_15_93j
```

`(2.3 + 5j)` のように、浮動小数点数と虚数リテラルを加算すると、`complex` 型の複素数が得られます。

◻ 文字列リテラルとバイト列リテラル

文字の並びを表す文字列リテラル（string literal）については、第 1 章で学習しました。そのバリエーションを簡単に紹介します。

◻ 整形ずみ文字列リテラル

`f` 文字列とも呼ばれる整形ずみ文字列リテラル（formatted string literal）は、`f` あるいは `F` の前置きが付いた文字列リテラルです。

  ▶ p.38 で学習しました。第 6 章で再び学習します。

◻ バイト列リテラル

バイト列リテラル（bytes literal）は、`b` あるいは `B` の前置きが付いた（文字列に似た形式の）リテラルです。

  ▶ 第 7 章で詳しく学習します。

構文エラーと例外

　文法に習熟するまでは、各種のエラーに悩まされ続けます。エラーには、構文エラー（syntax error）と例外（exception）の2種類があります。

　ここでは、典型的なエラーと、その回避法を学習していきます。

　　▶　赤文字はエラーメッセージ、緑文字はその日本語訳、黒文字が回避法などの解説です。

構文エラー

　構文エラーには、SyntaxError と IndentationError があります。インデントを含めた字句上の誤りです。これらのエラーが潜んでいるコードは、実行できません。

```
print('ABC)            SyntaxError: EOL while scanning string literal
```

　構文エラー ： 文字列リテラルをなぞっている途中でEOL（行の終端）に達した

　文字列リテラルの終端を表す ' が欠如しています。C の後ろに ' を加えます。

　なお、文字列リテラルの開始の記号と終了の記号の統一がとれていない（たとえば 'ABC" のように ' と " が混在している）場合にも発生します。

```
print('xの値は'. x. 'です')     SyntaxError: invalid syntax
```

　構文エラー ： 無効な構文

　print 関数に与える実引数を区切る記号が誤っています。二つのピリオド . を、両方ともコンマ , に修正します。

```
print('xの値は',  x,  'です')   SyntaxError: invalid character in identifier
```

　構文エラー ： 識別子の中に無効な文字が含まれる

　（見た目では分かりませんが）print 関数に与える実引数を区切るコンマの後ろに全角文字のスペースが入っています。半角文字のスペースに変更します。

```
m1 = 17
m2 = Ø8                 SyntaxError: invalid token
```

　構文エラー ： 無効なトークン

　10 進整数リテラルの前に Ø を置くことはできません。Ø8 ではなく 8 とします。

　　▶　上下の行を揃えようとして、このような記述をしないように。

```
if a > 5
    print('aは5より大きいです')          SyntaxError: invalid syntax
```

構文エラー ： 無効な構文

if 文の頭部に置くべき **:** が欠如しています。5 の後ろに **:** を加えます。

```
if a > 5:
print('aは5より大きいです')          IndentationError: expected an indented block
```

インデントエラー ： インデントされたブロックが必要です

print の前（左側）にインデント（少なくとも1個のスペース）を入れます。

☐ 例外

　プログラムの実行の演算時に発生するのが、例外です。第 12 章で詳しく学習しますので、ここでは、単純な（コードをよく読めば回避できる）エラーの例を学習します。

```
x = 5 / Ø          ZeroDivisionError: division by zero
```

ゼロ除算エラー ： ゼロによる除算が行われた

Ø による除算を行わないようにします。

```
'ABC' + 5          TypeError: can only concatenate str (not "int") to str
```

型エラー ： 文字列に連結できるのは（"int" ではなく）文字列のみ

文字列と整数は連結できません。整数 5 を、文字列に変換する **str(5)** に変更します。

```
a = '5.3'
print(int(a))          ValueError: invalid literal for int() with base 1Ø: '5.3'
```

値エラー ： int() に与えているリテラル '5.3' は不正な 1Ø 進リテラル

　'5.3' は、整数には変換できません。a に代入する文字列を '5' にするか、あるいは **int()** ではなく、**float()** で浮動小数点数に変換します。

＊

　エラー発生時に行う対処のコードをプログラムに埋め込むことによってエラー発生時の挙動を自由に制御できます。そのための例外処理については、第 12 章で学習します。

▢ PEPとスタイルガイド ─────────────

Pythonに対して提案・実装された機能の詳細がまとめられた各種のドキュメント群が、PEP（Python Enhancement Proposals）として公開されています。

> https://peps.python.org/

各PEPには番号が割り振られており、PEP 8 "Style Guide for Python Code"は、尊重すべき**スタイルガイド**として知られています。ここでは、その一部を紹介します。

> ▶ PEPには、新しい機能の詳細だけでなく、それが策定されるまでの過程などもまとめられています。PEP全般に関する文書が、PEP 0 "Index of Python Enhancement Proposals"です。

▪ **スタイルガイドは、コードの可読性を高めて一貫性をもたせるものである。とはいえ、一貫性にこだわりすぎるべきではない。**

> ▶ スタイルガイドに準拠すると読みづらくなるのであれば、読みやすくなるようにすべきです。

▪ **すべての行を79文字に収めるとともに、空行を適切に入れる。**

▪ **行末に余分なスペースやタブを置かない。**

▪ **1レベルのインデントはスペース4個とする。Python 3からは、タブとスペースの混在が禁じられているため、タブ文字は使わない。**

> ▶ 非PEPのスタイルガイドであるThe Chromium ProjectsのPython Style Guidelinesでは、インデントはスペース2個となっています。組織やプロジェクトの方針にしたがうことも考慮すべきです。

▪ **文字列リテラルを囲む記号は、 ' でも " でも構わないが、統一する。**

▪ **コメントは、 # の後ろに1個のスペースを置いて記述する。コードの動作をそのまま説明するようなコメントは記述しない。**

> ▶ たとえば、次のようなコメントは、情報量がありません（少なくとも熟練者にとっては、まったく意味のないコメントです）。
> ```
> x = x + 1        # xをインクリメント
> ```
> ただし、本書は入門用のテキストですから、このようなコメントを多用しています。

▪ **2項演算式の途中で改行する場合は、演算子の後ろではなく、前で改行する。**

> ```
> ○ x = (number          × x = (number +
>       + point                point -
>       - (x * y))             (x * y))
> ```

▪ **定数は、モジュールレベル（関数定義の外）で定義する。名前は大文字とする。複数の単語で構成される名前であれば下線で区切る。**

> ▶ 定数を表す変数名は、`TOTAL`とか`MAX_OVERFLOW`のようにします。なお、関数は第9章で、モジュールは第10章で学習します。

- 式や文の中での空白文字は、次のようにする。

  - スペースの過剰な利用は避ける。次の箇所にはスペースを入れない。

    括弧やブラケット、波括弧の始めの直後と、終わりの直前
    - ○ *spam(ham[1], {eggs: 2})*　　× *spam(ham[1], { eggs: 2 })*

    末尾のコンマと、その後に続く閉じ括弧のあいだ
    - ○ *foo = (0,)*　　　　　　　× *foo = (0,)*

    コンマ、セミコロン、コロンの直前
    - ○ if *x* == 4: print(*x*, *y*); *x*, *y* = *y*, *x*
    - × if *x* == 4 : print(*x*, *y*) ; *x* , *y* = *y* , *x*

    スライス指定の : の前後。ただし、複雑な場合は前後に同一個数のスペースを入れる。
    - ○ *sl*[1:9], *sl*[1:9:3], *sl*[:9:3], *sl*[1::3], *sl*[1:9:]
    - × *sl*[1: 9], *sl*[1 :9], *sl*[1:9 :3]
    - ○ *sl*[*lower:upper*], *sl*[*lower:upper:*], *sl*[*lower::step*]
    - × *sl*[*lower : : upper*]
    - ○ *sl*[*lower+offset : upper+offset*]
    - ○ *sl*[*lower + offset : upper + offset*]
    - × *sl*[*lower + offset:upper + offset*]
    - ○ *sl*[: *upper_fn(x)* : *step_fn(x)*], *sl*[:: *step_fn(x)*]
    - × *sl*[: *upper*]

    関数呼出し演算子、インデックス演算子、スライス演算子の直前
    - ○ print(*x*)　　　　　a[3]　　　　　a[3:5]
    - × print (*x*)　　　　　a [3]　　　　　a [3:5]

  ▶ インデックスやスライスについては、第 6 章、第 7 章、第 8 章で学習します。

  - 2 項演算子の前後には 1 個のスペースを入れる。

  - 優先順位が異なる演算子が混在する場合、優先順位が一番低い演算子の両側にスペースを入れるとよい。

  - if 文、while 文、for 文が制御するスイートを、頭部と同じ行には置かない。
    ▶ たとえば、**List 3-32**（p.71）は、このガイドにそっていません。

＊

　関数、モジュール、クラスなどについては、それらの学習時に、スタイルガイドについてもあわせて学習していきます。

  ▶ スクリプトプログラムが PEP 8 に準拠しているかどうかをチェックするツールとして pycodestyle、スクリプトプログラムを PEP 8 に準拠するスタイルに修正するツールとして autopep8 などがあります。

まとめ

- "変数"、"リテラル"、"変数やリテラルなどの式を演算子で結合したもの" は、いずれも式である。式には型と値があり、それらはプログラム実行時の評価によって得られる。

- 論理型（bool 型）は、偽であれば False、真であれば True の論理値をもつ型である。内部的には 0 と 1 で表現され、文字列に変換すると 'False' および 'True' となる。
  なお、空の値やゼロは偽とみなされ、そうでない値は真とみなされる。

- 論理演算を行う論理演算子には、and 演算子、or 演算子、not 演算子の3個がある。
  and 演算子と or 演算子が生成するのは、**最後に評価した式の値**である。これら二つの演算子は短絡評価を行うため、右オペランドの評価は省略される可能性がある。

論理積（and 演算子）

x	y	x and y
真	真	y
真	偽	y
偽	真	x
偽	偽	x

両方とも真であれば真

論理和（or 演算子）

x	y	x or y
真	真	x
真	偽	x
偽	真	y
偽	偽	y

一方でも真であれば真

論理否定（not演算子）

x	not x
真	False
偽	True

偽であれば True

- 値の大小関係もしくは等価性を判定する値比較演算子（<、<=、>、>=、==、!=）を適用した値比較式を評価すると、**True** あるいは **False** の論理値が得られる。
  これらの演算子は連続適用が可能であり、その場合、**and** 結合とみなされる。

- 式がそのまま文となった式文や、代入文などは、単純文と呼ばれる。
  構文上、文が必要な箇所で何も行わないのであれば、単純文である pass 文を置く。

- if 文を使うと、ある条件が成立するかどうかに応じてプログラムの流れを分岐し、選択的に処理を行える。
  if 文の各節（if 節、elif 節、else 節）は、頭部（ヘッダ）と、それが制御するスイートとで構成される。

if 節	if 式：スイート
elif 節	elif 式：スイート
else 節	else：スイート

- match 文を利用すると、プログラムの流れの複数への分岐を簡潔に実現できる。

- スイートは、頭部の次の行に、一つ深いインデントで記述するのが原則である。インデントは最低1個のスペースだが、4個とするのが標準的である。

- if 文を始めとする複合文が制御するスイートは、単純文のみで構成される場合に限り、改行せずに頭部の：の後ろに置いてもよい。なお、文が複数であれば ; で区切る。

- カッコ記号（）、[ ]、{ }で囲まれた箇所は、複数行にわたって記述できる。長くて1行に収まらない複雑な式は、（）で囲んで複数行にわたって記述するとよい。

● 条件演算子と呼ばれる3項演算子if else を用いると、if 文の働きを、"～ if ～ else ～" 形式の単一の条件式に凝縮できる。第2オペランドの評価結果に基づいて、第1あるいは第3オペランドの一方のみが評価される。

● 代入演算子 := を利用すると、**代入の働きを文ではなく代入式に凝縮できる。**

● 複数の値の最小値と最大値は、組込みの min 関数と max 関数で求められる。

● a と b の2値の交換は、a, b = b, a の代入で行える。

● 複数の値を昇順あるいは降順に並べかえることをソートという。ソートは、組込み関数である sorted 関数で行える。

● プログラムの構成要素には、キーワード、識別子、演算子、区切り子、リテラルなどがある。

● 複数の演算子が並ぶ場合は、優先度の高い演算子の演算が優先される。同一優先度の演算子が連続する場合は、結合規則に基づいて左もしくは右から演算が行われる。ほとんどの演算子は左結合である。

● 構文エラーと例外の2種類のエラーがある。前者は、インデントを含めた綴り上のミスである。

● プログラムを記述する際は、PEP 8 "Style Guide for Python Code" のコーディングスタイルを尊重するとよい。

```
# 第3章 まとめ                                          chap03/gist.py
a = int(input('整数a : '))
b = int(input('整数b : '))
c = int(input('整数c : '))
d = int(input('整数d : '))

if      a: print('aはゼロではありません。')          # 0でなければ真
if not b: print('bはゼロです。')                     # 0でなければ真の否定

# aとbとcの最初の非ゼロを、1個もなければdをxに代入
x = a or b or c or d
print(f'x = {x}')

if d % c:                                            # dをcで割ったあまりが0でない
    print('cはdの約数ではありません。')
else:
    print('cはdの約数です。')

print(f'cは{"奇数" if c % 2 else "偶数"}です。')

print('点数dの評価：', end='')
if d < 0 or d > 100:      # 0～100以外
    print('不正な値')
elif d >= 60:             # 60～100
    print('合格')
else:                     # 0～59
    print('不合格')
```

実行例
```
整数a : 0
整数b : 0
整数c : 6
整数d : 72
bはゼロです。
x = 6
cはdの約数です。
cは偶数です。
点数dの評価：合格
```

Column 3-2	フローチャート

ここでは、フローチャート（流れ図）と、その記号について学習します。

流れ図の記号

問題の定義、分析、解法の図的表現であるフローチャート（flowchart）と、その記号は、次の規格で定義されています。

> JIS X0121『情報処理用流れ図・プログラム網図・システム資源図記号』

ここでは、基礎的な用語と記号を学習します。

プログラム流れ図 (program flowchart)

プログラム流れ図は、次のもので構成されます。
- 実際に行う演算を示す記号。
- 制御の流れを示す線記号。
- プログラム流れ図を理解し、かつ作成するのに便宜を与える特殊記号。

データ (data)

媒体を指定しないデータを表します。

処理 (process)

任意の種類の処理機能を表します。たとえば、情報の値・形・位置を変えるように定義された演算もしくは演算群の実行、または、それに続くいくつかの流れの方向の一つを決定する演算もしくは演算群の実行を表します。

定義ずみ処理 (predefined process)

サブルーチンやモジュールなど、別の場所で定義された一つ以上の演算または命令群からなる処理を表します。

判断 (decision)

一つの入り口といくつかの択一的な出口をもち、記号中に定義された条件の評価にしたがって、唯一の出口を選ぶ判断機能またはスイッチ形の機能を表します。

想定される評価結果は、経路を表す線の近くに書きます。

ループ端 (loop limit)

二つの部分から構成され、ループの始まりと終わりを表します。記号の二つの部分には、同じ名前を与えます。

ループの始端記号（前判定繰返しの場合）またはループの終端記号（後判定繰返しの場合）の中に、初期化・増分・終了条件を表記します。

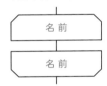

線 (line)

制御の流れを表します。

流れの向きを明示する必要があるときは、矢先を付けなければなりません。

なお、明示の必要がない場合も、見やすくするために矢先を付けても構いません。

端子 (terminator)

外部環境への出口、または外部環境からの入り口を表します。たとえば、プログラムの流れの開始もしくは終了を表します。

この他に、並列処理、破線などの記号があります。

第4章

プログラムの流れの繰返し

本章では、プログラムの流れを繰り返すための while 文と for 文を中心に学習を進めていきます。

- 繰返し（ループ）
- 前判定繰返しと後判定繰返し
- 判定式とループ本体
- while 文
- for 文と range 関数
- 累算代入演算子
- カウントアップとインクリメント
- カウントダウンとデクリメント
- 1 から n までの和
- break 文と else 節
- continue 文
- 無限ループ
- 多重ループ
- import 文によるモジュールのインポート
- プログラム実行の一時停止（time.sleep 関数）
- 乱数の生成（random.randint 関数）
- 数当てゲーム／じゃんけんゲーム
- バッテリー付属
- 繰返し文による走査

4-1 while 文

前章で学習した、プログラムの流れの分岐を応用したのが、プログラムの流れの繰返しです。本節
では、繰返しを実現する while 文を学習します。

while 文

本章では、次のようなことを実現する方法を学習していきます。

- 同じ処理あるいは類似した処理を繰り返し実行する。
- 同じ処理を条件を変えながら繰り返し実行する。
- ある条件が成立するまで処理を繰り返し実行する。

本章の最初に作る **List 4-1** は、二つの整数値を読み込んで、小さいほうの値から大きいほ
うの値までを**カウントアップ**する様子を表示するプログラムです。

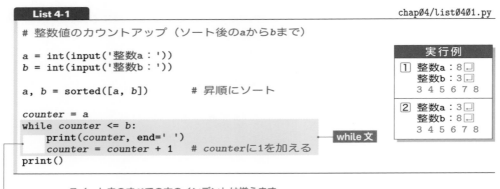

```
List 4-1                                              chap04/list0401.py
# 整数値のカウントアップ（ソート後のaからbまで）

a = int(input('整数a：'))
b = int(input('整数b：'))

a, b = sorted([a, b])          # 昇順にソート

counter = a
while counter <= b:
    print(counter, end=' ')
    counter = counter + 1      # counterに1を加える     while 文
print()
```

```
実行例
１ 整数a：8⏎
  整数b：3⏎
  3 4 5 6 7 8

２ 整数a：3⏎
  整数b：8⏎
  3 4 5 6 7 8
```

―― スイート内のすべての文のインデントは揃えます

▶ 二つの整数値を読み込んで昇順にソートするところまでは、**List 3-33**（p.72）と同じです。
実行例に示すように、キーボードから読み込まれた時点の a と b の値が "8 と 3" と "3 と 8" の
いずれであっても、ソート後には、a が 3 で、b が 8 となります。

ソート後は、まず *counter* に a の値（実行例では 3）を代入します。
続く水色部は、while 文（while statement）と呼ばれ、**式**を評価し
た値が**真**である限り、**スイート**を繰り返し実行する繰返し文です。

なお、繰り返しを継続するかどうかの判定のための**式**を判定式と呼び、
繰り返し実行される**スイート**をループ本体と呼ぶことにします。

```
        判定式
while 式：
    スイート
        ループ本体
```

▶ ループ（loop）は、『繰返し』という意味です。
前章で学習したように、複数行にわたって記述するスイートは、インデントを揃える必要があります。
また、（お薦めできませんが）次のような 1 行での記述も可能です。

```
while counter <= b: print(counter, end=' '); counter = counter + 1
```

カウントアップの流れを、**Fig.4-1** を見ながら理解していきましょう。`while` 文は、`counter` が `b` 以下のあいだ、ループ本体内の二つの処理を（繰り返し）実行します。

- `counter` の値（とスペース）を表示する。
- `counter + 1` の加算結果を `counter` に代入する（`counter` の値を 1 だけ増やす）。

プログラムの流れが `while` 文に入ったときの `counter` の値は 3 ですから、3（とスペース）が表示され、その後に `counter` の値が 4 に更新されます。

プログラムの流れは、`while` 文の先頭に戻り、繰返しを継続するかどうかの `counter <= b` の判定が行われます。`counter` の値 4 は `b` 以下ですから、再びループ本体が実行されます。

同様にして、繰返しを続けます。

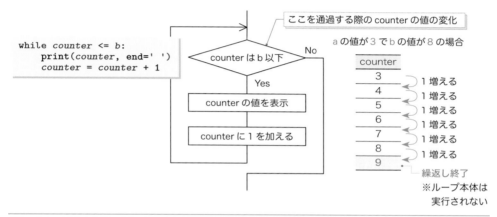

Fig.4-1 List 4-1 の while 文のフローチャート

`counter` の値として 8 が表示され、その値が増やされて 9 になると、`counter <= b` が成立しなくなります。その結果、`while` 文が終了します。

▶ さらに、プログラム最終行の `print()` の実行によって、改行文字が出力されます。

- **`counter` の最終値の確認**

最後に表示されるのは 8 ですが、`while` 文終了時の `counter` の値が 9 であることを確認しましょう。最終行の `print()` を次のように書きかえて実行します（`'chap04/list0401a.py'`）。

```
print(f'\ncounterの値は{counter}です。')
```
└── 改行

> counterの値は9です。

- **カウントアップを 1 個おきに変更**

`counter` の値の更新部を次のように書きかえます（`'chap04/list0401b.py'`）。

```
counter = counter + 2    # counterに2を加える
```

> 3 5 7

累算代入演算子

　次は、読み込んだ整数値から始めて 0 までカウントダウンするプログラムを作ります。それが List 4-2 のプログラムです。

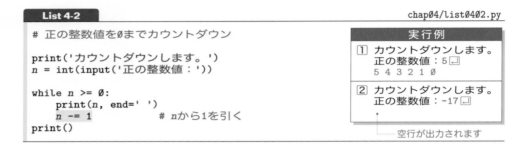

```
# 正の整数値を0までカウントダウン

print('カウントダウンします。')
n = int(input('正の整数値：'))

while n >= 0:
    print(n, end=' ')
    n -= 1                  # nから1を引く
print()
```

List 4-2 / chap04/list0402.py

実行例
① カウントダウンします。
　　正の整数値：5 ↵
　　5 4 3 2 1 0
② カウントダウンします。
　　正の整数値：-17 ↵
　　　　　空行が出力されます

　「n から 1 を引く」とコメントされた "n -= 1" は、減算の結果を代入する "n = n - 1" と（ほぼ）同じ処理を行います。

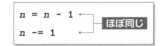

n = n - 1
n -= 1
ほぼ同じ

　▶　変数 n の値が 5 であれば、n の値は 4 に更新されます。

　このように、変数の値を 1 だけ減らすことを**デクリメント**（decrement）といいます。なお、1 だけ増やすことは**インクリメント**（increment）です。

　▶　他のプログラミング言語で提供されるインクリメント演算子 ++ とデクリメント演算子 -- は、Python ではサポートされていません。
　　　なお、increment と decrement は、もともと『加算』と『減算』を意味しますが、コンピュータの世界では、『1 増やす』と『1 減らす』という意味で使われることがほとんどです。

　それでは、while 文が変数 n の値を 0 までカウントダウンする過程を、Fig.4-2 を見ながら理解していきましょう（実行例①のように、n が 5 であるとして考えていきます）。

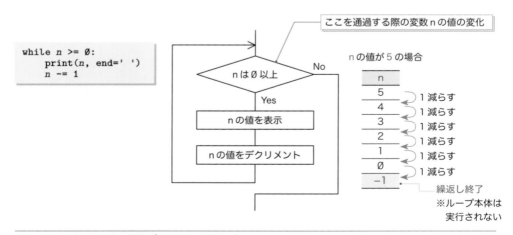

Fig.4-2　List 4-2 の while 文のフローチャート

最初に `print` 関数の呼出しが実行されるときは、キーボードから読み込んだ値 5（とスペース）が表示され、その直後に `n` の値がデクリメントされて 4 となります。

プログラムの流れは `while` 文の先頭に戻り、繰返しを継続するかどうかが `n >= 0` で判定されます。変数 `n` の値 4 は 0 以上ですから、再びループ本体が実行されます。

同様に繰返しを続けていき、0 を表示した後にデクリメントが行われると、`n` の値は -1 となります。その時点で `while` 文による繰返しは終了します。

▶ 表示される最後の数値は 0 ですが、`while` 文終了時の `n` の値は -1 です。

なお、実行例②のように、読み込んだ `n` の値が正でなければ、`while` 文は実質的に素通りされて（ループ本体が 1 回も実行されることなく）、改行文字だけが表示されます。

> **重要** 判定式が成立する限り**ループ本体**の実行を繰り返す `while` 文は、ループ本体が 1 回も実行されることなく実質的に素通りされることがある。

▶ そもそも `n` には正の整数値のみを読み込むようにすべきです。読み込む値の範囲を制限する方法は、**List 4-4**（p.96）で学習します。

さて、2 項演算子 `+`、`-`、`*`、`@`、`/`、`//`、`%`、`**`、`>>`、`<<`、`&`、`^`、`|` の直後に `=` を置いた区切り子は累算代入演算子（augmented assignment operator）と呼ばれます（**Table 4-1**）。

Table 4-1 累算代入演算子（注：文法上は演算子ではない）

+=	-=	*=	@=	/=	//=	%=	**=	>>=	<<=	&=	^=	|=

▶ 代入演算子 `=` が、本当の意味での演算子でない（p.18）のと同じで、**累算代入演算子も演算子ではありません**。なお、途中に空白を入れて `+ =` や `>> =` などとしてはなりません。

演算子 ★ を適用した演算結果を代入する "`a = a ★ b`" は、累算代入 "`a ★= b`" と（基本的には）同じです。累算代入には、次に示すメリットがあります。

▪ 行うべき演算を簡潔に表す

『`n` から 1 を引いた値を `n` に代入する `n = n - 1`』よりも『`n` から 1 を引く `n -= 1`』のほうが簡潔であるだけでなく、私たち人間にとっても自然に受け入れられる表現です。

▪ 左辺の変数名を書くのが 1 回ですむ

変数名が長い場合や、後の章で学習する《リスト》や《クラス》などを用いた複雑で長い式であれば、タイプミスの可能性が少なくなり、プログラムも読みやすくなります。

▪ 左辺の評価が 1 回限りである

累算代入を使うメリットの一つが、左辺の評価が行われるのが 1 回のみであることです。

▶ 先ほど "（基本的には）" とことわったのは、評価の回数が異なる、という違いがあるからですが、その他にも、大きな違いがあります（p.177）。

1からnまでの和を求める

List 4-3 は、1 から n までの和を、累算代入演算子を用いて求めるプログラム例です。

▶ 読み込んだ整数値 n の値が 5 であれば、求めるのは 1 + 2 + 3 + 4 + 5 の値である 15 です。

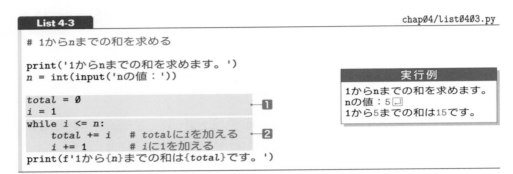

```
# 1からnまでの和を求める

print('1からnまでの和を求めます。')
n = int(input('nの値：'))

total = 0
i = 1
while i <= n:
    total += i    # totalにiを加える
    i += 1        # iに1を加える
print(f'1から{n}までの和は{total}です。')
```

List 4-3 `chap04/list0403.py`

```
実行例
1からnまでの和を求めます。
nの値：5⏎
1から5までの和は15です。
```

1 と **2** の箇所のフローチャートを **Fig.4-3** に示しています。この部分のプログラムの動作を理解していきましょう。まずは、概略です。

1 和を求めるための前準備です（繰返しの前に1回だけ行われます）。

和を格納する変数 *total* の値を **0** にして、繰返しを制御する変数 *i* の値を 1 にします。

2 変数 *i* の値が *n* 以下である限り、*i* の値をインクリメントしながらループ本体を繰り返し実行します。繰り返すのは *n* 回です。

概略が分かりましたので、次は詳細を理解していきます。

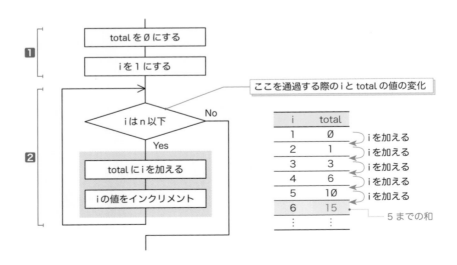

Fig.4-3 1 から n までの和を求めるフローチャート

while 文の判定式 i <= n（フローチャートの◇）を通過する際の、変数 i と $total$ の値の変化をまとめた表とプログラムとを見比べながら、流れを追っていきましょう。

判定式 i <= n を初めて通過する際の変数 i と $total$ の値は、**1**で設定した値です。その後、繰返しのたびに $total$ には i が加算されて i の値はインクリメントされます。

▶ 繰返しの1回目は total += i によって total は1になり、i += 1によって i は2になります。
　繰返しの2回目は total += i によって total は3になり、i += 1によって i は3になります。

そのため、判定式の通過時の変数 $total$ と i は、次に示す値となっています。

- 変数 $total$ … 現時点までに求められた和
- 変数 i 　　 … 次に加える値

たとえば、i が5のときの変数 $total$ の値は 10 です。これは、《1から4までの和》であり、変数 i の値である5を加算する前の値です。

なお、i の値が n を超えたときに while 文の繰返しが終了するため、最終的な i の値は、n ではなく $n + 1$ です。

▶ 表に示すように、n が5であれば、while 文終了時の i は6で total は15です。

1から n までの和を求める方法は、基本情報処理技術者試験などの各種情報処理技術者試験で何度も出題されています。しっかりと理解しておきましょう。

▶ 本プログラムは、もっと短く実現できます。第7章（p.183）で学習します。

Column 4-1 | **プログラムの実行を一定時間停止させる sleep 関数**

List 4-2（p.92）は、カウントダウンを行うプログラムでした。カウントダウンの表示を1秒ごとに行うように変更したのが、List 4C-1 のプログラムです。

List 4C-1　　　　　　　　　　　　　　　chap04/list04c01.py
```
# 正の整数値を0まで1秒ごとにカウントダウン

import time

print('カウントダウンします。')
n = int(input('正の整数値：'))

while n >= 0:
    print(n, end=' ')
    n -= 1          # nから1を引く
    time.sleep(1)   # 1秒お休み
print()
```

実行例
```
カウントダウンします。
正の整数値：5⏎
5 4 3 2 1 0
```
└─ 1秒ごとに表示されます

ここで利用している time.sleep 関数は、（ ）の中に指定された秒数だけ、プログラムの実行を停止するための、time モジュールの関数です。

なお、冒頭の import 宣言や、関数呼出しの形式が、"名前 ()" ではなく、"名前 . 名前 ()" となる理由などは、本章の p.99 で概要を学習して、さらに第10章で詳細に学習します。

□ break 文による繰返しの中断と else 節

キーボードから読み込むのを《正の整数値》に制限するように、プログラムを変更しましょう。そのプログラムが **List 4-4** です。

```
List 4-4                                              chap04/list0404.py
# 1からnまでの和を求める（nに正の整数値を読み込む）

print('1からnまでの和を求めます。')

while True:
    if (n := int(input('nの値：'))) > 0:
        break

total = 0
i = 1
while i <= n:
    total += i    # totalにiを加える
    i += 1        # iに1を加える
print(f'1から{n}までの和は{total}です。')
```

```
実行例
1からnまでの和を求めます。
nの値：-5
nの値：0
nの値：5
1から5までの和は15です。
```

0 以下であれば再読込み

読み込んだ値を **n** に代入する処理が、先頭側の **while** 文の中に入っています。その **while** 文の判定式は、単なる **True** です。これは真ですから、**while** 文は無限に繰り返されます。

無限に繰り返される繰返しは、無限ループと呼ばれます。

□ break 文

if 文では、キーボードから読み込んだ整数値 **n** が正であるかどうかを判定します。判定が成立したときに実行されているのが、初登場の **break** 文（break statement）です。

Fig.4-4 に示すように、繰返し文中で **break** 文が実行されると、その繰返し文の実行が強制的に終了されます（無限に繰り返すはずのループが中断します）。

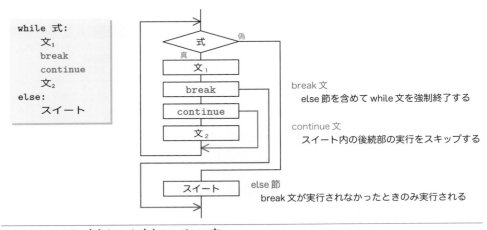

Fig.4-4 while 文と break 文と continue 文

なお、読み込んだ整数値 n が 0 以下であれば、break 文は実行されることなく、while 文による繰返しが行われます（再び「n の値：」と入力を促して、読込みを行います）。

> ▶ 代入演算子 := による代入と大小関係の判定を一つの式で実現する方法は、p.73 で学習しました。
> 4–3 節で学習する《多重ループ》の中で break 文が実行されたときに中断されるのは、その break 文を直接囲んでいるほうの繰返し文です。

☐ else 節

図に示すように、while 文の末尾には else 節を置けます。この節内のスイートが実行されるのは、while 文の繰返しが（break 文で強制中断されずにつつがなく）終了したときです。

> ▶ 本プログラムの while 文には else 節は含まれていません。else 節付きの while 文の具体例は、List 4-6（p.98）で学習します。

☐ continue 文による繰返し内の処理のスキップ ──────

break 文と対照的な文が continue 文（continue statement）です。左ページの図の説明から分かるように、繰返し文中で continue 文が実行されると、ループ本体内の後続部の実行がスキップされて、プログラムの流れが判定式へと戻ります。

List 4-5 が、continue 文を用いたプログラム例です。

List 4-5	chap04/list0405.py

```
# 整数を次々と読み込んで正の整数値を加算

print('正の整数値を加算します（終了は-9999）。')

total = 0
while True:
    n = int(input('整数値：'))
    if n == -9999:
        break
    if n <= 0:
        continue
    total += n
print(f'正の整数の合計は{total}です。')
```

```
            実行例
正の整数値を加算します
 （終了は-9999）。
整数値：5 ⏎
整数値：7 ⏎
整数値：-2 ⏎
整数値：4 ⏎
整数値：-9999 ⏎
正の整数の合計は16です。
```

正のみが加算される

整数値 n を次々と読み込んでいき、加算を繰り返すことによって合計を求めます。その際、次のように break 文あるいは continue 文が実行されます。

- n が -9999 であれば、読込みを終了する。　　　… break 文を実行
- n が 0 以下であれば、加算しない（加算するのは正の値のみ）。　… continue 文を実行

n が 0 以下のときに実行される continue 文の働きによって、続く累算代入 total += n の実行がスキップされます（そのため、負の値は total に加算されません）。

数当てゲームの作成（乱数の生成とモジュールのインポート）

応用的なプログラムとして、**数当てゲーム**の作成に挑戦しましょう。

当てる数の範囲は 1 ～ 1000 であり、10 回以内で当てなければなりません。ただし、1 未満あるいは 1000 を超える値を誤って入力した場合は、回数をカウントしない仕様とします。

List 4-6 に示すのが、完成したプログラムです。

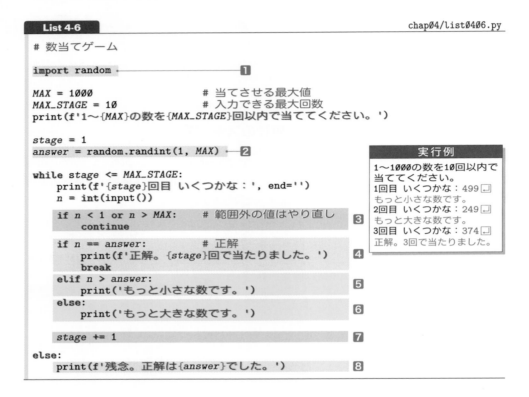

```
List 4-6                                          chap04/list0406.py

# 数当てゲーム

import random ─────────────────────1

MAX = 1000                    # 当てさせる最大値
MAX_STAGE = 10                # 入力できる最大回数
print(f'1～{MAX}の数を{MAX_STAGE}回以内で当ててください。')

stage = 1
answer = random.randint(1, MAX) ──2

while stage <= MAX_STAGE:
    print(f'{stage}回目 いくつかな : ', end='')
    n = int(input())

    if n < 1 or n > MAX:      # 範囲外の値はやり直し        3
        continue

    if n == answer:          # 正解                        4
        print(f'正解。{stage}回で当たりました。')
        break
    elif n > answer:                                        5
        print('もっと小さな数です。')
    else:                                                   6
        print('もっと大きな数です。')

    stage += 1                                              7
else:
    print(f'残念。正解は{answer}でした。')                  8
```

実行例

```
1～1000の数を10回以内で
当ててください。
1回目 いくつかな：499⏎
もっと小さな数です。
2回目 いくつかな：249⏎
もっと大きな数です。
3回目 いくつかな：374⏎
正解。3回で当たりました。
```

乱数の生成とモジュールのインポート

当てさせる数は、毎回違うものでなければなりません。そこで必要となるのが、乱数（得られるのが何か分からない数値）です。

ただし、乱数を生成する機能は標準の状態では組み込まれていません。とはいえ、必要な機能は、いつでも自由に組み込める仕組みとなっています。

組込みを行うための 1 は import 文（import statement）であって、random モジュールのインポート（import）を指示しています。

なお、**モジュール**（module）とは、関数を始めとするプログラムの部品を集めて一つにまとめたものです。

▶ 本章では、モジュールについては概要のみを学習します。モジュール、インポート方法、モジュールに含まれる関数の呼出し方などの詳細は、第 10 章で詳しく学習します。

モジュールが組み込まれると、その中の関数が、次の形式で呼び出せるようになります。

> モジュール名 . 関数名 (実引数の並び)

本プログラムで利用しているのは、`random` モジュールに含まれる `randint` 関数です。`random.randint(a, b)` は、a 以上 b 以下の乱数を生成して（a 以上 b 以下の整数値の中から、無作為に 1 個の整数値を抽出して）、その値を返します（**Fig.4-5**）。

そのため、**2**では、1 ～ *MAX* すなわち 1 ～ 1000 のいずれかの値が、変数 *answer* に代入されます（プログラムを実行するたびに、毎回異なる値となります）。

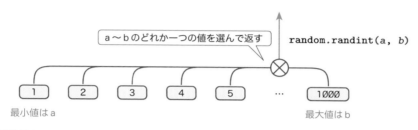

Fig.4-5 random.randint 関数による乱数の生成

本プログラムの `while` 文は、*stage* が *MAX_STAGE* すなわち 10 以下のあいだ繰り返すことで、入力できる最大の回数を *MAX_STAGE* に制限しています。

> ▶ なお、当てるべき数の最大値 1000 と最大入力回数 10 を、大文字名の変数 *MAX* と *MAX_STAGE* に入れることで、**マジックナンバー**（p.40）の埋込みを避けるとともに、値の変更を容易にしています。

3では、変数 *n* に読み込まれた値のチェックを行います。

範囲外（1 未満あるいは 1000 を超える値）であれば、`continue` 文の実行によって、それ以降の**4**～**7**をスキップします。特に、**7**での *stage* のインクリメントがスキップされて、回数がカウントされないことに注意しましょう。

範囲内であれば、`if` 文の分岐によって、次のように選択的に実行します。

読み込んだ値 *n* が、当てるべき値 *answer*
- …と等しければ　　：その旨を表示して `while` 文の繰返しを強制終了。　… **4** 正解
- …より大きければ　：『もっと小さな数です。』と表示。　　　　　　… **5** 不正解
- …より小さければ　：『もっと大きな数です。』と表示。　　　　　　… **6** 不正解

不正解のときは、**7**で *stage* をインクリメントします。インクリメント後の *stage* が、*MAX_STAGE* を超えると、入力できる回数が使い果たされており、`while` 文の繰返しを終了します。

`break` 文が実行されることなく `while` 文がつつがなく終了すると、`else` 節が実行されます。入力回数を使い果たしているため、残念な旨と正解を**8**で表示します。

> ▶ **4**内で `break` 文が実行された場合は、`while` 文が中断されるため、`else` 節は実行されません。

じゃんけんゲームの作成

　乱数の生成法を学習しましたので、もう一つゲーム作りに挑戦しましょう。**List 4-7** に示すのは、**じゃんけんゲーム**のプログラムです。

▶ `match` 文の代わりに `if` 文で実現したプログラムは `'chap04/list0407if.py'` です。

List 4-7　　　　　　　　　　　　　　　　　　　　　　`chap04/list0407.py`

```python
# じゃんけんゲーム

import random

print('じゃんけんゲーム')

# 勝った回数、負けた回数、引き分けた回数
win_no = lose_no = draw_no = 0

while True:
1   comp = random.randint(0, 2)
                                        ┌─ 0〜2のみを読み込むための繰返し
    while True:
2       human = int(input('じゃんけんポン(0：グー／1：チョキ／2:パー)：'))
        if 0 <= human <= 2:
            break

    print('私は', end='')
    match comp:
      case 0: print('グー', end='')
      case 1: print('チョキ', end='')
      case 2: print('パー', end='')
    print('です。')

    # 勝敗の判定
3   judge = (human - comp + 3) % 3

    match judge:
      case 0:
          print('引き分けです。')
          draw_no += 1
      case 1:
          print('あなたの負けです。')
          lose_no += 1
      case 2:
          print('あなたの勝ちです。')
          win_no += 1

    retry = int(input('もう一度(0：はい／1：いいえ)：'))
    if retry == 1:
        break

print(f'成績：{win_no}勝{lose_no}敗{draw_no}分けでした。')
```

実行例
```
じゃんけんゲーム
じゃんけんポン(0：グー／1：チョキ／2:パー)：1⏎
私はグーです。
あなたの負けです。
もう一度(0：はい／1：いいえ)：0⏎
じゃんけんポン(0：グー／1：チョキ／2:パー)：2⏎
私はパーです。
引き分けです。
もう一度(0：はい／1：いいえ)：1⏎
成績：0勝1敗1分けでした。
```

　グー、チョキ、パーの手を、0、1、2 の整数値で表しています。コンピュータの手は１で `random.randint` 関数によって乱数で生成して、人間の手は２でキーボードから読み込みます。

　３では、コンピュータと人間の手の組合せ9個の勝敗を1個の式（`human - comp + 3`）`% 3` で求めています（右ページの **Fig.4-6**）。

▶ 本プログラムは、繰返し文の中に繰返し文が入る多重ループ（4–3 節）の構造です。

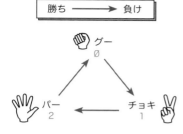

a 引き分け

human	comp	human − comp	(human − comp + 3) % 3
0	0	0	0
1	1	0	0
2	2	0	0

b 人間の負け

human	comp	human − comp	(human − comp + 3) % 3
0	2	−2	1
1	0	1	1
2	1	1	1

c 人間の勝ち

human	comp	human − comp	(human − comp + 3) % 3
0	1	−1	2
1	2	−1	2
2	0	2	2

ある手に対して：
- 負ける手は、矢印→を1個進んだ手
- 勝つ手は、矢印→を2個進んだ手
という規則性に着目する。

減算 human − comp を行うと、−2〜2のバラバラな値が得られる。

それらに3を加えた上で3で割った剰余を求めると勝敗が0〜2で求められる。

Fig.4-6 手の組合せと勝敗の判定

バッテリー付属

Pythonの特徴の一つがバッテリー付属（batteries included）です。この言葉は、もともと、家電製品や電子機器などを購入した際に、最初から電池が付属している（しかし内蔵はされていない）、という意味です。

Pythonには、いろいろな部品があります。**print** 関数などの組込み関数は、最初から内蔵されています。**random.randint** のような関数は、インポートさえすれば、いつでも組み込めるようになっています（**Fig.4-7**）。

さらに、標準で提供されないもの（各種の企業や団体などが提供するもの）も、必要に応じて組み込めます。さしずめ、好きなアイテムを装備することによって、いつでもパワーアップできる、ゲームのキャラクタのような感じです。

Fig.4-7 バッテリー付属

4-2 | for 文

前節で学習した while 文と同様に、プログラムの流れを繰り返す文が、for 文です。本節では、for 文の基本を学習します。

for 文

繰返し文には、**while** 文の他に **for** 文（for statement）があります。その **for** 文を使って、挨拶を指定された回数だけ表示するのが、**List 4-8** のプログラムです。

```
List 4-8                                                    chap04/list0408.py
# 読み込んだ回数だけ挨拶する（カウントは0から）

n = int(input('挨拶は何回：'))

for i in range(n):
    print(f'No.{i}：こんにちは。')
```

```
実行例
挨拶は何回：3⏎
No.0：こんにちは。
No.1：こんにちは。
No.2：こんにちは。
```

まずは、**range(n)** に着目します。これは、0、1、2、…、**n** - 1 という数列、すなわち、数値の並び式を作る関数です。

> **range(n)**　　0 以上 **n** 未満の数値を順番に列挙した数列（並び式）を作る。

注意：並び式の最後の数値は **n** - 1 であって、**n** ではありません。

次は、**for** 文の働きです。プログラムの流れを次のように制御します。

> **for 変数 in 並び式：スイート**
> 『並び式に含まれる値を変数に取り出して、スイートを実行する』処理を、すべてを取り出すまで繰り返す。

実行例では **n** が 3 ですから、**for** 文のプログラムの流れは、次のようになります。

- **range(3)** によって、数列 0、1、2 が生成される。
- 変数 **i** に 0 を取り出して、スイート（**print** 関数を呼び出す文）を実行する。
- 変数 **i** に 1 を取り出して、スイート（**print** 関数を呼び出す文）を実行する。
- 変数 **i** に 2 を取り出して、スイート（**print** 関数を呼び出す文）を実行する。

for 文の頭部を見ただけで、繰返しが **n** 回であることが分かります（while 文よりも簡潔で読みやすく実現されています）。

なお、繰返しの制御に用いられる変数 **i** は、**カウンタ用変数**と呼ばれます。

さて、数値のカウントは、コンピュータは 0 から始めますが、私たち人間は 1 から始めるのが普通です。1 から始めて **n** 回繰り返すように書きかえたのが、右ページの **List 4-9** です。

```
List 4-9                                              chap04/list0409.py
```

```python
# 読み込んだ回数だけ挨拶する（カウントは1から：その１）

n = int(input('挨拶は何回：'))

for i in range(n):
    print(f'No.{i + 1}：こんにちは。')
```

```
          実行例
挨拶は何回：3␍
No.1：こんにちは。
No.2：こんにちは。
No.3：こんにちは。
```

▶ 表示するNoの値が、"i" から "i + 1" に変更されています。

　さて、range関数に2個の実引数を与えてrange(a, b)と呼び出すこともできます。その場合、次に示す並び式が作られます。

> range(a, b)　　a以上b未満の数値を順番に列挙した数列を作る。

注意：並び式の最後の数値はb - 1であって、bではありません。

　この形式を使って書きかえたのが、**List 4-10** のプログラムです。

```
List 4-10                                             chap04/list0410.py
```

```python
# 読み込んだ回数だけ挨拶する（カウントは1から：その２）

n = int(input('挨拶は何回：'))

for i in range(1, n + 1):
    print(f'No.{i}：こんにちは。')
```

```
          実行例
挨拶は何回：3␍
No.1：こんにちは。
No.2：こんにちは。
No.3：こんにちは。
```

　実行例ではnが3ですから、range(1, 4)によって1、2、3という数列が作られます。

　さて、本章の最初の **List 4-1**（p.90）は、a以上b以下の整数の列挙を、while文で行うプログラムでした。for文を使って書きかえたのが、**List 4-11** に示すプログラムです。

```
List 4-11                                             chap04/list0411.py
```

```python
# for文による整数値のカウントアップ（ソート後のaからbまで）

a = int(input('整数a：'))
b = int(input('整数b：'))

a, b = sorted([a, b])        # 昇順にソート

for counter in range(a, b + 1):
    print(counter, end=' ')
print()
```

```
# List 4-1
while counter <= b:
    print(counter, end=' ')
    counter = counter + 1
```

```
          実行例
① 整数a：8␍
   整数b：3␍
   3 4 5 6 7 8

② 整数a：3␍
   整数b：8␍
   3 4 5 6 7 8
```

　for文の頭部を見ただけで、変数counterがaからbまでインクリメントされることが分かります（while文よりも簡潔で読みやすく実現されています）。

▶ 他のプログラミング言語では、for文のカウンタ用変数（本プログラムの場合counter）が、for文の中でのみ利用できるようになっていることが多いのですが、Pythonは違います。**カウンタ用の変数は、繰返し文の後も残ります。**

range 関数

range 関数を呼び出す二つの形式を学習しました。さらに、もう一つの形式があります。実引数を3個与えた range(a, b, step) の形式です。

> range(a, b, step)　a から b の手前までの数値を step 個おきに列挙した数列を作る。

List 4-12 のプログラムで確認しましょう。

List 4-12　　　　　　　　　　　　　　　　　　　chap04/list0412.py

```
# 整数値のカウントアップ

start = int(input('開始：'))
end   = int(input('終了：'))
step  = int(input('増分：'))

for count in range(start, end, step):
    print(count, end=' ')
print()
```

実行例

① 開始：3⏎
　終了：8⏎
　増分：2⏎
　3 5 7

② 開始：8⏎
　終了：3⏎
　増分：-2⏎
　8 6 4

第3引数で増分（刻み幅）を自由に指定できることを利用しています。また、実行例②のように step を負数にすると、大きいほうから小さいほうにくだっていく数列が作成されます。

range(n)	0以上n未満の数値を順番に列挙した数列
range(a, b)	a以上b未満の数値を順番に列挙した数列
range(a, b, step)	aからbの手前までの数値をstep個おきに列挙した数列

Fig.4-8　range 関数

▶ for 文の理解には後の章の知識が必要なため、本章では簡略化して学習を進めています。次の解説は、第8章まで学習した後に読むとよいでしょう：

本章で**数列（並び式）**と表現しているのは、**イテラブルオブジェクト**（iterable object）であり、range(n) が生成するのは、0～n-1 の数列を格納したイテラブルオブジェクトである。

for 文で指定するイテラブルオブジェクトとしては、任意の**シーケンス型**（sequence type）が利用可能であるため、range() 以外の式、たとえば、文字列なども利用できる。

Column 4-2　　なぜカウンタ用変数の名前は i や j なのか

多くのプログラムが、for 文などの繰返し文を制御するための変数として i や j を使います。

その歴史は、技術計算用のプログラミング言語 FORTRAN の初期の時代にまで遡ります。この言語では変数は原則として実数です。しかし、名前の先頭文字が I、J、…、N の変数だけは自動的に整数とみなされていました。そのため、繰返しを制御するための変数としては I、J、…を使うのが最も手軽な方法だったのです。

for 文を利用して、いろいろなプログラムを作っていきましょう。

▪ 奇数の列挙

List 4-13 は、読み込んだ整数値以下の**正の**奇数すなわち 1、3、… を順に表示するプログラムです。変数 i の値を、1 から始めて 2 ずつ増やしていきます。

```
List 4-13                              chap04/list0413.py
# 読み込んだ整数値以下の奇数を列挙

n = int(input('整数値：'))

for i in range(1, n + 1, 2):
    print(i, end=' ')
print()
```

実行例
① 整数値：13⏎
  1 3 5 7 9 11 13
② 整数値：12⏎
  1 3 5 7 9 11

▪ 約数の列挙

List 4-14 は、読み込んだ整数値のすべての約数を順に表示するプログラムです。

```
List 4-14                              chap04/list0414.py
# 読み込んだ整数値以下の全約数を列挙

n = int(input('整数値：'))

for i in range(1, n + 1):
    if n % i == 0:
        print(i, end=' ')
print()
```

実行例
整数値：18⏎
1 2 3 6 9 18

for 文では、変数 i の値を 1 から n までインクリメントします。n を i で割った剰余が 0 であれば（n が i で割り切れると）、i は n の約数ですから、その値を表示します。

▪ 記号文字の連続表示

List 4-15 は、読み込んだ整数値の個数だけ、記号文字 * を連続表示するプログラムです。

```
List 4-15                              chap04/list0415.py
# 読み込んだ整数値の個数だけ*を連続表示

n = int(input('整数値：'))

for _ in range(n):
    print('*', end='')
print()
```

実行例
整数値：15⏎
****

繰返しのカウンタ用の変数名が _ となっています。1 個の下線文字 _ の変数名は、その変数の値をループ本体で使用しないことを、プログラムの読み手に伝えます。

▶ ループ本体で変数 _ の値を取り出したり使ったりすることは可能です。

else 節

for 文の末尾には else 節を置くことができます。break 文で強制的に中断されることなく繰返しが終了したときにのみ、その else 節内のスイートが実行される仕組みです。

▶ while 文の else 節と同様です（p.97）。

List 4-16 は、else 節を伴う for 文のプログラム例です。

List 4-16   chap04/list0416.py

```python
# 10～99の乱数をn個生成

import random

n = int(input('乱数は何個：'))

for _ in range(n):
    r = random.randint(10, 99)
    if (r == 13):
        print('\n事情により中断します。')
        break
    print(r, end=' ')
else:
    print('\n乱数生成終了。')
```

```
                   実行例
① 乱数は何個：5↵
  87 82 48 83 62
  乱数生成終了。
② 乱数は何個：5↵
  39 72 86
  事情により中断します。

          乱数として 13 が生成された
```

本プログラムの for 文は、10 ～ 99 の乱数を n 個生成する繰返しです。

その過程で 13 が生成された場合は、『事情により中断します。』と表示して、break 文によって for 文の繰返しを強制的に中断します（13 の表示は行われません）。このように、繰返しが中断されたときは else 節は実行されません。

なお、繰返しの過程で一度も 13 が生成されなかった場合は、繰返し終了後に else 節が実行されて『乱数生成終了。』の表示が行われます。

for 文と走査

本章で学習している for 文は、"単純な一定回数の繰返し" を行うものばかりです。

現実の多くのプログラムでは、データの集まりである**文字列**や**リスト**などの要素を順に取り出す走査で使われます。

プログラム例は、後の章で学習します。

▶ 走査の詳細は、第 6 章で学習します。

- 第 6 章　文字列の走査。
- 第 7 章　リストの走査。
- 第 8 章　タプル、辞書、集合の走査。

前判定繰返し

while 文と for 文は、繰返しを継続するかどうかの判定を、最初に（ループ本体の実行の前に）行うため、実質的に素通りされることがあります（p.93）。

このような構造をもった繰返しは、前判定繰返しと呼ばれます。

- Python の特徴の一つが、バッテリー付属である。

- 標準では備わっていない機能は、`import` 文によってモジュールをインポートして組み込むだけで、手軽に使えるようになる。

- `time` モジュールに含まれる `sleep` 関数を呼び出す `time.sleep(s)` によって、*s*秒だけ**プログラムの実行を停止**できる。

- `random` モジュールに含まれる `randint` 関数を呼び出す `random.randint(a, b)` によって、*a*以上*b*以下の乱数が得られる。

4

ま
と
め

```
# 第4章 まとめ                                              chap04/gist.py

while True:
    n = int(input('0～100の整数値：'))
    if 0 <= n <= 100:
        break
c = n

# c個の'*'を表示
while n > 0:
    print('*', end='')
    n -= 1
print()

# '1234567890'を繰返し表示（全部でc文字）
for i in range(1, c + 1):
    print(i % 10, end='')
print('\n')

# 面積がsで縦横が整数の長方形の辺の長さを列挙
s = int(input('面積：'))
print(f'面積が{s}で縦横が整数の長方形の辺の長さ')
for i in range(1, s + 1):
    if i * i > s: break
    if s % i: continue
    print(f'{i}×{s // i}')
print()

# n個の'*'をw個ごとに改行しながら表示
n = int(input('全部で何個表示：'))
w = int(input('何個ごとに改行：'))
for i in range(1, n + 1):
    print('*', end='')
    if i % w == 0:
        print()
if n % w != 0:
    print()
print()

# 数字長方形
h = int(input('高さ：'))
w = int(input('横幅：'))
for i in range(1, h + 1):
    for j in range(1, w + 1):
        print((i + j - 1) % 10, end='')
    print()
```

```
実 行 例
0～100の整数値：-5⏎
0～100の整数値：137⏎
0～100の整数値：25⏎
*************************
12345678901234567890123456789012345

面積：32⏎
面積が32で縦横が整数の長方形
の辺の長さ
1×32
2×16
4×8

全部で何個表示：17⏎
何個ごとに改行：6⏎
******
******
*****

高さ：7⏎
横幅：13⏎
1234567890123
2345678901234
3456789012345
4567890123456
5678901234567
6789012345678
7890123456789
```

Column 4-4	for 文の補足

　`int` 型などの**イミュータブル**（変更不能）な型の変数は、値が変わった時点で、別のオブジェクトを参照するように更新されます（オブジェクトが存在しなければ新しく生成されます：次章）。

　そのため、`for` 文で 1 から 100 までの繰返しを行う際は 100 個のオブジェクトが必要です（存在しないオブジェクトは生成されます）。**List 4C-5** のプログラムで確認しましょう。

List 4C-5　　　　　　　　　　　　　　　　　　　　chap04/for1.py

```
# for文で1～100の値と識別番号を表示

for i in range(1, 101):
    print(f'i = {i:3}  id(i) = {id(i)}')
```

```
                    実行結果
i =   1   id(i) = 140706589794960
i =   2   id(i) = 140706589794992
i =   3   id(i) = 140706589795024
i =   4   id(i) = 140706589795056
i =   5   id(i) = 140706589795088
i =   6   id(i) = 140706589795120
i =   7   id(i) = 140706589795152
i =   8   id(i) = 140706589795184
i =   9   id(i) = 140706589795216
i =  10   id(i) = 140706589795248

※　以下省略
　　表示される識別番号は一例です
```

　見かけ上は変数 `i` の値が 1 から 100 まで更新されているのですが、内部的には、

- 変数 `i` はオブジェクト 1 を参照する。
- 変数 `i` はオブジェクト 2 を参照する。
- 変数 `i` はオブジェクト 3 を参照する。
  　… 以下省略 …

と 100 個のオブジェクトを参照するように更新が続けられます（変数が、オブジェクトを参照する名前にすぎないからです。当然、1 万回の繰返しでは、1 万個のオブジェクトが必要です）。

　C 言語の `for` 文であれば、1 個の変数 `i` の値が 1 から 100 まで更新されていきます。そのような繰返しとは、メカニズムがまったく異なることが分かるでしょう。

　異なる点は、他にもあります。

　最初の `for` 文のプログラムの解説を思い出しましょう（p.102：`for i in range(3):` の解説です）。

- `range(3)` によって、数列 0、1、2 が生成される。
- 変数 `i` に 0 を取り出して、スイート（`print` 関数を呼び出す文）を実行する。
- 変数 `i` に 1 を取り出して、スイート（`print` 関数を呼び出す文）を実行する。
- 変数 `i` に 2 を取り出して、スイート（`print` 関数を呼び出す文）を実行する。

　この解説が示すように、数列（並び式）が生成されるのは繰返し前の 1 回だけであって、変数への値の取出しは毎回行われます。

　それでは、繰返しの途中で変数 `i` の値を書きかえたらどうなるのか、挙動を確認しましょう。プログラムを次のように書きかえます（`'chap04/for2.py'`）

```
for i in range(1, 101):
    print(f'i = {i:3}  id(i) = {id(i)}')
    i = 100                              # この代入を追加
```

　（このコードと同等な）C 言語の `for` 文では、変数 `i` が 1 のときに、ループ本体内で `i` の値が 100 に変更される結果、繰返しが終了します（繰返しの回数は1回だけです）。

　一方、Python の `for` 文では、並び式からの変数への値の取出しは毎回行われるため、変数 `i` が 1 のときにループ本体で値が 100 に書きかえられても、その直後に行われる値の取出しによって、変数 `i` の値は 2 となります（取り出した値で上書きされます）。

　すなわち、ループ本体の中で変数 `i` の値を書きかえても、繰返しはちゃんと 100 回行われます。プログラムを実行して確認しましょう。

第5章

オブジェクトと型

Python は、すべてをオブジェクトとして扱います。次章以降の学習に進む
前に、オブジェクトの本質を理解しましょう。

- オブジェクトと変数
- 型と値
- 参照と結び付き
- 識別番号／アイデンティティ
- id 関数
- 記憶域
- 代入文
- del 文
- ミュータブル（変更可能）
- イミュータブル（変更不能）
- 同一性判定演算子（is 演算子と is not 演算子）
- None と NoneType 型
- 参照カウンタ
- 浮動小数点数型（float 型）の特性と精度
- 算術変換
- 算術演算用の組込み関数
- ビット単位の論理演算子（& 演算子、| 演算子、^ 演算子、~ 演算子）
- ビット単位のシフト演算子（<< 演算子、>> 演算子）
- 1 の補数と 2 の補数

5-1 オブジェクト

Pythonは、すべてをオブジェクトとして扱うため、"変数ありき" ではなく、"オブジェクトありき" です。一体、どういうことでしょうか。

オブジェクトとは

ここまで、『変数は値を格納する箱のようなものである。』という理解のもとで学習を進めてきました。実は、この理解は**完全な誤り**なのです。次章以降に進む前に、より正確に学習しておく必要があります。

まず、変数を少し大まかに説明すると、次のようになります。

> **重要** 変数は、オブジェクトを参照する存在であって、参照先のオブジェクトに結び付けられた**名前**にすぎない。

この説明だけでは、分からないでしょう。インタラクティブシェルで確認します。

例 5-1　オブジェクトの識別番号（値の識別番号＝変数の識別番号）

```
>>> n = 17 ⏎
>>> id(17) ⏎
140711199888704        ⇦ 17の識別番号
>>> id(n) ⏎
140711199888704        ⇦ n の識別番号（17の識別番号と同じ）
```

▶ 注意：表示される値は、環境などによって異なります。これ以降も同様です。

変数 n に 17 を代入した後で、組込みの id 関数を 2 回呼び出しました。id 関数は、オブジェクトに固有の識別番号（identity）を返却する関数です。整数リテラル 17 の識別番号と変数 n の識別番号が一致していますので、それらは**同一のオブジェクト**ということです。

さて、これまでは、《代入》を、**値を入れる** "コピー" と理解してきました（**Fig.5-1 a**）。

実際の代入は図 **b** です。まず値 17 の int 型オブジェクトが存在していて、そのオブジェクトを参照するように、n という名前を結び付ける（bind）作業が行われます。

整数リテラル 17 の識別番号と、変数 n の識別番号とが同一になる理由が分かりました。

`n = 17`

a 変数に値をコピーする

値のコピー　✗ ······ 17

n

b オブジェクトに名前を与える

オブジェクト 17 を n に参照させる

n ○ → 17

単なる名前

int 型オブジェクト

Fig.5-1　変数への値の代入

変数には、格納ずみの値とは異なる型の値を代入できます（第1章で学習しました）。どのようになっているか、確認しましょう。

例 5-2　変数に異なる型の値を代入
```
>>> n = 5 ⏎
>>> id(n) ⏎
140711199888732
>>> n = 'ABC' ⏎
>>> id(n) ⏎
140711199888764      ⇦ 識別番号が変化している
```

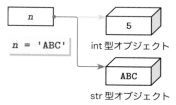

int 型オブジェクト

str 型オブジェクト

異なる値の代入によって
参照先が別のオブジェクトに更新される

Fig.5-2　代入による参照先の更新

代入後に *n* の識別番号が変わっています。
Fig.5-2 に示すように、変数 *n* の参照先が、int 型の 5 から str 型の 'ABC' へと更新されたのです。

重要　変数に対する代入では、参照先が代入される（値のコピーは行われない）。

▶　当然ながら、int 型オブジェクト 5 自体は、型も値も変わっていません。

次は、p.70 で学習した**2値の交換**を行います。

例 5-3　二つの変数の値を交換
```
>>> a = 5 ⏎
>>> b = 7 ⏎
>>> id(a), id(b) ⏎
(140711199888544, 140711199888608)
>>> a, b = b, a ⏎          ⇦ aとbを交換
>>> id(a), id(b) ⏎
(140711199888608, 140711199888544)
```

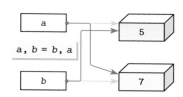

a, b = b, a によって
値が交換されたように見えるが
実際には参照先が交換されているだけ

Fig.5-3　代入による参照先の交換

交換後に、変数 *a* と *b* の識別番号が入れかわっています。**Fig.5-3** に示すように、交換されているのは、変数の値ではなく、変数の参照先です。

*

Python が "変数ありき" ではなくて、"オブジェクトありき" であることの意味が、少しずつ分かってきました。
オブジェクトは、記憶域（storage）すなわちメモリを占有します。そのため、識別番号は、記憶域上の位置として表されるのが基本です。

重要　Python では、すべてがオブジェクトである。記憶域の一部を占有するオブジェクトは、同一性＝識別番号（identity）、型（type）、値（value）などの属性をもつ。

▶　識別番号は、カタカナでは『**アイデンティティ**』です。「他のオブジェクトとは異なる識別番号をもっていて、他とは必ず区別できる」といったニュアンスです。
　　オブジェクトの識別番号を調べるのは id 関数ですが、オブジェクトの型を調べるのは、第1章で学習した type 関数です。

☐ ミュータブルとイミュータブル

ここまでは、単純な代入と識別番号の表示のみを行ってきました。何らかの演算によって、変数の値が変わるケースを確認しましょう。まずは、整数です。

```
例 5-4  変数の値をインクリメント
>>> n = 12 ⏎
>>> id(n) ⏎
140711199888768
>>> n += 1 ⏎          ⇦ nをインクリメント
>>> id(n) ⏎
140711199888800       ⇦ 識別番号が変化する
```

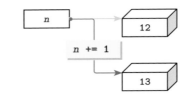

Fig.5-4　整数値の更新（参照先の更新）

累算代入 **+=** によって *n* の値をインクリメントした結果、*n* の識別番号が変化しています。

Fig.5-4 に示すように、*n* の参照先が、**int** 型オブジェクト **12** から、**int** 型オブジェクト **13** へと更新されています。

このようになるのは、**数値や文字列が、いったん与えられた値の変更を行えないイミュータブル**（immutable）**な型だからです。**

『変数 *n* の値は変更できるじゃないか。』と反論されそうですが、そうではありません。整数オブジェクト **12** の値が**変更できない**からこそ、まったく別の整数オブジェクト **13** を参照するように、*n*（の参照先）が更新されるのです。

▶ immutable は『**不変**』という意味で、この後で学習する mutable は『**可変**』という意味です。

文字列もイミュータブルです。確認しましょう。

```
例 5-5  文字列への加算（連結）
>>> s = 'ABC' ⏎
>>> id(s) ⏎
140711199888768
>>> s += 'DEF' ⏎       ⇦ sに'DEF'を連結
>>> id(s) ⏎
140711199888800       ⇦ 識別番号が変化する
```

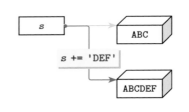

Fig.5-5　文字列の更新（参照先の更新）

'ABC' が代入された *s* の後ろに **'DEF'** を連結すると新しい文字列 **'ABCDEF'** が生成され、連結後の *s* の識別番号が変化します（**Fig.5-5**）。

＊

いったん与えられた値が変更できるミュータブル（mutable）な型もあります。すなわち、型は2種類に分類されます。

> **重要**　Python の型は、値が変更できるかどうかで2種類に分類される。
> - ミュータブルな型：**リスト、辞書、集合**など　　　　　　※値が変更可能
> - イミュータブルな型：**数値、文字列、タプル**など　　　　　※値が変更不能

▶ いずれのオブジェクトも、型自体を変更することはできません。

同一性判定演算子（is 演算子と is not 演算子）

第3章で学習した値比較演算子 == と != は、名前が示すとおり、オブジェクトの値の等価性を判定する演算子です。そのため、*x* と *y*（の参照先）が、たとえ異なるオブジェクトであっても、値が等しければ／等しくなければ、判定が成立します。

これらと似て非なる演算子が、同一性判定演算子（identity comparison operator）と呼ばれる is 演算子（is operator）と is not 演算子（is not operator）です（**Table 5-1**）。

これらの演算子は、値ではなく、オブジェクトそのものが同一かどうかを判定します。

▶ 具体的には、左右のオペランドの "識別番号の等価性" が判定されます。なお、*a* is *b* is *c* のように連続適用すると、and 結合（すなわち *a* is *b* and *b* is *c*）とみなされます。

Table 5-1　同一性判定演算子

x is y	*x* と *y* が同一のオブジェクトであれば True を、そうでなければ False を生成。
x is not y	*x* と *y* が異なるオブジェクトであれば True を、そうでなければ False を生成。

二つの変数の同一性を判定する例が、**List 5-1** のプログラムです。

List 5-1　　　　　　　　　　　　　　　　　　chap05/list0501.py

```
# aとbの同一性の判定

a = int(input('整数a：'))
b = int(input('整数b：'))

print('a is b =', a is b)
```

実行例
① 整数a：5⏎
　整数b：5⏎
　a is b = True
② 整数a：5⏎
　整数b：7⏎
　a is b = False

変数 *a* と *b* に値を読み込んで、それらの同一性を判定しています。

二つの実行結果における、変数とオブジェクトの様子を示したのが、**Fig.5-6** です。

同一の値が読み込まれた場合、二つの変数が同じオブジェクトを参照する結果、*a* is *b* は True となるのが基本です（異なる値が読み込まれると False となります）。

▶ 読み込まれた同一値を異なるオブジェクトとして扱う環境も存在します。

ここでは、イミュータブルな int 型に適用しましたが、is 演算子と is not 演算子は、変更可能なオブジェクトどうし、あるいは、None との比較で利用するのが、基本です。

▶ 値が同一で識別番号が異なる、というケースもあります（後の章で学習します）。

ⓐ 読み込まれた値が同一　　　　　　　**ⓑ 読み込まれた値が異なる**

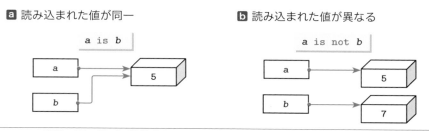

Fig.5-6　変数の同一性（is 演算子と is not 演算子）

代入文

　代入を行う区切り子 = が演算子ではないことや、代入文は奥が深いことを、第1章で学習しました。理解が進んできましたので、まとめましょう。

代入文は：
1. 右辺の値を左辺にコピーしない。
2. 右辺のオブジェクトに、左辺の変数名を結び付ける（参照させる）。
3. 左辺の変数名が、初出であれば、新しい変数を作る。

▶ 3に関しては、極めて複雑な規則があります（第9章で学習します）。

del 文

　代入文とは逆に、単なる名前にすぎない変数を**削除**するのが del 文（del statement）です。実際に確認しましょう。

例 5-6　del文による変数の削除
```
>>> x = 5
>>> print(x)
5
>>> del x
```
```
>>> print(x)
Traceback (most recent call last):
  File "<stdin>", line 1, in <module>
NameError: name 'x' is not defined
```

変数の削除後は、値を取り出すことができず、エラーが発生しました。

▶ 整数 5 に与えられた名前を削除するという、作為的な例を体験しました。現実のプログラムでは、リストからの要素の削除などで del 文を利用します。
　なお、del 文による削除によって外された名前が、オブジェクトに対する唯一の参照であれば、オブジェクトのメモリが解放されます（**Column 5-1**）。

Column 5-1　使われなくなったオブジェクトの行方

　変数が、オブジェクトを参照するだけの存在であって、イミュータブルな型の変数の値が更新されると、別のオブジェクトを参照するように識別番号が更新されることなどが分かりました。
　それでは、参照されなくなった（使われなくなった）オブジェクトは、どうなるのでしょうか。そのまま放置していれば、どんどん記憶域を消費してしまうことになるはずです。
　その管理のために採用されているのが、参照**カウンタ**という方式です。各オブジェクトが、何個の変数から参照されているかが記憶されています（あるオブジェクトを、変数 **a** と **b** が参照していれば、参照カウンタは **2** です）。
　参照カウンタが **0** になると、不要なものと判断され、（即時とは限りませんが）オブジェクトが占有していた記憶域が解放されます（**Column 5-4**：p.132）。
　C言語のような、プログラムの開始から終了まで記憶域を保持する静的記憶域期間（静的記憶寿命）、ブロックの中でのみ記憶域を保持する自動記憶域期間などとは、まったく異なる方式での管理が行われています。

None

いかなるオブジェクトとも識別できるのが、`NoneType` 型（NoneType type）の `None` です。これは、《空の値》と《存在しない値》を区別するための、特別な値です。

▶ `None` は、`NoneType` 型の値をもつ唯一のオブジェクトです。なお、`None` の識別番号は、`id(None)` で調べられます。他のすべてのオブジェクトの識別番号とは異なる値が得られます。

`None` を論理値として評価すると "偽" が得られます。だからといって、`None` 自体が、論理値の "`False`" と同一、というわけではありません。

▶ 整数 `0`、浮動小数点数 `0.0`、空文字列 `''`、空リスト `[]`、空タプル `()`、空辞書 `{}`、空集合 `set()` は、いずれも偽とみなされます（p.53）が、いずれも `None` とは等しくありません。

以上のことは、**List 5-2** 〜 **List 5-5** のプログラムで確認できます。

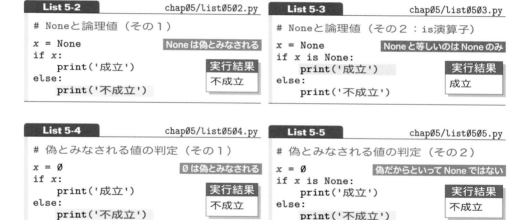

List 5-2　chap05/list0502.py
```
# Noneと論理値（その1）

x = None        None は偽とみなされる
if x:
    print('成立')           実行結果
else:                        不成立
    print('不成立')
```

List 5-3　chap05/list0503.py
```
# Noneと論理値（その2：is演算子）

x = None        None と等しいのは None のみ
if x is None:
    print('成立')           実行結果
else:                        成立
    print('不成立')
```

List 5-4　chap05/list0504.py
```
# 偽とみなされる値の判定（その1）

x = 0           0 は偽とみなされる
if x:
    print('成立')           実行結果
else:                        不成立
    print('不成立')
```

List 5-5　chap05/list0505.py
```
# 偽とみなされる値の判定（その2）

x = 0           偽だからといって None ではない
if x is None:
    print('成立')           実行結果
else:                        不成立
    print('不成立')
```

Column 5-2　str 関数による None の文字列化

　`str` 関数で `None` を文字列に変換して得られるのは、`'None'` です。

　変数 `x` が文字列を参照していれば、その文字列をそのまま得て、変数 `x` が `None` であれば空文字列を得たい、という場合は、式 `x or ''` で実現できます。確認しましょう。

例 5-7　論理式 x or ''

None を空文字列に変換	空文字列は空文字列のまま	それ以外の文字列はそのまま
`>>> x = None` ⏎ `>>> s = x or ''` ⏎ `>>> s` ⏎ `''`	`>>> x = ''` ⏎ `>>> s = x or ''` ⏎ `>>> s` ⏎ `''`	`>>> x = 'ABC'` ⏎ `>>> s = x or ''` ⏎ `>>> s` ⏎ `'ABC'`

　論理式 `x or y` を評価した値が、`x` あるいは `y` になること（p.57、p.59）を利用しています。

5-1

オブジェクト

5-2 | **型と演算**

Pythonが"オブジェクトありき"であること、変数が名前にすぎないことなどが分かりました。
本節では、オブジェクトの型と演算について学習します。

オブジェクトと組込み型

数多くの型を学習してきました。**Table 5-2** に示すのが、主要な組込み型（built-in type）の
一覧です（**黒文字**がイミュータブルな型で、赤文字はミュータブルな型です）。

Table 5-2　主要な組込み型

NoneType 型			
数値型	整数型	整数型	`int` 型
		論理型	`bool` 型
	浮動小数点数型		`float` 型
	複素数型		`complex` 型
シーケンス型	イミュータブルなシーケンス型	文字列型	`str` 型
		タプル型	`tuple` 型
		バイト列型	`bytes` 型
	ミュータブルなシーケンス型	リスト型	`list` 型
		バイト配列型	`bytearray` 型
集合型		集合型	`set` 型
		凍結集合型	`frozenset` 型
マッピング型		辞書型	`dict` 型

▶ シーケンス型、集合型、マッピング型は、第6章〜第8章で学習します。
この表に示すのは、いわゆる《データ型》です。関数（第9章）、モジュール（第10章）、クラス
（第11章）などもオブジェクトであって、それぞれに型があります。
Pythonではすべてがオブジェクトですから、型自体もオブジェクトの一種です。

論理型

真と**偽**を表す論理型（`bool` 型）は、第3章で学習しました。`True` は1で、`False` は0で
あることを確認しましょう。

例 5-8　Trueの値とFalseの値を確認

```
>>> True == 1 ↵
True
```
```
>>> False == 0 ↵
True
```

▶ `True` オブジェクトと `False` オブジェクトは、それぞれ1個ずつ存在します。そのため、`bool(7)` や
`bool(0)` によって新しくオブジェクトが作られることはなく、既存のものが使い回されます。

浮動小数点数型と実数の演算

整数値 7 を 3 で割った商に誤差が含まれることを、第 1 章で確認しました（p.8）。

```
>>> 7 / 3⏎          ⇦ 除算
2.3333333333333335
```

小数部は、3 が無限に繰り返されるはずですが、16 桁目が 5 となっています。このようになるのは、浮動小数点数型（float 型）で表す値の**大きさ**と**精度**に制限があるからです。

このことを、次のように "仮定" して考えていきましょう。

大きさとしては 12 桁まで表すことができ、精度としては 6 桁が有効である。

たとえば、**1234567890** を例にとります。この値は 10 桁ですから、大きさとしては 12 桁の表現範囲に収まっています。しかし、6 桁の精度では表現できませんので、左から 7 桁目を四捨五入して **1234570000** とします。これを数学的に表現したのが、**Fig.5-7** です。

ここで、**1.23457** を仮数(かすう)と呼び、**9** を指数(しすう)と呼びます。

仮数の桁数が《精度》に相当し、指数の値が《大きさ》に相当します。

$$1.23457 \times 10^{9}$$

仮数
指数

Fig.5-7　仮数と指数

ここまでの "仮定" では 10 進数で考えてきましたが、仮数部や指数部は内部的に 2 進数で表現されています。そのため、大きさと精度を "12 桁" や "6 桁" といった具合に、10 進の整数でピッタリ表現することはできません。

＊

浮動小数点数を表す float 型の特性は、sys.float_info として提供されます（現在の環境の特性が入っています）。それでは、調べましょう。

例 5-9　float型の特性を表示

```
>>> import sys⏎
>>> sys.float_info⏎
sys.float_info(max=1.7976931348623157e+308, max_exp=1024, max_10_exp=308,
min=2.2250738585072014e-308, min_exp=-1021, min_10_exp=-307, dig=15, mant_
dig=53, epsilon=2.220446049250313e-16, radix=2, rounds=1)
```

▶　表示される具体的な値は、環境によって異なります。

　　　max ／ min　表現できる最大の数／最小の数

　　　max_exp　　表現可能な最大の整数

　　　dig　　　　浮動小数点数で正確に表せる最大の 10 進数桁

　　　epsilon　　1 とその次の表現可能な **float** 値の差（いわゆる**マシン精度**）

この他の値についての解説は省略しますので、ご自身で各種ドキュメントなどを調べましょう。

浮動小数点数の精度は有限ですから、お金の計算など、正確さが要求される場合は、decimal モジュールで定義されている Decimal 型を利用します（こちらも、ご自身で調べましょう）。

なお、例 5-9 と同一の表示を行うスクリプトプログラムは、**'chap05/float_info.py'** です。

算術変換

例 1-6（p.10）では、整数と浮動小数点数の演
算を行いました。7 あるいは 7.0 と、3 あるいは 3.0
の加算結果は、3 + 7 のみが int 型の整数 10 となり、
それ以外は float 型の浮動小数点数である 10.0 となっていました。

```
>>> 7 + 3 ⏎
10
>>> 7.0 + 3 ⏎
10.0
```

```
>>> 7 + 3.0 ⏎
10.0
>>> 7.0 + 3.0 ⏎
10.0
```

このような結果となるのは、算術演算が次の規則に基づいて行われるからです。

- 一方のオペランドが複素数であれば、他方は複素数型に変換される。
- そうでなく、一方が浮動小数点数であれば、他方は浮動小数点数型に変換される。
- そうでなければ、両者は整数でなければならず、変換は行われない。

算術演算に利用する組込み関数

四則演算以外の算術演算を行うために、数多くの組込み関数が提供されています。主要な
関数の一覧を Table 5-3 に示します。

右ページの List 5-6 は、これらの関数の一部を利用するプログラム例です。

Table 5-3　算術演算に利用する主要な組込み関数

abs(x)	数値 x の絶対値を返却する。
bool(x)	x の論理値（True あるいは False）を返却する。※規則は p.53。
comp(real, imag)	値 real + imag * 1j の複素数を返却するか、文字列や数値を複素数に変換した値を返却する。imag が省略された場合はゼロとみなす。real と imag の両方が省略された場合は 0j を返却する。
divmod(a, b)	数値 a を b で除したときの商と剰余で構成されるタプルを返却する。
float(x)	文字列あるいは数値 x を浮動小数点数に変換した値を返却する。引数が省略された場合は 0.0 を返却する。
hex(x)	整数値 x の、0x で始まる 16 進表記による文字列を返却する。
int(x, base)	x を int 型整数に変換した値を返却する。base は 0 〜 36 の範囲でなければならず、省略された場合は 10 とみなす。
max(args)	引数の最大値を返却する。
min(args)	引数の最小値を返却する。
oct(x)	整数値 x の、0o で始まる 8 進表記による文字列を返却する。
pow(x, y, z)	x の y 乗（すなわち x ** y）を返却する。z が指定された場合は、x の y 乗に対する z の剰余を返却する。pow(x, y) % z よりも効率よく計算される。
round(n, ndigits)	n の小数部を ndigits 桁に丸めた値を返却する。ndigits が None であるか省略された場合、入力値に最も近い整数を返却する。
sum(x, start)	start と x の要素を先頭から末尾へと順に合計して総和を返却する。start のデフォルトは 0 である。

```
List 5-6                                                    chap05/list0506.py
# 算術演算用の組込み関数の利用例
                              ┌─────────────────実 行 例─────────────────┐
x = float(input('実数x : '))  │実数x : 5.762↵                          │
y = float(input('実数y : '))  │実数y : 2.815↵                          │
z = float(input('実数z : '))  │実数z : 3.423↵                          │
                              │abs(x)        = 5.762                   │
print(f'abs(x)       = {abs(x)}')       │bool(x)       = True                   │
print(f'bool(x)      = {bool(x)}')      │divmod(x, y)  = (2.0, 0.13199999999999967)│
print(f'divmod(x, y) = {divmod(x, y)}') │max(x, y)     = 5.762                  │
print(f'max(x, y)    = {max(x, y)}')    │min(x, y)     = 2.815                  │
print(f'min(x, y)    = {min(x, y)}')    │pow(x, y)     = 138.36100562288362     │
print(f'pow(x, y)    = {pow(x, y)}')    │round(x, 2)   = 5.76                   │
print(f'round(x, 2)  = {round(x, 2)}')  │round(x, 3)   = 5.762                  │
print(f'round(x, 3)  = {round(x, 3)}')  │sum((x, y, z)) = 12.0                  │
print(f'sum((x, y, z)) = {sum((x, y, z))}')└─────────────────────────────────────┘
```

sum 関数の呼出しで与えている実引数は、**(x, y, z)** となっていて **( )** で囲まれています。
複数の値を1個の値（タプル）にまとめるためです。

▶ タプルについては、第8章で学習します。

なお、**float** 関数、**hex** 関数、**int** 関数、**oct** 関数、**sum** 関数は、既に学習しました。

pow 関数に第3引数 z を指定する場合、その値は非負でなければならないとともに、x と y は整数
型でなければなりません。

◻ 複素数型

複素数型（complex type）と呼ばれる **complex** 型は、2個の浮動小数点数を組み合わせて
表現する型です。

実数部と虚数部が 0 でない数は、たとえば **3.2 + 5.7j** のように表現します。**5.7j** の部分は、
虚数リテラル（imaginary literal）と呼ばれます（ここまでは、第3章で学習しました）。

複素数 z の**実部**と**虚部**は、**z.real** と **z.imag** で取り出せます。次に示すのは、複素数から
実部と虚部を取り出す例です。

```
>>> z = 3.2 + 5.7j↵
>>> z.real↵
3.2
>>> z.imag↵
5.7
```

▶ 入門書である本書では、複素数型に関する学習は、ここまでです。

◻ ビット処理を行う演算子

コンピュータの内部では、数値はビットの OFF／ON で表現されており、それと対応するの
が2進数です。ほとんどすべてのプログラミング言語では、ビットを扱うための手段が提供さ
れています。

Python では、ビット演算を行うための、整数専用の演算子が提供されます。それらを学習
していきましょう。

ビット単位の論理演算子

まずは、**ビット単位の論理演算**を行う4種類の演算子を学習します。

> & … ビット積演算子 （bitwise and operator）
>
> | … ビット和演算子 （bitwise inclusive or operator）
>
> ^ … ビット排他的論理和演算子 （bitwise exclusive or operator）
>
> ~ … ビット反転演算子 （bitwise invert operator）

Table 5-4 に示すのが、これらの演算子の概要です（演算子 ~ のみが単項演算子です）。

Table 5-4　ビット単位の論理演算子

x & y	xとyのビット単位の論理積を生成。
x | y	xとyのビット単位の論理和を生成。
x ^ y	xとyのビット単位の排他的論理和を生成。
~x	xの全ビットを反転した値 -(x + 1) を生成。

▶ オペランドは整数値でなければなりません。優先度は、高いほうから順に、~ ⇨ & ⇨ ^ ⇨ | です。
なお、~演算子が生成する値 -(x + 1) については、**Column 5-3** (p.129) で学習します。

各演算子による演算結果をまとめたのが **Fig.5-8** です。

ⓐ 論理積

x	y	x & y
0	0	0
0	1	0
1	0	0
1	1	1

両方とも1であれば1

ⓑ 論理和

x	y	x | y
0	0	0
0	1	1
1	0	1
1	1	1

一方でも1であれば1

ⓒ 排他的論理和

x	y	x ^ y
0	0	0
0	1	1
1	0	1
1	1	0

一方のみ1であれば1

ⓓ 反転

x	~x
0	1
1	0

0であれば1
1であれば0

Fig.5-8　ビット単位の論理演算

これらの演算子の働きを確認しましょう。右ページの **List 5-7** を実行すると、キーボードから読み込んだ整数値に対して各種の論理演算を行った結果が表示されます。実行例の説明図をよく読んで、各論理演算の働きを理解しましょう。

▶ ~a と ~b はマイナスの値となるため、変数 m との論理積を求めた上で表示しています。
そのm に代入されている $2^w - 1$ は、すべての桁が1となっている w 桁の2進数の値です（実行例のように w が8であれば、m は2進数の 0b11111111 です）。
画面に出力する f 文字列では、複雑な書式指定 ":0{w}b" が与えられています。
:0 … 書式化する値が指定された桁数に満たないときに、左側に 0 を埋める。
{w} … 書式化する値の最小桁数を w 桁とする。
b … 2進数で書式化する。
実行例では w が8ですから、書式指定全体は :08b（ゼロ詰めの8桁の2進数）となります。

List 5-7

```python
# ビット単位の論理積・論理和・排他的論理和・反転を表示

a = int(input('正の整数a：'))
b = int(input('正の整数b：'))
w = int(input('表示桁数：'))

m = 2 ** w - 1        # w桁すべてが1の２進数に相当

print(f'a     = {a:0{w}b}')
print(f'b     = {b:0{w}b}')
print(f'a & b = {a & b:0{w}b}')
print(f'a | b = {a | b:0{w}b}')
print(f'a ^ b = {a ^ b:0{w}b}')
print(f'~a    = {~a & m:0{w}b}')
print(f'~b    = {~b & m:0{w}b}')
```

```
実 行 例
正の整数a：3
正の整数b：5
表示桁数：8
a     = 00000011
b     = 00000101
a & b = 00000001
a | b = 00000111
a ^ b = 00000110
~a    = 11111100
~b    = 11111010
```

```
a 論理積

    a        0011
    b        0101

    a & b    0001
両方とも１であれば１
---------------------------
b 論理和

    a        0011
    b        0101

    a | b    0111
一方でも１であれば１
---------------------------
c 排他的論理和

    a        0011
    b        0101

    a ^ b    0110
一方のみ１であれば１
```

5-2

型と演算

◻ 論理演算の応用

　論理積、論理和、排他的論理和の各演算は、次の用途で利用されます。

- ▪ 論理積　　　　：任意のビットをリセットする（0にする）。
- ▪ 論理和　　　　：任意のビットをセットする（1にする）。
- ▪ 排他的論理和：任意のビットを反転する。

　List 5-8 のプログラムを実行して確認しましょう。整数値 a の下位4ビットを、リセット／セット／反転した値が表示されます。

　▶　リセット／セット／反転の対象は下位4ビットのみであって、それ以外のビットは維持します。

List 5-8

```python
# 下位４ビットのリセット／セット／反転

a = int(input('0～255：'))

print(f'その値   = {a:08b}')
print(f'リセット = {a & 0b11110000:08b}')
print(f'セット   = {a | 0b00001111:08b}')
print(f'反転     = {a ^ 0b00001111:08b}')
```

```
実 行 例
0～255：169
その値   = 10101001
リセット = 10100000
セット   = 10101111
反転     = 10100110
```

　各演算は、次のように行われています。

	下位4ビット		それ以外のビット	
リセット：0との**論理積**	⇨ 0		1との**論理積**	⇨ もとの値
セット：1との**論理和**	⇨ 1		0との**論理和**	⇨ もとの値
反　転：1との**排他的論理和**	⇨ もとの値の反転		0との**排他的論理和**	⇨ もとの値

ビット単位のシフト演算子

<< 演算子（<< operator）と >> 演算子（>> operator）は、整数中の全ビットを左または右に
シフトした（ずらした）値を生成する演算子です。

両演算子の総称が、ビット単位のシフト演算子（bitwise shift operator）です（**Table 5-5**）。

Table 5-5　ビット単位のシフト演算子

x << y	xの全ビットをyビットだけ左シフトした値を生成。
x >> y	xの全ビットをyビットだけ右シフトした値を生成。

▶ オペランドは、整数値でなければなりません。

List 5-9 に示すのは、キーボードから整数値を読み込んで、そのビットを左右にシフトした
結果を表示するプログラムです。

List 5-9　　　　　　　　　　　　　　　　　　　　　　　　chap05/list0509.py

```
# 整数値を左右にシフトした値を2進数で表示

x = int(input('整数：'))
n = int(input('シフトするビット数：'))

print(f'x      = {x:b}')
print(f'x << n = {x << n:b}')
print(f'x >> n = {x >> n:b}')
```

```
実行例
整数：1193⏎
シフトするビット数：4⏎
x      = 10010101001
x << n = 100101010010000
x >> n = 1001010
```

プログラムと **Fig.5-9**（右ページ）を見比べながら、両演算子の働きを理解しましょう。

演算子 << による左シフト

式 x << n は、xの全ビットをnビット左にシフトします。その際、下位側（右側）の新しく
生まれるビットには 0 が埋められます（図**a**）。シフト結果の値は $x \times 2^n$ です。

▶ 2進数は、各桁が2のべき乗の重みをもっているため、1ビット左にシフトすると、値が"2倍"に
なります。これは、10進数を左に1桁シフトすると、値が"10倍"になる（たとえば、196を左に1桁
シフトすると1960になる）のと同じ理屈です。

演算子 >> による右シフト

x >> n は、xの全ビットをnビット右にシフトします。その際、下位側のnビットが弾き出さ
れます。シフト結果の値は $x \div 2^n$ です（図**b**）。

▶ 2進整数を1ビット右にシフトすると、値が"2分の1"になります。これは、10進整数を右に
1桁シフトすると、値が"10分の1"になる（たとえば、196を右に1桁シフトすると19になる）の
と同じ理屈です。

なお、変数の値をシフトした値を生成するのではなく、変数の値自体をシフトするのであれば、
累算代入演算子 <<= と >>= を利用します。

a 左シフト x << n

1 0 0 0 1 0 1 0 1 0 0 1

nビット左にずらす

1 0 0 0 1 0 1 0 1 0 0 1 0 0 0 0

空いたビットに0が埋められる

b 右シフト x >> n

1 0 0 0 1 0 1 0 1 0 0 1

nビット右にずらす

1 0 0 0 1 0 1 0

弾き出される

Fig.5-9 整数値に対するビット単位のシフト演算（nが4の場合）

　左右に n ビットシフトした結果が、2^n（すなわち 2 ** n）を乗除した値と同じであることを確認しましょう。そのためのプログラムが **List 5-10** です。

List 5-10　　　　　　　　　　　　　　　　　　　　　　chap05/list0510.py

```
# 整数値を左右にシフトした値を10進数で表示

x = int(input('整数：'))
n = int(input('シフトするビット数：'))

print(f'x << n      = {x << n:d}')
print(f'x *  2のn乗 = {x *  2 ** n:d}')
print(f'x >> n      = {x >> n:d}')
print(f'x // 2のn乗 = {x // 2 ** n:d}')
```

```
実行例
整数：-12␍
シフトするビット数：3␍
x << n      = -96
x *  2のn乗 = -96
x >> n      = -2
x // 2のn乗 = -2
```

　ここに示す実行例では、負値のシフト結果を求めています。x が正でも負でも、期待どおりの演算結果が得られています。

Column 5-3	補数とビット反転演算子

　C言語などの多くの言語では、整数を16ビットや32ビットなどの有限ビットで表し、その中で符号を含めてやりくりするのが一般的です。

　それらの言語で使われる、負の整数値の内部表現の代表的なものが、1の補数（one's complement）と2の補数（two's complement）です。

　Fig.5C-1 に示すのが、1の補数と2の補数を求める手順です（整数値 5 を例に示しています）。

- **1の補数**：全ビットを反転すると得られます。

- **2の補数**：1の補数に1を加算すると得られます。

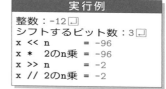

5　　　0 0 … 0 0 0 0 1 0 1

全ビットを反転

–5 の 1 の補数　1 1 … 1 1 1 1 0 1 0

1を加算

–5 の 2 の補数　1 1 … 1 1 1 1 0 1 1

Fig.5C-1　補数を求める手順

　Python は、負の整数値の内部表現に1の補数や2の補数は利用していません（利用する必要がないからです）。

　ビット反転演算子 ~ は、本当は、ビットの反転は行っていません。~x の演算結果が、-(x + 1) となるのは、補数表現を模しているためです。

　なお、~演算子を2回適用すると、元の値に戻ります。たとえば、x が 5 であれば、~x は -6 となります。その -6 に ~ 演算子を適用すると、5 が得られます。すなわち、~~x は x と一致します。

まとめ

- Python では、変数、関数、クラス、モジュールなど、すべてがオブジェクトである。

- 記憶域（メモリ）を占有するオブジェクトには、識別番号（同一性）、型、値などの属性がある。識別番号の取得は id 関数で行い、型の取得は type 関数で行う。

- 変数は、オブジェクトと結び付けられた（オブジェクトを参照する）名前にすぎない。

- is 演算子と is not 演算子は、オブジェクトの同一性（識別番号の等価性）を判定する同一性判定演算子である。

- Python の型は、値が変更できるかどうかで2種類に分類される。
    - ミュータブルな型：**リスト、辞書、集合**　など　　　※値が変更可能
    - イミュータブルな型：**数値、文字列、タプル**など　　※値が変更不能

- イミュータブルな型の変数（が参照しているオブジェクト）の値を変更すると、オブジェクトが新しく作られて、そのオブジェクトを参照するように、変数が更新される。

- 代入文がコピーするのは、値ではなく、参照先である。なお、代入先である左辺の変数名が初出であれば、新しい変数が作られて、右辺のオブジェクトに結び付けられる。

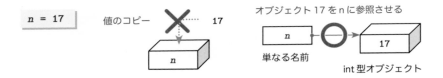

- 代入文と対照的な del 文は、変数（オブジェクト）に与えられた名前を削除する。

- None は、いかなるオブジェクトとも区別できる、NoneType 型の値である。

- 変数やオブジェクトの管理のために他の言語で利用されている記憶域期間（記憶域寿命）は、Python では使われていない。オブジェクトを参照する変数の個数である参照カウンタを用いた管理が行われている。

- 組込み型には、数値型（int 型／bool 型／float 型／complex 型）、シーケンス型（str 型／list 型／tuple 型など）、集合型（set 型／frozenset 型）、マッピング型（dict 型）がある。

- 浮動小数点数型である float 型で表現できる値は、大きさや精度に制限がある。その特性は、sys.float_info として提供される。

- 算術演算の際は、オペランドの型に応じて算術変換が行われる。

● 複素数型は、実部と虚部を表す２個の浮動小数点数の組合せとして表現される。その一例が **3.2 + 5.7j** であり、**5.7j** の部分は虚数リテラルと呼ばれる。

● コンピュータの内部では、数値はビットの OFF ／ ON で表現されているため、２進数に対応させると表現しやすい。

● ビット単位の論理演算子として、積を求める **&** 演算子、和を求める **|** 演算子、排他的論理和を求める **^** 演算子、反転した値を生成する **~** 演算子が提供される。

論理積

x	y	x & y
Ø	Ø	Ø
Ø	1	Ø
1	Ø	Ø
1	1	1

両方とも１であれば１

論理和

x	y	x | y
Ø	Ø	Ø
Ø	1	1
1	Ø	1
1	1	1

一方でも１であれば１

排他的論理和

x	y	x ^ y
Ø	Ø	Ø
Ø	1	1
1	Ø	1
1	1	Ø

一方のみ１であれば１

反転

x	~x
Ø	1
1	Ø

Ø であれば１
１であれば Ø

● ビット単位のシフト演算子 **<<** と **>>** は、右オペランドで指定されたビット数分だけ、左オペランドのビットをシフトした値を生成する。

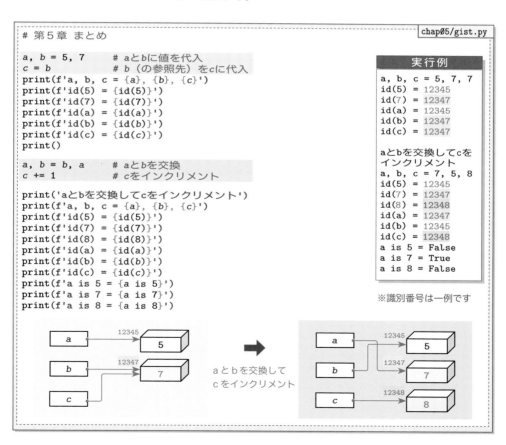

```
# 第5章 まとめ                                              chap05/gist.py

a, b = 5, 7      # aとbに値を代入
c = b            # b（の参照先）をcに代入
print(f'a, b, c = {a}, {b}, {c}')
print(f'id(5) = {id(5)}')
print(f'id(7) = {id(7)}')
print(f'id(a) = {id(a)}')
print(f'id(b) = {id(b)}')
print(f'id(c) = {id(c)}')
print()

a, b = b, a      # aとbを交換
c += 1           # cをインクリメント

print('aとbを交換してcをインクリメント')
print(f'a, b, c = {a}, {b}, {c}')
print(f'id(5) = {id(5)}')
print(f'id(7) = {id(7)}')
print(f'id(8) = {id(8)}')
print(f'id(a) = {id(a)}')
print(f'id(b) = {id(b)}')
print(f'id(c) = {id(c)}')
print(f'a is 5 = {a is 5}')
print(f'a is 7 = {a is 7}')
print(f'a is 8 = {a is 8}')
```

実行例

```
a, b, c = 5, 7, 7
id(5) = 12345
id(7) = 12347
id(a) = 12345
id(b) = 12347
id(c) = 12347

aとbを交換してcを
インクリメント
a, b, c = 7, 5, 8
id(5) = 12345
id(7) = 12347
id(8) = 12348
id(a) = 12347
id(b) = 12345
id(c) = 12348
a is 5 = False
a is 7 = True
a is 8 = False
```

※識別番号は一例です

aとbを交換して
cをインクリメント

Column 5-4	オブジェクトとは

　Python の**データ**に対する**抽象化**である**オブジェクト**は、ID（識別番号）と型と値をもちます。なお、データは、**オブジェクト**もしくは**オブジェクト間の関係**で表現されます。

ID　オブジェクトの記憶域上のアドレスのようなものであって、変更不可能です。
　　オブジェクトの ID が等しいか／等しくないかの判定は、**is** 演算子と **is not** 演算子で行えます。
　　組込みの **id** 関数は、**ID を表す整数**を返します。

型　オブジェクトがサポートする操作（たとえば「長さをもつのか」）を決定するとともに、その型のオブジェクトが取り得る**値**を定義するものであって、変更不可能です。
　　組込みの **type** 関数は、オブジェクトの**型**を返します。

値　Python における値は極めて抽象的な概念であって、値の定義は公式ドキュメントには書かれていません（値に関する種々の性質を間接的に説明するにとどめられています）。
　　ID を求める **id** 関数、型を求める **type** 関数に相当する、"オブジェクトの値を返す関数" は提供されません。

　オブジェクトは明示的に破棄されることはありませんが、到達不能になった（どこからも参照されなくなった）場合、ガーベジコレクション（ゴミ収集）されることになります。ただし、到達不能になると同時に最終化されるという前提を設けることはできません。ガーベジコレクションの実装法が言語レベルで定義されていない上に、ガーベジコレクションの延期や省略が許可されているからです。
　トレースやデバッグ機能を使うことで、収集できるオブジェクトを生かし続けさせることが可能ですし、**try** 文の **except** 節で例外を捕捉すると、オブジェクトが生き続けることがあります。

　ファイルやウィンドウのような**外部リソース**（資源）への参照を含むオブジェクトがあります。そのようなオブジェクトには、外部リソースを解放する手段（例：**close** メソッド）が提供されていますので、その手段を使って解放すべきです（オブジェクトのガーベジコレクション時にリソースが解放されることになりますが、ガーベジコレクションが起こること自体が保証されていないからです）。
　リソース解放に便利な手段を提供するのが、**finally** 節を伴う **try** 文と、**with** 文です。

　タプル、**リスト**、**辞書**などのコンテナは、他のオブジェクトへの参照を含むオブジェクトです。参照はコンテナの**値の一部**です。**コンテナの値**といえば、含まれているオブジェクトのアイデンティティではなく、いわゆる**値**を指します。
　その一方で、**コンテナの変更可能性**は、直接含まれているオブジェクトのアイデンティティに依存します。つまり、タプルのようなイミュータブルなコンテナの中に、ミュータブルオブジェクトへの参照が含まれている場合、そのミュータブルオブジェクトが変更されると値が変化することになります。

　型は、オブジェクトの動作のほとんどの側面に影響を及ぼします。イミュータブル型の場合、新しい値を計算する操作は、同じ型と値をもつ既存のオブジェクトへの参照を実際に返すことができますが、ミュータブルオブジェクトの場合、これは許されません。
　たとえば、*a* = 1; *b* = 1 の後、*a* と *b* は、実装によって、値 1 をもつ同じオブジェクトを参照することもあれば、そうでないこともあります。
　ただし、*c* = *d* = [] では、*c* と *d* の両方に同じオブジェクトが代入されます。

※　本 Column は、Python 公式ドキュメントをもとにまとめたものです。

第6章

文字列

str 型の文字列は、第 1 章からずっと使ってきました。使いこなせるように
学習を進めていきましょう。

- 文字列と str 型
- 文字列の要素
- インデックス演算子 [ ] とインデックス式
- スライス演算子 [:] とスライス式
- len 関数による文字列の長さ（要素数）の取得
- 文字列の走査
- イテラブルオブジェクト
- enumerate 関数
- 文字列からの文字の線形探索
- 文字列の大小関係および等価性の判定
- 文字列の同一性の判定
- 帰属性判定演算子（in 演算子／not in 演算子）
- find メソッドと rfind メソッド
- index メソッドと rindex メソッド
- 文字列の連結と分割
- join メソッド
- 文字列の置換と除去
- 文字列の書式化（% 演算子／format メソッド／f 文字列）

6–1 文字列の基礎

文字列や文字列リテラルは、第1章から使ってきました。文字列を使いこなすための学習を進めましょう。

文字列

これまで、文字列（string）について、次のようなことを少しずつ学習してきました。

- 文字列は "文字の並び" であり、その型は **str** 型であること。
- 文字列リテラルによって、任意の綴りをもった文字列の表記が行えること。
- 加算演算子 **+** による**連結**と、乗算演算子 ***** による**繰返し**の方法。
- 画面に表示する方法と、キーボードから読み込む方法。
- 整数や実数に変換する方法と、その逆の変換を行う方法。
- 整数や実数を書式化した文字列を **f** 文字列で生成する方法。
- 文字が1個もない**空文字列**が、論理値としては **False** になること。
- イミュータブル＝変更不能である（値を変更できない）こと。

▶ 多くのプログラミング言語は、単一文字は**文字**、任意の個数の文字の並びは**文字列**と区別します。このような区別を行わない Python は、単一の文字を、文字が1個だけの文字列として扱います。

要素とインデックス

文字列を使いこなせるように、学習を進めていきましょう。**'ABCDEFG'** を例にとります。

文字列は**文字の並び**であり、**Fig.6-1**（右ページ）に示すように、**各文字がすき間なく連続**して記憶域上に並びます。なお、個々の文字は要素（element）とも呼ばれます。

文字列内の**個々の文字（要素）**は、小さな文字で示されている**インデックス**（index）を使って表します。使えるインデックスは、次の2種類です。

- 非負のインデックス

先頭から順に、0、1、2、…、（要素数 – 1）の整数値です。

この値は、先頭要素からの**オフセット**（offset）、すなわち、先頭と何要素分だけ離れているのか（先頭の何要素分だけ後方に位置するのか）と一致します。

- 負のインデックス

末尾から順に、-1、-2、-3、…、（–要素数）の整数値です。

この値は、非負のインデックスから要素数（この例では 7）を引くことで得られます。なお、–（末尾から何要素目か）ともいえます。

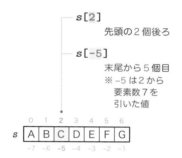

```
        0 1 2 3 4 5 6
先頭  A B C D E F G  末尾
        -7 -6 -5 -4 -3 -2 -1
```

非負のインデックス — 先頭の何要素分だけ後ろに位置するか
先頭⇨末尾 は 0 ⇨（要素数 − 1）

負のインデックス — 非負のインデックスから要素数を引いた値
先頭⇨末尾 は −（要素数）⇨ −1

Fig.6-1　文字列と2種類のインデックス

　これらのインデックス値は、インデックス演算子（index operator）と呼ばれる [ ] 演算子の中に置いて利用します。具体的には、次の形式のインデックス式（subscription）です。

変数名 [インデックス]　　　　　　　　　　　　　　　　　　　**インデックス式**

　先頭から3番目の文字 `'C'` をアクセスするインデックス式を **Fig.6-2** に示しています。$s[2]$ もしくは $s[-5]$ のいずれでもアクセス（読み書き）可能です。

　それでは、インデックス式を使って、文字列内のすべての文字を表示するプログラムを二つ作りましょう。

- List 6-1 … 非負のインデックスの値 0 ～ 6 で文字列のすべての文字を表示します。

- List 6-2 … 負のインデックスの値 -7 ～ -1 で文字列のすべての文字を表示します。

　これらのプログラムを読むと、インデックス演算子の使い方が理解できるでしょう。

$s[2]$
先頭の2個後ろ

$s[-5]$
末尾から5個目
※ −5 は 2 から
要素数 7 を
引いた値

```
    0 1 2 3 4 5 6
s  A B C D E F G
    -7 -6 -5 -4 -3 -2 -1
```

Fig.6-2　インデックス演算子

List 6-1　　　　　　chap06/list0601.py
```python
# 文字列内の全文字を順に表示（その1）

s = 'ABCDEFG'                    非負のインデックス

print(f's[0] = {s[0]}')
print(f's[1] = {s[1]}')
print(f's[2] = {s[2]}')
print(f's[3] = {s[3]}')
print(f's[4] = {s[4]}')
print(f's[5] = {s[5]}')
print(f's[6] = {s[6]}')
```
実行結果
```
s[0] = A
s[1] = B
s[2] = C
s[3] = D
s[4] = E
s[5] = F
s[6] = G
```

List 6-2　　　　　　chap06/list0602.py
```python
# 文字列内の全文字を順に表示（その2）

s = 'ABCDEFG'                    負のインデックス

print(f's[-7] = {s[-7]}')
print(f's[-6] = {s[-6]}')
print(f's[-5] = {s[-5]}')
print(f's[-4] = {s[-4]}')
print(f's[-3] = {s[-3]}')
print(f's[-2] = {s[-2]}')
print(f's[-1] = {s[-1]}')
```
実行結果
```
s[-7] = A
s[-6] = B
s[-5] = C
s[-4] = D
s[-3] = E
s[-2] = F
s[-1] = G
```

　なお、インデックスとして不適切な値（この例では −8 以下または 7 以上の値）を指定するとエラーが発生します。

▶　次の二つのプログラムを実行して、エラーが発生することを確認しましょう（**IndexError** 例外が発生して、プログラムの実行が中断します）。

- `'chap06/list0601x.py'` … List 6-1 に $s[7]$ を表示するコードを加えたプログラム。
- `'chap06/list0602x.py'` … List 6-2 に $s[-8]$ を表示するコードを加えたプログラム。

インデックスによる文字列の走査

ここまでのプログラムは、インデックスに指定するのが**定数**でした。文字列中の任意の文字をアクセスする際は、**変数**で指定することになります。

文字列をキーボードから読み込んで、その全文字を for 文の繰返しでなぞっていきながら表示するように書きかえましょう。**List 6-3** に示すのが、そのプログラムです。

List 6-3　　　　　　　　　　　　　　　　　　　　　　　　chap06/list0603.py

```
# 読み込んだ文字列内の全文字をfor文で走査して表示

s = input('文字列：')

for i in range(len(s)):
    print(f's[{i}] = {s[i]}')
```

```
              実行例
文字列：ABCDEF⏎
s[0] = A
s[1] = B
# -- 以下省略 -- #
```

まずは、`len(s)` に着目します。組込みの len 関数は、与えられた文字列の**要素数**（すなわち**文字数**）を調べて返却する関数です（**Fig.6-3**）。

名前の len は、『長さ』という意味の length に由来しており、文字列だけではなく、次章で学習するリストなどの要素数の取得も行える、極めて万能な関数です。

重要　　len 関数を利用すると、文字列（やリストなど）の要素数が取得できる。

実行例の場合、`len(s)` は 6 です。そのため、for 文は、i の値を 0 から 5 までインクリメントしながら、i の値と s[i] の値を print 関数で出力します。

▶ 実行例では、0 と A、1 と B、… が順に表示されています。

図の水色の**0**、**1**、… で示すのが、インデックス i の値です（0 から 5 までインクリメントされます）。

そして、s[i] の値は、そのインデックスをもつ要素の値、すなわち 'A'、'B'、…、'F' です。

▶ すなわち、現在着目している文字が s[i] で、そのインデックスが i というわけです。

いろいろな文字列を入力してみましょう。文字列の長さを len(s) で取得しているため、文字数に依存することなく、先頭から末尾までの文字がすべて表示されます。

＊

要素を順になぞることを、走査（traverse）と呼びます。プログラミングの基本用語ですから、必ず覚えます。

▶ 文字列を走査・表示するプログラムには、多くの実現法があります。**List 6-8**（p.142）～ **List 6-12**（p.143）で学習します。

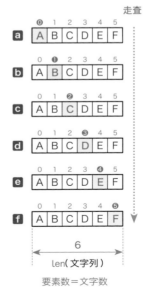

Fig.6-3　文字列の走査

文字列からの文字の探索（線形探索）

　次は、文字列の中に、ある特定の文字が入っているかどうかを調べて、入っていれば、その位置＝インデックスを求めるプログラムを作りましょう。**List 6-4** が、そのプログラムです。

List 6-4	chap06/list0604.py

```python
# 読み込んだ文字列内から文字を探索

s = input('文 字 列s：')
c = input('探す文字c：')

print(f'文字{c}は', end='')

for i in range(len(s)):
    if s[i] == c:
        print(f's[{i}]に入っています。')
        break
else:
    print('入っていません。')
```

```
実行例
① 文 字 列s：ABCDEF ⏎
　探す文字c：D ⏎
　文字Dはs[3]に入っています。

② 文 字 列s：ABCDEF ⏎
　探す文字c：Z ⏎
　文字Zは入っていません。
```

▶　実行例では、*s* に `'ABCDEF'` を読み込んでいます。前ページと同様に、`len(s)` は 6 となって、変数 *i* の値を 0 から 5 までインクリメントしながら文字列を走査します。

　二つの実行例は、探索に**成功**する例と**失敗**する例です。

▪ 探索成功（実行例①）

　文字列の走査過程で、着目文字 *s[i]* が文字 *c* と等しければ（`s[i] == c` が成立すれば）、探索成功です。

　実行例①の場合、左ページの **Fig.6-3** の **a** ⇨ **b** ⇨ **c** ⇨ **d** と走査を進め、図 **d** で *s[i]* の `'D'` が変数 *c* と等しくなります。探索に成功した旨を表示するとともに、`break` 文によって、`for` 文の実行を強制的に終了します。

▪ 探索失敗（実行例②）

　`for` 文が（`break` 文によって強制終了することなく）最後まで繰り返されたとき、すなわち、図 **f** まで走査しても見つからなかったときは、探す文字 *c* は文字列 *s* 内にはありません。

　実行例②では探索失敗となって、その旨が表示されます。

▶　プログラム末尾の `else` 節の所属先が、`if` 文ではなく、`for` 文であることに注意しましょう。

　本プログラムのように、要素の並びを対象にして、先頭から順に次々と要素に着目して探索を行うアルゴリズム（手続き）の名称は線形探索（linear search）です。これも基本用語ですから、必ず覚えます。

▶　ここでは、探索のコードを自作する方法を学習しました。
　現実のプログラムでは、p.141 の `in` 演算子や、p.144 の `find` メソッドを利用します。

スライス

インデックスの次に学習するのは、スライス（slice）です。文字列の部分を、連続あるいは一定周期で新しい文字列として取り出す式です。

s[i:j]　…　s[i]からs[j - 1]までの並び
s[i:j:k]　…　s[i]からs[j - 1]までのk要素ごとの並び

スライス式

スライス演算子を使ったスライス式 (slicing) は、[ ] の中に1個または2個のコロン : が入った形式です。[ ] の中に指定するのは、次の値です。

開始 i　　…　取り出す範囲の先頭要素のインデックス
終了 j　　…　取り出す範囲の末尾要素の次の要素のインデックス
ステップ k　…　取り出す際の刻み幅

取出しは "s[j]まで" ではなく "s[j] の直前の要素まで" です（**Column 6-1**：右ページ）。なお、k が負であれば、末尾から先頭側へと逆方向に取り出されます。

それでは、実際に確かめます。大文字のアルファベット 26 個が並んだ文字列 s からの取出しを行います（右側に示す緑色の文字と見比べて理解しましょう）。

例 6-1　文字列とスライス式

```
>>> s = 'ABCDEFGHIJKLMNOPQRSTUVWXYZ'      01234567890123456789012345
>>> s[0:6]
'ABCDEF'                                   ABCDEFGHIJKLMNOPQRSTUVWXYZ
>>> s[0:10:2]
'ACEGI'                                    ACEDEFGHIJKLMNOPQRSTUVWXYZ
>>> s[5:20:3]
'FILOR'                                    ABCDEFGHIJKLMNOPQRSTUVWXYZ
>>> s[12:5:-1]
'MLKJIHG'                                  ABCDEFGHIJKLMNOPQRSTUVWXYZ
```

さて、i と j と k の指定には、次の規則が適用されます。

- i が省略されるか None であれば、0 が指定されたものとみなされる。
- j が省略されるか None であれば、len(s) が指定されたものとみなされる。
- i と j は、len(s) よりも大きければ、len(s) が指定されたものとみなされる。
- 正当な範囲外の値を指定してもエラーとならない（インデックス式とは異なる）。

複雑に感じられるでしょうが、この規則のおかげで、極めて簡潔な指定が行えるようになっています。いくつかの例を見ていきましょう。

- **全要素**

全要素を取り出すスライスは、i が 0 で、j が len(s) である s[0:26] です。ただし、j のみを省略した s[0:] でも表せますし、さらに i も省略した s[:] でも表せます。

ある要素から末尾まで

インデックス i の要素から末尾までを取り出すのは、j を省略した $s[i:]$ です。

末尾の n 要素

末尾の n 要素を取り出すのは、$s[-n:]$ です。

＊

次に示すのは、i と j と k の1個以上を省略する代表的なパターンです。

$s[:]$	すべて	例 $s[:]$	`'ABCDEFGHIJKLMNOPQRSTUVWXYZ'`
$s[:n]$	先頭の n 要素	例 $s[:5]$	`'ABCDE'`
$s[n:]$	$s[n]$ から末尾まで	例 $s[5:]$	`'FGHIJKLMNOPQRSTUVWXYZ'`
$s[-n:]$	末尾の n 要素	例 $s[-5:]$	`'VWXYZ'`
$s[::k]$	$k - 1$ 個おき	例 $s[::3]$	`'ADGJMPSVY'`
$s[::-1]$	すべてを逆向き	例 $s[::-1]$	`'ZYXWVUTSRQPONMLKJIHGFEDCBA'`

▶ n が要素数を超える場合は全要素が取り出されます。$s[:n] + s[n:]$ は s と一致します。

インデックス式とスライス式は、次章以降で学習するリストやタプルなど、幅広く利用されます。

さて、文字列はイミュータブルですから、値の変更はできません。そのため、**代入の左辺に**インデックス式やスライス式を置くと、エラーになります。

例 6-2　文字列 'ABCDEFG…XYZ' の 'F' を 'X' に置きかえた文字列を生成

誤
```
>>> s = 'ABCDEFGHIJKLMNOPQRSTUVWXYZ'
>>> s[5] = 'X'              ← 左辺はNG
Traceback (most recent call last):
  File "<stdin>", line 1, in <module>
TypeError: 'str' object does not support item assignment
```

s[5] の文字のみを置きかえる
`ABCDEXGHIJKLMNOPQRSTUVWXYZ`

正
```
>>> s = s[:5] + 'X' + s[6:]   ⇐ 右辺はOK
>>> s                          ⇐ sは新しく生成された文字列を参照する
'ABCDEXGHIJKLMNOPQRSTUVWXYZ'
```

- `'F'` を `'X'` に書きかえようとして $s[5]$ への代入を行うと、エラーが発生します。
- スライス `'ABCDE'` と、`'X'` と、スライス `'GH…YZ'` を連結させると、うまくいきます。

Column 6-1　rangeとスライス式における指定値について

第4章で学習した `range(n)` と `range(a, b)` は、生成する数列の最終値が $n - 1$ と $b - 1$ であって、実引数で指定する n あるいは b 自身は含まれません（一つ手前までとなります）。ここで学習しているスライス式 $s[:n]$ と $s[a:b]$ も同様です。

このような仕様となっているのは、次のように便利だからです。

- n そのもの、あるいは $b - a$ が、そのまま長さ（要素数）となる。
- `range(a, b)` と `range(b, c)`、あるいは、$s[:n]$ と $s[n:]$ によって、途切れることなく、かつ、重複することなく要素を列挙できる。

値比較演算子による大小関係と等価性の判定

第3章では、二つの値の大小関係および等価性を判定する**値比較演算子**を学習しました。6個の値比較演算子 <、<=、>、>=、==、!= は、文字列に対しても適用できます。

List 6-5 のプログラムで確認しましょう。

```
# 文字列s1とs2の大小関係および等価性を判定

s1 = input('文字列s1：')
s2 = input('文字列s2：')

print(f's1 <  s2 = {s1 <  s2}')
print(f's1 <= s2 = {s1 <= s2}')
print(f's1 >  s2 = {s1 >  s2}')
print(f's1 >= s2 = {s1 >= s2}')
print(f's1 == s2 = {s1 == s2}')
print(f's1 != s2 = {s1 != s2}')
```

List 6-5　chap06/list0605.py

実行例
```
文字列s1：ABC⏎
文字列s2：XYZ⏎
s1 <  s2 = True
s1 <= s2 = True
s1 >  s2 = False
s1 >= s2 = False
s1 == s2 = False
s1 != s2 = True
```

大小関係の判定基準は、文字列中の各文字の文字コードです（**Column 6-2**：右ページ）。

なお、値比較演算子は連続適用できますので、たとえば、'AAA' <= s <= 'ZZZ' といった判定や、s1 == s2 == 'ABC' といった判定が可能です。

重要　**文字列の大小関係と等価性**は、値比較演算子 <、<=、>、>=、==、!= の適用によって判定できる。

別々に作られた文字列は、文字列内のすべての文字が同じであっても、異なるオブジェクトとみなされます。もちろん、is 演算子の適用による判定結果は偽となります。

List 6-6 で確認しましょう。

```
# 文字列s1とs2の同一性を判定

s1 = input('文字列s1：')
s2 = input('文字列s2：')

print(f's1 is     s2 = {s1 is s2}')
print(f's1 is not s2 = {s1 is not s2}')
```

List 6-6　chap06/list0606.py

実行例
```
文字列s1：ABC⏎
文字列s2：ABC⏎
s1 is     s2 = False
s1 is not s2 = True
```

実行例のように、s1 と s2 に同じ文字列 'ABC' を読み込んでも、"同一（識別番号が等しい）"とはみなされません（**Column 6-5**：p.151）。

重要　別々に作られた文字列は、すべての文字が同じであっても、識別番号（アイデンティティ）が異なるオブジェクトである。

帰属性判定演算子 in

ある文字列の中に、別の文字列が含まれているか／いないかの判定は、帰属性判定演算子と呼ばれる in 演算子と not in 演算子で行えます（**Table 6-1**）。

Table 6-1 帰属性判定演算子（membership test operator）

x in y	x が y の要素であれば True を、そうでなければ False を生成。
x not in y	x が y の要素でなければ True を、そうでなければ False を生成。

▶ x が空文字列であれば、x in y は必ず True となります。また、x in y in z といった形式での連続適用が行えます（たとえば、'A' in 'AB' in 'ABC' は True です）。

この演算子を利用して、文字列が含まれるかどうかの判定を行って、その結果を表示するプログラムを作りましょう。**List 6-7** に示すのが、そのプログラムです。

6-1

文字列の基礎

List 6-7	chap06/list0607.py

```
# 文字列txt内に文字列ptnは含まれているか

txt = input('文字列txt : ')
ptn = input('文字列ptn : ')

if ptn in txt:
    print('ptnはtxtに含まれています。')
else:
    print('ptnはtxtに含まれていません。')
```

実行例

① 文字列txt：ABCDEFG ⏎
　文字列ptn：CDE ⏎
　ptnはtxtに含まれています。

② 文字列txt：ABCDEFG ⏎
　文字列ptn：XYZ ⏎
　ptnはtxtに含まれていません。

文字列 *ptn* が文字列 *txt* に含まれるかどうかを、in 演算子で判定しています。not in 演算子を利用すれば、逆の判定が行えます（'chap06/list0607a.py'）。

▶ 第 3 章では、in 演算子を**集合**に適用して季節の判定を行うプログラム例を学習しました（p.61）。

　in 演算子は、文字列、リスト、集合などに幅広く適用できる演算子です。

```
if month in {3, 4, 5}:
    print('それは春です。')
elif month in {6, 7, 8}:
    print('それは夏です。')
# … 以下省略 … #
```

Column 6-2	**文字列の大小関係と等価性の判定**

　二つの文字列の**大小関係**の判定は、先頭文字から順に文字コード（p.199）を比較して、値が等しければ次の文字を比較する、という手順の繰返しで行われます。もちろん、いずれかの値が大きければ、そちらの文字列のほうが大きいと判定されます。

　たとえば、'ABCD' と 'ABCE' だと、4 文字目まで比較が進んだ段階で、後者のほうが大きいと判定されます。なお、'ABC' と 'ABCD' のように、先頭側の 3 文字が同一で、一方の文字数が大きければ、要素数の大きいほうの文字列が大きいと判定されます。

　なお、== 演算子と != 演算子による**等価性**の判定は、すべての文字の等価性で判定されます。

▢ enumerate関数を利用した文字列の走査

要素の並びから、インデックスと要素の両方の値を取り出しながら走査する手段があります。それを用いて、**List 6-3**（p.136）を書きかえたのが、**List 6-8** です。

List 6-8　　　　　　　　　　　　　　　　　　　　　chap06/list0608.py

```
# 文字列内の全文字をenumerate関数で走査して表示

s = input('文字列：')

for i, ch in enumerate(s):
    print(f's[{i}] = {ch}')
```

```
          実行例
文字列：ABCDEFG ⏎
s[0] = A
s[1] = B
# 以下省略 #
```

組込みの enumerate 関数は、インデックスと要素の《ペア》を取り出す関数です（次章で学習するリストなどにも適用可能です）。

実行例の取出しは、**for** 文の繰返しによって次のように行われます。

```
 0 1 2 3 4 5 6
 A B C D E F G
```

- 1回目 … (0, 'A') のペアが取り出されて、(i, ch) に代入される。
- 2回目 … (1, 'B') のペアが取り出されて、(i, ch) に代入される。
  … 以下省略 …

取り出しが先頭から末尾まで行われるため、**List 6-3** で行っていた len 関数による要素数の取得が不要となっています。

▶　ここでの《ペア》は、第8章で学習するタプルのことです。Python では、いろいろな局面でタプルが（明示的あるいは暗黙裏に）利用されます。
　　なお、本プログラムは、第8章でも改めて詳しく学習します（p.212）。

＊

さて、コンピュータのカウントは 0 から始まりますが、私たち人間は通常は 1 から始めます。enumerate 関数の第2引数にカウントの開始値が指定できることを利用して、カウントを 1 から始めるのが、**List 6-9** のプログラムです。

List 6-9　　　　　　　　　　　　　　　　　　　　　chap06/list0609.py

```
# 文字列内の全文字をenumerate関数で走査（1からカウント）

s = input('文字列：')

for i, ch in enumerate(s, 1):
    print(f'{i}番目の文字：{ch}')
```

```
          実行例
文字列：ABCDEFG ⏎
1番目の文字：A
2番目の文字：B
# 以下省略 #
```

実行例の場合、取出しは、先頭から順に、(1, 'A')、(2, 'B')、… と行われます。

▶　インデックスに 1 を加えた値と要素が取り出されます。

＊

今度は、逆順に走査しましょう。右ページの **List 6-10** が、そのプログラムです。

```
# 文字列内の全文字をenumerate関数で逆順に走査して表示

s = input('文字列：')

for i, ch in enumerate(reversed(s), 1):
    print(f'後ろから{i}番目の文字：{ch}')
```

List 6-10 chap06/list0610.py

実行例
```
文字列：ABCDEFG⏎
後ろから1番目の文字：G
後ろから2番目の文字：F
# 以下省略 #
```

組込みの reversed 関数は、与えられた要素の並びを反転した並びを生成・返却します。文字列だけでなく、次章で学習するリストなどにも適用可能です。

▶ 実行例では、reversed(s) によって Fig.6-4 の文字列が得られ、そこから (1, 'G')、(2, 'F')、… が取り出されます。

Python 2.4 で reversed 関数が導入されるまでは、s[::-1] を使う方法（p.139）が使われていました（現在でも使われています）。

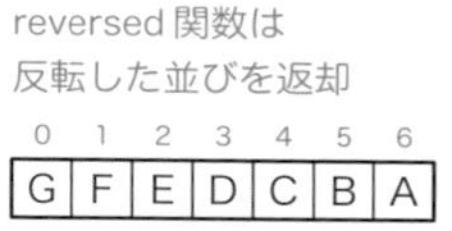

reversed 関数は
反転した並びを返却

```
  0 1 2 3 4 5 6
 G F E D C B A
```

Fig.6-4　文字列の反転

6-1
文字列の基礎

□ インデックス値が不要なときの文字列の走査

文字列の走査時に、インデックスの値が不要であれば、もっと簡潔に実現できます。そのプログラムが、**List 6-11** と **List 6-12** です。

List 6-11 chap06/list0611.py
```
# 文字列内の全文字を走査して表示

s = input('文字列：')

for ch in s:
    print(ch, end='')
print()
```
実行例
```
文字列：ABCDEFG⏎
ABCDEFG
```

List 6-12 chap06/list0612.py
```
# 文字列内の全文字を逆順に走査して表示

s = input('文字列：')

for ch in s[::-1]:
    print(ch, end='')
print()
```
実行例
```
文字列：ABCDEFG⏎
GFEDCBA
```

第4章では、for 文について、次のように学習しました。

for 変数 in 並び式：スイート は、『並び式に含まれる値を変数に取り出して、スイートを実行する』処理を、すべてを取り出すまで繰り返す。

並び式は、先頭から順に要素を1個ずつ取り出せるオブジェクトであり、その正式名称は、**イテラブルオブジェクト**（iterable object）です（詳細は p.237 で学習します）。

for 文の in の後ろに文字列を置けるのは、文字列がイテラブルオブジェクトだからです。

実行例では、文字列 'ABCDEFG' は、'A' から 'G' までが並んだイテラブルオブジェクトであり、そこから1個ずつ文字が ch に取り出されながら繰返しが行われます。

＊

List 6-12 の for 文の走査対象は、全要素を逆順に取り出すスライス式 s[::-1] です。実行例の場合、文字列 'GFEDCBA' から1個ずつ文字が取り出されて表示されます。

もちろん、**List 6-10** のように、reversed 関数を使って "for ch in reversed(s):" としても同じ実行結果が得られます（'chap06/list0612a.py'）。

6-2 文字列の操作

これまでは、文字列リテラルや、変数に代入された文字列を、ただ単純に使うだけでした。文字列を使いこなせるように、文字列の操作法の学習を進めましょう。

探索

ある文字列の中に、別の文字列が部分として含まれているかどうかを調べるための方法が、数多く提供されています。

> 注意：他のプログラミング言語の経験をおもちでなければ、本節を飛ばして、第7章のリスト、第8章のタプル、第9章の関数、第11章のクラスなどの学習が終わってから戻ってくるようにします。

帰属性判定演算子 in ／ not in による判定

文字列の中に、別の文字列が部分文字列として含まれるかどうかを判定する方法の一つが、p.141 で学習した、in 演算子と not in 演算子を使う方法です。

find 系メソッドによる判定

in 演算子では含まれるかどうかの判定は行えますが、含まれる位置までは分かりません。

含まれる位置を調べるために提供されるのが、find メソッド、rfind メソッド、index メソッド、rindex メソッドです。

`str.find(sub[, start[, end]])`　　　　　文字列 sub が含まれる先頭位置を調べる

文字列 str の [start:end] に、sub が含まれれば、その最小のインデックスを返却し、そうでなければ -1 を返却します（省略可能な引数 start と end はスライス表記と同様の指定です）。

> 引数を囲む [ ] は、その中の引数が省略可能であることを示す解説上の表記です。
> 本メソッドの場合、受け取る引数は sub、start、end の3個で、3番目の end のみの省略か、あるいは、2番目の start と3番目の end の両方の省略が可能です（先頭の sub は省略できません）。

`str.rfind(sub[, start[, end]])`　　　　　文字列 sub が含まれる末尾位置を調べる

文字列 str の [start:end] に sub が含まれれば、その最大のインデックスを返却し、そうでなければ -1 を返却します。

`str.index(sub[, start[, end]])`　　　　　文字列 sub が含まれる先頭位置を調べる

find() と同様です。ただし、sub が見つからなければ ValueError 例外を送出します。

`str.rindex(sub[, start[, end]])`　　　　　文字列 sub が含まれる末尾位置を調べる

rfind() と同様です。ただし、sub が見つからなければ ValueError 例外を送出します。

> 文字列に sub が複数含まれる場合は、最も先頭側に含まれる位置が返却されますが、先頭に r の付いた r 系メソッドは最も末尾側に含まれる位置を返却します。
> なお、index と rindex が送出する《例外》については、第12章で学習します。

メソッド（method）は、特定の**型（クラス）**に所属する関数であって、呼出し演算子**( )**を
適用した次の形式で呼び出します。

> 変数名 **.** メソッド名 **(** 実引数の並び **)**

たとえば、文字列 **s1** の中に **'ABC'** が含まれているかどうかを調べるために、**find** メソッド
を呼び出す呼出し式は、**s1.find('ABC')** となります（**Fig.6-5**）。
これは、次の依頼です。

> 文字列 **s1** さん、あなたの中に文字列 **'ABC'** は入っていますか？ 入っていれば、その最初
> の位置（インデックス）を教えてください！

なお、オブジェクトに対して "依頼を行う" ことを、オブジェクトに "メッセージを送る" と
いいます。

Fig.6-5 メソッド呼出し

▶ もう少し詳しく解説すると、次のようになります。
- 文字列型（**str** 型）であるオブジェクト **s1** は、**find** メソッドをもっている。
- その **s1** に対して、**find** メソッドを実行するようにメッセージを送る。
- その際の補助的な指示として与えるのが、実引数 **'ABC'** である。

なお、メソッドの詳細は第 11 章で学習します。

List 6-13 は、**index** メソッドを利用して探索を行うプログラム例です（**Fig.6-6**）。

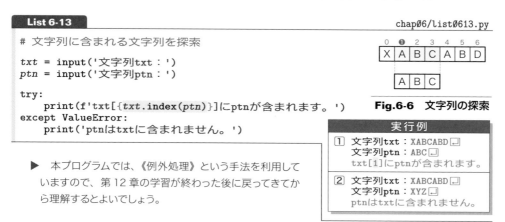

List 6-13   chap06/list0613.py

```python
# 文字列に含まれる文字列を探索

txt = input('文字列txt : ')
ptn = input('文字列ptn : ')

try:
    print(f'txt[{txt.index(ptn)}]にptnが含まれます。')
except ValueError:
    print('ptnはtxtに含まれません。')
```

Fig.6-6 文字列の探索

実行例

① 文字列txt：XABCABD⏎
　 文字列ptn：ABC⏎
　 txt[1]にptnが含まれます。

② 文字列txt：XABCABD⏎
　 文字列ptn：XYZ⏎
　 ptnはtxtに含まれません。

▶ 本プログラムでは、《例外処理》という手法を利用して
いますので、第 12 章の学習が終わった後に戻ってきてか
ら理解するとよいでしょう。

☐ その他のメソッド（count／startwith／endwith）

find系メソッド以外に、三つのメソッドが提供されます。

```
str.count(sub[, start[, end]])
```
文字列 sub は何個含まれるか？

文字列 str の [start:end] に sub が重複せずに出現する回数を返却します（省略可能な引数 start と end はスライス表記と同様に解釈されます）。

```
str.startswith(prefix[, start[, end]])
```
文字列 prefix で始まるか？

文字列の先頭が prefix で始まれば True を、そうでなければ False を返却します。prefix は見つけるべきものをまとめた接頭語のタプルでも構いません。start が指定されていれば、その位置から判定を始めます。end が指定されていれば、その位置で比較を止めます。

```
str.endswith(suffix[, start[, end]])
```
文字列 suffix で終わるか？

文字列の末尾が suffix で終われば True を、そうでなければ False を返却します。suffix は見つけるべき複数の接尾語のタプルでも構いません。start が指定されていれば、その位置から判定を始めます。end が指定されていれば、その位置で比較を止めます。

＊

ここまで学習してきたメソッド count、find、rfind を呼び出すのが、**List 6-14** のプログラムです。

List 6-14　chap06/list0614.py

```python
# 文字列に含まれる文字列を探索

txt = input('文字列txt：')
ptn = input('文字列ptn：')

if (c := txt.count(ptn)) == 0:
    # 含まれない
    print('ptnはtxtに含まれません。')
elif c == 1:
    # 1個だけ含まれる
    print(f'ptnがtxtに含まれるインデックス：{txt.find(ptn)}')
else:
    # 2個以上含まれる
    print(f'ptnがtxtに含まれる先頭インデックス：{txt.find(ptn)}')
    print(f'ptnがtxtに含まれる末尾インデックス：{txt.rfind(ptn)}')
```

実行例
```
① 文字列txt：XABCYABCD
   文字列ptn：ABCY
   ptnがtxtに含まれる先頭インデックス：1

② 文字列txt：XABCYABCD
   文字列ptn：ABC
   ptnがtxtに含まれる先頭インデックス：1
   ptnがtxtに含まれる末尾インデックス：5
```

まず最初に *txt* 中に *ptn* が含まれる個数を調べます（変数 *c* に代入します）。この個数に応じて、プログラムの処理を次のように変えています。

- 0個の場合　　　：その旨を表示します。
- 1個の場合　　　：find メソッドを使って、*ptn* が含まれる先頭位置を表示します。
- 2個以上の場合　：find メソッドと rfind メソッドを使って、*ptn* が最も先頭に含まれる位置と、最も末尾に含まれる位置を調べ、それぞれのインデックスを表示します。

Column 6-3 | **string モジュールで提供される文字列**

　string モジュールでは、プログラムで頻繁に使われる文字列が変数として定義されています（代表的なものを Table 6C-1 に示しています）。

Table 6C-1　string モジュールで定義される文字列

string.ascii_letters	ascii_lowercase と ascii_uppercase を合わせた文字列。
string.ascii_lowercase	小文字アルファベット 'abcdefghijklmnopqrstuvwxyz'。
string.ascii_uppercase	大文字アルファベット 'ABCDEFGHIJKLMNOPQRSTUVWXYZ'。
string.digits	10 進数字 '0123456789'。
string.hexdigits	16 進数字 '0123456789abcdefABCDEF'。
string.octdigits	8 進数字 '01234567'。
string.punctuation	ASCII 文字の句読点 '!"#$%&\'()*+,-./:;<=>?@[\\]^_`{|}~'。
string.printable	印字可能な ASCII 文字。 ※ digits、ascii_letters、punctuation、whitespace を合わせた文字列。
string.whitespace	空白として扱われるすべての ASCII 文字。ほとんどのシステムでは、スペース、タブ、改行、復帰、改ページ、垂直タブ。

　たとえば、'0123456789' という文字列に対して、string.digits という名前（string はモジュール名で、digits が変数名）が与えられています。

　これらの文字列が提供されていることを知らなければ、同一あるいは類似した変数をプログラマ自身が定義することになってしまいます（もちろん、そのような無駄は避けるべきです）。

＊

　List 6C-1 に示すのは、string.ascii_lowercase と string.ascii_uppercase を利用したプログラム例です。単一の文字を読み込んで、その文字がアルファベットの何文字目であるかを調べます。

List 6C-1　　　　　　　　　　　　　　　　　　　　　　chap06/list06c01.py

```
# 読み込んだ文字はアルファベットの何番目か

from string import *
c = input('アルファベット：')

if (idx := ascii_lowercase.find(c)) != -1:
    print(f'小文字の{idx + 1}番目です。')
else:
    idx = ascii_uppercase.find(c)
    if idx != -1:
        print(f'大文字の{idx + 1}番目です。')
    else:
        print(f'アルファベットではありません。')
```

実行例
① アルファベット：f⏎ 　小文字の6番目です。
② アルファベット：C⏎ 　大文字の3番目です。
③ アルファベット：5⏎ 　アルファベットではありません。

　string.ascii_lowercase と string.ascii_uppercase を、単なる ascii_lowercase と ascii_uppercase でアクセスできるのは、import 宣言で * を指定しているからです（詳細は第 10 章で学習します）。
　前者の中に c が入っていれば、その位置を表示します。入っていなければ、後者の中に c が入っているかどうかを調べ、入っていれば、その位置を表示します。

＊

　ここで紹介した文字列を応用したプログラムは、第 13 章の List 13-10（p.370）でも学習します。

文字列の連結

　文字列を連結・分割する手段も、たくさん提供されます。文字列はイミュータブルですから、どの手段を使っても、文字列自体が更新されるのではなく、新しい文字列が生成されます。

　メリット／デメリット、向き／不向きを考慮して使い分けます。

累算代入による連結と繰返し

　加算演算子 + によって文字列が連結でき、乗算演算子 * によって文字列を繰り返せることは、第1章で学習しました。累算代入の += と *= も、文字列に適用できます。確認しましょう。

> **例 6-3　累算代入による文字列の連結と繰返し**
```
>>> s1 = 'ABC' ⏎          >>> s2 = 'ABC' ⏎
>>> s1 += 'DEF' ⏎         >>> s2 *= 3 ⏎
>>> s1 ⏎                  >>> s2 ⏎
'ABCDEF'                  'ABCABCABC'
```

▶　スペース、タブ、改行などの空白文字をはさんで並べられた文字列リテラルが連結されることを、第1章で学習しました（たとえば、'ABC' 'DEF' は 'ABCDEF' となります）。文字列リテラルの"字句上の連結"であって、"演算"ではないため、この手法を変数に適用することはできません。

```
s1 = 'ABC'
s2 = 'XYZ'
s1 s2              # エラー ：s1とs2が連結されることはない
```

join メソッドによる連結

　イテラブルオブジェクトとして与えられた文字列の集まりをもとにして、それらを先頭から順に連結した文字列を作るのが join メソッドです。

```
str.join(iterable)                    複数の文字列を str で区切って連結
```
　iterable に含まれる文字列を str で区切って先頭から順に連結した文字列を返却します。なお、iterable 中に、非文字列が含まれていれば TypeError 例外を送出します。

次の形式で利用します。

> 区切り文字列 .join(連結する文字列を格納したイテラブルオブジェクト)

確認しましょう。

> **例 6-4　joinメソッドによる文字列の連結**
```
>>> s = ('spring', 'summer', 'autumn', 'winter') ⏎
>>> ''.join(s) ⏎                        ⇦ 区切らない    タプルは第8章で学習します
'springsummerautumnwinter'
>>> ' '.join(s) ⏎                       ⇦ スペース' 'で区切る
'spring summer autumn winter'
>>> ','.join(s) ⏎                       ⇦ コンマ ','で区切る
'spring,summer,autumn,winter'
>>> ' -> '.join(s) ⏎                    ⇦ 4文字の' -> 'で区切る
'spring -> summer -> autumn -> winter'
```

この例では、タプルを連結しています。もちろん、リストなども連結できます。

既に学習したように、文字列もイテラブルオブジェクトですから、文字列自体を join メソッドの連結の対象にできます。

例 6-5　join メソッドによる文字列内の全文字の連結

```
>>> s = 'ABC' ⏎
>>> ''.join(s) ⏎              ⇦ 区切らない
'ABC'
>>> ' '.join(s) ⏎             ⇦ スペース' 'で区切る
'A B C'
>>> ','.join(s) ⏎            ⇦ コンマ　','で区切る
'A,B,C'
>>> ' -> '.join(s) ⏎          ⇦ 4文字の' -> 'で区切る
'A -> B -> C'
```

文字列の各文字 'A'、'B'、'C' が1個ずつ取り出された上で連結されることが分かります。文字列の各文字のあいだに、別の文字や文字列を挿入する際に利用しましょう。

なお、+ 演算子や += 演算子による連結よりも、join メソッドによる連結のほうが（一般的には）高速です。

＊

数値などの非文字列の集まりを連結する場合は、7−2 節で学習する内包表記を使います。リストを連結しましょう。

例 6-6　非文字列の集まりを文字列として連結　　　　　　　**リストは第7章で学習します**

```
>>> lst = [11, 22, 33, 44] ⏎
>>> ''.join([str(_) for _ in lst]) ⏎       ⇦ 区切らない
'11223344'
>>> ' '.join([str(_) for _ in lst]) ⏎      ⇦ スペース' 'で区切る
'11 22 33 44'
>>> ','.join([str(_) for _ in lst]) ⏎     ⇦ コンマ　','で区切る
'11,22,33,44'
>>> ' -> '.join([str(_) for _ in lst]) ⏎   ⇦ 4文字の' -> 'で区切る
'11 -> 22 -> 33 -> 44'
```

各要素を str 関数で文字列に変換した上で連結を行います。

Column 6-4　　|　**f 文字列（整形ずみ文字列リテラル）による文字列の連結**

p.38 で学習した f 文字列を使うと、文字列の連結だけでなく、文字列と（数値などの）非文字列の連結（文字列への埋込み）も容易かつ簡潔に行えます。**List 6C-2** がプログラム例です。

List 6C-2　　　　　　　　　　　　　　　　　　　chap06/list06c02.py

```
# f文字列による文字列の連結

s1 = input('文字列s1：')
s2 = input('文字列s2：')
no = int(input('整数値no：'))

print(f'{s1}{s2}')              # 文字列s1 ＋ 文字列s2
print(f'{s1}{no}{s2}')          # 文字列s1 ＋ 整数no ＋ 文字列s2
```

```
実 行 例
文字列s1：ABC ⏎
文字列s2：XYZ ⏎
整数値no：64 ⏎
ABCXYZ
ABC64XYZ
```

文字列の分割

split メソッドによる分割

join とは逆に、文字列をバラバラに分割したリストを作るのが split メソッドです。

`str.split(sep=None, maxsplit=-1)` 文字列を分割する

文字列を、区切り文字列 sep で区切った単語のリストを返却します。maxsplit が与えられていれば、分割回数は最大で maxsplit 回です（すなわち、最大で maxsplit + 1 要素となります）。maxsplit が与えられないか、-1 であれば、分割の回数に制限はありません。

sep は複数の文字でも構いません。なお、対象文字列に区切り文字が連続して含まれる場合、その箇所は空文字列として区切られます。また、空の文字列を分割すると、[''] を返却します。

sep が与えられていないか None であれば、連続する空白文字が区切りとなります。また、文字列の先頭や末尾に空白があっても、結果の最初や最後に空文字列は含まれません。そのため、空文字列や空白だけの文字列を None で分割すると [] を返却します。

このメソッドを使って、文字列の分割を行いましょう。

例 6-7　split メソッドによる文字列の分割

```
>>> 'ABC,XX,DEFG'.split(',')              ⇐ コンマ,で分割
['ABC', 'XX', 'DEFG']
>>> 'ABC,XX,DEFG'.split(',', maxsplit=1)  ⇐ 分割は最大で1回
['ABC', 'XX,DEFG']
>>> 'ABC,XX,,DEFG'.split(',')             ⇐ 連続するコンマも分割される
['ABC', 'XX', '', 'DEFG']
>>> 'ABC    XX  DEFG'.split()             ⇐ スペースで分割される
['ABC', 'XX', 'DEFG']
>>> '   ABC   XX  DEFG'.split()           ⇐ 先頭のスペースも除去される
['ABC', 'XX', 'DEFG']
```

List 6-15 に示すのは、split メソッドの実用的な応用例です。キーボードから読み込んだ文字列を、コンマの前と後の二つに分割します。

List 6-15　　　　　　　　　　　　　　　　　　　chap06/list0615.py

```
# 二つの文字列を一度に読み込む（コンマで区切る）

a, b = input('文字列a,b：').split(',')

print(f'a = {a}')
print(f'b = {b}')
```

実行例
```
文字列a,b：Fukuoka,Nagasaki
a = Fukuoka
b = Nagasaki
```

実行例では、読み込んだ（input 関数が返却した）文字列 'Fukuoka,Nagasaki' を、コンマ文字 ',' で区切った結果、2要素のリスト ['Fukuoka', 'Nagasaki'] が得られています。

a と b には、それらの要素 'Fukuoka' と 'Nagasaki' が順に代入されます。

▶ この他にも、次の分割メソッドが提供されています。
　　partition メソッド　…　文字列を、分割文字より前、分割文字、それ以降の三つに分割する。
　　splitlines メソッド　…　文字列を改行文字で分割する。

文字列の置換

文字列に含まれる特定の文字列を別の文字列へと置換するのが replace メソッドです。

```
str.replace(old, new[, count])                                    文字列内の部分を置換
```
　　　文字列をコピーして、現れる部分文字列 old すべてを new に置換して返却します。引数 count が与えられていれば、先頭から count 個の old のみを置換します。

それでは、置換を行いましょう。

> 例 6-8　replaceメソッドによる文字列の置換
```
>>> '---ABC---ABC---ABC---'.replace('ABC', 'XYZ')          ⇦ すべてを置換
'---XYZ---XYZ---XYZ---'
>>> '---ABC---ABC---ABC---'.replace('ABC', 'XYZ', 2)        ⇦ 最大2個を置換
'---XYZ---XYZ---ABC---'
```

文字列の除去

ファイルなどから読み込んだ文字列の末尾に含まれる改行文字を除去する際などに使われるのが strip メソッドです。

```
str.strip([chars])                                        指定された文字を除去
```
　　　文字列の先頭と末尾部分から chars で指定された文字を除去した文字列を返却します。chars が省略されるか、None であれば、スペース文字が除去されます。

このメソッドを使って、文字列の除去を行いましょう。

> 例 6-9　文字列の先頭・末尾から特定文字を除去
```
>>> '  FBI CIA  '.strip()                   ⇦ スペースを除去
'FBI CIA'
>>> 'acbABCD EFGcba'.strip('abc')           ⇦ 'a'と'b'と'c'を除去
'ABCD EFG'
```

▶　この他にも、lstrip メソッド、rstrip メソッドなどが提供されます。

Column 6-5	文字列のインターン

　同じ綴りの文字列を別々に生成すると、それぞれに実体が作られることを学習しました。同じ綴りをもつ文字列をインターンする（一つにまとめる）のが、sys.intern 関数です。
※ intern は、『一定の区域内に拘禁する（抑留する）』という意味です。
　文字列の同一性を判定する List 6-6 (p.140) のプログラムに、文字列のインターンを追加すると、別々のオブジェクトとして作られていた "同じ綴りの文字列の同一性" が等しくなります（'chap06/intern.py'）。

その他のメソッド

ここまで学習したもの以外にも、いろいろなメソッドが提供されます。いくつかを体験していきましょう。

▪ 大文字と小文字の変換

文字列の大文字と小文字の変換などを行います。

```
str.capitalize()                          先頭を大文字・それ以降は小文字に変換
```
　最初の文字を大文字にし、残りを小文字にした文字列のコピーを返却します。

```
str.lower()                                            小文字に変換
```
　大小文字の区別のあるすべての文字を小文字に変換した文字列のコピーを返却します。

```
str.swapcase()                                    大文字と小文字を反転
```
　大文字を小文字に、小文字を大文字に変換した文字列のコピーを返却します。

```
str.title()                            単語の先頭を大文字・それ以外は小文字に変換
```
　タイトルケース（単語の先頭が大文字で、残りの文字のうち大小文字の区別があるすべての文字を小文字に変換した文字列）を返却します。

```
str.upper()                                            大文字に変換
```
　大小文字の区別のあるすべての文字を大文字に変換した文字列のコピーを返却します。

これらのメソッドによる変換を行いましょう。

例 6-10　文字列の大文字／小文字の変換
```
>>> s = 'This is a PEN.' ⏎        >>> s.swapcase() ⏎
>>> s ⏎                           'tHIS IS A pen.'
'This is a PEN.'                  >>> s.title() ⏎
>>> s.capitalize() ⏎              'This Is A Pen.'
'This is a pen.'                  >>> s.upper() ⏎
>>> s.lower() ⏎                   'THIS IS A PEN.'
'this is a pen.'
```

▪ 文字種の判定

文字列のすべての文字が、特定のカテゴリに属すれば **True** を、そうでなければ **False** を返却するのが、右ページの **Table 6-2** に示すメソッドです。

例 6-11　文字列の文字種の判定
```
>>> 'AB123'.isalnum() ⏎           >>> '１２３'.isnumeric() ⏎
True                              True
>>> 'AB123'.isalpha() ⏎           >>> 'ABC123'.isprintable() ⏎
False                             True
>>> 'AB123#$'.isascii() ⏎         >>> 'ABC'.islower() ⏎
True                              False
>>> 'ABxyz'.isascii() ⏎           >>> 'ABC'.isupper() ⏎
True                              True
>>> '_xyz'.isidentifier() ⏎       >>> 'This is a pen'.istitle() ⏎
True                              False
>>> '123'.isdigit() ⏎             >>> 'This Is A Pen'.istitle() ⏎
True                              True
```

Table 6-2　文字種判定メソッド

`str.isalnum()`	`isalpha`、`isdecimal`、`isdigit`、`isnumeric` のいずれかであるか。
`str.isalpha()`	英字か。
`str.isascii()`	ASCII 文字か。
`str.isdecimal()`	10 進数字か。
`str.isdigit()`	数字か。
`str.isidentifier()`	識別子として有効か。
`str.islower()`	小文字か。
`str.isnumeric()`	数字か。
`str.isprintable()`	印字可能か。
`str.isspace()`	空白文字か。
`str.istitle()`	タイトルケースか。
`str.isupper()`	大文字か。

文字列の揃え

指定した幅の中で、文字列を、中央揃え／左寄せ／右寄せした文字列を生成します。

`str.center(width[, fillchar])`　　　　　　　　　　　　　　　　　中央揃え

　　`fillchar`（省略時はスペース）を詰め物文字とした、`width` の長さをもつ中央揃えされた文字列を返却します。`width` が `len(s)` 以下なら元の文字列が返却されます。

`str.ljust(width[, fillchar])`　　　　　　　　　　　　　　　　　左寄せ

　　`fillchar`（省略時はスペース）を詰め物文字とした、`width` の長さをもつ左寄せした文字列を返却します。`width` が `len(s)` 以下なら元の文字列が返却されます。

`str.rjust(width[, fillchar])`　　　　　　　　　　　　　　　　　右寄せ

　　`fillchar`（省略時はスペース）を詰め物文字とした、`width` の長さをもつ右寄せした文字列を返却します。`width` が `len(s)` 以下なら元の文字列が返却されます。

これら三つのメソッドの動作を確認しましょう。

例 6-12　文字列の揃え

```
>>> 'ABC'.center(20) ⏎
'        ABC         '
>>> 'ABC'.ljust(20) ⏎
'ABC                 '
>>> 'ABC'.rjust(20) ⏎
'                 ABC'
```

```
>>> 'ABC'.center(20, '-') ⏎
'--------ABC---------'
>>> 'ABC'.ljust(20, '-') ⏎
'ABC-----------------'
>>> 'ABC'.rjust(20, '-') ⏎
'-----------------ABC'
```

いずれも、`'ABC'` が 20 桁の幅の文字列の中に埋め込まれます。

▶ 文字と文字コードの変換を行う**組込み関数**を二つ紹介します（メソッドではありません）。

　　■ `chr` 関数

　　　　`chr(i)` は、Unicode コードポイントが整数 `i` の文字を表す文字列を返却します。たとえば `chr(97)` は文字列 `'a'` を返却します。

　　■ `ord` 関数

　　　　単一の Unicode 文字を表す文字列の文字の Unicode コードポイントを表す整数を返却します。たとえば、`ord('a')` は整数 97 を返却します。

6–3 書式化

数値や文字列を画面やファイルに出力する際は、基数や桁数などを指定する《書式化》の作業が欠かせません。そのための方法を学習しましょう。

書式化演算子 ％ による書式化

書式化の作業は、既存の文字列の中に、別の文字列や数値などを（必要に応じて基数や桁数などを指定して）埋め込んだ文字列を新しく生成することで行います。

最初に導入されたのが、書式化演算子（formatting operator）と呼ばれる％演算子を使う方法です。**機能が少なく利用の幅が限定されるため、現在では利用は推奨されていません。**

とはいえ、この方法を使ったプログラムが数多く現存するため、読んで理解できるようになっておく必要があります。

この方式を利用して、書式化を行った文字列を生成・表示するのが、**List 6-16** のプログラムです。

```
List 6-16                                          chap06/list0616.py
# 書式化演算子%を用いた書式化
a, b, n = 12, 35, 163
f1, f2 = 3.14, 1.23456789
s1, s2 = 'ABC', 'XYZ'

print('nの10進表記＝%d。' % n)
print('nの8進表記＝%o。' % n)
print('%dは8進で%oで16進で%x。' % (n, n, n))
print('nは%5dでf1は%9.5fでf2は%9.5fです。' % (n, f1, f2))
print('"%s"+"%s"は"%s"です。' % (s1, s2, s1 + s2))
print('%dと%dの和は%dです。' % (a, b, a + b))←❶        ❷
print('%(no1)d+%(no2)dと%(no2)d+%(no1)dはいずれも%(sum)dです。' %
        {'no1': a, 'no2': b, 'sum': a + b})
```

```
実行結果
nの10進表記＝163。
nの8進表記＝243。
163は8進で243で16進でa3。
nは  163でf1は  3.14000でf2は  1.23457です。
```

```
"ABC"+"XYZ"は"ABCXYZ"です。
12と35の和は47です。
12+35と35+12はいずれも47です。
```

▶ 各変数の値を、キーボードから読み込むように変更したプログラムが 'chap06/list0616a.py' です。

この方式では、次の形式の式で文字列を生成します。

| 文字列 ％ 値の並び | ※ 文字列の中に書式指定が含まれます。 |

▶ ％演算子は、左オペランドが文字列の場合には、割り算は行わず、書式化演算子として働きます。型（クラス）に対して、演算子の挙動を定義できる仕組み（p.337）が使われています。

左オペランドの文字列には、文字％の直後に変換指定（conversion specification：右ページの **Table 6-3**）を置いたものを含めます（指定は フラグ ⇨ 変換型 の順です）。

右オペランドに置くのは、変換指定と同じ個数の値です。値が複数の場合は、コンマ , で区切って並べたものを ( ) で囲みます。

Table 6-3　主要な変換指定（書式化演算子）

`'#'`		8進／16進整数への変換時に `'0'` ／ `'0x'` （または `'0X'`）を先頭に付加する。
`'0'`		詰め文字を 0 にする。
`'-'`		変換された値を左寄せにする（`'0'` と同時に与えた場合、`'0'` を上書きする）。
`' '`		符号付きの変換で正の数の場合、前に一つスペースを空ける。
`'+'`		変換の先頭に符号文字（`'+'` または `'-'`）を付ける（スペースフラグを上書きする）。
`'i'`	`'d'`	10 進整数（decimal）。
`'o'`		8進整数（octal）。
`'x'`	`'X'`	16進整数（hexadecimal）。
`'e'`	`'E'`	指数表記の浮動小数点数。
`'f'`	`'F'`	10 進浮動小数点数（floating point）。
`'g'`	`'G'`	浮動小数点数。指数部が -4 以上または精度以下の場合には小文字指数表記、それ以外の場合には 10 進表記。
`'c'`		文字（整数または1文字のみで構成される文字列）。
`'%'`		% 文字（引数を変換しない）。

プログラム**1**での変換の様子を示したのが、**Fig.6-7** です。*a*、*b*、*a* + *b* の3値が、%d によって 10 進整数に変換されて埋め込まれる結果、新しい文字列 `'12と35の和は47です。'` が生成されます。

なお、**2**は、変換指定と値の対応を明示的に指定する例です。値は、次の形式で与えます。

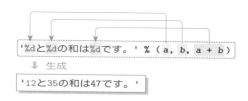

Fig.6-7　書式化演算子 % による書式化

{ `'名前1'`: 値1, `'名前2'`: 値2, … }

変換指定では、名前を（ ）で囲んだ（名前）を、% の直後に置きます。

▶　値の並びを（ ）で囲んだのはタプルで、{ } で囲んだのは辞書です（いずれも第 8 章で学習します）。

変換指定には、次のものを順に並べます（% と変換型以外は省略可能です）。

%	（名前）	フラグ	最小のフィールド幅	精度	変換型

フィールド幅は、「少なくとも何桁に変換するのか」を表す値です（指定した桁数を超える数値や文字列を変換した場合は、すべての桁や文字が出力されます）。

精度は、浮動小数点数の小数点以降の桁数（省略時は 6）を表す値です。

一例を示します（`'chap06/printf.py'`）。

```
print('%3d' % 12345)
print('%5d' % 12345)
print('%7d' % 12345)
print()
print('%d / %d = %d' % (5, 3, 5 / 3))
print('%d %% %d = %d' % (5, 3, 5 % 3))
print()
print('%d %o %x' % (12345, 12345, 12345))
print('%e %f %g' % (1.234, 1.234, 1.234))
```

```
12345
12345
  12345

5 / 3 = 1
5 % 3 = 2

12345 30071 3039
1.234000e+00 1.234000 1.234
```

☐ format メソッドによる書式化

Python 2.6 から採用されたのが、`str` 型の `format` メソッドを利用する方法です。この方法では、`{ … }` 形式の書式指定を含んだ文字列に対して、`format` メソッドを呼び出します。

次に示すのが、変換すべき値が複数の場合の指定の例です。

`{} {} {}`	各値が、順序どおりに変換される。
`{Ø} {1} {2}`	値の位置（先頭から順に Ø、1、…）を指定する。
`{kwdØ} {kwd1} {kwd2}`	値のキーワード（名前）を指定する。

たとえば、次のように使います（`'chapØ6/formatØ1.py'`）。

```
a, b, c = 1, 2, 3
print('a = {}, b = {}, c = {}'.format(a, b, c))
print('b = {1}, c = {2}, a = {Ø}'.format(a, b, c))
print('b = {kb}, c = {kc}, a = {ka}'.format(ka=a, kb=b, kc=c))
```

```
a = 1, b = 2, c = 3
b = 2, c = 3, a = 1
b = 2, c = 3, a = 1
```

▶ この他にも、[ ] による位置指定や . による属性指定などが行えます。

右ページの **Table 6-4** が主要な書式指定です。基本形は `{:書式指定}` ですが、位置やキーワードと併用する場合は、`{位置:書式指定}` あるいは `{キーワード:書式指定}` とします。

☐ 余白文字と揃えの指定

余白文字（fill character）の後ろに指定するのが、表の赤色部の揃え（align）です。なお、余白文字の指定を省略した場合は、余白文字はスペース文字となります。

次に示すのは、桁数が 12 の場合の例です（`'chapØ6/formatØ2.py'`）。

```
print('{:<12}'.format(77))      # 左寄せ
print('{:>12}'.format(77))      # 右寄せ
print('{:^12}'.format(77))      # 中央揃え
print('{:=12}'.format(-77))     # 符号  余白文字  数値
print('{:*<12}'.format(77))     # これ以降、余白文字は'*'
print('{:*>12}'.format(77))
print('{:*^12}'.format(77))
print('{:*=12}'.format(-77))
```

```
77
          77
     77
-         77
77**********
**********77
*****77*****
-*********77
```

☐ 符号の指定

表の緑色部は、符号（sign）の指定です（`'chapØ6/formatØ3.py'`）。

```
print('{:+} {:-} {: }'.format(77, 77, 77))
print('{:+} {:-} {: }'.format(-77, -77, -77))
```

```
+77 77  77
-77 -77 -77
```

☐ 代替形式／桁数／桁区切り／精度の指定

代替形式（2進／8進／16 進の前に Ø を付加する、浮動小数点数に小数部がない場合にも小数点を出力する）は # で指定します。桁数や精度の指定は % 演算子と基本的に同じです。

なお、桁区切り , を指定すると、3桁ごとに区切り文字 , が挿入されます。

Table 6-4 主要な書式指定（format メソッド）

揃え	`'<'`	左寄せを強制する。
	`'>'`	右寄せを強制する。
	`'='`	符号がある場合、符号の後ろを余白文字で埋める。
	`'^'`	中央揃えを強制する。
符号	`'+'`	先頭に符号文字（`'+'` または `'-'`）を付ける。
	`'-'`	負数に対してのみ負符号 `'-'` を付ける。
	`' '`	正数の前にスペース `' '` を付け、負数の前に負符号 `'-'` を付ける。
変換型	`'b'`	2進整数（binaly）。
	`'c'`	文字。数値を対応する Unicode 文字に変換する。
	`'d'`	10 進整数（decimal）。
	`'o'`	8進整数（octal）。
	`'x'` `'X'`	16 進整数（hexadecimal）。小文字 `'a'`〜`'f'`／大文字 `'A'`〜`'F'` 使う。
	`'e'` `'E'`	指数表記（既定の精度は6）。
	`'f'` `'F'`	固定小数点表記（既定の精度は6）。
	`'g'` `'G'`	指定した精度に変換可能ならば固定小数点表記。そうでなければ指数表記。
	`'s'`	文字列。
	`'%'`	固定小数点形式で数値を 100 倍した百分率にパーセント記号 % を付加する。

6-3

書式化

変換型の指定

　表の水色部が変換型の指定です。ここには、整数型の基数や、浮動小数点数型の出力形式などを指定します。一例を示します（`'chap06/format04.py'`）。

```
print('{:5d}'.format(124567))
print('{:7d}'.format(1234567))
print('{:9d}'.format(1234567))
print('{:,}'.format(1234567))
print()
print('{:b}'.format(1234567))
print('{0:o} {0:#o}'.format(1234567))
print('{0:x} {0:#X}'.format(1234567))
print()
print('{:%}'.format(35 / 100))
print()
print('{:e}'.format(3.14))
print('{:f}'.format(3.14))
print('{:g}'.format(3.14))
print()
print('{:.7f}'.format(3.14))
print('{:12f}'.format(3.14))
print('{:12.7f}'.format(3.14))
print()
print('{:.0f}'.format(3.0))
print('{:#.0f}'.format(3.0))
```

```
1234567
1234567
  1234567
1,234,567

100101101011010000111
4553207 0o4553207
12d687 0X12D687

35.000000%

3.140000e+00
3.140000
3.14

3.1400000
    3.140000
    3.1400000

3
3.
```

整形ずみ文字列リテラル（f 文字列）による書式化

　format メソッドによる書式化は、書式文字列 **%** よりも多機能な反面、記述が長くなるなどの欠点があります。そのため、Python 3.6 で、整形ずみ文字列リテラル（formatted string literal）、略して **f** 文字列（f-string）を使う方法が導入されました。

　この方式では、**f** あるいは **F** を前置した、**f'…'** あるいは **F'…'** 形式の **f** 文字列リテラルを使います。

　この方式の最大のメリットは、**f** 文字列の中に、式を直接埋め込めることです。式の埋込みは **{ }** の中に行います。**f** 文字列の中に、変換すべき（書式化したい）式を、**{ 式 }** 形式で直接記述するだけです。

　次に示すのが一例です（**'chap06/fstring01.py'**）。

```
a, b, c = 1, 2, 3
print(f'a = {a}, b = {b}, c = {c}')
print(f'{a} + {b} + {c} = {a + b + c}')
```

```
a = 1, b = 2, c = 3
1 + 2 + 3 = 6
```

極めて簡潔かつ直感的に記述できます。

　▶ 波括弧文字 **{** と **}** は、それぞれ **{{** および **}}** と記述します。

　なお、**{ }** 内の**式**の後ろには、コロン文字 **:** と書式指定を付加できます。書式指定は、**format** メソッドの **Table 6-4**（p.157）と、基本的には同じです。

　f 文字列を利用して、各種の書式化を行って文字列を生成し、その文字列を表示するプログラムを、右ページの **List 6-17** に示します。

＊

　Python 3.8 からは、**{ 式 = }** 形式の書式化が導入されました。

　「式を文字列化したもの」と「**=** 記号」と「式の値を文字列化したもの」が順に連続して埋め込まれます。次に示すのが一例です（**'chap06/fstring02.py'**）。

```
a, b, c = 1, 2, 3
print(f'{a = }, {b = }, {c = }')
print(f'{a + b + c = }')
```

```
a = 1, b = 2, c = 3
a + b + c = 6
```

この形式を利用する最大のメリットは、変数名などの「式」の記述が1回ですむことです。

どの方法を使うべきか

　書式演算子 **%**、**format** メソッド、**f** 文字列のそれぞれを丁寧に解説すると、数十ページくらいの分量となってしまうため、重要かつ基本的なものに絞って学習しました。

　それぞれの方法の仕様などの詳細は、Python 公式ドキュメントをご覧ください。

　なお、プログラム作成時に、旧バージョンとの互換性を考慮する必要がなければ、3種類の方法のうち **f** 文字列を使うべきです。

List 6-17

```python
# f文字列による書式化（生成した文字列を表示）

a = int(input('整数a：'))
b = int(input('整数b：'))
c = int(input('整数c：'))
n = int(input('整数n：'))
f1 = float(input('実数f1：'))
f2 = float(input('実数f2：'))
s = input('文字列s：')
print()
print(f'a / b = {a / b}')
print(f'a % b = {a % b}')
print(f'a // b = {a // b}')
print(f'bはaの{a / b:%}')            # 百分率
print()
print(f'      a    b    c')          # 正　負
print(f'[+]{a:+5}{b:+5}{c:+5}')      # '+' '-'
print(f'[-]{a:-5}{b:-5}{c:-5}')      #     '-'
print(f'[ ]{a: 5}{b: 5}{c: 5}')      # ' ' '-'
print()
print(f'{c:<12}')          # 左寄せ
print(f'{c:>12}')          # 右寄せ
print(f'{c:^12}')          # 中央揃え
print(f'{c:=12}')          # 符号の後ろに余白文字
print()
print(f'n = {n:4}')        # 少なくとも４桁
print(f'n = {n:6}')        # 少なくとも６桁
print(f'n = {n:8}')        # 少なくとも８桁
print(f'n = {n:,}')        # ３桁ごとに，
print()
print(f'n = ({n:b})2')     # ２進数
print(f'n = ({n:o})8')     # ８進数
print(f'n = ({n})10')      # 10進数
print(f'n = ({n:x})16')    # 16進数（小文字）
print(f'n = ({n:X})16')    # 16進数（大文字）
print()
print(f'f1 = {f1:e}')      # 指数形式
print(f'f1 = {f1:f}')      # 固定小数点形式
print(f'f1 = {f1:g}')      # 形式を自動判別
print()
print(f'f1 = {f1:.7f}')       # 精度は7
print(f'f1 = {f1:12f}')       # 全体で12
print(f'f1 = {f1:12.7f}')     # 全体で12＋精度は7
print()
print(f'f2 = {f2:.0f}')       # 小数部がなければ省略
print(f'f2 = {f2:#.0f}')      # 小数部がなくても小数点
print()
print(f'{s:*<12}')         # 左寄せ
print(f'{s:*>12}')         # 右寄せ
print(f'{s:*^12}')         # 中央揃え
print()
for i in range(65, 91):    # 65～90の文字
    print(f'{i:c}', end='')
print()
```

実行例

```
整数a：3⏎
整数b：5⏎
整数c：-6⏎
整数n：123456⏎
実数f1：3.14⏎
実数f2：7.0⏎
文字列s：ABC⏎

a / b = 0.6
a % b = 3
a // b = 0
bはaの60.000000%

       a    b    c
[+]   +3   +5   -6
[-]    3    5   -6
[ ]    3    5   -6

-6
          -6
    -6
-          6

n = 123456
n = 123456
n =   123456
n = 123,456

n = (11110001001000000)2
n = (361100)8
n = (123456)10
n = (1e240)16
n = (1E240)16

f1 = 3.140000e+00
f1 = 3.140000
f1 = 3.14

f1 = 3.1400000
f1 =     3.140000
f1 =    3.1400000

f2 = 7
f2 = 7.

ABC*********
*********ABC
****ABC*****

ABCDEFGHIJKLMNOPQRSTUVWXYZ
```

6-3

書式化

まとめ

- 文字列は str 型のオブジェクトであり、個々の文字は要素である。

- 文字列内の個々の要素は、**インデックス演算子 [ ]** を用いた**インデックス式**でアクセスできる。インデックス演算子 **[ ]** の中には、**インデックス値**を指定する。

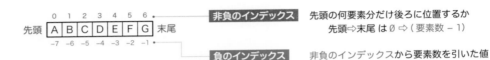

- **スライス演算子 [:]** を適用した**スライス式**を使えば、文字列の部分を、連続あるいは一定周期で新しい文字列として取り出せる。

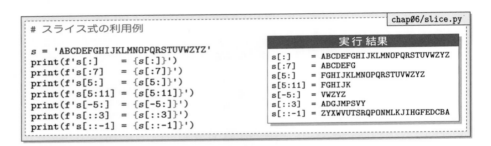

```
# スライス式の利用例
s = 'ABCDEFGHIJKLMNOPQRSTUVWZYZ'
print(f's[:]     = {s[:]}')
print(f's[:7]    = {s[:7]}')
print(f's[5:]    = {s[5:]}')
print(f's[5:11]  = {s[5:11]}')
print(f's[-5:]   = {s[-5:]}')
print(f's[::3]   = {s[::3]}')
print(f's[::-1]  = {s[::-1]}')
```

chap06/slice.py

```
                実行結果
s[:]     = ABCDEFGHIJKLMNOPQRSTUVWZYZ
s[:7]    = ABCDEFG
s[5:]    = FGHIJKLMNOPQRSTUVWZYZ
s[5:11]  = FGHIJK
s[-5:]   = VWZYZ
s[::3]   = ADGJMPSVY
s[::-1]  = ZYXWVUTSRQPONMLKJIHGFEDCBA
```

- 文字列の**要素数（長さ）**は、len 関数で取得できる。

- 文字列の大小関係と等価性は、**値比較演算子 <、<=、>、>=、==、!=** で判定できる。判定の基準となるのは、文字列内の文字の文字コードである（識別番号ではない）。

- **線形探索**は、文字列を走査して、要素の並びを先頭から順に次々と着目していき、目的とする値を見つけるアルゴリズムである。

- **帰属性判定演算子**（演算子 in と not in）を適用すると、文字列の中に別の文字列が含まれているかどうかを調べられる。

- enumerate 関数を利用すると、インデックスと要素のペア＝タプルを取り出しながらの走査が行える。

- 文字列はイテラブルオブジェクトなので、for 文における in の走査対象となる。

- **メソッド**は、特定の型（クラス）に所属する関数であり、変数名 . メソッド名 (...) の呼出し式で呼び出す。メソッドを呼び出すことを、オブジェクトに "メッセージを送る" という。

- 文字列の中に別の文字列が含まれているかどうかは、find 系メソッド（**find**、**rfind**、**index**、**rindex**）で調べられる。

- 文字列の連結は、+= 演算子や join メソッドなどで行える。

- 文字列は、split メソッドによって分割できる。

- 文字列内の部分を別の文字列に置換するには、replace メソッドを利用する。

- 文字列から、別の文字列に含まれる文字を除去するには、strip メソッドを利用する。

- string モジュールでは、数字やアルファベットなどの各種の文字列が定義されている。

- 各種の書式化を行う方法として、書式化演算子 % による方法、format メソッドによる方法、整形ずみ文字列リテラル＝ f 文字列による方法がある。いずれも、文字列を書式化するのではなく、文字列に対して書式化を行うことで《新しい文字列》を生成する。

6

まとめ

```
# 第 6 章 まとめ                                            chap06/gist.py

s1 = input('文字列s1：')
s2 = input('文字列s2：')

if (idx := s1.find(s2)) == -1:
    print('s1中にs2は含まれません。')
else:
    print(s1)
    # idx個のスペースの後ろにs2を表示
    print(' ' * idx, end='')
    print(s2)

    # s1に含まれるs2をすべて反転
    s1 = s1.replace(s2, s2[::-1])
    print()
    print('照合部分を反転しました。')
    print(s1)

    # s1に含まれるs2[::-1]をすべて削除
    s1 = s1.replace(s2[::-1], '')
    print()
    print('照合部分を削除しました。')
    print(s1)
print()

# f文字列の応用例
x = float(input('実数値：'))
w = int(input('表示全桁数：'))
p = int(input('小数部桁数：'))

print(f'{x:{w}.{p}f}')
```

実行例

文字列s1：ABCDEFGHIJKEFGXYZ⏎
文字列s2：EFG⏎
ABCDEFGHIJKEFGXYZ
　　　EFG

照合部分を反転しました。
ABCDGFEHIJKGFEXYZ

照合部分を削除しました。
ABCDHIJKXYZ

実数値：1234567890.123456⏎
表示全桁数：18⏎
小数部桁数：3⏎
　　1234567890.123

Column 6-6	**文字列に関する補足**

▪ 負のインデックスが 0 からではなく −1 から始まる理由

これまで『負のインデックスは、どうして −1 から始まるのですか。』と何度も尋ねられました。理由は単純です。0 と -0 の区別を付けることができない（開始値を -0 にできない）からです。

▪ 文字列リテラル内の逆斜線

逆斜線を含む文字列の表記の際にミスを起こしやすいので注意しましょう。たとえば、

```
print('\folder\name')
```

では、\f は**書式送り**とみなされ、\n は**改行**とみなされます。逆斜線は \\ で表記します。

なお、**原文字列リテラル**（p.15）を使えば、逆斜線1個で表記できます。

▪ コンマ忘れに注意

タプル（第 8 章）やリスト（第 7 章）などの生成式における "コンマ忘れ" を起こさないように注意が必要です。たとえば、

```
tpl = ('ABC',
       'DEF'                    # コンマが欠如している
       'GHI',
       'JKL')
```

で生成されたタプル tpl は、3 要素のタプル ('ABC', 'DEFGHI', 'JKL') となります。空白をはさんだ文字列リテラルが自動的に連結される（p.15）からです。

▪ 要素数（文字数）を取得する len 関数の内部動作

文字列 s の**要素数**＝**文字数**は、組込みの len 関数を呼び出す len(s) で求められることや、その len 関数が、**リスト**や**タプル**など他の型の要素数も求めることができることを本文で学習しました。

ただし、ありとあらゆる型のオブジェクトの要素数を求めるように len 関数が実現されているのではありません。というのも、そのように実現するのであれば、len 関数が、受け取り可能な、すべての引数型を（知った上で）判定して、それに応じた処理をしなければならないからです。

実は、len 関数の呼出しは、メソッド呼出しに置きかえられます。ここでは、

```
s = 'ABC'            # 文字列（str型）
x = [1, 2, 3]        # リスト（list型）
```

の文字列とリストを考えます。要素数を求めるための len 関数の呼出し式

```
len(s)               # 文字列sの要素数を求める
len(x)               # リストxの要素数を求める
```

は、それぞれ（実質的に）次の式に置きかえられるのです。

```
s.__len__()          # sに対して文字列用__len__メソッドの呼出しを依頼
x.__len__()          # xに対してリスト用__len__メソッドの呼出しを依頼
```

これは、オブジェクト（この例では s と x）に対する、『**あなたの型（文字列、リスト、…）に所属する __len__ メソッドを呼び出して、要素数を求めてください。**』との依頼です。

その結果、対象オブジェクトの型に所属する __len__ メソッドが呼び出され、そのメソッドが要素数を求めて返却するという仕組みがとられています。

※ ここでは概要を学習しました。実際には、メソッドが返却した値のチェックなども内部的に行われます（もう少し複雑な置きかえが行われます）。

第7章

リスト

データの集まりを表すデータ構造であるリストは、Python のプログラミングにおいて欠かせないものです。

- リスト
- 要素と構成要素
- リスト表記演算子 [ ]
- list 関数
- リストのアンパック
- インデックス演算子 [ ] とインデックス式
- スライス演算子 [:] とスライス式
- リストの代入
- リストのコピー
- シャローコピーとディープコピー
- リストからの探索
- リストの拡張／要素の挿入と削除
- リストの走査
- リストの反転
- リストによる行列の実現
- リスト内包表記
- フラットシーケンスとコンテナシーケンス
- 配列 array
- バイト列 bytes

7-1 リスト

変数の集まりは、バラバラのままではなく、ひとまとめにすると、扱いやすくなります。そのために利用するリストの基本を学習します。

リストの必要性

学生の《テストの点数》の集計を考えます。**List 7-1** に示すのは、5人の点数を読み込んで、その合計と平均を求めるプログラムです。

右ページの **Fig.7-1 a** に示すように、各学生の点数に対して、*tensu1*、*tensu2*、… と変数が1個ずつ割り当てられています。そのため、プログラムの2箇所の水色部では、ほとんど同じコードが5行ずつ繰り返されています。

さて、このプログラムに、次のような変更を施すことを考えます。

① 人数を可変にする

本プログラムは、人数が5人に固定されています。

プログラム実行時にキーボードから人数を読み込んで、合計と平均を求めるようにします。

② 特定の学生の点数を調べる／書きかえる

たとえば、3番の学生あるいは4番の学生の点数を調べる、もしくは、書きかえるといった機能を追加します。

③ 最低点と最高点を求める

最低点と最高点を求める機能を追加します（もちろん①のように、人数の変更にも対応させます）。

④ 点数をソートする

点数を昇順あるいは降順にソートします。

*

実は、本プログラムを拡張して、このような変更を行うのは不可能であって、プログラムの作り方を根本的に変える必要があります。

List 7-1 chap07/list0701.py

```python
# 5人の点数の合計点・平均点を表示

print('5人の合計点と平均点を求めます。')

tensu1 = int(input('1番の点数：'))
tensu2 = int(input('2番の点数：'))
tensu3 = int(input('3番の点数：'))
tensu4 = int(input('4番の点数：'))
tensu5 = int(input('5番の点数：'))

total = 0
total += tensu1
total += tensu2
total += tensu3
total += tensu4
total += tensu5

print(f'合計は{total}点です。')
print(f'平均は{total / 5}点です。')
```

実行例
```
5人の合計点と平均点
を求めます。
1番の点数：32 ⏎
2番の点数：68 ⏎
3番の点数：72 ⏎
4番の点数：54 ⏎
5番の点数：92 ⏎
合計は318点です。
平均は63.6点です。
```

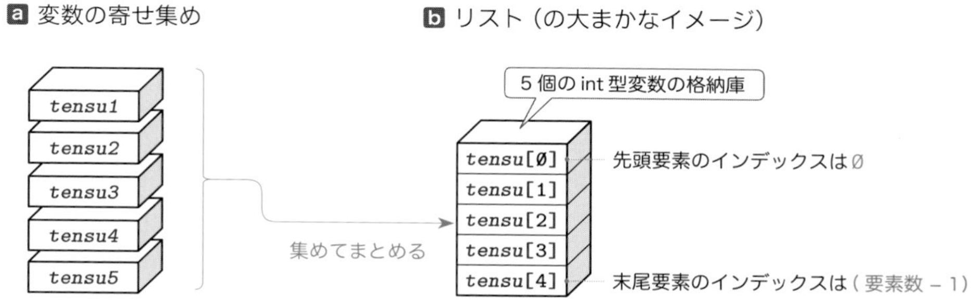

a 変数の寄せ集め　　　　　　　　b リスト（の大まかなイメージ）

5個のint型変数の格納庫

tensu1
tensu2
tensu3
tensu4
tensu5

集めてまとめる

tensu[0]　先頭要素のインデックスは0
tensu[1]
tensu[2]
tensu[3]
tensu[4]　末尾要素のインデックスは（要素数 − 1）

Fig.7-1　単独の変数 vs リスト

　各学生の点数は、バラバラではなく、"ひとまとめ"にして扱います。それを実現するのが、図bのリスト（list）と呼ばれる**データ構造**です。

　リストはオブジェクトの《**格納庫**》であって、格納された個々の変数は要素（element）と呼ばれます。各要素に対しては、先頭から順番に、0、1、2、… のインデックス（index）が与えられます。

　▶　この後で学習しますが、負のインデックスも使えることや、スライス式による取出しを行えることなども、文字列と同様です。

　リストは、生成時に要素数を自由に指定できますので、①は簡単にクリアできます。なお、いったん生成したリストの要素数を、後から増減することも容易です。

　3番目の要素は `tensu[2]`、4番目の要素は `tensu[3]` と、インデックス演算子を使ったインデックス式でアクセス（読み書き）できますので、②の実現も容易です。

　インデックス式を使うことで任意の要素を自由にアクセスできるのですから、③や④も容易に実現できます。

　要素の型は、`int` 型や `float` 型など何でも構いません。そればかりか、異なる型の要素の混在も可能ですし、リストの要素自体がリストであっても構いません。

　▶　さらに、次章で学習する、《タプル》や《辞書》を要素とすることもできます。

☐ リストのイメージを理解する ─────────

　データの集まりを扱う際は、リストが必須ともいえることが分かりました。

　すぐにでもリストを使ってプログラミングしたいところでしょうが、一呼吸おきます。まずは、リストのイメージを、ある程度はっきりとさせましょう。

　リストは、他のプログラミング言語で使われている《変数の単純な集まり》である配列をパワーアップさせた《高機能なデータのコンテナ（格納庫）》です。

次に示すのが、リストの特徴の一部です。

---

① **ミュータブル**（変更可能）な list 型のオブジェクトである。

② 格納する要素は、**オブジェクトそのものではなく、オブジェクトへの参照**であるため、要素（が参照するオブジェクト）の型は任意である。すなわち、全要素の型が同一である必要はないし、要素自体がリストであってもよい。

③ 要素には**順序**がある。

④ **インデックス式**によって、任意の要素をアクセス（値を読んだり書いたり）できる。

⑤ **スライス式**によって、特定範囲の要素を連続的あるいは一定周期で取り出せる。

⑥ 要素の並びの走査を、容易に行える。

⑦ 要素数は任意である。いったん作成した後で自由に拡張・縮小できる。

⑧ 要素数はゼロでもよい。そのようなリストは空リストと呼ばれ、論理値としては **False** とみなされる。

⑨ ソートや反転などの便利な機能が数多く提供される。

Fig.7-2 に示すのが、リストのイメージです。二つのリスト x と y を示しています。

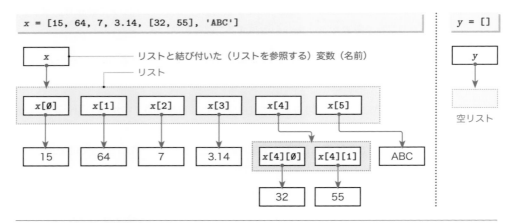

Fig.7-2　リスト内部のイメージ

図を見ながら理解を深めていきましょう。

① 赤線で囲まれた部分と水色線で囲まれた部分が、リスト（list 型のオブジェクト）です。
　x と y は、それぞれのリストと結び付いた（リストを参照する）変数＝名前です。
　　▪ 変数がオブジェクトと結び付いた名前にすぎないことや、ミュータブル（変更可能）とイミュータブル（変更不能）については、第5章で学習しました。

② **x**の要素（が参照するオブジェクト）の型は、先頭（左端）から順に、**int**型、**int**型、**int**型、**float**型、リスト型、文字列型です。

- 各要素は、オブジェクトそのものではなく、**オブジェクトへの参照**ですから、先頭から順に、**15**への参照（識別番号）、**64**への参照、…、**'ABC'**への参照となっています。

③ 要素には順序があります。この図では、左側が先頭で、右側が末尾です。

④ **x**の各要素は、先頭から順に、インデックス式 **x[0]**、**x[1]**、**x[2]**、**x[3]**、**x[4]**、**x[5]** でアクセスできます。

⑤ **x[1]** 〜 **x[3]** の一連の要素は、スライス式 **x[1:4]** で（新しいリストとして）取り出せます。

⑥ 左側から右側へと進むことで、要素を一つずつ先頭から後方へと容易に走査できます。

⑦ 要素数の増減は、各種の演算子やメソッドで行えます。末尾への追加、任意の位置への挿入、任意の要素の削除など、さまざまな機能が用意されています。

⑧ **y**は空リストです。要素が0個であっても、ちゃんとした1個のリストです。

⑨ 便利な機能の一つが、要素数の取得です。文字列と同様に、**len(x)** や **len(y)** で要素数が取得できます（それぞれ **6** と **0** です）。それ以外にも、ソート、探索、反転など、数多くの機能が提供されます。

ここで学習したことがらを体験します（現時点では理解できなくて構いません）。

```
例 7-1    Fig.7-2のリストの確認
>>> x = [15, 64, 7, 3.14, [32, 55], 'ABC']        ⇦ リストx
>>> y = []                                         ⇦ リストy（空リスト）
>>> x                                              ⇦ xを表示
[15, 64, 7, 3.14, [32, 55], 'ABC']
>>> len(x)              ⇦ xの要素数
6
>>> type(x)            ⇦ リストxの型はlist型
<class 'list'>
>>> x[3]               ⇦ 先頭の3個後ろの要素x[3]はfloat型の単一値
3.14
>>> x[4]               ⇦ 先頭の4個後ろの要素x[4]はlist型のリスト
[32, 55]
>>> type(x[4])         ⇦ リストx[4]の型はlist型
<class 'list'>
>>> x[4][0]            ⇦ リストx[4]の先頭要素（2重のインデックス演算子）
32
>>> x[4][1]            ⇦ リストx[4]の2番目の要素（2重のインデックス演算子）
55
>>> y                  ⇦ 空リストyを表示
[]
>>> len(y)             ⇦ 空リストyの要素数
0
>>> type(y)            ⇦ 空リストyの型はlist型
<class 'list'>
```

それでは、リストについて学習を進めていきましょう。

リストの生成

リストを使うには、まず生成しなければなりません。リストの生成法を学習しましょう。

▪ リスト表記演算子 [ ] によるリストの生成

リスト表記演算子 [ ] の中にコンマで区切って要素を並べると、それらの要素をもったリスト
が、新しく生成されます（中身が空の [] は、空リストを生成します）。

確かめましょう。

```
list01 = []                # []
list02 = [1, 2, 3]         # [1, 2, 3]
list03 = ['A', 'B', 'C', ] # ['A', 'B', 'C']
```

> ▶ 右側のコメントは、生成されるリストの内容です。list01 から list13 までのリストを生成して表
> 示するプログラムは 'chap07/list_construct.py' です。

list03 や list04 のように、末尾要素の後ろにもコンマ , を置
けるようになっています。次のメリットがあるからです。

```
# 季節名のリスト
list04 = [
    'spring',
    'summer',
    'autumn',
    'winter',
]
```

- ▪ 縦に並べられた要素の見かけ上のバランスが取れる。
- ▪   〃   の追加や削除が容易である。

> ▶ list04 は、( ), [ ], { } の中で自由に改行できる（p.76）ことを利用しています。

▪ list 関数によるリストの生成

組込みの list 関数を使うと、文字列やタプルなど、さまざまな型のオブジェクトをもとに、
リストを生成できます。

なお、実引数を与えずに呼び出す list() は、空リストを生成します。

```
list05 = list()            # []                  空リスト
list06 = list('ABC')       # ['A', 'B', 'C']     文字列の個々の文字から生成
list07 = list([1, 2, 3])   # [1, 2, 3]           リストから生成
list08 = list((1, 2, 3))   # [1, 2, 3]           タプルから生成
list09 = list({1, 2, 3})   # [1, 2, 3]           集合から生成   次章で学習
```

特定範囲の整数値で構成されるリストは、range 関数が生成する数列（イテラブルオブジェ
クト）を list 関数で変換することで生成できます。

```
list10 = list(range(7))       # [0, 1, 2, 3, 4, 5, 6]
list11 = list(range(3, 8))    # [3, 4, 5, 6, 7]
list12 = list(range(3, 13, 2)) # [3, 5, 7, 9, 11]
```

▪ 要素数を指定した生成

「要素数が事前に決定しているものの、要素の値は未定」といったときの、リスト生成の決
まり文句があります。

唯一の要素として None をもつリスト [None] を n 回繰り返すことで、要素数が n で、全要素の値が None のリストを生成します。要素数が 5 であれば、次のようになります。

```
# 要素数が5で全要素が空のリストの生成
list13 = [None] * 5          # [None, None, None, None, None]
```

乗算演算子 * で繰返しが行えるのは、文字列と同様です。

▶ この他に、文字列を分割したリストを str.split メソッドで生成する方法を前章（p.150）で学習しました。

☐ 別々に生成されたリストの同一性

別々に生成されたリストは、たとえ、すべての要素が同じ値であっても、それぞれが実体をもちます（**Fig.7-3**）。

| 例 7-2 　別々に生成されたリストは《同一でない》ことを確認 |

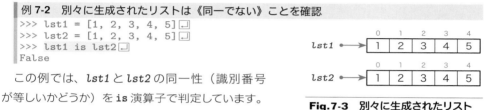

```
>>> lst1 = [1, 2, 3, 4, 5]⏎
>>> lst2 = [1, 2, 3, 4, 5]⏎
>>> lst1 is lst2⏎
False
```

この例では、lst1 と lst2 の同一性（識別番号が等しいかどうか）を is 演算子で判定しています。

もちろん、その結果は False です。

Fig.7-3　別々に生成されたリスト

▶ [1, 2, 3, 4, 5] は、[] 演算子によって新しいリストを生成する式であって、いわゆる "リテラル" ではありません。

　なお、リストの個々の要素は、オブジェクトへの参照ですが、ここに示す図では、参照先の値を要素として示しています。今後も、このような簡略化した図を使います。

☐ リストの代入

リスト（を参照している変数）を代入しても、要素の並びはコピーされません。第 5 章で学習したように、代入でコピーされるのは、値ではなく参照だからです（**Fig.7-4**）。

| 例 7-3 　リスト（参照先）の代入（別々の変数が同一リストと結び付く） |

```
>>> lst1 = [1, 2, 3, 4, 5]⏎
>>> lst2 = lst1⏎
>>> lst1 is lst2⏎
True
>>> lst1[2] = 9⏎
>>> lst1⏎
[1, 2, 9, 4, 5]
>>> lst2⏎
[1, 2, 9, 4, 5]
```

代入 lst2 = lst1 の結果、変数 lst2 の参照先は、lst1 が参照しているリストとなります。すなわち、lst2 と lst1 は同一のリストを参照します。

Fig.7-4　リストの代入

そのため、lst1 を通じてインデックス式（やスライス式）で要素の値を書きかえると、lst2 から見たときの要素の値も書きかわっています。

▶ インデックス式やスライス式で要素の値を書きかえることについては、p.172 以降で学習します。

リストの演算

リストに対しては、加算や値比較などの演算子を適用できます（文字列と同様です）。

加算演算子 + による連結と乗算演算子 * による繰返し

加算演算子 + によって、リストの連結が行えます。左オペランドのリストの後ろに、右オペランドのリストが連結された新しいリストが生成されます。

> **例 7-4　加算演算子+によるリストの連結（結合）**
> ```
> >>> x = [1, 2, 3] + [4, 5]⏎    ⇐ [1, 2, 3]と[4, 5]を連結したリストを生成
> >>> x⏎
> [1, 2, 3, 4, 5]
> ```

乗算演算子 * によって、リストを繰り返せます（前ページでも使いました）。

> **例 7-5　乗算演算子*によるリストの繰返し**
> ```
> >>> x = [1, 2, 3] * 2⏎    ⇐ [1, 2, 3]を2回繰り返したリストを生成
> >>> x⏎
> [1, 2, 3, 1, 2, 3]
> ```

値比較演算子による比較

リストどうしの大小関係と等価性の判定は、6個の値比較演算子 <、<=、>、>=、==、!= で行えます。次に示すのは、いずれも真となる判定の例です。

```
[1, 2, 3]       == [1, 2, 3]
[1, 2, 3]       <  [1, 2, 4]
[1, 2, 3, 4]    <= [1, 2, 3, 4]
[1, 2, 3]       <  [1, 2, 3, 5]  <  [1, 2, 3, 5, 6]   # and結合
```

▶ 先頭要素から順に比較していき、要素の値が等しければ、次の要素を比較します。
　いずれかの要素の値が大きければ、そちらのリストのほうが大きいと判定されます。なお、最後の二つの例のように、先頭側の [1, 2, 3] が共通で、片方の要素数が大きい場合は、要素数の大きいほうが、大きいリストと判定されます。

値比較演算子 == と != は、すべての要素の等価性で判定を行います。前ページの例 7-2 で使った is 演算子とは働きが異なることを確認しましょう。

> **List 7-2**   chap07/list0702.py
> ```
> # 二つのリストの等価性と同一性を判定
>
> lst1 = [1, 2, 3, 4, 5]        ── 識別番号（アイデンティティ）が異なる
> lst2 = [1, 2, 3, 4, 5]
>
> print(f'lst1 : {lst1}')       ── リストを書式化（文字列化）
> print(f'lst2 : {lst2}')
>
> print(f'lst1 == lst2 : {lst1 == lst2}')
> print(f'lst1 is lst2 : {lst1 is lst2}')
> ```
>
> **実行結果**
> ```
> lst1 : [1, 2, 3, 4, 5]
> lst2 : [1, 2, 3, 4, 5]
> lst1 == lst2 : True
> lst1 is lst2 : False
> ```

▶ f文字列によってリストを文字列化（書式化）して得られる文字列は、'[1, 2, 3, 4, 5]' のように、コンマ , で区切られた全要素を [] で囲んだ形式です。

len 関数による要素数の取得

リストの要素数（長さ）は、`len` 関数で取得できます（文字列と同じです）。

```
例 7-6  リストの要素数（長さ）の取得
>>> x = [15, 64, 7, 3.14, [32, 55], 'ABC']⏎          ⇦ p.166のリスト
>>> len(x)⏎
6
```

要素自体が、リスト（あるいはタプルや集合）であれば、その要素は1個としてカウントされます。要素の中に含まれる要素はカウントされません（すなわち、*x* に含まれる [32, 55] は1個の要素としてカウントされます）。

min 関数と max 関数による最小値と最大値の取得

第3章で学習した組込みの `min` 関数と `max` 関数は、リストにも適用できるため、リストの要素の**最小値**と**最大値**は、簡単に取得できます。

▶ プログラムの具体例は、**List 7-14**（p.185）で学習します。

空リストの判定

要素をもたない空リストは偽ですから（p.53）、*x* が空リストであるかどうかで異なる処理を行うのであれば、次のように実現できます。

```
if x:
    # xが空リストでないときの処理を行うスイート
else:
    # xが空リストであるときの処理を行うスイート
```

判定式を `not x` とすることもできます（その場合、二つのスイートの順序を反転させます）。

▶ なお、`all` 関数と `any` 関数を使うと、次の判定が行えます。
    all(x)   リスト *x* 内の全要素が真か？
    any(x)   リスト *x* 内の要素が1個でも真か？

リストのアンパック

代入文の左辺に複数の変数を置き、右辺にリストを置くと、右辺の要素をバラバラにした上で左辺の変数に代入できます（**Fig.7-5**）。

```
例 7-7  リストからの要素の一括取り出し
>>> x = [1, 2, 3]⏎
>>> a, b, c = x⏎          ⇦ リストのアンパック
>>> a, b, c⏎
(1, 2, 3)
```

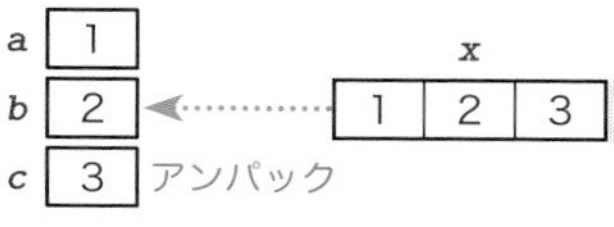

Fig.7-5 アンパック

リスト *x* の要素が、*a* と *b* と *c* に取り出されました。このように、単一のリスト（やタプルなど）から、複数の要素の値を取り出してバラバラにすることを、アンパック（unpack）といいます。

▶ アンパックについては、次章で詳しく学習します。

インデックス式によるアクセス

　リスト内の個々の要素をアクセスする際のキーとなるのが、インデックス（index）です。**Fig.7-6** に示すように、基本的な指定方法は文字列と同じです（前章で学習しました）。

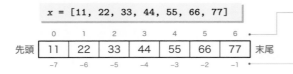

非負のインデックス
先頭の何要素分だけ後ろに位置するか
先頭⇨末尾 は 0 ⇨ （要素数 – 1）

負のインデックス
非負のインデックスから要素数を引いた値
先頭⇨末尾 は –（要素数）⇨ –1

Fig.7-6　リストとインデックス

インデックス式

　インデックス式は、インデックス演算子 [ ] の中にインデックスを指定した形式です（文字列と同じです）。**Fig.7-6** のリストで確認しましょう。

```
例 7-8　リストとインデックス式
>>> x = [11, 22, 33, 44, 55, 66, 77]⏎
>>> x[2]⏎
33
>>> x[-3]⏎
55
>>> x[-4] = 3.14⏎                          要素の置換
>>> x
[11, 22, 33, 3.14, 55, 66, 77]
>>> x[7]⏎                       存在しないインデックスの値は取
Traceback (most recent call last):    り出せない
  File "<stdin>", line 1, in <module>
IndexError: list index out of range
>>> x[7] = 3.14⏎                存在しないインデックスへの代入
Traceback (most recent call last):  による要素の追加は行われない
  File "<stdin>", line 1, in <module>
IndexError: list assignment out of range
```

　前半の **x[2]** と **x[-3]** の値を取り出して表示している箇所は、理解できるでしょう。

　続く **x[-4]** への代入に着目しましょう。文字列とは違い、リストに対するインデックス式は、代入の左辺に置けます。この代入によって、int 型が入っていた **x[-4]** が float 型に変身します。すなわち、整数 44 の要素が、浮動小数点数 3.14 に置換されます。

　もちろん、代入でコピーされるのは値ではなく参照ですから、**x[-4]** の参照先が int 型オブジェクト 44 から、float 型オブジェクト 3.14 に変わるだけです。

　続く **x[7]** の値の取出し（表示）では、7 がインデックスとして不当であるため、エラーが発生します。なお、**x[7]** への代入もエラーとなります。存在しない要素をアクセスするインデックス式を左辺に置く代入によって、要素が新しく追加されることはありません。

■ スライス式によるアクセス

　リスト内の部分を、連続あるいは一定周期で新しいリストとして取り出すのが、前章で文字列を対象に学習したスライス（slice）です。

□ スライス式による取り出し

　スライス演算子 `[:]` を適用したスライス式の形式は、文字列と同じです。

> $x[i:j]$ … $x[i]$ から $x[j - 1]$ までの並び
> $x[i:j:k]$ … $x[i]$ から $x[j - 1]$ までの k 要素ごとの並び
> スライス式

　まずは、基本的な使い方を確認しましょう（文字列での学習内容の復習です）。

```
例7-9  リストとスライス式
>>> x = [11, 22, 33, 44, 55, 66, 77]↵
>>> x[0:6]↵                            ⇦ x[0]〜x[5]
[11, 22, 33, 44, 55, 66]
>>> x[0:7]↵                            ⇦ x[0]〜x[6]
[11, 22, 33, 44, 55, 66, 77]
>>> x[0:7:2]↵                          ⇦ x[0]〜x[6]を1個おき
[11, 33, 55, 77]
>>> x[-4:-2]↵                          ⇦ x[-4]〜x[-3]
[44, 55]
>>> x[3:1]↵                            ⇦ 空（3は1よりも小さいため）
[]
```

　i と j と k の指定に対する規則も、文字列と同じです。

- i が省略されるか None であれば、0 が指定されたものとみなされる。
- j が省略されるか None であれば、$len(x)$ が指定されたものとみなされる。
- i と j は、$len(x)$ よりも大きければ、$len(x)$ が指定されたものとみなされる。
- 正当な範囲外の値を指定してもエラーとならない（インデックス式とは異なる）。

　当然、i、j、k の1個以上を省略するパターンの指定も、文字列と同じです。いくつかをまとめると、次のようになります。

`x[:]`	すべて	例 `x[:]`	`[11, 22, 33, 44, 55, 66, 77]`
`x[:n]`	先頭の n 要素	例 `x[:3]`	`[11, 22, 33]`
`x[n:]`	$x[n]$ から末尾まで	例 `x[3:]`	`[44, 55, 66, 77]`
`x[-n:]`	末尾の n 要素	例 `x[-3:]`	`[55, 66, 77]`
`x[::k]`	$k - 1$ 個おき	例 `x[::2]`	`[11, 33, 55, 77]`
`x[::-1]`	すべてを逆向き	例 `x[::-1]`	`[77, 66, 55, 44, 33, 22, 11]`

▶ n が要素数を超える場合は、全要素が取り出されます。`x[:n]` + `x[n:]` は s と一致します。

スライス式への代入による要素の置換

文字列と同じように、リストに対して**スライス演算子を適用できる**ことが分かりました。ただし、**リスト用のスライス式は、代入の左辺に置けること**が、文字列とは違います。

このことを利用すると、リストの一部の置換が容易に行えます。

確かめましょう。

例 7-10　スライスの置換（置換前後の要素数が同一）

```
>>> x = [11, 22, 33, 44, 55, 66, 77]
>>> x[1:3] = [99, 99]
>>> x
[11, 99, 99, 44, 55, 66, 77]
```

```
[11, 22, 33, 44, 55, 66, 77]
          ↓
[11, 99, 99, 44, 55, 66, 77]
```

なお、置換対象の要素数が異なる場合、リストの要素数が変化します。確かめましょう。

例 7-11　スライスの置換（置換前後で要素数が異なる）

```
>>> x = [11, 22, 33, 44, 55, 66, 77]
>>> x[1:3] = [99, 99, 99]
>>> x
[11, 99, 99, 99, 44, 55, 66, 77]
```

```
[11, 22, 33, 44, 55, 66, 77]
          ↓
[11, 99, 99, 99, 44, 55, 66, 77]
```

リスト x の要素数が 7 から 8 へと変化しました。

リストからの探索

リストからの探索には、いろいろな方法があります。

帰属性判定演算子（in 演算子と not in 演算子）による判定

前章では、ある文字列の中に、別の文字列が含まれているかどうかを判定する in 演算子と not in 演算子を学習しました（**Table 6-1**：p.141）。

これらの帰属性判定演算子は、リストにも適用できます。確かめましょう。

例 7-12　リストと帰属性判定演算子

```
>>> a = 1
>>> b = [1, 2]
>>> c = [[1, 2], [3, 4]]
>>> d = [[1, 2, 3], [4, 5]]
>>> a in b in c                    ⇦ 1 in [1, 2] in [[1, 2], [3, 4]]
True
>>> a in b in d                    ⇦ 1 in [1, 2] in [[1, 2, 3], [4, 5]]
False
```

帰属判定演算子は比較演算子（**Table 3-5**：p.78）の一種であるため、2 個以上を連続適用できます。もちろん、*a* in *b* in *c* は、*a* in *b* and *b* in *c* と解釈されます。

▶　[1, 2] は、*c* の要素として含まれますが、*d* の要素としては含まれないことに注意しましょう。というのも、*d* の先頭要素は、あくまでも [1, 2, 3] であって、[1, 2] とは異なるからです。

なお、二つの演算子は、次章で学習するタプルなどでも利用できます。

index メソッドによる判定

index メソッドによる判定方法も、文字列と同様です。

```
list.index(x[, i[, j]])                                  x が含まれる先頭位置を調べる
```

リスト list[i:j] に、x が含まれれば、その最小のインデックスを返却します。

省略可能な引数 i と j はスライス表記と同様に解釈されます。ただし、list.index(x, i, j) は、list[i:j].index(x) とは異なり、データがコピーされませんし、スライスではなくシーケンスの相対インデックスが返されます。

なお、list 中に x が見つからなければ ValueError 例外を送出します。

count メソッドによる出現回数のカウント

count メソッドによる判定方法も、文字列と同様です。

```
list.count(x)                                              x は何個含まれるか?
```

リスト list 内に含まれる x の出現回数を返却します。

二つのメソッドの動作を確かめましょう。

例 7-13　リストと帰属性判定演算子
```
>>> x = [11, 22, 33, 44, 33, 33, 22]⏎
>>> x.count(33)⏎                      ⇐ 33が含まれる個数
3
>>> x.index(33)⏎                      ⇐ 33の先頭インデックス
2
>>> x.index(33, 3)⏎                   ⇐ x[3]以降の33の先頭インデックス
4
>>> x.index(33, 5, 7)⏎                ⇐ x[5]～x[6]の33の先頭インデックス
5
```

Column 7-1	**リストの内部**

　プログラミング言語によっては、ポインタ／参照で要素を数珠つなぎにする連結リスト（linked list）のライブラリが提供されます（**Fig.7C-1** が、そのイメージです）。これは、任意の位置への要素の挿入や、任意の位置の要素の削除が高速に行えるというメリットがある反面、記憶域や速度の面で、（全要素を連続した記憶域上に配置する）配列に劣る、という性格のものです。

Fig.7C-1　連結リストのイメージ（Python のリストではない）

　Python のリストは、連結リストではなく、全要素を連続した記憶域上に配置する《配列》として内部的に実現されています。そのため、極端に速度が劣ることはありません。

　なお、要素を1個ずつ追加・挿入するたびに、記憶域の確保・解放が内部的に行われることはありません。あらかじめ、実際に必要な最低限の記憶域よりも余分に記憶域がとられているからです。

リストの拡張

リストは、要素数の増減が容易です。ここでは、拡張する方法を学習します。

要素の追加（append メソッド）

`x.append(v)` は、リスト `x` の後ろに `v` を加えて要素を1個増やします（**Fig.7-7**）。

> **例 7-14　appendによる要素の追加**
> ```
> >>> x = [11, 22, 33, 44, 55, 66, 77]⏎
> >>> x.append(99)⏎
> >>> x⏎
> [11, 22, 33, 44, 55, 66, 77, 99]
> ```

もし `v` 自体がリストであれば、`v` は単一要素として追加されます（次項の『リストの追加』との違いに注意しましょう）。

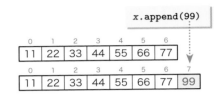

Fig.7-7　要素の追加

> **例 7-15　appendによる要素としてのリストの追加**
> ```
> >>> x = [11, 22, 33, 44, 55]⏎
> >>> x.append([64, 76, 38])⏎            ⇦ [64, 76, 38]を単一要素として追加
> >>> x⏎
> [11, 22, 33, 44, 55, [64, 76, 38]]     ⇦ 要素x[5]はリスト[64, 76, 38]
> ```

リストの連結（累算代入 += と extend メソッド）

リスト `x` の後ろにリスト `y` を追加する＝連結するのは、累算代入 `x += y` と、`x.extend(y)` のいずれでも行えます（**Fig.7-8**）。

前者のほうが簡潔に記述できます。

> **例 7-16　累算代入+=によるリストの追加**
> ```
> >>> x = [11, 22, 33, 44, 55]⏎
> >>> y = [64, 76, 38]⏎
> >>> x += y⏎            ⇦ x.extend(y)でも可
> >>> x⏎
> [11, 22, 33, 44, 55, 64, 76, 38]
> ```

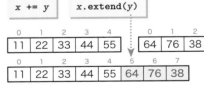

Fig.7-8　リストの追加

リストの繰返し（乗算演算子 * と累算代入 *=）

リストと整数を掛けると、そのリストの繰返しが得られます（**Fig.7-9**）。

▶ 文字列と整数を掛けあわせる式 `'Python' * 3` で、`'PythonPythonPython'` が得られるのと同様です。

なお、累算代入 `*=` を使うと、左辺のリストが、繰返しで得られたリストに更新されます。

> **例 7-17　リストの繰返し**
> ```
> >>> x = [11, 22, 33] * 3⏎
> >>> x⏎
> [11, 22, 33, 11, 22, 33, 11, 22, 33]
> >>> y = [11, 22, 33]⏎
> >>> y *= 3⏎
> >>> y⏎
> [11, 22, 33, 11, 22, 33, 11, 22, 33]
> ```

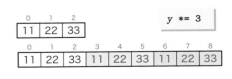

Fig.7-9　リストの繰返しとその累算

代入と累算代入の違い

累算代入 **+=** は、自身のリストの後ろにリストを**追加**して、累算代入 ***=** は、自身のリストを何回か繰り返したものに**更新**します。

累算代入 "*x* ★= *y*" は、代入 "*x* = *x* ★ *y*" とは異なり、左辺の *x* の評価回数が1回であることを、第4章で学習しました（p.93）。

もう一つの大きな違いは、**累算代入では、可能であればインプレース（in–place）演算が行われる**ことです。

そのため、リストの累算代入の際は、新たなオブジェクトが生成された上で代入されるのではなく、**代入対象のオブジェクト自身の内容が変更されます。**

演算子と代入を組み合わせるコードと、累算代入との違いを確認しましょう（**Fig.7-10**）。

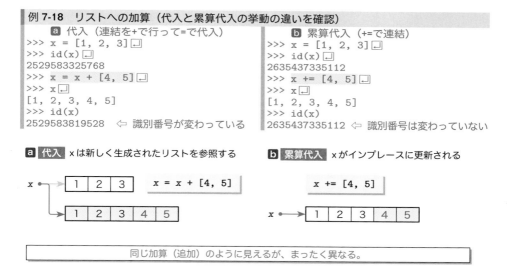

Fig.7-10　リストへの代入と累算代入の違い

aでは新しくリストが生成されるため、代入前後で *x* の識別番号が変化します。

一方、インプレース演算が行われる**b**の累算代入では、リスト自体が更新されるため、代入前後で *x* の識別番号は変化していません。

> **重要**　リスト *x* に対するリスト *y* のインプレースな連結は、*x* = *x* + *y* では行えないため、*x*.extend(*y*) あるいは *x* += *y* によって行う。

▶　このような細かいことを学習するのは、ミュータブルなオブジェクトの本質を理解するためであって、重箱の隅をつつくためではありません。事実、第9章の p.257 では、この知識が必要となります。

　　リストの内部では、現在の要素数よりも多い要素数の領域が事前に割り当てられます（要素数の変動に伴って領域を確保し直す作業を避けるためです）。事前に割り当てられた領域で不足した場合は、新しい領域が内部的に確保される結果として識別番号が変化します。

要素の挿入と削除

リストに対して、要素の挿入・削除を行う方法を学習しましょう。

要素の挿入（insert メソッドとスライス操作）

$x.insert(i, v)$ は、$x[i]$ に v を代入し、それ以降の要素を後方にずらします（**Fig.7-11**）。なお、i が正しい範囲に収まっていなければ、末尾に挿入されます。

```
例 7-19  要素の挿入
>>> x = [11, 22, 33, 44, 55, 66] ⏎
>>> x.insert(4, 99) ⏎
>>> x ⏎
[11, 22, 33, 44, 99, 55, 66]
```

挿入処理は、スライスでも実現可能です。

▶ 挿入する v がイテラブルオブジェクトであるときに限り、挿入は $x[i:i] = [v]$ で行えます。

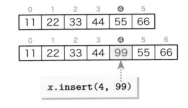

Fig.7-11 要素の挿入

任意の値をもつ要素の削除（remove メソッド）

$x.remove(v)$ は、リスト x から、値 v をもつ（複数個あれば、その中の最も先頭の）要素を削除して、それ以降の全要素を前方にずらします（**Fig.7-12**）。

```
例 7-20  任意の値をもつ要素の削除
>>> x = [11, 22, 33, 44, 33, 66, 77] ⏎
>>> x.remove(33) ⏎
>>> x ⏎
[11, 22, 44, 33, 66, 77]
```

削除対象がリストに存在しない場合、**ValueError** 例外が発生します。エラーを回避するには、次に示す対処が必要です。

▪ 事前に in 演算子を使って存在チェックをする。

▪ 例外処理を行う（第 12 章）。

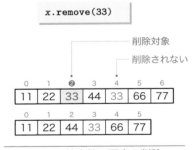

Fig.7-12 特定値の要素の削除

指定要素の削除（pop メソッド）

$x.pop(i)$ は、要素 $x[i]$ を削除するとともに、その要素の値を返却します（**Fig.7-13**）。

```
例 7-21  指定要素の削除
>>> x = [11, 22, 33, 44, 33, 66, 77] ⏎
>>> v = x.pop(2) ⏎
>>> x ⏎
[11, 22, 44, 33, 66, 77]
>>> v ⏎                ⇦ 削除された要素の値
33
```

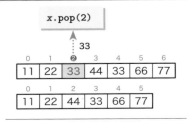

Fig.7-13 指定要素の削除

なお、`pop` に与える引数を省略した場合は、`-1` が指定されたものとみなされます。

すなわち、`x.pop()` は、リスト *x* から**末尾要素** *x[-1]* を削除します（**Fig.7-14**）。

削除する要素の値が不要であれば、`pop` メソッドではなく、この後で学習する `del` 文を使います。

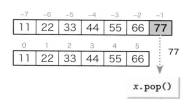

Fig.7-14 末尾要素の削除

del 文による任意の要素／要素群の削除

第5章では、**代入**と対照的な `del` 文を学習しました。その `del` 文を利用すると、特定要素や、スライスをリストから削除できます。

```
例 7-22   del文による削除
>>> x = [11, 22, 33, 44, 55, 66, 77]⏎
>>> del x[2] ⏎              ⇦ x[2]を削除
>>> x⏎
[11, 22, 44, 55, 66, 77]
>>> del x[2:4] ⏎            ⇦ x[2]〜x[3]を削除
>>> x⏎
[11, 22, 66, 77]
>>> del x[:]                ⇦ 全要素を削除
>>> x⏎
[]
```

```
[11, 22, 33, 44, 55, 66, 77]
       ↓
[11, 22, 44, 55, 66, 77]
       ↓
[11, 22, 66, 77]
       ↓
[]
```

最初の `del` 文ではインデックス式 *x[2]* で1要素を削除し、2回目の `del` 文ではスライス式 *x[2:4]* で2要素を削除します。最後の `del` 文では、スライス式 *x[:]* で全要素を削除します。

▶ 2要素を削除する `del x[2:4]` は、`x[2:4] = []` でも行えます。

全要素の削除（clear メソッド）

`x.clear()` は、すべての要素を削除して、*x* を空リストにします（**Fig.7-15**）。

```
例 7-23   全要素の削除
>>> x = [11, 22, 33, 44, 55, 66, 77]⏎
>>> x.clear()⏎
>>> x⏎
[]
```

Fig.7-15 全要素の削除

前の例でも確認したように、`del x[:]` でも全要素を削除できます。さらに、空リストを代入する `x = []` でもリスト *x* を空にする（*x* の参照先を空リストに更新する）ことができます。

リスト用変数の削除

ここまでは、リスト内要素の挿入・削除でした。リストを参照する変数（名前）を削除するのであれば、`del x` のように "`del 変数名`" を実行します。

リストの走査とイテラブル

走査の方法も文字列と同様です。リストを走査するプログラムを作りましょう。

- **List 7-3** … 要素数を `len` 関数で事前に取得して **0** から（要素数 **- 1**）まで繰り返します。
- **List 7-4** … インデックスと要素のペアを `enumerate` 関数で取り出して繰り返します。
- **List 7-5** … 上記と同じですが、カウントの開始を **1** にします。
- **List 7-6** … インデックスの値が不要な場合は `in` で先頭から順に取り出します。

これらは順に、文字列を走査する **List 6-3**（p.136）、**List 6-8**（p.142）、**List 6-9**（p.142）、**List 6-11**（p.143）に相当します。

List 7-3　　　　　　　　　　　　　　　　　　　　　　　chap07/list0703.py

```python
# リストの全要素を走査（要素数を事前に取得）

x = ['John', 'George', 'Paul', 'Ringo']

for i in range(len(x)):
    print(f'x[{i}] = {x[i]}')
```

実行結果
```
x[0] = John
x[1] = George
x[2] = Paul
x[3] = Ringo
```

List 7-4　　　　　　　　　　　　　　　　　　　　　　　chap07/list0704.py

```python
# リストの全要素をenumerate関数で走査

x = ['John', 'George', 'Paul', 'Ringo']

for i, name in enumerate(x):
    print(f'x[{i}] = {name}')
```

実行結果
```
x[0] = John
x[1] = George
x[2] = Paul
x[3] = Ringo
```

List 7-5　　　　　　　　　　　　　　　　　　　　　　　chap07/list0705.py

```python
# リストの全要素をenumerate関数で走査（1からカウント）

x = ['John', 'George', 'Paul', 'Ringo']

for i, name in enumerate(x, 1):
    print(f'{i}番目 = {name}')
```

実行結果
```
1番目 = John
2番目 = George
3番目 = Paul
4番目 = Ringo
```

List 7-6　　　　　　　　　　　　　　　　　　　　　　　chap07/list0706.py

```python
# リストの全要素を走査（インデックス値を使わない）

x = ['John', 'George', 'Paul', 'Ringo']

for i in x:
    print(i)
```

実行結果
```
John
George
Paul
Ringo
```

最後の **List 7-6** では、リスト *x* から要素が1個ずつ *i* に取り出されます。このようなことを行えるのは、リストが**イテラブルオブジェクト**（iterable object）だからです。イテラブルとは、先頭から末尾までを順に1個ずつなぞっていく仕組みを提供する構造です（p.237）。

▶ `range` 関数が生成する数列も、イテラブルオブジェクトです。

□ 逆順の走査

前章でも学習したように、末尾から先頭へと逆順に走査するのであれば、走査対象を *x* ではなく、`reversed(x)` あるいは `x[::-1]` とします。

□ タプルの走査と集合の走査

左ページのプログラムは、*x* への代入を次のように書きかえる（要素を囲む [] を () に変更する）だけで、タプルを走査するプログラムとなります。

```
x = ('John', 'George', 'Paul', 'Ringo')
```
次章で学習します

▶ この変更を行ったプログラムも、ダウンロードプログラムに含まれています。

'chap07/tuple01.py'、'chap07/tuple02.py'、'chap07/tuple03.py'、'chap07/tuple04.py'

なお、List 7-6 のプログラムに限り、*x* への代入の箇所を次のように書きかえるだけで、集合を走査するプログラムとなります（'chap07/set01.py'）。

```
x = {'John', 'George', 'Paul', 'Ringo'}
```

□ リストの反転

□ リストのインプレースな反転（reverse メソッド）

リストの要素の並びをインプレースに反転するのが、`reverse` メソッドです（**Fig.7-16**）。

例 **7-24** reverseメソッドによる要素の並びの反転

```
>>> x = [11, 22, 33, 44, 55]
>>> x.reverse()       ⇐ x自体の要素の並びを反転
>>> x
[55, 44, 33, 22, 11]
```

0	1	2	3	4
11	22	33	44	55

55	44	33	22	11

Fig.7-16 リストの反転

□ 反転リストの生成（reversed 関数＋ list 関数）

`reversed` 関数を呼び出す `reversed(x)` は、*x* の要素の並びを反転したイテラブルオブジェクトを生成します（前章で学習しました）。もう少し詳しく解説すると、次のようになります。

- リスト *x* 自体を変更するのではなく、新しいオブジェクトを生成する。
- 生成されるイテラブルオブジェクトは、リストではない。

あるリストの要素の並びを反転したリストが必要であれば、次のように行います。

例 **7-25** 要素の並びを反転したリストの生成

```
>>> x = [11, 22, 33, 44, 55, 66, 77]
>>> y = list(reversed(x))              ⇐ xの要素の並びを反転した新しいリスト
>>> y
[77, 66, 55, 44, 33, 22, 11]
```

`reversed` 関数が生成するイテラブルオブジェクトを `list` 関数に渡して、新しいリストを生成する（リストへと変換する）という2段階の手順をとります。

リストによる成績処理

本章の冒頭では、**List 7-1**（p.164）を例にして、学生の点数を単一の変数の寄せ集めで表すプログラムの限界や、リストの必要性などを学習しました。

リストを使って書きかえましょう。**List 7-7**に示すのが、そのプログラムです。もちろん、人数は5人固定ではなく、キーボードから読み込むように拡張しています。

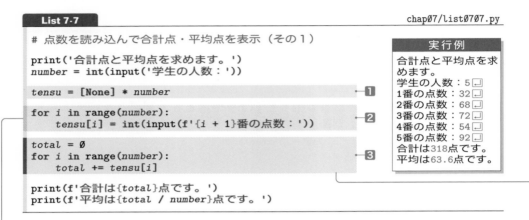

```
List 7-7                                              chap07/list0707.py
# 点数を読み込んで合計点・平均点を表示（その1）

print('合計点と平均点を求めます。')
number = int(input('学生の人数：'))

tensu = [None] * number                              ■1

for i in range(number):
    tensu[i] = int(input(f'{i + 1}番の点数：'))      ■2

total = 0
for i in range(number):                              ■3
    total += tensu[i]

print(f'合計は{total}点です。')
print(f'平均は{total / number}点です。')
```

実行例
```
合計点と平均点を求
めます。
学生の人数：5
1番の点数：32
2番の点数：68
3番の点数：72
4番の点数：54
5番の点数：92
合計は318点です。
平均は63.6点です。
```

まず最初に、学生の人数を変数 *number* に読み込みます。

■1　要素数が *number* で、全要素が **None** のリストを生成します（p.169）。

■2　カウンタ用変数 i の値を 0 から *number* − 1 までインクリメントしながら、*tensu[i]* に点数を読み込みます。

　▶　入力を促す際は、i ではなく i + 1 の値を出力します（たとえば i が 0 のときに「1番の点数：」と表示するためです）。

■3　合計を求めます。まず変数 *total* を 0 にします。その後、カウンタ用変数 i の値を 0 から *number* − 1 までインクリメントしながら、*tensu[i]* の値を *total* に加えます。

人数が可変となって、各学生の点数をインデックス式でアクセスできるようになったため、柔軟性が大幅にアップしました。しかもプログラムが短くなっています。

＊

点数を読み込む■2の **for** 文を **enumerate** 関数を使って書きかえたのが、**List 7-8** です。このプログラムを実行すると、書きかえた■2ではなくて、■3の実行時にエラーが発生します。

```
List 7-8                                              chap07/list0708.py
# 点数を読み込んで合計点・平均点を表示（その2：エラー）

for i, point in enumerate(tensu):
    point = int(input(f'{i + 1}番の点数：'))
```

NG：enumerate 関数で取り出した変数を代入の左辺に置いても、要素の値は更新されない

エラーが発生するのは、i と $point$ に取り出される $(i, point)$ が、リストから取り出されて**新しく作られたペア**だからです。$point$ は $tensu[0]$ や $tensu[1]$ のコピーですから、そこに値を書き込んでも、オリジナルの $tensu[0]$ や $tensu[1]$ は、None のままです。

そのため、続く**3**では、$tensu[0]$ から取り出された None を整数 $total$ に加えようとします。これが、エラーとなる原因です。

▶ この部分がよく理解できなければ、次章のp.212の学習が終了してから、戻ってくるようにします。

＊

一方、合計を求める**3**では、リストの要素の値を読み取るだけで、書き込みません（左辺には置きません）。そのため、この for 文は、**enumerate** 関数を使って実現できます。

List 7-9 に示すのが、そのプログラムです。

7-1

リスト

List 7-9	chap07/list0709.py

```
# 点数を読み込んで合計点・平均点を表示（その3：enumerateで走査して合計を求める）
```
```
total = 0
for i, point in enumerate(tensu):
    total += point                    # iの値は不要
```

> **OK：enumerate 関数で取り出した変数から要素の値を取り出す（代入の右辺に置く）**

ただし、全要素の合計は、インデックスを使わなくても求められますので、**enumerate** 関数ではなく、単なる **in** を使うべきです。

そのように書きかえたプログラムが **List 7-10** です。

List 7-10	chap07/list0710.py

```
# 点数を読み込んで合計点・平均点を表示（その4：inで走査して合計を求める）
```
```
total = 0
for point in tensu:
    total += point
```

コードがすっきりしました。しかし、まだ改良の余地があります。組込みの sum 関数に引数としてリスト（やタプルなど）を与えると、全要素の値の合計が求められます。

そのことを利用すると、プログラムは、**List 7-11** となります。

List 7-11	chap07/list0711.py

```
# 点数を読み込んで合計点・平均点を表示（その5：sum関数を使って合計を求める）
```
```
total = sum(tensu)
```

▶ （リストを含めた各種の）イテラブルオブジェクトを受け取った sum 関数は、その総和を求めます。List 4-3（p.94）では、1からnまでの和を while 文で求める方法を学習しましたが、次の関数呼出し式で求められます（'chap07/sum.py'）。

```
sum(range(1, n + 1))              # 1からnまでの和を求める
```

キーボードからの読込みと要素の追加

前のプログラムは、**学生の人数＝リストの要素数**をキーボードから読み込みますので、点数入力の開始時点で要素数が不明な場合への応用がききません。

キーボードから点数を読み込んでいき、終了が指示されたら（具体的には **'End'** と入力されたら）読込みを終了する（その時点で、人数が確定する）ように、プログラムを書きかえましょう。それが、**List 7-12** のプログラムです。

List 7-12　　　　　　　　　　　　　　　　　　　　　　　chap07/list0712.py

```python
# 人数と点数を読み込んで合計点・平均点を表示

print('合計点と平均点を求めます。')
print('注："End"で入力終了。')

number = 0
tensu = []                    # 空リスト

while True:
    s = input(f'{number + 1}番の点数：')
    if s == 'End':
        break
    tensu.append(int(s))      # 末尾に追加
    number += 1

total = sum(tensu)

print(f'合計は{total}点です。')
print(f'平均は{total / number}点です。')
```

```
実行例
合計点と平均点を求めます。
注："End"で入力終了。
1番の点数：32 ⏎
2番の点数：69 ⏎
3番の点数：73 ⏎
4番の点数：End ⏎
合計は174点です。
平均は58.0点です。
```

まず最初に、リスト *tensu* を空リストとして生成します。

無限ループの **while** 文は、次々と文字列を読み込んでいきます。ただし、*s* に読み込まれた文字列が **'End'** であれば、**break** 文の働きによって、**while** 文を強制終了します。

読み込んだ文字列が **'End'** でない場合は、**int** 関数で *s* から変換された整数値を、リスト *tensu* の末尾に append メソッド（p.176）で追加します。

▶　変数 *number* は 0 で初期化され、整数値を読み込むたびにインクリメントされますので、読み込んだ点数の個数（リスト *tensu* の要素数と一致します）が保持されます。

リストの要素の最大値と最小値

次に、最低点と最高点を求めることを考えます。リストの要素の**最大値**と**最小値**を求める手順をいきなり考えるのは難しいため、まず、変数 *a* と *b* と *c* と … の最大値を求めるコードを検討します。次のように実現できます。

```python
maximum = a                          # 暫定的な最大値はa
if b > maximum: maximum = b          # それよりもbのほうが大きければ暫定的な最大値はb
if c > maximum: maximum = c          # それよりもcのほうが大きければ暫定的な最大値はc
if d > maximum: maximum = d          # それよりもdのほうが大きければ暫定的な最大値はd
# --- 以下同様 --- #
```

まず最初に、変数 `maximum` に `a` の値を入れます。その後、それ以降の変数が `maximum` よりも大きければ、その値を `maximum` に代入する、という手続きを繰り返します。

この手続きにおける、変数 `a`、`b`、`c`、… を、`tensu[0]`、`tensu[1]`、`tensu[2]`、… に置きかえると、次のようになります。

```
maximum = tensu[0]
if tensu[1] > maximum: maximum = tensu[1]
if tensu[2] > maximum: maximum = tensu[2]
if tensu[3] > maximum: maximum = tensu[3]
# --- 以下同様 --- #
```

規則性が見えてきました。要素数が n であれば、`if` 文の実行が必要な回数は $n - 1$ です。そのため、要素数が `number` のリスト `tensu` の最大値は、次のように求められます。

```
maximum = tensu[0]
for i in range(1, number):
    if tensu[i] > maximum: maximum = tensu[i]
```

なお、値比較演算子 `>` を `<` に置きかえれば、最小値が求められます。**List 7-12** のプログラムを、最低点と最高点を求めるように書きかえたのが、**List 7-13** のプログラムです。

List 7-13   chap07/list0713.py

```
# 人数と点数を読み込んで最低点・最高点を表示

print('最低点と最高点を求めます。')

minimum = maximum = tensu[0]
for i in range(1, number):
    if tensu[i] < minimum: minimum = tensu[i]
    if tensu[i] > maximum: maximum = tensu[i]

print(f'最低点は{minimum}点です。')
print(f'最高点は{maximum}点です。')
```

実行例
```
最低点と最高点を求めます。
注："End"で入力終了。
1番の点数：32⏎
2番の点数：69⏎
3番の点数：73⏎
4番の点数：End⏎
最低点は32点です。
最高点は73点です。
```

リストを使いこなすためには、最小値と最大値を求める本プログラムを素早く作れるようになっていなければなりません。

ただし、現実のプログラムでは、組込みの `min` 関数と `max` 関数で求めるのが定石です。**List 7-14** に示すのが、そのプログラムです。

List 7-14   chap07/list0714.py

```
# 人数と点数を読み込んで最低点・最高点を表示（その2：組込み関数を利用）

minimum = min(tensu)
maximum = max(tensu)
```

▢ リストによる行列の実現

　リストの要素がリストであってもよいことは、本章の前半で学習しました。そのことを利用すると、行と列とで構成される《表》が実現できます。

　▶　このような構造は、多くのプログラミング言語で2次元配列と呼ばれます。

　ここでは、2行3列の2次元リストを考えます。次のように生成できます。

```
x = [[1, 2, 3], [4, 5, 6]]        # 2行3列の2次元リスト
```

　生成が容易である一方で、その意味をきちんと理解するのは、少々大変です。

　第5章で学習したように、変数は、オブジェクトと結び付いた（オブジェクトを参照する）名前にすぎません。

　このリストの内部の構造は複雑であり、**Fig.7-17** のようになっています。

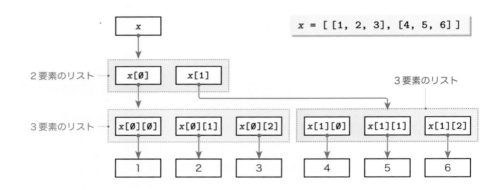

Fig.7-17　2行3列の2次元リストの内部イメージ

　▶　各変数とインデックス式の参照先は、次のとおりです。
- x は、$x[0]$ と $x[1]$ の2要素で構成されるリストへの参照。
- $x[0]$ は、$x[0][0]$ と $x[0][1]$ と $x[0][2]$ の3要素で構成されるリストへの参照。
  - $x[0][0]$ は、単一の int 型オブジェクト 1 への参照
  - $x[0][1]$ は、単一の int 型オブジェクト 2 への参照
  - $x[0][2]$ は、単一の int 型オブジェクト 3 への参照
- $x[1]$ は、$x[1][0]$ と $x[1][1]$ と $x[1][2]$ の3要素で構成されるリストへの参照。
  - $x[1][0]$ は、単一の int 型オブジェクト 4 への参照
  - $x[1][1]$ は、単一の int 型オブジェクト 5 への参照
  - $x[1][2]$ は、単一の int 型オブジェクト 6 への参照

　なお、図中、x、$x[0]$、$x[0][0]$ などで示している箱の具体的な中身は、参照先オブジェクトの ID です。

　図に示すように、リスト x の 2 個の要素は、インデックス式 x[0] と x[1] でアクセスできます。そして、それらが参照するリスト中の要素（の参照先オブジェクト）が、1、2、3 と、4、5、6 です。

　これらは、《要素》ではなく《要素の要素》（の参照先オブジェクト）です。混乱を避けるために、《要素の要素》のことを、便宜上、構成要素と呼ぶことにします。

　構成要素を表す（参照する）インデックス式は、インデックス演算子 [ ] を 2 重に適用した形式です。先頭から順に、インデックス式と、その参照先の値を並べると、次のようになります。

```
x[0][0]      x[0][1]      x[0][2]      x[1][0]      x[1][1]      x[1][2]
1            2            3            4            5            6
```

　二つのインデックスの値と、構成要素の値だけをまとめたのが、**Fig.7-18** です。

　この図は、2 次元リスト x の論理的なイメージを表しています。すなわち、私たちが、「2 行 3 列の表」と聞いたときに、思い浮かべるものです。

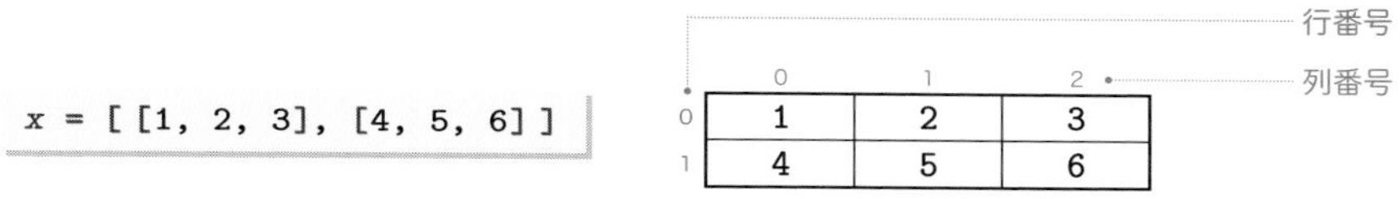

```
x = [[1, 2, 3], [4, 5, 6]]
```

Fig.7-18　2 行 3 列の 2 次元リストの論理的なイメージ

　二つのインデックスは、次の値です。

- 先頭側のインデックス … 行番号（0 と 1）を表す値。
- 後ろ側のインデックス … 列番号（0 と 1 と 2）を表す値。

　▶　ここでは、すべての行の列数が等しいケースを考えました。次のように、各行の列数が異なれば、凸凹な 2 次元リストが得られます。
　　　`x = [[1, 2, 3], [4, 5], [6, 7, 8]]`

　ここまでは、構成要素の値が既知であるときの 2 次元リストの生成法でした。

　リスト生成時に、要素数が既知であるものの、構成要素の値が不明（未定）であれば、次のように生成します（p.169 で学習したリスト生成法の応用です）。

```
# 全要素がNoneの 2 行 3 列のリストの生成
x = [None] * 2
for i in range(2):
    x[i] = [None] * 3
```

☐ 行列の和を求める

　応用例として、行数と列数を読み込んで、二つの行列の和を求めるプログラムを作成します。次ページの **List 7-15** に示すのが、そのプログラムです。

```
List 7-15                                              chap07/list0715.py

# 行列の和を求める（行数／列数／値を読み込む）

print('行列の和を求めます。')
height = int(input('行数：'))
width  = int(input('列数：'))

a = [None] * height                    ■1 行列aを読み込む
for i in range(height):
    a[i] = [None] * width
    for j in range(width):
        a[i][j] = int(input(f'a[{i}][{j}] : '))

b = [None] * height                    ■2 行列bを読み込む
for i in range(height):
    b[i] = [None] * width
    for j in range(width):
        b[i][j] = int(input(f'b[{i}][{j}] : '))

c = [None] * height                    ■3 行列aとbの和をcに代入
for i in range(height):
    c[i] = [None] * width
    for j in range(width):
        c[i][j] = a[i][j] + b[i][j]

for i in range(height):
    for j in range(width):
        print(f'c[{i}][{j}] = {c[i][j]}')
```

```
              実行例
行列の和を求めます。
行数：2␍
列数：3␍
a[0][0] : 1␍
a[0][1] : 2␍
a[0][2] : 3␍
a[1][0] : 4␍
a[1][1] : 5␍
a[1][2] : 6␍
b[0][0] : 6␍
b[0][1] : 3␍
b[0][2] : 4␍
b[1][0] : 5␍
b[1][1] : 1␍
b[1][2] : 2␍
c[0][0] = 7
c[0][1] = 5
c[0][2] = 7
c[1][0] = 9
c[1][1] = 6
c[1][2] = 8
```

　a と b と c は、いずれも $height$ 行 $width$ 列の行列です。実行例での《2行3列の行列》の構成要素の値を示したのが、**Fig.7-19** です。

　■1と■2では、行列 a と b を生成するとともに、構成要素の値を読み込みます。

　■3では、行列 c を生成するとともに、行列 a と b の和を求めます。$a[i][j]$ と $b[i][j]$ を加えた値を $c[i][j]$ に代入する処理、すなわち、二つのインデックスが同じ a の構成要素と b の構成要素の和を、同じインデックスの c の構成要素に代入する処理を繰り返します。

　▶　図に示しているのは、$a[1][0]$ と $b[1][0]$ の和を $c[1][0]$ に代入する様子です。同様な加算を全構成要素に対して行います。

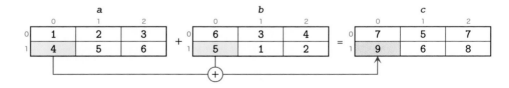

Fig.7-19　2行3列の行列の加算

■ リストのコピー

　= によるリストの代入では、右辺の参照先が左辺にコピーされる（右辺のリストに左辺の名前を結び付けられる）ことを、p.169 の例 **7-3** で学習しました（右ページの **Fig.7-20 a**）。

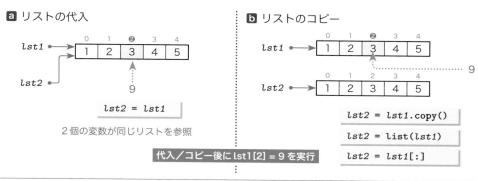

ⓐ リストの代入

```
       0  1  ❷  3  4
lst1 ┌─┬─┬─┬─┬─┐
     │1│2│3│4│5│
lst2 └─┴─┴─┴─┴─┘

            9

    lst2 = lst1

  2個の変数が同じリストを参照
```

ⓑ リストのコピー

```
       0  1  ❷  3  4
lst1 ┌─┬─┬─┬─┬─┐
     │1│2│3│4│5│
     └─┴─┴─┴─┴─┘
                        9
       0  1  2  3  4
lst2 ┌─┬─┬─┬─┬─┐
     │1│2│3│4│5│
     └─┴─┴─┴─┴─┘

    lst2 = lst1.copy()

    lst2 = list(lst1)

    lst2 = lst1[:]
```

代入／コピー後に lst1[2] = 9 を実行

Fig.7-20　リストの代入とコピー

参照の代入ではなく、**リスト自体をコピーする**方法を学習します（図ⓑ）。

▶　三つの方法を学習します（いずれの方法でも、コピー元の要素 lst1[2] の値を書きかえた結果が
コピー先の要素 lst2[2] に及ばないことを確認していきます）。

☐ copy メソッドによるコピー

copy メソッドは、リストのコピーを新しく生成し
て返却します。

リスト lst1 をリスト lst2 にコピーするのは、次
のコードで行います。

```
lst2 = lst1.copy()
```

例 7-26　copyメソッド
```
>>> lst1 = [1, 2, 3, 4, 5]↵
>>> lst2 = lst1.copy()↵
>>> lst1[2] = 9↵
>>> lst1↵
[1, 2, 9, 4, 5]
>>> lst2↵
[1, 2, 3, 4, 5]
```

☐ list 関数によるコピー

p.168 で学習した list 関数は、与えられた引数
を変換して新しいリストとして返却します。

この関数にリストを渡せば、リストの複製が返却
されますので、次のように実現できます。

```
lst2 = list(lst1)
```

例 7-27　list関数
```
>>> lst1 = [1, 2, 3, 4, 5]↵
>>> lst2 = list(lst1)↵
>>> lst1[2] = 9↵
>>> lst1↵
[1, 2, 9, 4, 5]
>>> lst2↵
[1, 2, 3, 4, 5]
```

☐ スライス式を用いたコピー

スライス式 [:] を使うと、全要素を取り出したリ
ストが新しく生成されます。

そのため、次のように実現できます。

```
lst2 = lst1[:]
```

例 7-28　スライス式
```
>>> lst1 = [1, 2, 3, 4, 5]↵
>>> lst2 = lst1[:]↵
>>> lst1[2] = 9↵
>>> lst1↵
[1, 2, 9, 4, 5]
>>> lst2↵
[1, 2, 3, 4, 5]
```

■ シャローコピーとディープコピー ────────────────

前ページで学習したコピーの方法を、**リストを要素としてもつ多次元のリストに適用すると**問題が生じます。確認しましょう。

```
例 7-29  2次元リストのシャローコピー
>>> x = [[1, 2, 3], [4, 5, 6]]↵
>>> y = x.copy()↵                ⇦ xをyにシャローコピー
>>> x[0][1] = 9↵                 ⇦ コピー元のx[0][1]に9を代入
>>> x↵
[[1, 9, 3], [4, 5, 6]]
>>> y↵
[[1, 9, 3], [4, 5, 6]]           ⇦ コピー先のy[0][1]が9になっている
```

コピー後に $x[0][1]$ の値を9に書きかえると、$y[0][1]$ の値までもが9になっています。

このような結果になるのは、シャローコピー／浅いコピー（shallow copy）によってコピーが行われるからです。

右ページの **Fig.7-21 a** に示すように、シャローコピーでは、リスト内の全要素がそっくりコピーされます。このとき、コピーされる全要素は、$x[0]$ と $x[1]$ の2個（のみ）です。

▶ そのため、図に示すように、$x[0]$ の参照先と $y[0]$ の参照先が同一になって、$x[1]$ の参照先と $y[1]$ の参照先が同一になります。

構成要素 $x[0][1]$ と $y[0][1]$ は、同じオブジェクト（への参照）なのです。

*

このような問題を避けるには、構成要素のレベルでのコピーが必要であり、そのようなコピーは、ディープコピー／深いコピー（deep copy）と呼ばれます。

ディープコピーは、copy モジュール内の deepcopy 関数で行います。確認しましょう。

```
例 7-30  2次元リストのディープコピー
>>> import copy↵
>>> x = [[1, 2, 3], [4, 5, 6]]↵
>>> y = copy.deepcopy(x)↵        ⇦ xをyにディープーコピー
>>> x[0][1] = 9↵                 ⇦ コピー元のx[0][1]に9を代入
>>> x↵
[[1, 9, 3], [4, 5, 6]]
>>> y↵
[[1, 2, 3], [4, 5, 6]]           ⇦ コピー先のy[0][1]は2のまま
```

期待どおりの結果です。

図 **b** に示すように、リストの要素に加え、構成要素もコピーされます。そのため、$x[0][1]$ に9を代入する（$x[0][1]$ の参照先を2から9へと更新する）結果として、$y[0][1]$ の値が変更される（$y[0][1]$ の参照先が更新される）ことはありません。

> **重要**　多重のリストのコピーを、要素レベルでなく、構成要素レベルで行うのであれば、ディープコピーを行う copy.deepcopy 関数で複製を生成する。

▶ ここでは、2次元リストで検証しました。**deepcopy** 関数は、3次元以上のリストでも、正しく構成要素をコピーします。

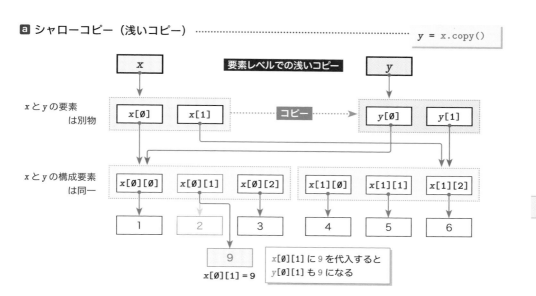

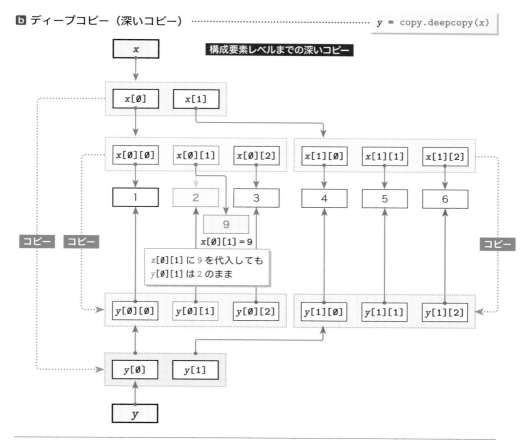

Fig.7-21 リストのシャローコピーとディープコピー

7-2 リスト内包表記

本節では、簡潔なコードで、しかも高速にリストを生成するためのリスト内包表記について、学習します。

リスト内包表記

まずは、リスト [1, 2, 3, 4, 5, 6, 7] の生成を検討します。**Fig.7-22** に示している四つの方法は、ここまでの学習内容で理解できるでしょう。

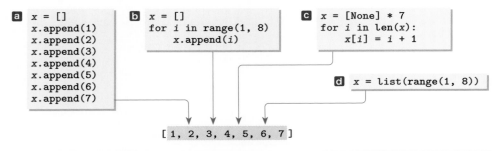

Fig.7-22 1から7までの値をもつリストの生成

いずれも、前節で学習した方法であり、次のように行っています。

a：空リストを生成して、それから **append** メソッドによって要素を1個ずつ追加する。

b：同じことを **for** 文で実現する。

c：全要素が **None** のリストを生成した後で全要素に値を代入する。

d：**range** 関数が返却する数列（イテラブルオブジェクト）をリストに変換する。

これらの方法は、現実のプログラムでは、あまり使われません。

簡潔に記述できて、しかも高パフォーマンスなリスト内包表記（list comprehension）による生成法が使えるからです。

内包表記によるリスト生成は、次の形式で行います。

```
[ 式 for 要素 in イテラブル ]                    # リスト内包表記（形式1）
```

この例であれば、**[n for n in range(1, 8)]** です。確かめましょう。

例 7-31　リスト内包表記によるリストの生成（1～7）
```
>>> x = [n for n in range(1, 8)]↵
>>> x↵
[1, 2, 3, 4, 5, 6, 7]
```

リスト内包表記によるリスト生成の様子を右ページの **Fig.7-23** に示しています。

Fig.7-23　リスト内包表記によるリストの生成

　図 **a** は [1, 2, 3, 4, 5, 6, 7] の生成の様子で、図 **b** は [0, 1, 2, 3, 4, 5, 6] の生成の様子です。

　いずれも、水色の **for** 節の繰返しを実行して、各回の赤色の式（**n** あるいは **n - 1**）の値を順に並べることによって、リストを生成しています。

＊

応用例を考えましょう。

　まずは、1 〜 7 の各値を 2 乗した値を並べたリストの生成です。次のように行います。

例 7-32　リスト内包表記によるリストの生成（1〜7の2乗）
```
>>> x = [n * n for n in range(1, 8)]
>>> x
[1, 4, 9, 16, 25, 36, 49]
```

　次は、'1+'、'2-'、'3+'、'4-'、… と、奇数には '+' を、偶数には '-' を付した文字列のリストの生成です。**f** 文字列を利用すると、次のように実現できます。

例 7-33　リスト内包表記によるリストの生成（1〜7の '奇数+' と '偶数−'）
```
>>> x = [f'{n}{"+" if n % 2 == 1 else "-"}' for n in range(1, 8)]
>>> x
['1+', '2-', '3+', '4-', '5+', '6-', '7+']
```

Column 7-2	**内包表記**

　数学での集合の表記には、外延と内包の2種類があります。たとえば、1, 2, 3, 4, 5, 6, 7 の集合は、次のように表します。

- 外延による表記：{1, 2, 3, 4, 5, 6, 7}
- 内包による表記：{x | x は 8 未満の正の整数 }

　Python の内包表記は、本章で学習したリスト内包表記の他に、次章で学習する、辞書内包表記と集合内包表記があります。

リスト内包表記には、もう少し複雑な形式があります。

[式 for 要素 in イテラブル if 判定式]　　　　　　# リスト内包表記（形式２）

この形式では、**for** 節の繰返しにおける取出しは、**if** 節の判定式が成立した場合にのみ行われます。１〜７の偶数のみを取り出したリストの生成で確認しましょう（**Fig.7-24**）。

例 7-34　リスト内包表記によるリストの生成（1〜7の偶数）

```
>>> x = [n for n in range(1, 8) if n % 2 == 0]⏎
>>> x⏎
[2, 4, 6]
```

期待どおりの結果が得られます。

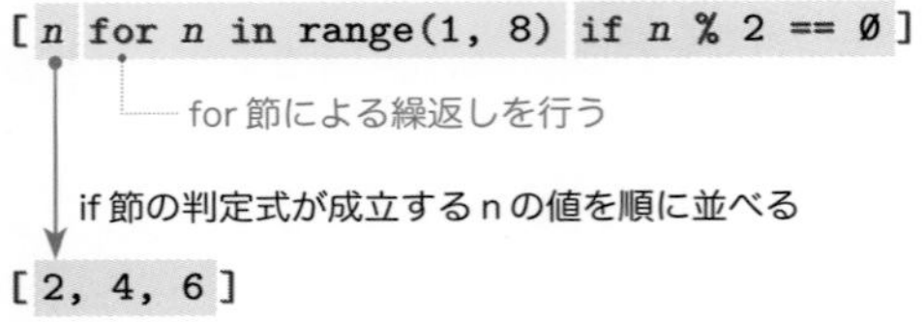

$$[\ n\ \textbf{for}\ n\ \textbf{in range}(1, 8)\ \textbf{if}\ n\ \%\ 2\ ==\ 0\ ]$$

for 節による繰返しを行う

if 節の判定式が成立する n の値を順に並べる

$$[\ 2,\ 4,\ 6\ ]$$

Fig.7-24　リスト内包表記によるリストの生成（if 節付き）

入れ子の内包表記

通常の **for** 文が入れ子にできるのと同様に、内包表記の **for** 節も入れ子にできます。
次に示すのが、一例です。

例 7-35　リスト内包表記によるリストの生成（入れ子のfor節）

```
>>> x = [i * 10 + j for i in range(1, 3) for j in range(1, 4)]⏎
>>> x⏎
[11, 12, 13, 21, 22, 23]
```

ここで行われるリストの生成を示したのが、右ページの **Fig.7-25 a** です。

外側（前側）の **for** 節では変数 i の値を 1 ⇨ 2 とインクリメントして、内側（後ろ側）の **for** 節では変数 j の値を 1 ⇨ 2 ⇨ 3 とインクリメントします。その過程で $i * 10 + j$ の値を列挙してリストを生成します。

この例は、単なる２重ループでした。次は、リストの中にリストが入る２次元リストの生成を行いましょう。次に示すのが一例です。

例 7-36　入れ子のリスト内包表記による２次元リストの生成

```
>>> table = [[i * 10 + j for i in range(1, 3)] for j in range(1, 4)]⏎
>>> table⏎
[[11, 21], [12, 22], [13, 23]]
```

内包表記の中に内包表記が入る、すなわち２重の内包表記の構造です。

▶ 図 **a** は、単一の内包表記の中に２重の **for** 節が入っているだけでした。

コードをよく読めば、内側の **[ ]** を、後ろ側に置かれている **for** *j* **in range(1, 4)** が制御する構造であることが分かります。図**b**が、リストの生成の様子です。

内側（前方）の **[** *i* *** 10 +** *j* **for** *i* **in range(1, 3)]** によるリスト生成を、外側（後方）の **for** 節で変数 *j* の値を 1 ⇨ 2 ⇨ 3 とインクリメントしながら繰り返す構造です。

すなわち、内側の **[** *i* *** 10 +** *j* **for** *i* **in range(1, 3)]** で生成されたリストを要素としてもつリストを外側の **for** 節で生成するため、2 次元リストが生成できるわけです。

Fig.7-25 リスト内包表記によるリストの生成（入れ子）

ここまで分かれば、*n* 行 *n* 列の単位行列（**Fig.7-26**：行番号と列番号が等しい構成要素の値が 1 で、それ以外の要素が 0）も生成できるようになっているはずです。

4 行 4 列の単位行列を生成するのであれば、次のようになります。

	0	1	2	3
0	1	0	0	0
1	0	1	0	0
2	0	0	1	0
3	0	0	0	1

Fig.7-26 単位行列

例 7-37 入れ子のリスト内包表記による単位行列の生成
```
>>> n = 4
>>> im = [[1 if i == j else 0 for i in range(n)] for j in range(n)]
>>> im
[[1, 0, 0, 0], [0, 1, 0, 0], [0, 0, 1, 0], [0, 0, 0, 1]]
```

7–3 フラットシーケンス

　文字列やリストのような、データの並びは、フラットシーケンスとコンテナシーケンスに分類されます。本節では、フラットシーケンスを体験します。

フラットシーケンスとコンテナシーケンス

　前章で学習した文字列と、本章で学習したリストには、類似点と相違点があります。決定的な相違点は、要素が、オブジェクトそのものであるかどうか、ということです。

　要素が並んだシーケンス型（**Table 5-2**：p.122）は、この観点で二つに分類されます。

▪ フラットシーケンス（flat sequence）

　同一型の組込み型要素をそのまま並べた構造です。たとえば、文字列型（`str`型）は、要素は文字であって、**Fig.7-27** **a**に示すように、要素が記憶域上に連続して並びます。

　例 文字列型（`str`型）、バイト列型（`bytes`型）、バイト配列型（`bytearray`型）、`memoryview`型、`array.array`型。

▪ コンテナシーケンス（container sequence）

　オブジェクトへの参照を並べた構造です。

　図**b**に示すリスト型の例では、各オブジェクトへの参照である要素が記憶域上に連続して並んでいます。そのため、要素（の参照先）オブジェクトの型が同一である必要がありません。

　▶ この図では、1、2、3、'abc'、5.7、6という参照先のオブジェクトも並んでいるように見えますが、実際にはバラバラな場所に格納されています。

　例 リスト型（`list`型）、タプル型（`tuple`型）、`collections.deque`型。

＊

　単純な構造のフラットシーケンスは、占有メモリが少なく、高速な処理が期待できます。

　本節では、フラットシーケンスに少しだけ触れてみます。

　▶ 本節のこれ以降は、いったん飛ばしても構いません。ただし、第13章『ファイル処理』では、本項の知識が必要となりますので、その際に戻ってくるようにします。

a 文字列（フラットシーケンス）　　　　　　**b** リスト（コンテナシーケンス）
同一型の要素オブジェクトが並んだ構造　　　　オブジェクトへの参照が要素として並んだ構造

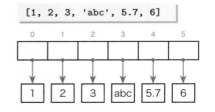

Fig.7-27　フラットシーケンスとコンテナシーケンス

配列型 （array 型）

array モジュールで提供される配列 array は、全要素が同一型の数値で構成される、ミュータブルなフラットシーケンスです。要素の型は、**Table 7-1** に示す型コードで指定します。

Table 7-1　配列 array の型コード

型コード	C言語の型	Python の型	最小バイト数
'b'	signed char	int	1
'B'	unsigned char	int	1
'u'	Py_UNICODE	Unicode 文字（unicode 型）	2
'h'	signed short	int	2
'H'	unsigned short	int	2
'i'	signed int	int	2
'I'	unsigned int	int	2
'l'	signed long	int	4
'L'	unsigned long	int	4
'q'	signed long long	int	8
'Q'	unsigned long long	int	8
'f'	float	浮動小数点数	4
'd'	double	浮動小数点数	8

これらの要素型は、C言語（を含めた多くのプログラミング言語）のデータと互換性をもつ型です。整数型を修飾する **signed** は "符号付き" で、**unsigned** は "符号無し" です。

たとえば、占有バイト数が2バイトの場合、各型で表現できる値は、次のようになります。

- 符号付き整数（**signed int**）　：-32,768 ～ 32,767
- 符号無し整数（**unsigned int**）：　　　0 ～ 65,535

このように、表現範囲が有限となってしまいますが、占有記憶域が少なくてすむ、高速に演算が行える、他の言語との互換性が保てる、などのメリットがあります。

要素オブジェクトの型に制限が加わることを除けば、配列型は、リスト型と（おおむね）同じように扱えます。要素の型が **signed int** である配列で確かめましょう。

例 7-38　配列arrayの利用例

```
>>> import array⏎
>>> ary = array.array('i', [1, 3, -5, 7])⏎        ⇐ 符号付き整数型
>>> ary⏎
array('i', [1, 3, -5, 7])
>>> len(ary)⏎
4
>>> ary.index(3)⏎
1
```

▶ 技術計算のプログラムを作るのであれば、ここで紹介した **array** ではなく、NumPy というライブラリがお薦めです。

■ バイト列型（bytes 型）

いわゆる（人間が読み書きできる）"文字" として解釈できるのがテキストデータですが、そうではないデータは、通常、バイナリデータと呼ばれます。

そのバイナリデータを 8 ビットずつに区切って表すのが、バイト列（bytes）です。バイト列オブジェクトの型は bytes 型であって、各要素が 1 バイト（10 進数で 0 〜 255）のイミュータブルなフラットシーケンスです。

■ バイト列リテラル

文字列がリテラルとして表記できるのと同様に、バイト列もリテラルとして表記できます。

バイト列リテラル（bytes literal）は、文字の並びを単一引用符 ' あるいは二重引用符 " で囲んだものの前に、文字 b あるいは B を前置きして表記します。次に示すのが、一例です。

```
b'ABC'      # バイト列リテラル
b"XYZ"      # バイト列リテラル
```

各要素が 1 バイトですから、利用できる文字は、ASCII を含む 0 〜 255 の文字コードをもつ文字に限られます（**Column 7-3**：右ページ）。当然、日本語文字などは使えません。

> ▶ 文字列リテラルと同様に、''' や """ で囲んで記述することもできます。なお、前置きを b ではなく br とすれば、原バイト列（raw bytes）となります。その場合、エスケープシーケンスが綴りどおりに解釈されます（原文字列リテラル（p.15）と同様です）。

■ バイト列の操作

文字列用のメソッドと類似した各種のメソッドが、バイト列用に提供されます。たとえば、

```
x = b'ABC'
y = x.replace(b'B', b'X')    # xに含まれる'B'を'X'に置換したバイト列を生成
```

のコードの実行によって、y には b'AXC' が代入されます。

なお、インデックスやスライス式が適用できることなども、文字列と同様です。

■ バイト列と文字列の相互変換

バイト列を明示的に生成する際に使うのが、bytes 関数です。

```
bytes([source[, encoding[, errors]]])                        バイト列を生成
```

オブジェクト source をもとにバイト列を生成します。source を省略した場合に生成されるのは、空のバイト列です。なお、省略可能な引数 encoding にはエンコーディングを指定します（省略した場合は、'utf-8' とみなされます）。省略可能な errors には、変換不能な文字が含まれる際の挙動を指定します。

たとえば、同じ文字列 '漢字' でも、その内部表現（記憶域上の値）は、エンコーディングによって異なります。

> ▶ エンコーディングや 'utf-8' については、**Column 13-1**（p.361）で学習します。

次に示すのは、文字列 **'漢字'** をバイト列に変換する（文字列をもとにバイト列を生成する）例です。

```
x = bytes('漢字', 'utf-8')    # 文字列からバイト列を生成
```

変換されたバイト列の中身を確認しましょう（各バイトが 16 進エスケープで表示されます）。

例 7-39　文字列からバイト列への変換
```
>>> x = bytes('漢字', 'utf-8') ⏎
>>> x ⏎
b'\xe6\xbc\xa2\xe5\xad\x97'
```

逆の変換、すなわち、バイト列から文字列への変換には、decode メソッドを利用します。以下に示すのが、逆の変換（バイト列をもとにした文字列の生成）の例です。

```
y = x.decode('utf-8')           # バイト列から文字列を生成
```

これで、y は文字列 **'漢字'** を参照することになります。

☐ バイト配列型（bytearray 型）

バイト列のミュータブル版ともいえるのが、bytearray 型のバイト配列です。ミュータブルであることを除くと、バイト列と同じように扱えます。

Column 7-3　｜　**文字コードと ASCII**

私たち人間は、文字を見た目や発音などで識別しますが、コンピュータでの識別は、個々の文字に与えられた文字コードで行われます。

文字へのコードの付与方法には、いろいろな種類があります。

各種の文字コードの中でも、最も基本となるのが、米国で 1963 年に定められた、ASCII（アスキー）（American Standard Code for Information Interchange）です。

Table 7C-1 に示すのが、そのコード表です。空欄は、該当する文字がないコードの箇所です。また、表中の縦横の Ø ～ F は、16 進数表記での各桁の値です。

たとえば：

- 文字 **'R'** のコードは 16 進数の **52**
- 文字 **'g'** のコードは 16 進数の **67**

すなわち、この表の文字コードは、2 桁の 16 進数で **ØØ** ～ **7F** です（1Ø 進数では Ø ～ **127** です）。

数字文字 **'1'** の文字コードは、16 進数の **31** すなわち 1Ø 進数の **49** であって、1 ではありません。

数字文字と数値とを混同しないようにしましょう。

文字数の少ない ASCII では、日本語文字などが表現できません。そこで使うのが、UTF–8 などの文字コードです（**Column 13-1**：p.361）。

**Table 7C-1
ASCII コード表**

	Ø	1	2	3	4	5	6	7
Ø				Ø	@	P	`	p
1			!	1	A	Q	a	q
2			"	2	B	R	b	r
3			#	3	C	S	c	s
4			$	4	D	T	d	t
5			%	5	E	U	e	u
6			&	6	F	V	f	v
7	\a		'	7	G	W	g	x
8	\b		(	8	H	X	h	x
9	\t		)	9	I	Y	i	y
A	\n		*	:	J	Z	j	z
B	\v		+	;	K	[	k	{
C	\f		,	<	L	¥	l	|
D	\r		−	=	M	]	m	}
E			.	>	N	^	n	^
F			/	?	O	_	o	

まとめ

- オブジェクトへの参照を要素として並べたものが**コンテナシーケンス**であり、**リスト**や**タプル**などの型がある。

- リストは、オブジェクトを参照する要素が一直線に並んだ構造の、**ミュータブル**な list 型のイテラブルオブジェクトである。

- **要素が1個もない空リストは偽**とみなされ、そうでないリストは真とみなされる。

- リストの生成は、リスト表記演算子 [] や list 関数の呼出しなどで行う。

- リスト内の個々の要素は、インデックス演算子 [] を用いたインデックス式でアクセスできる。

- スライス演算子 [:] を用いたスライス式を使えば、リストの部分を、連続あるいは一定周期で新しいリストとして取り出せる。

- リストの要素数（長さ）は、len 関数で取得できる。

- リストの要素の値の大小関係や等価性の判定は、値比較演算子によって行える。

- 要素数が **n** で値が未定のリストは、**[None] * n** で生成しておき、個々の要素の値を後で設定する（要素の参照先を決定する）とよい。

- リストからの探索は、帰属性判定演算子（in 演算子および not in 演算子）、index メソッド、count メソッドなどで行える。

- リストへの単一要素の追加は append メソッド、リストの追加は += 演算子と extend メソッド、繰返しは * 演算子で行える。

- リストに対する**累算代入**はインプレースに行われる。

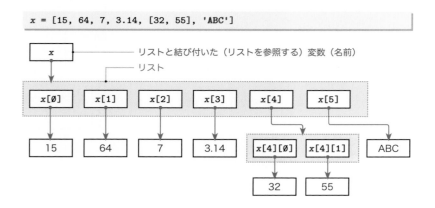

```
x = [15, 64, 7, 3.14, [32, 55], 'ABC']
```

● リストへの要素の挿入は insert メソッドで、要素の削除は remove メソッドと pop メソッドで行える。全要素の削除は clear メソッドで行える。

● リストの要素の並びのインプレースな反転は、reverse メソッドで行える。

● ２次元配列は、全要素がリストであるリストとして実現できる。

● リストのシャローコピーは、copy メソッド、list 関数、スライス式 [:] などで行える。

● 多重のリストを、構成要素（の参照先）までコピーするのであれば、copy.deepcopy 関数を使ってディープコピーを行う。

● 繰返し（と条件判定の組合せ）によるリストの生成は、リスト内包表記によって簡潔かつ効率よく行える。リスト内包表記は、入れ子にできる。

● オブジェクトへの参照ではなく、オブジェクトそのものを要素として並べたものがフラットシーケンスであり、文字列型（str 型）、配列型（array.array 型）、バイト列型（bytes 型）、バイト配列型（bytearray 型）などがある。

● バイト列リテラルは、b'…' 形式で表記する。

```
# 第7章 まとめ                                                chap07/gist.py

import random

MAX = 10
print(f'0～{MAX}の乱数を生成します。')
number = int(input('生成する個数：'))

# 要素数がnumberで全要素がNoneのリストを生成
v = [None] * number

# 全要素に0～MAXの乱数を代入
for i in range(number):
    v[i] = random.randint(0, MAX)

# リストとして表示
print(v)

# '*'による縦向き棒グラフとして表示
for i in range(MAX, 0, -1):
    for j in range(0, number):
        if v[j] >= i:
            print('*', end='')
        else:
            print(' ', end='')
    print()

print('-' * number)
for i in range(number):
    print(i % 10, end='')
```

実行例
```
0～10の乱数を生成します。
生成する個数：13
[3, 2, 9, 4, 0, 0, 8, 9, 10, 7, 6, 9, 10]
        *       *
    *      **  **
    *     *** **
    *     **** **
    *     *******
    *     *******
    **    *******
* ** *******
**** *******
**** *******
-------------
0123456789012
```

| Column 7-4 | リストの文字列化と表示 |

　リストを print 関数に引数として与えて呼び出すと、全要素がコンマ , （とスペース）で区切られたものが [ ] で囲まれて表示されます（p.170）。

　たとえば、リスト x が [1, 2, 3] であれば、print(x) の呼出しによって、次のように表示されます。

```
[1, 2, 3]            # print(x)
```

　このとき、リスト x が文字列 '[1, 2, 3]' へと変換されて、その文字列が画面に表示されます（すなわち、"文字列化" と "文字列の画面への出力" の二つの処理が行われます）。

　さて、区切りのコンマ , や囲みの [ ] を出力したくないこともあります。その場合は、print 関数に与える引数を *x として、print(*x) と呼び出しましょう。

```
1 2 3                # print(*x)
```

　各要素が1個のスペースで区切られて出力されます。
※ この結果が得られる理由は、第9章（p.275）で学習します。

　表示（あるいは文字列化）を、もっと柔軟に行う方法を考えていきましょう。第6章（p.148）で学習した文字列を連結する join メソッドと、本章で学習した内包表記を組み合わせます。

　全要素を順に取り出して、それぞれを文字列化したものを、スペース ' ' を区切り文字として連結を行うことで、先ほどと同じ結果が得られます。

```
print(' '.join(str(i) for i in x))        # 1 2 3
```

※ 3個の文字列 '1' と '2' と '3' が、スペース ' ' を区切り文字として連結され、文字列 '1 2 3' が生成されます（生成された文字列が表示されます）。

　要素間の区切りの変更も柔軟に行えます。

```
print(' '.join(str(i) for i in x))        # 1 2 3
print(', '.join(str(i) for i in x))       # 1, 2, 3
print('\n'.join(str(i) for i in x))       # 1行に1個ずつ表示
```

　次は、全要素の幅を均等にします。f 文字列で桁数を指定することで実現できます。

```
x = [123, 4,  9999]
y = [32, 1357, 12, 77777]
print(''.join([f'{i:6}' for i in x]))     #    123      4   9999
print(''.join([f'{i:6}' for i in y]))     #     32   1357     12  77777
```

　二つのリスト x と y の全要素が6桁の幅で出力されます（空文字列 '' を区切り文字として連結しているため、6文字の文字列が、すき間なく連結されます）。

　この方法を応用して、2次元のリストを、全構成要素を均等幅にした上で "行×列" の表形式で出力しましょう。次のコードで実現します。

```
a = [[11, 22, 3333], [4444, 55555], [666, 7777, 88]]
print('\n'.join([''.join([f'{a[i][j]:8}'     #       11      22    3333
                for j in range(len(a[i]))])   #     4444   55555
                for i in range(len(a))]))     #      666    7777      88
```

　全構成要素が8桁の幅で出力されます。
　列内の構成要素は、空文字列 '' を区切り文字としてすき間なく連結されます。ただし、行間を連結する際の区切り文字を改行文字 '\n' としていますので、行ごとに改行されます。
※ 各行の列数を len(a[i]) で取得しているのは、行によって列数が異なる可能性があるからです。

第8章

タプルと辞書と集合

前章で学習したリストに引き続き、本章では、データの集まりである、タプル、辞書、集合を学習します。

- タプル（組）と tuple 型
- 式結合演算子 ( )
- tuple 関数
- パックとアンパック
- enumerate 関数による走査とタプル
- タプルのリスト
- zip 関数による結合
- 辞書と dict 型
- 辞書のキーと値
- 辞書表記演算子 { }
- dict 関数
- シーケンス型とマッピング型
- get メソッド／ setdefault メソッド／ update メソッド
- 辞書とビュー
- 辞書内包表記
- 集合と set 型
- 集合表記演算子 { }
- set 関数
- 集合内包表記

8–1 タプル

本章で学習するタプル、辞書、集合は、いずれも、リストと同様にオブジェクトの集まりです。
まずは、タプルから学習していきます。

タプルとは

タプル（tuple）は、要素を順序付けて組み合わせたものであって、組とも呼ばれます。そ
のタプルオブジェクトの型は、tuple 型です。

> ▶ tuple は、タプルともチューブルとも発音されますが、本書ではタプルを採用します。なお、要素
> が2個のタプルは、対とも呼ばれます。

タプルは、要素の個数や型が自由です。すなわち、要素数は 0 個、1 個、2 個、… のいず
れでも構いませんが、要素の順序には意味があります。また、要素の型は揃っている必要がな
く、自由な組合せが可能です。

＊

ここまでだと、リストと同じように感じられますが、イミュータブル（変更不能）であることが、
リストとは異なります。

また、リストの [ ] とは異なり、タプルでは ( ) を使います。たとえば、

```
(2012, '福岡太郎')          # タプル：生年（int型）と氏名（str型）の組合せ
```

がタプルの一例です。

タプルは、《複数個のデータを（単純に）並べたもの》ではなくて、**Fig.8-1** に示すように、
《単一データとして扱えるように、複数個のデータを並べて組み合わせたもの》というイメー
ジです。

> ▶ これは、簡略化した図です。リストと同様に、各要素の値は、オブジェクトへの参照です。

Python では、タプルは明示的にも暗黙裏にも大活躍しています。

たとえば、複数の変数に対して一括代入を行えることを第 1 章で学習しましたが、内部では
タプルが使われています。

また、第 6 章や第 7 章で学習した、**enumerate** 関数による文字列の走査や、リストの走査でも、
タプルが活躍しています。

Fig.8-1 タプルのイメージ

タプルは、イミュータブルであることから、次に示す特徴があります。

- リストよりも省スペースであって高いパフォーマンスが期待できる。
- 要素の値を誤って変更することを回避できる。
- 《辞書》のキーとして利用できる（次節で学習します）。

前章でリストについて詳しく学習しましたので、共通点と相違点とを、しっかりと押さえれば、学習がスムーズに進みます。リストとタプルを比較した表が、**Table 8-1** です。

Table 8-1　リストとタプルの比較

性質／機能	リスト	タプル	
ミュータブル（変更可能）	○	×	イミュータブル（変更不能）
辞書のキーとして利用できる	×	○	
イテラブルである	○	○	
帰属性判定演算子（in 演算子／not in 演算子）	○	○	
加算演算子 + による連結	○	○	
乗算演算子 * による繰返し	○	○	
累算演算子 += による連結代入	○	△	インプレースに行われない
累算演算子 *= による繰返し代入	○	△	インプレースに行われない
インデックス式	○	△	左辺に置けない
スライス式	○	△	左辺に置けない
len 関数による要素数取得	○	○	
min 関数／ max 関数による最小値／最大値	○	○	
sum 関数による合計値	○	○	
index メソッドによる探索	○	○	
count メソッドによる出現回数	○	○	
del 文による要素の削除	○	×	
append メソッドによる要素の追加	○	×	
clear メソッドによる全要素の削除	○	×	
copy メソッドによるコピー	○	×	
extend メソッドによる拡張	○	×	
insert メソッドによる要素の挿入	○	×	
pop メソッドによる要素の取出し	○	×	
remove メソッドによる指定値の削除	○	×	
reverse メソッドによるインプレースな反転	○	×	
内包表記による生成	○	×	

リストは、同一あるいは類似した性格の要素を並べる用途で使われることが多いのに対し、タプルは、異なった性格の要素を組み合わせる用途で使われることが多いようです。

▶ あくまでも、そのような傾向がある、というだけであって、必ずしも、そうなっているわけではありません。適材適所で使い分けます。

タプルの生成

タプルの生成法は、リストと似ているものの、細かい点で、いろいろと異なります。共通点と相違点をしっかりと押さえていきましょう。

( ) によるタプルの生成

要素を並べてコンマ , で区切ったものを式結合演算子 ( ) で囲んだ式で生成します。リストと同様、末尾要素の後ろにもコンマ , を置けます。**あいまいさが発生しない文脈であれば、( ) が省略できる点がリストとの大きな違いです。**

なお、中が空の () は、空タプルを生成します。

一例を示します。

```
tuple01 = ()                 # ()                            空タプル
tuple02 = 1,                 # (1,)                          1
tuple03 = (1,)               # (1,)
tuple04 = 1, 2, 3            # (1, 2, 3)
tuple05 = 1, 2, 3,           # (1, 2, 3)                     1  2  3
tuple06 = (1, 2, 3)          # (1, 2, 3)
tuple07 = (1, 2, 3, )        # (1, 2, 3)
tuple08 = 'A', 'B', 'C',     # ('A', 'B', 'C')               A  B  C
```

▶ 右側のコメントは、生成されるタプルの内容です。*tuple01* から *tuple16* までのタプルを生成して表示するプログラムは、`'chap08/tuple_construct.py'` です。

tuple02 や *tuple03* のように、要素が1個のみであれば、末尾のコンマ , が必須です。というのも、コンマ , がないと "単一の値" とみなされるからです。

```
# 次の二つは単一値の変数であってタプルではない
v01 = 1            # 1      ※単一のint型であってタプルではない
v02 = (1)          # 1      ※単一のint型であってタプルではない
```

たとえば、加算を行う式を ( ) で囲んだ (5 + 2) が単一の整数値 7 になるのと同じ理屈で、単なる (7) は単一の整数値 7 になります。

tuple 関数によるリストの生成

組込みの tuple 関数は、文字列やリストなど、さまざまな型のオブジェクトをもとに、タプルを生成する関数です。

なお、実引数を与えずに呼び出す **tuple()** は、空タプルを返却します。

```
tuple09 = tuple()            # ()                       空タプル
tuple10 = tuple('ABC')       # ('A', 'B', 'C')  文字列の個々の文字から生成
tuple11 = tuple([1, 2, 3])   # (1, 2, 3)        リストから生成
tuple12 = tuple({1, 2, 3})   # (1, 2, 3)        集合から生成
```

▶ リストを生成する **list** 関数と、タプルを生成する **tuple** 関数には、大きな違いがあります。詳細は **Column 8-1** (p.209) で学習します。

特定範囲の数値を要素としてもつタプルは、`range` 関数が生成する数列（イテラブルオブジェクト）を `tuple` 関数で変換することで容易に生成できます。

```
tuple13 = tuple(range(7))          # (0, 1, 2, 3, 4, 5, 6)
tuple14 = tuple(range(3, 8))       # (3, 4, 5, 6, 7)
tuple15 = tuple(range(3, 13, 2))   # (3, 5, 7, 9, 11)
```

▪ divmod 関数によるタプルの生成

組込み関数である `divmod` 関数は、第1引数を第2引数で割った**商**と**剰余**のタプルを生成して返却します（**Table 5-3**：p.124）。

```
tuple16 = divmod(13, 3)            # (4, 1)   4あまり1
```

▶ 前章で学習したアンパックを利用すると、商と剰余を個別の変数に取り出せます。
```
div, mod = divmod(13, 3)    # divに4が代入されてmodに1が代入される
```

☐ リストとの共通点

リストとタプルは、《順序をもった要素の集まり》ですから、多くの共通点があります。

☐ 要素がない空タプルは偽である

要素が1個もない**空タプル**は**偽**です（空リストが偽と扱われるのと同じです）。

☐ 帰属性判定演算子 in ／ not in、加算演算子 +、乗算演算子 * が適用できる

帰属性判定演算子 `in` と `not in`、加算演算子 `+`、乗算演算子 `*` は、リストと同様に適用可能です。

☐ 組込み関数 len ／ max ／ min ／ sum で要素数／最大値／最小値／合計を求められる

組込みの `len` 関数、`max` 関数、`min` 関数、`sum` 関数が利用可能です。というのも、これらの演算子や関数は、引数として与えられたタプルを変更しないからです。

☐ メソッド count ／ index での探索を行える

メソッド `count` と `index` も、タプル用のものが提供されています。

☐ 多彩な方法で全要素を走査できる

リストの全要素の（複数種類の）走査法が、そのままタプルでも利用できることを、前章の p.181 で学習しました。この後でも詳しく学習します。

リストとの相違点

リストとタプルの主な違いは、前者がミュータブル（変更可能）であって、後者がイミュータブル（変更不能）であることに由来します。

インデックス式とスライス式

文字列とリストを対象に学習したインデックス式とスライス式は、タプルでも同様に利用できます。基本的な指定方法は、文字列やリストと同じです。

ただし、**タプルはイミュータブルですから、インデックス式やスライス式を代入の左辺に置くことはできません。**この点は、文字列との共通点で、リストとの相違点です。

例 8-1　インデックス式の挙動の違い（リストvsタプル）

<table>
<tr><td>

リストには代入できる

```
>>> lst = [1, 2, 3, 4, 5]⏎
>>> lst[2] = 99⏎
>>> lst⏎
[1, 2, 99, 4, 5]
```

</td><td>

タプルには代入できない

```
>>> tpl = (1, 2, 3, 4, 5)⏎
>>> tpl[2] = 99⏎
Traceback (most recent call last):
  File "<stdin>", line 1, in <module>
TypeError: 'tuple' object does not
  support item assignment
```

</td></tr>
</table>

累算代入演算子 += と *= の挙動

タプルはイミュータブルですから、累算代入 **+=** と ***=** は適用できないように感じられますが、適用可能です。

ただし、リストとは内部の挙動がまったく異なります。確認しましょう。

例 8-2　累算代入による連結の挙動の違い（リストvsタプル）

<table>
<tr><td>

```
>>> lst = [1, 2, 3]⏎
>>> id(lst)
2529583325768
>>> lst += [4, 5]⏎
>>> lst⏎
[1, 2, 3, 4, 5]
>>> id(lst)
2529583325768     ⇐ 識別番号が変わっていない
```

</td><td>

```
>>> tpl = (1, 2, 3)⏎
>>> id(tpl)
2635437335112
>>> tpl += (4, 5)⏎
>>> tpl⏎
(1, 2, 3, 4, 5)
>>> id(tpl)
2635437335164     ⇐ 識別番号が変わっている
```

</td></tr>
</table>

累算代入がインプレースに行われるリストでは識別番号が変わっていません（**Fig.8-2**）。

一方、インプレース演算が行われないタプルでは識別番号が変わります。累算代入によって、新しいタプルが生成されることが分かります。

リスト lst 自体がインプレースに更新される

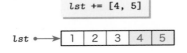

タプル tpl は新しく生成されたタプルを参照する

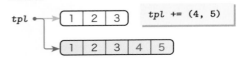

Fig.8-2　リストとタプルにおける累算代入による連結の挙動の違い

■ 要素の追加と削除

タプルは、イミュータブルですから、要素の追加や削除などが行えません。そのため、Table 8-1 (p.205) に示すように、insert や append などの各種のメソッドは、タプル用のものは提供されません。当然、内包表記による生成も行えません。

■ ソート

タプルはイミュータブルですからソートすることは不可能です。ソートの必要がある場合は、次のように2段階で行います。

① sorted 関数でソートしたものをリストとして生成する。
② 生成されたリストをタプルに変換する。

確認しましょう。

> **例 8-3 タプルのソート**
> ```
> >>> x = (1, 3, 2)⏎          ⇦ タプル
> >>> x = tuple(sorted(x))⏎   ⇦ ソートずみのリストをタプルに変換
> >>> x⏎
> (1, 2, 3)
> ```

▶ sorted 関数は、任意のイテラブルオブジェクトを受け取れますが、返却するのはリストです。

Column 8-1	**list 関数と tuple 関数の相違点**

リストを生成する list 関数と、タプルを生成する tuple 関数には、決定的な違いがあります。それは、同一型の引数を受け取ったときの挙動です。

▪ **リストを受け取った list 関数は、同じ要素をもつリストを新しく生成して返却する。**

例として、次のコードを考えましょう。

```
lst1 = [1, 2, 3, 4, 5]
lst2 = list(lst1)
```

このようにリストを生成した場合、変数 lst1 と lst2 は、別々の実体を参照します。

リストはミュータブルであって要素の更新が可能です。二つのリストが別の実体をもっているため、たとえば lst1[3] に値（たとえば 9）を代入することによって lst2[3] がその値 9 に誤って更新される、といったことが避けられます。

▪ **タプルを受け取った tuple 関数は、そのタプルをそのまま返却する。**

例として、次のコードを考えましょう。

```
tpl1 = (1, 2, 3, 4, 5)
tpl2 = tuple(tpl1)
```

このようにタプルを生成した場合、変数 tpl1 と tpl2 は、同じ実体を参照します。

すなわち、同一の実体を "使い回す" ようになっています（タプルはイミュータブルであって、要素を更新できません。そのため、使い回しによって問題が生じることがないからです）。

■ パックとアンパック

次のように生成するタプルを考えましょう。

```
tuple4 = 1, 2, 3, 4          # (1, 2, 3, 4)
```

4個の `int` 型の1と2と3と4から、タプル (1, 2, 3, 4) が生成されます。

複数の値を組み合わせて1個のタプルを作ることから、このような処理は、パック（pack）と呼ばれます（**Fig.8-3**）。

これとは逆に、1個のタプルから、その中に入っている複数の値を取り出すのが、アンパック（unpack）です。

`tuple4` からのアンパックは、次のように行います。

Fig.8-3　パックとアンパック

```
a, b, c, d = tuple4          # a, b, c, dに1, 2, 3, 4を取り出す
```

`tuple4` の要素数が4ですから、左辺には4個の変数が必要です。

もし特定の値（たとえば1番目と3番目）が必要であれば、それ以外の変数名を _ にします。

```
a, _, c, _ = tuple4          # a, cに1, 3を取り出す
```

▶ 変数 _ は、いったん2が代入されて、さらに4が代入されるため、値は4となります（変数名を _ とすることによって、"取り出した値を使わない" ことを表明します）。

なお、アンパックは、代入元の `tuple4` がタプルでなくリストであっても、正しく行われます。

＊

パックとアンパックは、必要に応じて暗黙裏に行われます。 そのことは、第1章から利用し続けてきました。たとえば、第1章のp.19で学習した、次の一括代入を考えましょう。

```
x, y, z = 1, 2, 3            # xに1、yに2、zに3を代入
```

この代入では、次のことが行われます（右ページの **Fig.8-4 a**）。

- 右辺の 1, 2, 3 をパックした、タプル (1, 2, 3) が生成される。
- タプル (1, 2, 3) をアンパックした1、2、3が、左辺の `x`、`y`、`z` に代入される。

右辺の式がタプルにパックされて、代入時にアンパックされるわけです。

第3章で学習した2値の交換（p.70）でもタプルが使われています（図 **b**）。

```
a, b = b, a                  # aとbの値を交換
```

式 `b` と `a` を順番に評価し、その評価で得られた値をもつタプルが作られます。作られたタプルからアンパックされて、順番に `a` と `b` に取り出されて代入される、という仕組みです。

ⓐ 複数変数への一括代入

```
x, y, z = 1, 2, 3
```

ⓑ 2値の交換

```
a, b = b, a
```

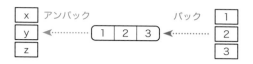

Fig.8-4　代入時に暗黙に行われるパックとアンパック

☐ アンパックにおけるリスト化

アンパック先の変数は、単一の変数ではなく、《リスト》にすることもできます。引き続き、先ほどのタプル *tuple4* を例に考えます。

```
tuple4 = 1, 2, 3, 4          # (1, 2, 3, 4)
```

たとえば、先頭側の2個を単一値として取り出し、残りをリストとして取り出すのであれば、次のようにします（**Fig.8-5**）。

```
# aに1、bに2、cに[3, 4]を代入
a, b, *c = tuple4
```

リストとして取り出す変数名の前に * を置きます。
なお、* を適用できるのは高々1個です。

Fig.8-5　リストへのアンパック

また、リストとして取り出す要素がなければ、そのリストは空リストとなります。例を示します。

```
a, *b, c = tuple4          # aに1、bに[2, 3]、cに4を代入
*a, b, c = tuple4          # aに[1, 2]、bに3、cに4を代入
a, b, c, d, *e = tuple4    # aに1、bに2、cに3、dに4、eに[]を代入
a, b, c, *d, e = tuple4    # aに1、bに2、cに3、dに[]、eに4を代入
```

3番目の代入では e が空リストとなり、4番目の代入では d が空リストとなっています。

☐ 入れ子になったタプルからのアンパック

タプルが入れ子になっている場合、中に入っているタプルは、単一の《タプル》として取り出されます。

```
tuple5 = (1, 2, (3, 4))
a, b, c = tuple5          # aに1、bに2、cに(3, 4)を代入
```

なお、入れ子になったリストからのアンパックも同様です。中に入っているリストは、単一の《リスト》として取り出されます。

```
list5 = [1, 2, [3, 4]]
a, b, c = list5          # aに1、bに2、cに[3, 4]を代入
```

enumerate 関数による走査

　第 6 章では、文字列の走査を学習し、第 7 章では、リストの走査を学習しました。ここでは、**List 6-8**（p.142）と **List 7-4**（p.180）を再考します。

　▶　前章 p.180 の **List 7-3** ～ **List 7-6** のすべてのプログラムが、タプルの走査に応用できることを、
　　　p.181 で学習ずみです。

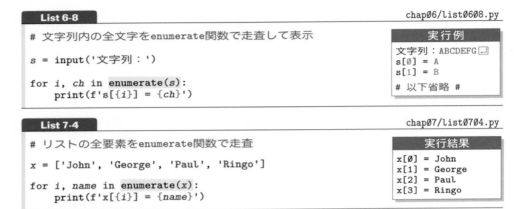

List 6-8　　　　　　　　　　　　　　　　　　　　　　　　chap06/list0608.py

```
# 文字列内の全文字をenumerate関数で走査して表示

s = input('文字列：')

for i, ch in enumerate(s):
    print(f's[{i}] = {ch}')
```

実行例
```
文字列：ABCDEFG⏎
s[0] = A
s[1] = B
# 以下省略 #
```

List 7-4　　　　　　　　　　　　　　　　　　　　　　　　chap07/list0704.py

```
# リストの全要素をenumerate関数で走査

x = ['John', 'George', 'Paul', 'Ringo']

for i, name in enumerate(x):
    print(f'x[{i}] = {name}')
```

実行結果
```
x[0] = John
x[1] = George
x[2] = Paul
x[3] = Ringo
```

　Fig.8-6 に示すように、**enumerate** 関数を使うと、文字列やリストなどのイテラブルオブジェクトから、**インデックス**と**要素**の《ペア》を**パック**したタプルが取り出せます。
　取り出されたタプルは、暗黙裏に**アンパック**されて、二つの変数に代入されます。

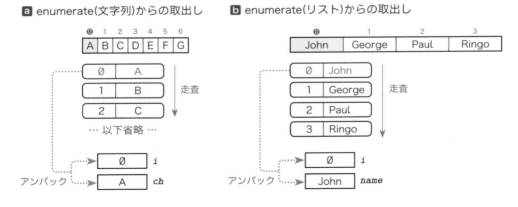

ⓐ enumerate(文字列)からの取出し　　　　**ⓑ** enumerate(リスト)からの取出し

Fig.8-6　enumerate 関数による走査とタプルのアンパック

　▶　この図では、for 文の繰返しの "初回" の取出しを示しています。
　　　なお、第 7 章の **List 7-8**（p.182）では、取り出した値が要素そのものでなく、要素のコピーにすぎないこと（さらに、それがエラーにつながりうること）を学習しました（この図からもはっきりと分かります）。

▢ タプルのリスト

　タプルとリストの共通点や相違点などが、おおむね理解できました。さて、本節の最初に示したのが、次のタプルでした。

```
（2012，'福岡太郎'）　　　　　　　# 生年（int型）と氏名（str型）の組合せ
```

　これは、生年と氏名のペア（対<ruby>つい</ruby>）です。このペアが集まると、タプルのリスト、すなわち全要素がタプルであるリストとなります。

　List 8-1 に示すのが、タプルのリスト（全要素がタプルであるリスト）のプログラム例です。

8-1

タプル

List 8-1　　　　　　　　　　　　　　　　　　　　　　　　chap08/list0801.py

```python
# タプルのリスト（全要素がタプルであるリスト）

students = [
    (2012， '福岡太郎')，
    (2013， '長崎龍一')，
    (2011， '熊本紋三')，
]

print(f'students = {students}')
print(f'students[0]    = {students[0]}')
print(f'students[1]    = {students[1]}')
print(f'students[2]    = {students[2]}')
print(f'students[0][0] = {students[0][0]}')
print(f'students[0][1] = {students[0][1]}')
print(f'students[1][0] = {students[1][0]}')
print(f'students[1][1] = {students[1][1]}')
print(f'students[2][0] = {students[2][0]}')
print(f'students[2][1] = {students[2][1]}')
```

```
実行結果
students = [(2012, '福岡太郎'), (2013, '長崎龍一'), (2011, '熊本紋三')]
students[0]    = (2012, '福岡太郎')
students[1]    = (2013, '長崎龍一')
students[2]    = (2011, '熊本紋三')
students[0][0] = 2012
students[0][1] = 福岡太郎
students[1][0] = 2013
students[1][1] = 長崎龍一
students[2][0] = 2011
students[2][1] = 熊本紋三
```

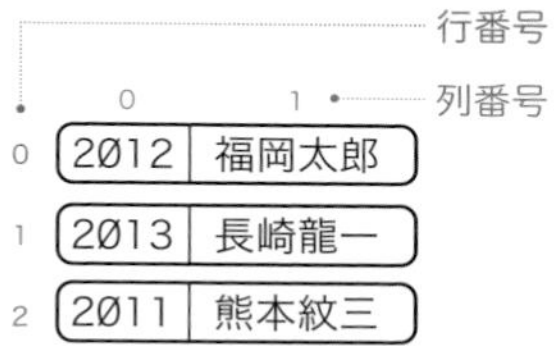

　変数 *students* は、要素数が 3 のリスト（への参照）です。個々の要素はタプルですから、*students*[0]、*students*[1]、*students*[2] は、いずれも、生年と氏名のペアであるタプル（への参照）です（**Fig.8-7**）。

```
                              ┌─ 行番号
           0        1 ─── 列番号
    0  │ 2012 │ 福岡太郎 │
    1  │ 2013 │ 長崎龍一 │
    2  │ 2011 │ 熊本紋三 │
```

Fig.8-7　タプルのリスト

　そのタプル内の要素が、int 型の生年と str 型の氏名です。それらをアクセスするためのインデックス式が、インデックス演算子 [ ] を 2 重に適用した形式となることなどは、前章の 2 次元リストの場合と同様です。

＊

　タプルのリストではなく、タプルのタプルであっても同様です。*students* を次のように変更しましょう（'chap08/list0801a.py'）。

```python
students = ((2012， '福岡太郎')，(2013， '長崎龍一')，(2011， '熊本紋三'))
```

　ここ以外の箇所は変更しなくても、同じ実行結果が得られます。

zip 関数による集約

次に学習するのは、複数のリストやタプルにまたがって格納されたデータを、一つのオブジェクトに集約する方法です。

具体的には、同一インデックスをもつ要素を取り出して作られたタプルを要素とする **zip** 型の **zip** オブジェクトを生成します。この集約作業を "zip 化する" といい、それを行うのが、組込み関数である **zip** 関数です。

… という言葉での解説を理解するのは、かなり大変です。次に示す例と、そのイメージ図である **Fig.8-8** を対比して、理解していきましょう。

```
例 8-4　zip関数によるリストの集約
>>> p1 = [75, 56, 89]⏎              ⇦ 英語の点数のリスト
>>> p2 = [42, 85, 77]⏎              ⇦ 数学の点数のリスト
>>> name = ['渡辺', '西田', '杉田']⏎   ⇦ 名前のリスト
>>> pl = list(zip(p1, p2))⏎         ⇦ (英語,数学)のリスト
>>> pl⏎
[(75, 42), (56, 85), (89, 77)]
>>> pt = tuple(zip(p1, p2, name))⏎  ⇦ (英語,数学,名前)のタプル
>>> pt⏎
((75, 42, '渡辺'), (56, 85, '西田'), (89, 77, '杉田'))
```

最初に生成されている *p1*、*p2*、*name* は、それぞれ、3人の英語の点数、数学の点数、名前を要素としてもつ、要素数3のリストです。

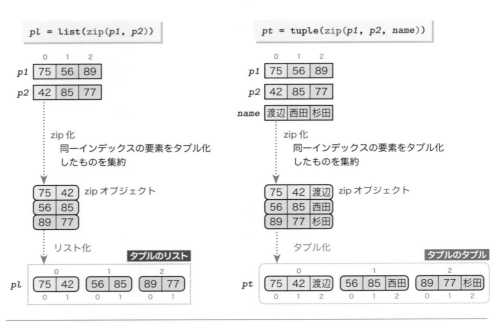

ⓐ リストをzip化してリストを生成　　　**ⓑ** リストをzip化してタプルを生成

Fig.8-8　zip 関数によるリストの集約

図 **a** は、*p1* と *p2* を zip 化した（英語と数学の点数のタプルを集約した）リストを生成する例です。そして、図 **b** は、*p1* と *p2* と *name* を zip 化した（英語と数学の点数と名前のタプルを集約した）タプルを生成する例です。

▶ 生成後のリストあるいはタプルの要素数は、いずれも 3 です。

＊

いずれの例でも、インデックスが 0 の要素、1 の要素、2 の要素を取り出したものがタプル化されます。たとえば、生成された zip オブジェクト内の (75，42) と (75，42，'渡辺') は、インデックスが 0 の要素をタプル化したものです。

別々のリストに格納されていた点数と名前が、**学生ごとにまとめられて**、渡辺君のデータのタプル、西田君のデータのタプル、杉田君のデータのタプルが作られました。

タプル化したものをまとめて、**zip オブジェクトを作るのが zip 化です**。

zip 化されたオブジェクトの型は、**zip オブジェクト型です**。そのため、そのままでは、リストやタプルとしては使えません。そこで、**list** 関数あるいは **tuple** 関数を使って、リスト化あるいはタプル化を行います。

a … zip オブジェクトをリスト化して、全要素がタプルであるリストを生成。
b … zip オブジェクトをタプル化して、全要素がタプルであるタプルを生成。

リスト *pl* と、タプル *pt* の要素と構成要素の、値と型を調べてみましょう。

例 8-5　zip関数で集約されたリストとタプルの要素と構成要素（例 8-4の続き）

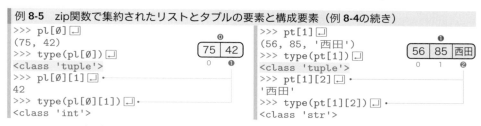

リスト *pl* の要素（たとえば *pl[0]*）、タプル *pt* の要素（たとえば *pt[1]*）のいずれもがタプル型（**tuple** 型）です。

また、リスト *pl* も、タプル *pt* も、その要素がタプルですから、構成要素をアクセスするインデックス式は、**[ ]** を 2 重に適用したものとなります。

左ページに示すように、前側のインデックスが 0、1、2 で、後ろ側のインデックスは、リスト *pl* では 0、1 で、タプル *pt* では 0、1、2 です。

＊

ここまでは、zip 化する前のリストの全要素数が一致する例で学習してきました。**要素数が異なる場合は**、**最も短い要素数の分だけが**、**先頭側から取り出されて zip 化されます**。

▶ たとえば、要素数が 5 と 2 と 3 のリストをまとめると、先頭側の 2 個の要素のみが zip 化されます。なお、**itertools** モジュールの **zip_longest** 関数を利用すると、最も長い要素数にあわせた zip 化が行えます（不足分は **None** で埋められますが、**fillvalue** での値の指定も可能です）。

8-2 辞書

本節で学習するのは辞書です。辞書は、要素がキーと値のペアである、という点で、リストやタプルとは大きく異なります。

辞書

本節で学習する辞書（dictionary）は、任意の個数の要素をもつことができる dict 型です。**全要素がキー（key）と値（value）のペアである**ことが最大の特徴です。

いきなり "キー" や "値" と聞いても、何のことだか分からないでしょうから、リストと対比して理解しましょう。**List 8-2** が辞書で、**List 8-3** がリストです。

List 8-2　chap08/list0802.py
```
# 季節を表す辞書           辞書
# キーは日本語で値は英語

season = {
    '春': 'spring',
    '夏': 'summer',
    '秋': 'autumn',
    '冬': 'winter',
}

print(f"season['春'] = {season['春']}")
print(f"season['夏'] = {season['夏']}")
print(f"season['秋'] = {season['秋']}")
print(f"season['冬'] = {season['冬']}")
```
実行結果
```
season['春'] = spring
season['夏'] = summer
season['秋'] = autumn
season['冬'] = winter
```
インデックスは文字列（キー）

List 8-3　chap08/list0803.py
```
# 季節を表すリスト          リスト
# 要素は英語

season = [
    'spring',
    'summer',
    'autumn',
    'winter',
]

print(f'season[0] = {season[0]}')
print(f'season[1] = {season[1]}')
print(f'season[2] = {season[2]}')
print(f'season[3] = {season[3]}')
```
実行結果
```
season[0] = spring
season[1] = summer
season[2] = autumn
season[3] = winter
```
インデックスは整数値

まずは、**List 8-3** のリストを理解していきます。*season* は、季節を表す4個の英語の文字列 'spring'、'summer'、'autumn'、'winter' を要素とするリストです。

Fig.8-9 b に示すように、各要素は、インデックス式 *season[i]* でアクセスできます。インデックス *i* は、0 ～ 3 の整数値です（もちろん、負値のインデックスも利用可能です）。

＊

次は、**List 8-2** の辞書です。辞書表記演算子 { } の中には、**キーと値を : で区切った形式**の要素を入れます。すなわち、一般的には、次の形式です（右ページ）。

a List 8-2の辞書　　　　　　　　　　**b** List 8-3のリスト

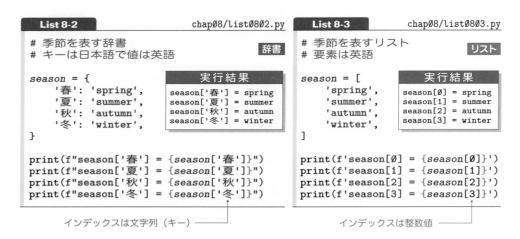

Fig.8-9　辞書とリスト

```
{キー1: 値1, キー2: 値2, … }
```

図**a**に示すように、日本語の文字列がキー（インデックス）で、英語の文字列が値です。すなわち、辞書 *season* は、次の4個のペアの集まりです（単語が4個の和英辞書です）。

- キーが '春' で値が 'spring'。
- キーが '夏' で値が 'summer'。
- キーが '秋' で値が 'autumn'。
- キーが '冬' で値が 'winter'。

そのため、インデックス式 *season*['夏'] の値は 'summer' というわけです。

辞書では、インデックスの型と値が自由です。キーをインデックスとして指定すれば、それに対応する値を引っ張り出せる構造です。

なお、辞書の中からキーを探索する処理が内部的に行われますが、その探索は高速です。

▶ 辞書は、他のプログラミング言語で提供される連想配列（associative array）に相当します。
なお、キーの探索が高速なのは、辞書がハッシュテーブルというものを用いて内部的に実装されているからです。

もちろん、キーは整数であっても構いません。**List 8-4** が、その例です。辞書 *retired_number* は、プロ野球選手の永久欠番の一部であり、キーは int 型の背番号で、値が str 型の氏名です。

　　　　　　　　　　　　　　　　　　　　chap08/list0804.py

```
# プロ野球選手の永久欠番の辞書（キーが整数値で値が文字列）

retired_number = {
    1: '王 貞治',
    3: '長嶋 茂雄',
    14: '沢村 栄治',
}

print(f'retired_number[1]  = {retired_number[1]}')
print(f'retired_number[3]  = {retired_number[3]}')
print(f'retired_number[14] = {retired_number[14]}')
print(f'retired_number[99] = {retired_number[99]}')
```

実 行 結 果
```
retired_number[1]  = 王 貞治
retired_number[3]  = 長嶋 茂雄
retired_number[14] = 沢村 栄治
```

存在しないキーによるアクセス
```
Traceback (most recent call last):
  File "MeikaiPython\chap08\list0804.py", line 12, in <module>
    print(f'retired_number[99] = {retired_number[99]}')
                                   ~~~~~~~~~~~~~~~^^^^
KeyError: 99
```

辞書自体はミュータブルですが、キーには制限があります。

キーの型はイミュータブルで、その値は一意でなければなりません。

▶ キーは、文字列とすることが多いのですが、イミュータブルな型（論理値、整数、浮動小数点数、タプル、文字列など）であれば何でもOKです（ミュータブルなリスト型はNGです）。

同一キーが複数存在することは許されないため、この辞書に、広島東洋カープの衣笠祥雄氏を追加することは不可能です。というのも、長嶋茂雄氏と同じ3番だからです。

なお、登録されていないキーを参照すると、KeyError 例外が発生します。そのため、キーとして99を指定した箇所で、プログラムの実行が停止します。

辞書の生成

リストやタプルと同様、辞書の生成法も多彩です。

▪{ }による辞書の生成

この方法は、季節のプログラムで学習しました。"**キー：値**"形式の要素をコンマ , で区切っ
て並べます。なお、{ }の中を空にした {} は、空辞書を生成します。

```
dict01 = {}                    # {}      空辞書
dict02 = {'Japan': 392, 'Korea': 408, 'China': 156, 'Taiwan': 158}
```

▶ *dict01* から *dict05* までの辞書を生成して表示するプログラムは、'chap08/dict_construct.py'
です。ちなみに、*dict02* は、ISO 3166–1 で定められている、数字3桁の国名コードです。

▪dict 関数による辞書の生成

組込みの **dict** 関数を使うと、さまざまな型のオブジェクトをもとに集合の生成を行えます。
実引数を与えずに呼び出す **dict()** が生成するのは、空辞書です。

```
dict03 = dict()                # {}      空辞書
```

次に示すのは、《タプルのリスト》から辞書を生成する例です。タプルの第1要素がキー、
タプルの第2要素が値と解釈されます（**Fig.8-10 a**）。

```
lst = [('Japan', 392), ('Korea', 408), ('China', 156), ('Taiwan', 158)]
dict04 = dict(lst)
```

次は、《2個のリスト》から辞書を生成する例です。図**b**に示すように、キーを並べたリストと、
対応する値を並べたリストとを、**zip** 関数（p.214）で集約して、それを辞書に変換します。

```
key = ['Japan', 'Korea', 'China', 'Taiwan']
value = [392, 408, 156, 158]
dict05 = dict(zip(key, value))
```

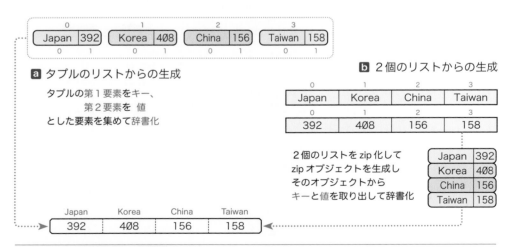

Fig.8-10 dict 関数による辞書の生成

要素の順序と等価性の判定（シーケンス型とマッピング型）

シーケンス型の文字列／リスト／タプルは、要素の並びに順序があるため、0、1、2、…という連続した整数値のインデックスで要素をアクセスできます。

それに対して、辞書は、要素の順序に意味がなく、キーと値の**対応**を表す要素を集めたものであることから、マッピング型と呼ばれます。

シーケンス型であるか、マッピング型であるかで、大きな違いが生じるのが、値比較演算子 == と != による等価性の判定です。確認しましょう（**Fig.8-11**）。

8-2
辞書

例8-6　リストの等価性 vs 辞書の等価性
```
>>> list1 = ['Japan', 'Korea', 'China']
>>> list2 = ['Japan', 'China', 'Korea']
>>> list1 == list2
False
>>> dict1 = {'JPN': 'Japan', 'KOR': 'Korea', 'CHN': 'China'}
>>> dict2 = {'JPN': 'Japan', 'CHN': 'China', 'KOR': 'Korea'}
>>> dict1 == dict2
True
```
リスト
辞書

リストやタプルでは、要素の値が同じでも、順序が異なれば、等価とはみなされません。

一方、辞書では、要素（キーと値のペア）が同じであれば、たとえ、順序が異なっていても、等価とみなされます。

また、要素に順序がありませんので、辞書にはスライス式は適用できません。

＊

引き続き、二つの辞書 *dict1* と *dict2* を表示してみましょう。

例8-7　辞書の表示（例8-6の続き）
```
>>> dict1
{'JPN': 'Japan', 'KOR': 'Korea', 'CHN': 'China'}
>>> dict2
{'JPN': 'Japan', 'CHN': 'China', 'KOR': 'Korea'}
```

二つの辞書とも、生成時の要素の並びが維持されています。

▶ 辞書に挿入した要素の順序が保持されることが言語仕様レベルで保証されるのは、Python 3.7 からです。

a リスト

要素の順序に意味があるため等しくない

b 辞書

要素の順序に意味がないため等しい

Fig.8-11　要素の順序と等価性（辞書とリスト）

インデックス式と get メソッド

　"変数名[キー]" のインデックス式でキーに対応する値を取り出せることや、辞書内に存在しないキーを指定するとエラーが発生することを、**List 8-2**（p.216）と **List 8-4**（p.217）のプログラムで確かめました。

　インデックスと要素の関係について、次の辞書を例に、さらに詳しく学習していきましょう。

```
color = {'red': '赤', 'green': '緑', 'blue': '青'}　　◀━━1
```

　まずは、値の取出しです。

インデックス式による値の取出し

　"変数名[キー]" のインデックス式を評価すると、指定されたキーに対応する値が得られます。ただしキーが辞書内に存在しなければ、**KeyError** 例外が発生します。

　▶　キーの存在を **in** 演算子で確認した上でインデックス式を使えば、エラー発生を抑止できます。

get メソッドによる値の取出し

　辞書に対して **get** メソッドを呼び出すと、**KeyError** 例外の発生を抑止した上で、値の取出しが行えます。

```
dict.get(key[, default=None])
```
インデックスが key の要素を取り出す

　key が辞書に存在すれば **key** に対応する値を、そうでなければ、**KeyError** を送出せずに **default** を返却します。**default** が与えられなかった場合は **None** を返却します。

　両者の挙動を確かめましょう。

例 8-8　辞書からの値の取出し（1のcolorが与えられておりキー'pink'は存在しない）

```
インデックス式ではエラーが発生
>>> color['red']↵
'赤'
>>> color['pink']↵
Traceback (most recent call last):
  File "<stdin>", line 1, in <module>
KeyError: 'pink'
```

```
get メソッドではエラーは発生しない
>>> color.get('red')↵
'赤'
>>> print(color.get('pink'))↵
None　　⇧
　　print関数を呼び出しているのは
　　Noneを表示させるため
```

インデックス式と setdefault メソッド

　次は、値の書込み法です。取出しとは異なって、少々複雑です。

インデックス式を左辺に置いた場合の挙動

　まずは、インデックス式を代入の左辺に置いたときの挙動を学習しましょう。キーが辞書内に存在するかどうかで、挙動が異なります。

▪ 左辺に置かれたインデックス式 [ ] の中のキーが辞書内に存在するとき

➡ 対応する値が、右辺の値へと更新されます。

次の例は、キー `'red'` に対応する値を `'赤'` から `'紅'` に更新します。

```
color['red'] = '紅'        # color['red']の値'赤'を'紅'に更新 ◀───────  値を更新する
```

▪ 左辺に置かれたインデックス式 [ ] の中のキーが辞書内に存在しないとき

➡ 指定されたキーと値が、新しい要素として辞書に挿入されます。

次の例は、キーが `'yellow'` で値が `'黄'` の要素を挿入します（**Fig.8-12**）。

```
color['yellow'] = '黄'     # キーが'yellow'で値が'黄'の要素を挿入 ◀───  要素を挿入
```

すなわち、存在しないキーにアクセスするだけで、要素が1個増えます。

☐ setdefault メソッドによる走査（値の取得あるいは挿入）

左辺に置かれたインデックス式の複雑な挙動は、辞書を便利で使いやすくしている反面、値の変更や要素の追加を誤って行ってしまう可能性を秘めています。

そこで提供されているのが、`setdefault` メソッドです。

```
dict.setdefault(key[, value])                          自動判定による値の取得もしくは挿入
```

> key が辞書に存在すれば、その値を返却します。そうでなければ、値が value の key を挿入した上で value を返却します。value を省略した場合の値は None です。

すなわち、次のように動作します。

▪ 辞書内に **key** が存在すれば   ：キーが **key** である要素の値を取得。
▪ 辞書内に **key** が存在しなければ   ：キーが **key** で値が **value** の要素を挿入。

動作を確認しましょう。

例 8-9　setdefaultメソッドの適用（**❶**のcolorが与えられているとする）

```
>>> v1 = color.setdefault('red', '紅')⏎ ◀─────────  値を取得（更新しない）
>>> v1⏎
'赤'
>>> color⏎
{'red': '赤', 'green': '緑', 'blue': '青'}
>>> v2 = color.setdefault('yellow', '黄')⏎ ◀─────────  要素を挿入
>>> v2⏎
'黄'
>>> color⏎
{'red': '赤', 'green': '緑', 'blue': '青', 'yellow': '黄'}
```

どちらでも要素を挿入できる
`color['yellow'] = '黄'`
`color.setdefault('yellow', '黄')`

red	green	blue
赤	緑	青

red	green	blue	yellow
赤	緑	青	黄

Fig.8-12　辞書への要素の挿入

update メソッドによる辞書の更新

次に学習するのは、多機能な update メソッドです。その仕様は、次のとおりです。

```
dict.update([other])                                              辞書の更新
```
辞書の内容を other のキーと値で更新します。その際、既存のキーは上書きされます。返却値は
None です。
　　other には、他の辞書オブジェクトだけでなく、キーと値のペアのイテラブル（タプル、もしくは、
要素数が2のイテラブル）も受け取れます。キーワード引数が指定された場合は、そのキーと値のペ
アで辞書を更新します。

わずか数行で解説できる仕様ですが、このメソッドは、多様な用途で利用されます。

辞書の結合

辞書 *a* に、辞書 *b* を結合するのが、*a*.update(*b*) です。

List 8-5 に示すのが、プログラムの一例です。辞書 *rgb* 内に、辞書 *cmy* がそっくり取り込まれて追加されています。

List 8-5　　　　　　　　　　　　　　　　　　　　　　chap08/list0805.py

```python
# updateメソッドによる辞書の結合（重複なし）

rgb = {'red': '赤', 'green': '緑', 'blue': '青'}
cmy = {'cyan': '水色', 'magenta': '赤紫', 'yellow': '黄'}

# 辞書rgbに辞書cmyを結合
rgb.update(cmy)
print(rgb)
```

実行結果
```
{'red': '赤',
 'green': '緑',
 'blue': '青',
 'cyan': '水色',
 'magenta': '赤紫',
 'yellow': '黄'}
```

　　なお、二つの辞書に同じキーをもつ要素が存在する場合は、*a* ではなく、*b* のほうの値が優先されます。『オリジナルの英和辞書 *a* に、新しい英和辞書 *b* を結合するのに際して、言葉の定義＝英和辞書の見出し（キー）に対する解説（値）が異なれば、新しい *b* のほうの定義を採用して、辞書 *a* を更新する（update する）。』というイメージです。

List 8-6 に示すプログラム例では、項目（キー）'red' に対する解説（値）が、'赤' から '紅' へと更新されます。

List 8-6　　　　　　　　　　　　　　　　　　　　　　chap08/list0806.py

```python
# updateメソッドによる辞書の結合（重複あり）

rgb = {'red': '赤', 'green': '緑', 'blue': '青'}
cry = {'cyan': '水色', 'red': '紅', 'yellow': '黄'}

# 辞書rgbに辞書cryを結合
rgb.update(cry)
print(rgb)
```

実行結果
```
{'red': '紅',
 'green': '緑',
 'blue': '青',
 'cyan': '水色',
 'yellow': '黄'}
```

▶ 辞書 *rgb* 内に存在しない 'cyan' と 'yellow' は、そのまま挿入されます。

辞書内の要素の更新

ここまでは、update メソッドの引数に、辞書を与える例でした。

引数に、**タプル**、もしくは、**要素数2のイテラブルオブジェクト**を与える方法もあります。その際、具体的な形式は、"**キー = 値**" となります。複数個を与えられるため、一般的に表すと、次に示す形式です。

```
d.update( キー = 値 )
d.update( キー1 = 値1, キー2 = 値2, …以下省略… )
```

このとき、指定されたキーが辞書 d 内に存在するかどうかで、挙動が変わります。

- キーが辞書内に存在しない ⇨ 定義（キーと対応する値）が挿入される。
- キーが辞書内に存在する ⇨ 定義（キーに対応する値）が更新される。

update メソッドによる方法は、複数の要素を一括して挿入あるいは更新する用途に向いています。**List 8-7** のプログラムで確認しましょう。

List 8-7
chap08/list0807.py

```
# updateメソッドによる辞書の更新
rgb = {'red': '赤', 'green': '緑', 'blue': '青'}

rgb.update(red='紅', blue='紺', yellow='黄')
print(rgb)
```

実行結果
```
{'red': '紅',
 'green': '緑',
 'blue': '紺',
 'yellow': '黄'}
```

このプログラムでは、'red' と 'blue' の定義（対応する値）を更新するとともに、キーが 'yellow' で、値が '黄' の要素を挿入します。

▶ 与える引数のキーは '' で囲みません（'red' ではなく red です）。その理由は、次章で学習します。

演算子 | と |= による結合

辞書に適用された | 演算子と |= 演算子は、update メソッドと同等の処理を行います。

- a | b　辞書 a と b を結合する式。
- a |= b　辞書 a に b を結合する累算代入文。

左ページの **List 8-6** の辞書に対して適用してみましょう（'chap08/list0806a.py'）。

```
print(rgb | cry)
print(cry | rgb)
print()
rgb |= cry
print(rgb)
```
```
{'red': '紅', 'green': '緑', 'blue': '青', 'cyan': '水色', 'yellow': '黄'}
{'cyan': '水色', 'red': '赤', 'yellow': '黄', 'green': '緑', 'blue': '青'}

{'red': '紅', 'green': '緑', 'blue': '青', 'cyan': '水色', 'yellow': '黄'}
```

▶ 両オペランドに同一のキーがある場合、右オペランドの値が採用されます。これらの演算子を辞書に適用できるようになったのは、Python 3.9 からです。なお、辞書に対して + 演算子、* 演算子、+= 演算子、*= 演算子を適用することはできません。

要素の削除

要素の値の取得・更新と、要素の挿入を学習しました。次は**削除**です。

▶ 例 8-9（p.221）で辞書 *color* に挿入した *color*['yellow'] の削除を行う例で考えます。

pop メソッドによる削除

引数としてキーを与えて pop メソッドを呼び出すと、そのキーをもつ要素が削除されます。リストの場合と同様、pop メソッドは削除する値を返却します。

del 文による要素の削除

削除する値が不要な場合は、del 文を使います。インデックス式を指定すると、そのキーをもつ要素が削除されます。

いずれの方法でも、存在しないキーを指定すると、**KeyError** 例外が発生します。

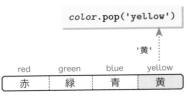

指定したキーの値を取り出して要素を削除

Fig.8-13 辞書からの要素の削除

指定したキーの要素を削除

clear メソッドによる全要素の削除

リストと同様に、clear メソッドで辞書の全要素が削除できます。すなわち、既存の辞書を空辞書化する際に使います。

```
color.clear()                # 辞書colorの全要素を削除する
```

▶ リストと同様に、*color* = {} の代入（変数 *color* に空辞書を参照させる）によっても、辞書を空にできます。なお、辞書を参照する変数を削除するのであれば、"**del** *color*" で行います。

辞書の基本的な操作

辞書の基本的な操作を学習します（リストやタプルでの学習内容の応用です）。

帰属性判定演算子によるキーが含まれるかどうかの判定

帰属性判定演算子である **in** 演算子と **not in** 演算子を適用することで、指定されたキーが辞書内に存在するかどうかを調べられます。

要素にアクセスする前に調べておけば、**KeyError** 例外の発生が回避できます。

```
if 'purple' in color:        # 辞書colorに'purple'が入っていれば
    color['purple'] = '藤紫'   # その値を更新する
```

文字列やリストやタプルに対する帰属性判定演算子では、含まれるかどうかの判定の対象が値であるのに対し、辞書ではキーであることに注意しましょう。

この点は、辞書が "キーありき" であることを示しています。

▶ 集合の中に任意の値が含まれるかどうかの判定は、次ページで学習する values() を使って、次のように行います。

```
'黒' in rgb.values()    # 辞書rgbの中に'黒'の値は含まれるか？
```

☐ len 関数による要素数の取得

文字列やリストと同様に、組込みの len 関数で、要素数が取得できます。

☐ copy メソッドによるコピー

辞書型に提供される copy メソッドで辞書のコピーが行えます。辞書 *a* を辞書 *b* にコピーするのであれば、*b* = *a*.copy() とします。

☐ 辞書の走査

次は、辞書の全要素の走査を行います。まずは、**List 8-8**、**List 8-9**、**List 8-10** のプログラムを実行しましょう。

List 8-8　　　　　　　　　　　　　　　　　　　　　　　　　　　chap08/list0808.py

```python
# 辞書の全キーをenumerate関数で走査
rgb = {'red': '赤', 'green': '緑', 'blue': '青'}
for i, key in enumerate(rgb):
    print(f'{i} {key}')
```

実行結果
```
0 red
1 green
2 blue
```

List 8-9　　　　　　　　　　　　　　　　　　　　　　　　　　　chap08/list0809.py

```python
# 辞書の全キーをenumerate関数で走査（1からカウント）
rgb = {'red': '赤', 'green': '緑', 'blue': '青'}
for i, key in enumerate(rgb, 1):
    print(f'{i} {key}')
```

実行結果
```
1 red
2 green
3 blue
```

List 8-10　　　　　　　　　　　　　　　　　　　　　　　　　　chap08/list0810.py

```python
# 辞書の全キーを走査（インデックス値を使わない）
rgb = {'red': '赤', 'green': '緑', 'blue': '青'}
for key in rgb:
    print(f'{key}')
```

実行結果
```
red
green
blue
```

それぞれ、リストの走査を行う **List 7-4**、**List 7-5**、**List 7-6**（いずれも p.180）に相当します。プログラムと実行結果を対比すると、次のことが分かります。

リストと同じように走査を行うと、全要素のキーが取り出される（値は取り出されない）。

辞書が"キーありき"であることが、この例からも分かりました。また、次のことも分かります。

List 7-3（p.180）に相当するプログラムは、辞書には適用できない。すなわち、事前に要素数を取得して、インデックス 0、1、2、… に対応する要素を取り出すことはできない。

辞書とビュー

辞書は、便利な反面、取扱いが難しいことが、少しずつ分かってきました。

たとえば、プロ野球の永久欠番の辞書（**List 8-4**：p.217）のキーは、1、3、14と、飛び飛びです。そのため、辞書の中に、"キーとして何が入っているのか"を調べる必要が生じます。そこで用意されているのが、次の三つのメソッドです。

`keys()`	すべてのキーの `dict_keys` 型ビューを返却する。
`values()`	すべての値の `dict_values` 型ビューを返却する。
`items()`	すべての要素（キーと値のタプル）の `dict_items` 型ビューを返却する。

ここで、ビュー（view）は、辞書の中身を順番どおりに眺めるための《仮想の表》であって、順序をもった要素の集まりであるイテラブルオブジェクトです。もし辞書に変更が行われると、仮想の表であるビューも自動的に更新されます。

前ページの辞書 *rgb* に対して、これら三つのメソッドを適用したのが、**List 8-11** です。

List 8-11 chap08/list0811.py

```python
# 辞書のすべてのキー、すべての値、すべての要素をリストとして取り出す
rgb = {'red': '赤', 'green': '緑', 'blue': '青'}
print(f'キー：{list(rgb.keys())}')     # キー       のビューをリストに変換
print(f'値  ：{list(rgb.values())}')   # 値         のビューをリストに変換
print(f'要素：{list(rgb.items())}')    # (キー，値)のビューをリストに変換
```

実行結果
```
キー： ['red', 'green', 'blue']
値  ： ['赤', '緑', '青']
要素： [('red', '赤'), ('green', '緑'), ('blue', '青')]
```

このプログラムでは、各メソッドで取得した三つのビューを、リストに変換・表示しています。

keys メソッドと **values** メソッドでは、全キー／値の集まりがビューとして取得され、**items** メソッドでは、キーと値のタプルの集まりがビューとして取得されます（**Fig.8-14**）。

なお、ビューは仮想の表にすぎないため、本プログラムでは実体であるリストに変換した上で表示しています。

▶ もちろん、**tuple** 関数を使ってタプルに変換することも可能です（'chap08/list0811a.py'）。

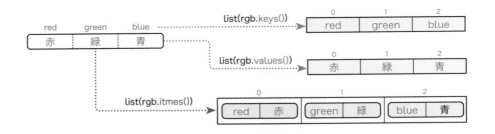

Fig.8-14　辞書からのビューの取出しとリストへの変換

取り出されたビューから変換されたリスト（やタプル）内の要素は、当然、インデックス式でアクセスできます。**List 8-12** で確認しましょう。

List 8-12 　　　　　　　　　　　　　　　　　　　　　　　　　　　　chap08/list0812.py

```python
# 辞書から取り出したビューをもとに整数型インデックスでアクセス
item = list({'red': '赤', 'green': '緑', 'blue': '青'}.items())

print(f'item[0]    = {item[0]}')
print(f'item[1]    = {item[1]}')
print(f'item[2]    = {item[2]}')

print(f'item[0][0] = {item[0][0]}')
print(f'item[0][1] = {item[0][1]}')
print(f'item[1][0] = {item[1][0]}')
print(f'item[1][1] = {item[1][1]}')
print(f'item[2][0] = {item[2][0]}')
print(f'item[2][1] = {item[2][1]}')
```

```
            実行結果
item[0]    = ('red', '赤')
item[1]    = ('green', '緑')
item[2]    = ('blue', '青')
item[0][0] = red
item[0][1] = 赤
item[1][0] = green
item[1][1] = 緑
item[2][0] = blue
item[2][1] = 青
```

本プログラムは、**items** メソッドで取得したビューから変換されたリスト *item* に対するインデックス式の値を表示しています。*item* は、タプルを要素とするリストですから、要素はタプルで、構成要素は文字列です。

▶ ビューには、（次節で学習する）各種の集合演算が適用できます。

ビューはイテラブルオブジェクトですから、（リストやタプルに変換せずに）そのまま **for** 文の走査対象とできます。**List 8-13** のプログラムで確認しましょう。

List 8-13 　　　　　　　　　　　　　　　　　　　　　　　　　　　　chap08/list0813.py

```python
# 辞書から取り出したビューをもとに走査
rgb = {'red': '赤', 'green': '緑', 'blue': '青'}
# keys()で取り出したビューをもとに走査
for key in rgb.keys():
    print(key)

# values()で取り出したビューをもとに走査
for value in rgb.values():
    print(value)

# itmes()で取り出したビューをもとに走査
for item in rgb.items():
    print(item)
```

```
     実行結果
red
green
blue
赤
緑
青
('red', '赤')
('green', '緑')
('blue', '青')
```

三つの **for** 文では、それぞれ、キー、値、要素（キーと値のタプル）が取り出されます。

なお、最後の **for** 文を **List 8-14** のように変更すれば、キーと値を（アンパックした上で）取り出せます。

List 8-14 　　　　　　　　　　　　　　　　　　　　　　　　　　　　chap08/list0814.py

```python
# 辞書から取り出したビューをもとに走査（items()からキーと値を別々に取り出す）

# itmes()で取り出したビューをもとに走査
for key, value in rgb.items():
    print(key, value)
```

```
red 赤
green 緑
blue 青
```

8-2
辞書

辞書の活用

　辞書を活用するプログラムを作りましょう。**List 8-15** は、キーボードから文字列を読み込んで、各文字の出現分布を表示するプログラムです。

List 8-15　　　　　　　　　　　　　　　　　　　　　chap08/list0815.py

```python
# 文字列に含まれる文字の出現回数を辞書に格納（その１）

txt = input('文字列：')

count = {}                          ←①
for ch in txt:
    if ch not in count:
        count[ch] = 1    # 辞書に挿入    ←②
    else:
        count[ch] += 1   # 要素の値を更新  ←③

print(f'分布＝{count}')
```

実行例
文字列：ABAXB⏎
分布＝{'A': 2, 'B': 2, 'X': 1}

---

　①では、*count* を、空辞書として生成します。この辞書に対して、文字がキーで、その文字の出現回数を値とする要素を入れていきます（**Fig.8-15**）。

　for 文では、キーボードから読み込んだ文字列 *txt* を先頭から末尾まで走査します。その過程で、次の処理を行います。

▪ 文字 *ch* が（まだ）辞書 *count* に入っていなければ　　　　　図**b**、図**c**、図**e**

　その文字に対応する値（出現回数）を１にします（②）。すなわち、値が１である *count[ch]* を辞書 *count* に新規要素として挿入します。

▪ 文字 *ch* が（既に）辞書 *count* に入っていれば　　　　　　　　図**d**、図**f**

　その文字に対応するカウンタをインクリメントします（③）。すなわち、辞書 *count* 内の要素 *count[ch]* の値をインクリメントして更新します。

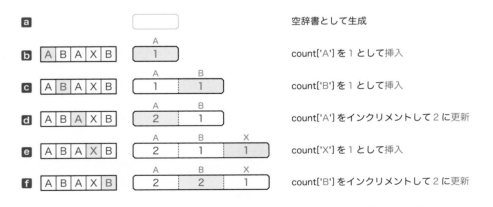

Fig.8-15　文字列内に含まれる文字のカウント

辞書内包表記

前章で学習した**リスト内包表記**の基本的な形式は、次のものでした（p.192）。

```
[ 式 for 要素 in イテラブル ]                    # リスト内包表記
```

辞書用の**辞書内包表記**（dictionary comprehension）では、次に示すように、**式**の部分が "キー：値" となります。

```
{ 式 : 式 for 要素 in イテラブル }                # 辞書内包表記
    └キー└値
```

前ページのプログラムを、辞書内包表記を利用して書きかえたのが **List 8-16** です。

List 8-16　　　　　　　　　　　　　　　　　　　　　　　　chap08/list0816.py

```
# 文字列に含まれる文字の出現回数を辞書に格納（その２：辞書内包表記）
txt = input('文字列：')
count = {ch: txt.count(ch) for ch in txt}
print(f'分布＝{count}')
```

実行例
文字列：ABAXB⏎
分布＝{'A': 2, 'B': 2, 'X': 1}

for 文で文字列 *txt* を先頭から末尾まで走査して、キーと値を次のように設定します。

```
キー  ch          ：着目文字
値    txt.count(ch)：txtに含まれる文字chの出現回数（count は str 型のメソッド：p.146）
```

▶　ここで学習したのは、効率の悪い手法です。というのも、次のように、文字列 *txt* 内に同一文字が含まれる場合、走査のたびに count メソッドによって出現回数をカウントし直すからです。

①着目文字 *ch* が 'A'　⇨　辞書に 'A': 2 を挿入。 ──────────────────┐重複
②着目文字 *ch* が 'B'　⇨　辞書に 'B': 2 を挿入。 ──────────────┐重複│
③着目文字 *ch* が 'A'　⇨　辞書のキー 'A' の値を2に更新（同じ値で上書き）。─┘│
④着目文字 *ch* が 'X'　⇨　辞書に 'X': 1 を挿入。   │
⑤着目文字 *ch* が 'B'　⇨　辞書のキー 'B' の値を2に更新（同じ値で上書き）。───┘

　この例では、①で 'A' の出現回数を count メソッドで調べて2を得て、③でも 'A' の出現回数を count メソッドで調べて2を得ています。もし同一文字が100個あれば、count メソッドを100回呼び出して、そのたびに100を得ることになります。このような重複を避けるには、走査対象の文字列を、次章で学習する集合に変換し、そこからのカウントを行います（'chap08/list0816a.py'）。

```
count = {ch: txt.count(ch) for ch in set(txt)}
```

　文字列 'ABXAX' を、集合に変換すると、{'A', 'B', 'X'} となります（ただし、集合には要素の順序に意味がないため、要素の順序は変わってしまいます）。

既存のリストやタプルから、0、1、2、… のインデックスをキーにした辞書を生成するのも容易です。一例を示します（'chap08/dict_conv.py'）。

```
s = ['春', '夏', '秋', '冬']
season = {k: v for k, v in enumerate(s)}  # {0:'春', 1:'夏', 2:'秋', 3:'冬'}
```

8-3 集合

本章の最後に学習するのは、同一の値の要素を重複してもつことができないなどの特徴をもつ、数学でもおなじみの集合です。

集合

本章の最後に学習するのが set 型の集合（set）です。オブジェクトの集まりであることは、リストやタプルなどと同じですが、次の点で大きく異なります。

集合は、順序をもたない（要素の順序に意味がない）。

たとえば、{1, 2, 3}と{3, 1, 2}は区別されません（区別できません）。なお、数学での表記と同じく、集合は、{ }を使って表します。

▶ 数学における集合の定義でも、要素の順序に意味がありません。

集合の生成と集合の性質

まずは、集合の生成法を学習しましょう。

▪{ }による集合の生成

要素をコンマ , で区切って並べたものを集合表記演算子 { } で囲んだ形式です。

```
set01 = {1}                 # {1}
set02 = {1, 2, 3}           # {1, 2, 3}
set03 = {1, 2, 3,}          # {1, 2, 3}
set04 = {'A', 'B', 'C'}     # {'A', 'B', 'C'}
```

▶ 右側のコメントは、生成される集合の内容です。set01 から set09 までの集合を生成して表示するプログラムは 'chap08/set_construct.py' です（表示の際、集合要素の順序は不定です）。

なお、空集合を {} で生成することはできません（{} は空辞書を生成する式です）。

▪set 関数による集合の生成

組込みの set 関数は、文字列やリストなど、さまざまな型のオブジェクトをもとに、集合を生成する関数です。

なお、実引数を与えずに呼び出す set() は、空集合を生成します。

```
set05 = set()               # set()               空集合
set06 = set('ABC')          # {'A', 'B', 'C'}     文字列の個々の文字から生成
set07 = set([1, 2, 3])      # {1, 2, 3}           リストから生成
set08 = set([1, 2, 3, 2])   # {1, 2, 3}           リストから生成
set09 = set((1, 2, 3))      # {1, 2, 3}           タプルから生成
```

set08 は、複数の 2 をもつリストから集合を生成しています。集合は同質要素をもたない（もてない）ため、2個の 2 は1個にまとめられます。

これを応用すると、リスト（やタプル）から重複要素を簡単に削除できます。たとえば、リストからの重複要素の削除は、"リスト⇨集合⇨リスト"の変換で行えます。

```
lst1 = [1, 2, 3, 2]
lst2 = list(set(lst1))          # [1, 2, 3]      lst1から重複要素を削除
```

集合の要素には順序がありませんので、インデックス式やスライス式は利用できません。なお、集合の要素をソートする必要がある場合は、sorted 関数を使ってリストに変換します。

☐ ミュータブルである

集合はミュータブルですから、要素の追加や削除が行えます。当然、辞書のキーとして利用することはできません。

▶ イミュータブルな集合型として、凍結集合型（frozenset 型）が提供されます。この型であれば、辞書のキーや、他の集合の要素として利用できます。

☐ 要素がなければ偽である

要素が1個もない**空集合**は**偽**とみなされます。

☐ 組込み関数 copy／len／max／min／sum が利用できる

組込みの copy 関数、len 関数、max 関数、min 関数、sum 関数が利用可能です。というのも、これらの演算子や関数は、集合を変更しないからです。

☐ 等価性の判定

等価性を判定する値比較演算子 == と != は、集合に対しても適用できます。

集合は、同一の要素を複数もてないこと、要素の順序に意味がないことから、次の式を評価すると True となります。

```
{1, 2, 1} == {1, 1, 2} == {1, 2}          # Trueと評価される
```

☐ 帰属性判定演算子 in／not in

集合に対して帰属性判定演算子である in 演算子が適用できることは、第3章での季節の判定を行うプログラム例で学習しました（p.61）。

x in S	x が集合 S の要素であれば True。	x ∈ S
x not in S	x が集合 S の要素でなければ True。	x ∉ S

いずれの演算子でも、x が要素として含まれるかどうかの探索が内部で行われますが、その探索は、リストよりも高速に実行されます。

▶ これらは、数学で使われる記号による表現です。これ以降でも、このような表現を提示します。

☐ 集合に対する基本的な操作

前ページでは、値比較演算子 == および != と、帰属性判定演算子を学習しました。それらを含めて、集合に適用できる基本的な演算子とメソッドをまとめたのが、**Table 8-2** です。

Table 8-2　集合に適用できる演算子とメソッド

演算子	メソッド	概要
`x in s`		`x` は集合 `s` に含まれるか？
`x not in s`		`x` は集合 `s` に含まれないか？
`s1 == s2`		`s1` と `s2` は等しいか？
`s1 != s2`		`s1` と `s2` は等しくないか？
	`s1.isdisjoint(s2)`	`s1` と `s2` は素である（共通要素をもたない）か？
`s1 <= s2`	`s1.issubset(s2)`	`s1` は `s2` の部分集合である（`s1` の全要素が `s2` に含まれる）か？
`s1 < s2`		`s1` は `s2` の真部分集合である（`s1 <= s2 and s1 != s2`）か？
`s1 >= s2`	`s1.issuperset(s2)`	`s1` は `s2` の超集合である（`s2` の全要素が `s1` に含まれる）か？
`s1 > s2`		`s1` は `s2` の真超集合である（`s1 >= s2 and s1 != s2`）か？
`s1 | s2`	`s1.union(s2)`	`s1` と `s2` の和集合を求める。
`s1 & s2`	`s1.intersection(s2)`	`s1` と `s2` の積集合を求める。
`s1 - s2`	`s1.difference(s2)`	`s1` と `s2` の差集合を求める。
`s1 ^ s2`	`s1.symmetric_difference(s2)`	`s1` と `s2` の対称差を求める。
	`s.add(e)`	`s` に要素 `e` を追加する。
	`s.discard(e)`	`s` から要素 `e` を削除する。
	`s.remove(e)`	`s` から要素 `e` を削除する。`e` が含まれなければ `KeyError` を送出。
	`s.pop()`	`s` から要素を削除してその値を返却する（削除要素の指定は不可）。
	`s.clear()`	`s` からすべての要素を削除する。
`s1 |= s2`	`s1.update(s2)`	`s1` に `s2` を追加する。
`s1 &= s2`	`s1.intersection_update(s2)`	`s2` に含まれない要素を `s1` から取り除く。
`s1 -= s2`	`s1.difference_update(s2)`	`s2` に含まれる要素を `s1` から取り除く。
`s1 ^= s2`	`s1.symmetric_difference_update(s2)`	`s1` を `s2` との対称差集合に更新する。

▶ 演算子の右オペランド `s2` は、集合でなければなりません。一方、メソッドの第2引数 `s2` には、任意のイテラブルオブジェクトを与えることができます。

前半の水色部の演算子とメソッドは、演算の対象となる集合を更新しません。そのため、set 型集合と frozenset 型の両方に適用できます（frozenset は、イミュータブルであることと、一部のメソッドを利用できないことを除くと、set とほぼ同等の集合型です）。

後半の赤色部の演算子とメソッドは、演算の対象となる集合 `s` あるいは `s1` を更新します。そのため、set 型集合にのみ適用できます。

演算子とメソッドの、いずれか一方のみで行える操作と、両方で行える操作があります。これらを学習していきましょう。

要素の追加（add メソッド）

`s.add(e)`は、集合 *s* に *e* を加えて要素を1個増やします（**Fig.8-16**）。

```
例 8-10   addによる要素の追加
>>> s = {1, 2, 3, 4, 5, 6}⏎
>>> s.add(9)⏎
>>> s⏎
{1, 2, 3, 4, 5, 6, 9}
```

ただし、要素として *e* が既に含まれていれば、追加は行われません。

Fig.8-16　要素の追加

要素の削除（discard メソッド／ remove メソッド）

`s.discard(e)`と`s.remove(e)`は、集合 *s* から要素 *e* を削除します。*s* 内に *e* が含まれない場合、前者では実質的に何も行われませんが、後者では **KeyError** 例外が発生します。

```
例 8-11   要素の削除（discardメソッドとremoveメソッド）
>>> s = {1, 2, 3, 4, 5, 6}⏎        >>> s = {1, 2, 3, 4, 5, 6}⏎
>>> s.discard(3)⏎                  >>> s.remove(3)⏎
>>> s⏎                             >>> s⏎
{1, 2, 4, 5, 6}                    {1, 2, 4, 5, 6}
>>> s.discard(7)⏎                  >>> s.remove(7)⏎
>>> s⏎                             Traceback (most recent call last):
{1, 2, 4, 5, 6}                      File "<stdin>", line 1, in <module>
                                   KeyError: 7
```

要素の無作為な削除（pop メソッド）

`s.pop()`は、集合 *s* から要素を削除して、削除した値を返却します。削除する要素の指定は行えません（無作為に選ばれた要素が削除されます）。

```
例 8-12   popによる要素の無作為な削除
>>> s = {1, 2, 3, 4, 5, 6}⏎
>>> e = s.pop()⏎
>>> e⏎
1                          ⇦ 削除された値（注：無作為なので1とは限らない）
>>> s⏎
{2, 3, 4, 5, 6}
```

すべての要素の削除（clear メソッド）

`s.clear()`は、集合 *s* の全要素を削除します。

```
例 8-13   clearによる全要素の削除
>>> s = {1, 2, 3, 4, 5, 6}⏎
>>> s.clear()⏎
>>> s⏎
set()                      ⇦ 空集合になる
```

素の判定（isdisjoint メソッド）

`s1.isdisjoint()`は、集合 *s1* と *s2* が素であれば（共通の要素がなければ）**True** を返却して、そうでなければ **False** を返却します。

部分集合であるか（演算子 <= と issubset メソッド）

集合 *s1* が、集合 *s2* の部分集合であるか（*s1* の全要素が *s2* に含まれるか）どうかの判定は、値比較演算子 <= と issubset メソッドで行えます（**Fig.8-17**）。

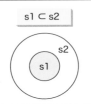

s1 ⊂ s2

```
s1 <= s2
s1.issubset(s2)
```

▶ 部分集合は、下位集合とも呼ばれます。

Fig.8-17　部分集合

真部分集合であるか（演算子 <）

集合 *s1* が、集合 *s2* の真部分集合であるか（*s1* の全要素が *s2* に含まれており、かつ *s1* と *s2* が等しくない）の判定は、値比較演算子 < で行えます。

```
s1 < s2              # s1 <= s2 and s1 != s2 と同じ
```

▶ 部分集合と真部分集合を混同しないようにしましょう。
- {1, 2, 3} は {1, 2, 3}　　の部分集合ですが、真部分集合ではありません。
- {1, 2, 3} は {1, 2, 3, 4} の部分集合であり、かつ、真部分集合です。

超集合であるか（演算子 >= と issuperset メソッド）

集合 *s1* が、集合 *s2* の超集合であるか（*s2* の全要素が *s1* に含まれるか）の判定は、値比較演算子 >= と issuperset メソッドで行えます。

```
s1 >= s2
s1.issuperset(s2)
```

▶ 超集合は、上位集合とも呼ばれます。
なお、*s1* == *s2* が成立するときは、*s1* <= *s2* と *s1* >= *s2* の両方が成立します。

真超集合であるか（演算子 >）

集合 *s1* が、集合 *s2* の真超集合であるか（*s2* の全要素が *s1* に含まれており、かつ、*s1* と *s2* が等しくない）の判定は、値比較演算子 > で行えます。

```
s1 > s2              # s1 >= s2 and s1 != s2 と同じ
```

和集合（演算子 | と union メソッド）

集合 *s1* と集合 *s2* の和集合（集合の一方にでも含まれる要素の集合）は、| 演算子と union メソッドで求められます（**Fig.8-18**）。

```
s1 | s2
s1.union(s2)                    和集合を生成
```

また、|= 演算子と update メソッドを使えば、*s1* を、*s1* と *s2* の和集合に更新できます。

```
s1 |= s2
s1.update(s2)                   和集合に更新
```

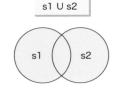

s1 ∪ s2

s1とs2のいずれかに含まれる

Fig.8-18　和集合

☐ 積集合 (演算子 & と intersection メソッド)

　集合 s1 と集合 s2 の積集合 (両方の集合に共通する要素の集合) は、& 演算子と inter section メソッドで求められます (**Fig.8-19**)。

```
s1 & s2
s1.intersection(s2)          積集合を生成
```

　また、&= 演算子と intersection_update メソッドを使えば、s1 を、s1 と s2 の積集合に更新できます。

```
s1 &= s2
s1.intersection_update(s2)    積集合に更新
```

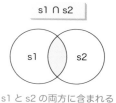

s1 ∩ s2

s1 と s2 の両方に含まれる

Fig.8-19　積集合

☐ 差集合 (演算子 − と difference メソッド)

　集合 s1 と集合 s2 の差集合 (s1 に含まれていて、s2 には含まれない要素の集合) は、− 演算子と difference メソッドで求められます (**Fig.8-20**)。

```
s1 - s2
s1.difference(s2)            差集合を生成
```

　また、−= 演算子と difference_update メソッドを使えば、s1 を、s1 と s2 の差集合に更新できます。

```
s1 -= s2
s1.difference_uadate(s2)     差集合に更新
```

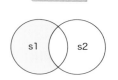

s1 − s2

s1に含まれてs2に含まれない

Fig.8-20　差集合

☐ 対称差集合 (演算子 ^ と symmetric_difference メソッド)

　集合 s1 と集合 s2 の対称差集合 (s1 と s2 の一方にのみ含まれる要素の集合) は、^ 演算子と symmetric_difference メソッドで求められます (**Fig.8-21**)。

```
s1 ^ s2
s1.symmetric_difference(s2)     対称差集合を生成
```

　また、^= 演算子と symmetric_difference_update メソッドを使えば、s1 を、s1 と s2 の対称差集合に更新できます。

```
s1 ^= s2
s1.symmetric_difference_update(s2)  対称差集合に更新
```

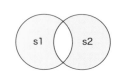

s1 ∪ s2 − s1 ∩ s2

s1とs2の一方にのみ含まれる

Fig.8-21　対称差集合

▶　Table 8-2 (p.232) の下で解説しているように、演算子版のオペランド s2 が集合でなければならない一方で、メソッド版の引数 s2 に対しては、任意のイテラブルオブジェクトを与えることができます。ここでは、便宜上、s2 を集合として解説しました。

集合内包表記

リストと辞書で学習した内包表記は、もちろん、集合でも利用できます。集合内包表記（set comprehension）の基本的な形式は、次のとおりです。

```
{ 式 for 要素 in イテラブル }              # 集合内包表記
```

たとえば、式{n for n in range(1, 8)}は、{1, 2, 3, 4, 5, 6, 7}を生成します。確かめましょう。

例 8-14 集合内包表記による集合の生成
```
>>> x = {n for n in range(1, 8)}⏎
>>> x⏎
{1, 2, 3, 4, 5, 6, 7}
```

生成する要素が重複してはならない（重複しても無視される）点を除くと、リスト内包表記と同様です。

集合の利用例

集合を利用するプログラムを **List 8-17** に示します。

List 8-17   chap08/list0817.py

```
# 二つの文字列を集合化して集合演算を行う

set1 = set(input('文字列s1：'))
set2 = set(input('文字列s2：'))

print(f'set1：{set1}')
print(f'set2：{set2}')
print()
print(f'set1 == set2：{set1 == set2}')
print(f'set1 != set2：{set1 != set2}')
print(f'set1 <  set2：{set1 <  set2}')
print(f'set1 <= set2：{set1 <= set2}')
print(f'set1 >  set2：{set1 >  set2}')
print(f'set1 >= set2：{set1 >= set2}')
print()
print(f'set1 | set2：{set1 | set2}')
print(f'set1 & set2：{set1 & set2}')
print(f'set1 - set2：{set1 - set2}')
print(f'set1 ^ set2：{set1 ^ set2}')
```

```
                                           実行例
文字列s1：ABC⏎
文字列s2：ABD⏎
set1：{'B', 'C', 'A'}
set2：{'D', 'B', 'A'}

set1 == set2：False
set1 != set2：True
set1 <  set2：False
set1 <= set2：False
set1 >  set2：False
set1 >= set2：False

set1 | set2：{'A', 'D', 'C', 'B'}
set1 & set2：{'B', 'A'}
set1 - set2：{'C'}
set1 ^ set2：{'D', 'C'}
```

このプログラムは、読み込んだ二つの文字列を集合化した *set1* と *set2* に対して、各種の演算子を適用し、その結果を表示します。

▶ なお、集合の走査については、**for ～ in** によるリストの全要素の走査法が、そのまま集合にも適用できることを、前章のp.181で学習しました。

■ イテラブルオブジェクトとイテレータ

第6章の文字列、第7章のリスト、本章のタプル、集合、辞書などの型をもつオブジェクトは、いずれも "**イテラブル＝反復可能**（iterable）**である**" という共通点があります。

そのイテラブルオブジェクトは、要素を1個ずつ取り出せる構造のオブジェクトです。

▶ 第4章で学習したように、`range` 関数はイテラブルオブジェクトを返却します。また、第13章で学習するファイルオブジェクトもイテラブルオブジェクトです。

Column 8-2	イテラブルオブジェクトとイテレータと for 文

▪ イテラブルオブジェクトとイテレータ

イテラブルオブジェクトを、組込みの `iter` 関数に引数として与えると、そのオブジェクトに対するイテレータ（iterator）が返却されます。

イテレータとは、データの並びを表現するオブジェクトです。

イテレータの `__next__` メソッドを呼び出すか、組込み関数である `next` 関数にイテレータを与えると、その並びの要素が順次取り出されます。ただし、取り出すべき要素が尽きた場合は、`StopIteration` 例外が送出されます。

※ `next` 関数の初回の呼出しでは先頭要素が取り出され、2回目の呼出しでは2番目の要素が取り出される、… といった具合で、呼び出すたびに "次の要素" が取り出されます。

▪ for 文とイテラブルオブジェクト

次に示すのは、第4章と第7章で学習した **for** 文です。

```
# List 4-8 （p.102）
for i in range(n):
    print(f'No.{i}：こんにちは。')

# List 7-6 （p.180）
x = ['John', 'George', 'Paul', 'Ringo']
for i in x:
    print(i)
```

for 文の実行では、**in** と **:** のあいだに置かれた**式**が、繰返しを始める直前に1回だけ評価されます。このとき、評価で得られたのがイテラブルオブジェクトでなければ、エラーとなります。

評価が終了すると、次の処理が行われます。

▪ イテラブルオブジェクトから、`iter` 関数によってイテレータを取り出す。

※ たとえば、`range(5)` の場合、`[0, 1, 2, 3, 4]` という要素の並びをもつ `range` 型オブジェクトが生成され、そのオブジェクトから `range_iterator` 型のイテレータが取り出されます。

その後、次の処理が繰り返されます。

▪ イテレータから、"次の要素" を `next` 関数によって1個取り出す。

▪ ループ本体のスイートを実行する。

すべての要素を取り出し終わったら、**for** 文による繰返しが終了します。奥の深い **for** 文の仕組みが、おおむね理解できました。

まとめ

● タプルは**組**とも呼ばれる、オブジェクトへの参照を並べたコンテナシーケンスであって、イミュータブルな tuple 型のイテラブルオブジェクトである。

タプルの生成は、式結合演算子 ( ) で行える。( ) の中には要素の並びをコンマで区切ったものを与える。要素が 1 個の場合は、末尾にもコンマが必要である。あいまいさが発生しない文脈では ( ) を省略できる。なお、タプルの生成は tuple 関数でも行える。

イミュータブルであるタプルには、内容を更新するメソッドはない。内容を更新しない演算子やメソッドに関しては、リストと同様に利用できる。

タプルに対するインデックス式やスライス式は、左辺には置けない。

（2012，'福岡太郎'）　　int 型の整数　2012　······▶　0　1　2012 福岡太郎 タプル
str 型の文字列　福岡太郎

● 辞書は、キーと値のペアで構成される要素を並べたミュータブルな dict 型のイテラブルオブジェクトである。マッピング型の一種であって、要素の順序には意味がない。

辞書の生成は、辞書表記演算子 { } で行える。{ } の中には "キー：値" の並びをコンマで区切ったものを与える。なお、辞書の生成は dict 関数でも行える。

辞書のキーは、イミュータブルかつ一意でなければならない。

辞書のインデックス式では、キーをインデックスとして与える。

辞書のインデックス式に対して代入を行うと、キー値が存在すれば値が変更され、キー値が存在しなければ、キーと値のペアが要素として追加される。
辞書に対しては、get メソッドによる値の取出し、setdefault メソッドによる値の取出しあるいは挿入、update メソッドによる更新などが行える。

辞書に対して keys メソッド、values メソッド、items メソッドを適用すると、辞書の中身を眺めるための仮想の表であるビューが取得できる。

辞書は、辞書内包表記によって簡潔かつ効率のよい生成が行える。

{'春': 'spring', '夏': 'summer', '秋': 'autumn', '冬': 'winter'}

春　　夏　　秋　　冬
spring | summer | autumn | winter 辞書

● 集合は、オブジェクトへの参照が集まったコンテナシーケンスであり、ミュータブルな set 型のイテラブルオブジェクトである。他のシーケンス型とは異なり、複数の要素が同一値をもつことはできない。また、要素の順序には意味がない。

集合の生成は、集合表記演算子 { } で行う。{ } の中には要素の並びをコンマで区切ったものを与える。さらに、集合の生成は set 関数でも行える。空集合は set() で生成する。

イミュータブルな集合は、凍結集合（frozenset 型）で表せる。

集合に対しては、数多くの演算子、累算代入演算子、メソッドが適用できる。

集合は、集合内包表記によって簡潔かつ効率のよい生成が行える。

{1, 2, 3, 4, 5, 6}   　1　2　3　4　5　6　集合

8
まとめ

```
# 第8章 まとめ                                              chap08/gist.py

p1 = [75, 56, 89]   # 英語の点数のリスト
p2 = [42, 85, 77]   # 数学の点数のリスト

# キーが姓で名前が値の辞書
name = {
    '渡辺': '弘毅',
    '西田': '繁人',
    '杉田': '香',
}

# zip化して集合に変換（集合の要素はタプル型）
plist = set(zip(name.items(), p1, p2))

# 集合の全要素を表示
for m in plist:
    print(m)
```

実行結果

```
(('渡辺', '弘毅'), 75, 42)
(('西田', '繁人'), 56, 85)
(('杉田', '香'), 89, 77)
```
※ 表示の順序は不定です

● 1個以上の値を集めてタプル（やリスト）にするのがパックであり、逆の変換を行うのがアンパックである。タプルからのアンパックは、必要に応じて暗黙裏に行われる。

● 複数のリストやタプルにまたがって格納されているデータを zip 化する（同一インデックス値のデータを集約化する）には、zip 関数を利用する。

● イテラブルオブジェクト（反復可能オブジェクト）は、要素を1個ずつ取り出せる構造のオブジェクトである。iter 関数に対してイテラブルオブジェクトを与えると、データの並びを表現するイテレータが返却される。

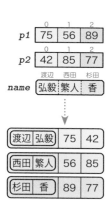

Column 8-3	collections モジュール

前章と本章で学習した**リスト**（list）、**タプル**（tuple）、**辞書**（dict）、**集合**（set）は、**組込みの汎用コンテナ**です。

各種の用途に向けて特化されたコンテナが collections モジュールで提供されています。

▪ namedtuple()

名前付きタプルを生成する際に使う**関数**です（名前付きフィールドをもった、タプルの派生クラスのオブジェクトを生成する関数です）。

名前付きタプルは、要素へのアクセスを、整数値のインデックスではなく、名前で行えるように拡張されたタプルです（高効率で、かつ、辞書的な使い勝手をもつ、イミュータブルなタプル、といったところです）。

▪ deque

デック（deque = double ended queue）は、スタック（LIFO：後入れ先出し）とキュー（FIFO：先入れ先出し）の両方の特徴を備えた**コンテナ**です。

リストよりもメモリ効率がよく高速に処理を行えます。

▪ ChainMap

複数のマッピングをまとめて、単一の更新可能なビューを作成する（辞書様の）**クラス**です（新しい辞書を生成して update() を繰り返すよりも高速に処理を行えます）。

▪ Counter

ハッシュ可能なオブジェクトを数え上げるカウンタです。辞書（dict）の派生**クラス**であり、要素を辞書のキーとして保存し、そのカウントを辞書の値として保存します。

▪ OrderedDict

項目が追加された順序を記憶する順序付き辞書です。辞書（dict）の派生**クラス**であり、辞書の順序を並べ直すメソッドをもっています。

▪ defaultdict

既定値をもつ辞書です。辞書（dict）の派生**クラス**であり、**辞書内に含まれない値の処理が行える**ように、ひとつのメソッドがオーバーライドされ、インスタンス変数が追加されています。

▪ UserDict

辞書のサブクラス化を簡単にする辞書オブジェクトの**ラッパ**です。インスタンスの内容は、通常の辞書に保存されており、**data** 属性によってアクセスできるようになっています。

▪ UserList

リストのサブクラス化を簡単にするリストオブジェクトの**ラッパ**です。インスタンスの内容は、通常のリストに保存されており、**data** 属性によってアクセスできるようになっています。

▪ UserString

文字列のサブクラス化を簡単にする文字列オブジェクトの**ラッパ**です。インスタンスの内容は、通常の文字列に保存されており、**data** 属性によってアクセスできるようになっています。

第9章

関　数

本章では、プログラムの部品となる関数について、作り方と使い方を詳細に学習していきます。

- 関数と内部関数
- 組込み関数とユーザ定義関数
- 関数定義と関数呼出し
- 実引数と仮引数
- return 文と返却値
- 再帰呼出し
- 引数のデフォルト値
- 位置引数とキーワード引数
- 可変個引数（位置引数のタプル化）
- イテラブル型実引数のアンパック
- 辞書化されたキーワード引数の受渡し
- マッピング型実引数のアンパック
- キーワード引数／位置引数の強制
- 文書化文字列と help 関数
- アノテーション
- 名前空間とスコープ
- global 文と nonlocal 文
- 高階関数
- ラムダ式

9-1 関数の基礎

これまで、print 関数や randint 関数など、数多くの便利な部品を使ってきました。部品を使うだけでなく、作れるようになりましょう。

関数とは

最初に、**List 9-1** と **List 9-2** を考えます。左下直角の二等辺三角形を表示するプログラムと長方形を表示するプログラムです。

9

関数

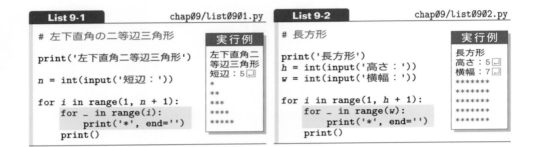

```
List 9-1                    chap09/list0901.py

# 左下直角の二等辺三角形           実行例

print('左下直角二等辺三角形')      左下直角二
                              等辺三角形
n = int(input('短辺：'))          短辺：5⏎
                              *
for i in range(1, n + 1):      **
    for _ in range(i):         ***
        print('*', end='')     ****
    print()                    *****
```

```
List 9-2                    chap09/list0902.py

# 長方形                        実行例

print('長方形')                 長方形
h = int(input('高さ：'))        高さ：5⏎
w = int(input('横幅：'))        横幅：7⏎
                              *******
for i in range(1, h + 1):      *******
    for _ in range(w):         *******
        print('*', end='')     *******
    print()                    *******
```

水色部は、二つのプログラムの共通点です。アステリスク文字 * を、（スペースで区切ることなく、かつ、改行することなく）連続表示します。

同一あるいは類似した処理のために、似たようなコードを毎回作成していると、コストが高くつきます。次の方針をとりましょう。

ひとまとまりの手続きは、一つの《部品》としてまとめる。

部品を実現するのが関数（function）であり、そのイメージを電子回路ふうに表現したのが、**Fig.9-1** です。補助的な指示を引数に受け取って目的の処理を行います。そして、処理を行った結果を返却値として返します。

▶ この後で学習しますが、引数の受取りや、返却値の返却は省略することができます。

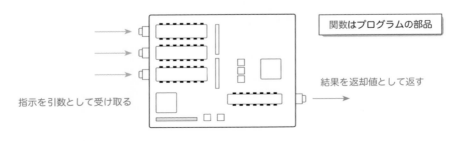

関数はプログラムの部品

指示を引数として受け取る　　　　　　結果を返却値として返す

Fig.9-1　関数のイメージ

さて、ここで必要とされているのは、次の関数です。

> **表示すべき＊の個数を引数に受け取って、連続表示する（返却値は返さない）。**

これまで学習した組込み関数である`print`関数や`randint`関数などは、使い方さえ分かれば、中身を知らなくても容易に使いこなせる《魔法の箱》のような存在です。

魔法の箱ともいうべき関数について、次のことがらを学習していきます。

- 関数の作り方 … 関数の定義
- 関数の使い方 … 関数の呼出し

なお、プログラマが作る関数は、ユーザ定義関数（user-defined function）と呼ばれます。

> ▶ 関数という名称は、数学用語の**関数**（function）に由来します。functionには、『機能』『作用』『働き』『仕事』『効用』『職務』『役目』などの意味があります。

9-1

関数の基礎

▢ 関数定義 ─────────────

今回の目的を満たす関数 `put_star` の関数定義（function definition）を、**Fig.9-2** に示しています。関数定義は、一種の複合文ですから、`if`文や`while`文と構造が似ています。

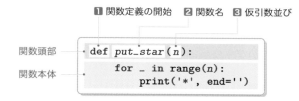

Fig.9-2　関数定義

三つのパーツで構成される先頭行は、関数の顔となる、関数頭部です。

1 冒頭のキーワード`def`は、関数定義の開始を表します。

> ▶ `def`は、『定義』という意味のdefinitionに由来します。

2 関数の名前です。

3 （ ）で囲まれた箇所は、補助的な指示を受け取る仮引数（parameter）の宣言です。

複数の仮引数を受け取る場合はコンマ , で区切り、1個も受け取らない場合は空にします。

関数 `put_star` は、表示すべき文字数を唯一の仮引数 `n` に受け取ります。

なお、仮引数は、その関数の中でのみ通用する変数となります。

関数本体は、行う処理を記述したスイートです。実行されるのは、関数が呼び出されたときです（`n`個の`'*'`を連続表示するコードですが、呼び出されなければ実行されません）。

> ▶ 関数頭部に続いて、1レベル深くインデントして記述された文（の並び）が関数本体です。なお、`if`文の場合と同様、スイートが単純文であれば、関数頭部と同一行に本体を置けます。

9
関数

関数の呼出し

関数 `put_star` を定義して呼び出す **List 9-3** のプログラムで、学習を進めていきましょう。

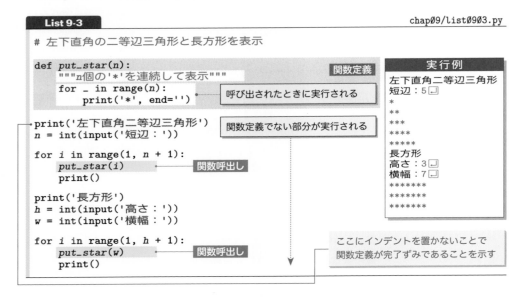

List 9-3　　　　　　　　　　　　　　　　　　　　　　chap09/list0903.py

```python
# 左下直角の二等辺三角形と長方形を表示

def put_star(n):                              関数定義
    """n個の'*'を連続して表示"""
    for _ in range(n):           呼び出されたときに実行される
        print('*', end='')

print('左下直角二等辺三角形')    関数定義でない部分が実行される
n = int(input('短辺：'))

for i in range(1, n + 1):
    put_star(i)         関数呼出し
    print()

print('長方形')
h = int(input('高さ：'))
w = int(input('横幅：'))

for i in range(1, h + 1):
    put_star(w)         関数呼出し
    print()
```

実行例
```
左下直角二等辺三角形
短辺：5⏎
*
**
***
****
*****
長方形
高さ：3⏎
横幅：7⏎
*******
*******
*******
```

ここにインデントを置かないことで
関数定義が完了ずみであることを示す

赤色部は、前ページで作成した**関数定義**です。**関数を呼び出す**箇所よりも前に置きます。

重要　関数定義は、その呼出しのコードよりも先頭側に置く。

▶ 関数定義を末尾側に配置したのが `'chap09/list0903x.py'` です。実行すると、エラーになることを確認しましょう。

関数頭部の次の行の `"""n 個の '*' を連続して表示 """` は、関数の仕様を説明するコメントです。`"""` 形式の文字列リテラルで記述されたコメントは、文書化文字列（docstring）と呼ばれます。

▶ 文書化文字列の詳細は次節で学習します（本節では1行で簡潔に記述します）。

プログラムの実行と関数の呼出し

前章までのプログラムは、先頭行から順に実行されていました。本プログラムのように関数定義がある場合は、その定義以外の部分の先頭からプログラムの実行が始まります。

関数を利用する（実行する）ことを "関数を呼び出す" と表現することは学習ずみです。

本プログラムで関数 `put_star` を呼び出しているのが、2箇所の水色部です。次の依頼であると考えましょう（**Fig.9-3**）。

関数 `put_star` さん、数値を渡しますので、その個数分だけ、アステリスク記号 `*` を連続して表示してください！

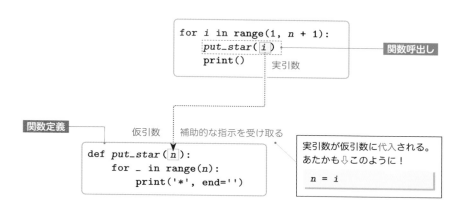

Fig.9-3　関数呼出し

さて、次のことも第2章で学習しました。

- 関数呼出しは、関数名の後ろに呼出し演算子 ( ) を置いて行う。
- 呼出し演算子 ( ) の中に、関数に対する "補助的な指示" を 実引数 (argument) として
  与える。実引数が2個以上の場合は、コンマ , で区切る。

なお、○○演算子が適用された式は○○式と呼ばれますので、呼出し演算子を用いた式は、
呼出し式 (call expression) です。

　呼出し式が評価されると、その関数が呼び出され、プログラムの流れが、その関数へと一気
に移ります。その際、実引数が仮引数に代入されます（図の例では、実引数 *i* が仮引数 **n** に
代入されます）。

> **重要**　呼出し式が**評価**されて関数呼出しが行われると、プログラムの流れは、その関数
> に移る。その際、渡された**実引数**が、関数が受け取る**仮引数**に代入される。

　仮引数への代入が終了したら、関数本体が実行されます。本関数の場合、**for** 文の繰返し
によって、**n** 個のアスタリスク * が連続表示されます。

　関数本体の実行が終了すると、プログラムの流れは、もとの場所に戻ります。

＊

　関数 *put_star* を導入することで、左下直角二等辺三角形と長方形の表示コードが次のよう
に変化しました。

- プログラムが短く簡潔になった（処理の詳細が関数の中に隠蔽された）。
- 2重ループが単なるループとなった。

> ▶　関数 *put_star* を、どこからでも利用できる形にしておけば、複数のプログラムから自由に呼び出せ
> るようになります。そのための《パッケージ》については、次章で学習します。

関数からの値の返却

　次は、値を返却する関数を作ります。3個の値を受け取って、それらの最大値を求めて返却する関数 *max3* を作りましょう。**List 9-4** に示すのが、そのプログラムです。

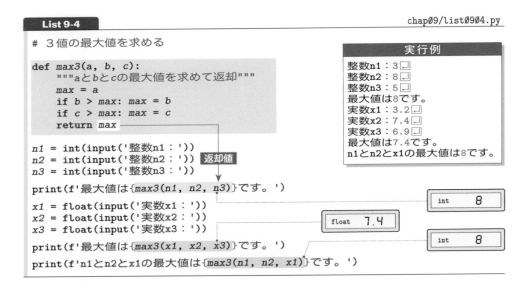

List 9-4　　　　　　　　　　　　　　　　　　　　　　　　chap09/list0904.py

```python
# 3値の最大値を求める

def max3(a, b, c):
    """aとbとcの最大値を求めて返却"""
    max = a
    if b > max: max = b
    if c > max: max = c
    return max

n1 = int(input('整数n1：'))
n2 = int(input('整数n2：'))         返却値
n3 = int(input('整数n3：'))

print(f'最大値は{max3(n1, n2, n3)}です。')

x1 = float(input('実数x1：'))
x2 = float(input('実数x2：'))
x3 = float(input('実数x3：'))

print(f'最大値は{max3(x1, x2, x3)}です。')
print(f'n1とn2とx1の最大値は{max3(n1, n2, x1)}です。')
```

```
実行例
整数n1：3 ⏎
整数n2：8 ⏎
整数n3：5 ⏎
最大値は8です。
実数x1：3.2 ⏎
実数x2：7.4 ⏎
実数x3：6.9 ⏎
最大値は7.4です。
n1とn2とx1の最大値は8です。
```

```
int    8
```
```
float   7.4
```
```
int    8
```

　関数 *max3* は、仮引数 *a* と *b* と *c* に受け取った値の最大値を変数 *max* に求めます。

　求めた値は、返却という形で呼出し元に戻します。返却を行うのが、return 文（return statement）です。

　return 文が実行されると、プログラムの流れは、実行中の関数から呼出し元へと戻ります。その際の《手みやげ》が、**return** の後ろに置かれた式であり、その値が返却値（実行例の最初の呼出しでは、*max* の値である 8）となります。

> **重要** return 文は、関数の実行を終了させて、プログラムの流れを呼出し元に戻すとともに、値を返却する。

　関数から返却された値は、呼出し式の評価によって得られます。実行例であれば、水色の呼出し式 *max3(n1, n2, n3)* を評価した値が『int 型の 8』となります。

> **重要** 呼出し式を評価すると、関数によって返された返却値が得られる。

　他の2箇所の呼出しも同様です。*x1* と *x2* と *x3* の最大値と、*n1* と *n2* と *x1* の最大値が（引数の型に依存せずに）正しく求められます。

＊

　次に、3個の値ではなく、2個の値の最大値を求める関数を作りましょう。**List 9-5** に示すのが、そのプログラムです。

List 9-5　　　　　　　　　　　　　　　　　　　　　　chap09/list0905.py

```
#  2値の最大値を求める

def max2(a, b):
    """aとbの最大値を求めて返却"""
    if a > b:
        return a
    return b

n1 = int(input('整数n1：'))
n2 = int(input('整数n2：'))

print(f'最大値は{max2(n1, n2)}です。')
```

> return 文は複数あってもよい

```
実行例
整数n1：3␣
整数n2：7␣
最大値は7です。
```

関数 max2 中の2個の return 文は、次のように実行されます。

- a が b より大きければ：先頭側の return 文が実行されて呼出し元に a を返却する。
- そうでなければ　　　　：後ろ側の return 文が実行されて呼出し元に b を返却する。

もちろん、二つの return 文が両方とも実行される、といったことはありません。

なお、条件演算子を使えば、関数本体が1行に収まります（'chap09/list0905a.py'）。

```
    return a if a > b else b    # 条件演算子if elseを利用
```

文法上、関数には return 文を何個でも置けますが、なるべく少数（できれば1個）にすべきです。数多くの出口があると、構造がつかみづらくなるからです。

複数の値の返却

複数の値を戻す場合は、値をまとめた**タプル**として返却するのが基本です。**List 9-6** の関数 min_max2 は、最小値と最大値の両方を求め、それらを組み合わせたタプルを返却します。

List 9-6　　　　　　　　　　　　　　　　　　　　　　chap09/list0906.py

```
#  2値の最小値と最大値を求める

def min_max2(a, b):
    """aとbの最小値と最大値を求めて返却"""
    return (a, b) if a < b else (b, a)

n1 = int(input('整数n1：'))
n2 = int(input('整数n2：'))

minimum, maximum = min_max2(n1, n2)
print(f'最小値は{minimum}で最大値は{maximum}です。')
```

```
実行例
整数n1：3␣
整数n2：7␣
最小値は3で最大値は7です。
```

最小値と最大値をタプルとして求める赤色部の条件式は、**List 3-27**（p.67）と同じです。return 文では、そのタプルを返却します。

関数 min_max2 を呼び出す水色部では、返却されたタプルが暗黙裏にアンパックされて、最小値と最大値がそれぞれ minimum と maximum に代入されます。

return 文と値の返却

プログラムの流れを呼出し元へ戻す **return** 文は、値を返却しない場合は、"**return** 式" ではなくて、単なる "**return**" とします。

さて、最初に作成した関数 *put_star* には、**return** 文がありませんでした。**return** 文を実行しない関数が終了したとき、あるいは、値を返却しない単なる "**return**" 文が実行された場合、関数は（何も返さないのではなく）**None** を返却します。

> **重要** 関数は、何らかの値（明示的に指定されなければ **None**）を返却する。

何もしない関数

引数を受け取らず、何の処理も行わない、という最小の関数は次のように定義できます。

```
def func():
    """何も受け取らず何も行わない関数"""
    pass
```

なお、**return** 文で値を明示的に返却していませんので、**None** が返却されます。

▶ **pass** 文は、p.52 で学習しました。

返却値の取扱い

List 9-3（p.244）のプログラムでは、関数 *put_star* が（暗黙裏に）返却した **None** を使わずに切り捨てています（無視しています）。なお、**List 9-4**（p.246）〜 **List 9-6**（p.247）のプログラムでは、返却値を使っていますが、無視することも可能です。

関数から返却された値は、煮るなり焼くなり、呼出し元の自由にしてよいのです。

＊

それでは、第 2 章から使い続けてきた **print** 関数の返却値を確認しましょう。

List 9-7 のプログラムを実行します。

最初に、内側の **print** 関数の呼出しすなわち **print('ABC')** によって、画面には『ABC』と表示されます。

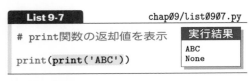

List 9-7	chap09/list0907.py
# print関数の返却値を表示	**実行結果**
print(print('ABC'))	ABC None

表示を終了した **print** 関数は **None** を返却しますので、その値が外側の **print** 関数に引数として与えられる結果、『None』と表示されます。

▶ 本プログラムは、外側の **print** 関数の返却値を表示していません。次のようにすれば、外側の返却値も表示できます（'chap09/list0907a.py'）。

```
x = print(print('ABC'))     # 外側のprint関数の返却値をxに代入
print(x)                    # xの値を表示
```

```
ABC
None
None
```

引数を受け取らない関数

次に作るのは、暗算トレーニングのプログラムです。**List 9-8** を実行すると、3桁の整数を三つ加える問題が提示されます。誤った解答は受け付けませんので、必ず正解しなければなりません。まずは、実行して楽しみましょう。

List 9-8   chap09/list0908.py

```python
# 暗算トレーニング（3桁の整数を三つ加える）

import random                                          # 引数を受け取らない

def confirm_retry():
    """もう一度行うかどうかを確認する"""
    while True:
        n = int(input('もう一度？<Yes…1／No…0>：'))
        if n == 0 or n == 1:
            return n

print('暗算トレーニング開始!!')

while True:
    x = random.randint(100, 999)
    y = random.randint(100, 999)
    z = random.randint(100, 999)

    while True:
        print(f'{x} + {y} + {z} = ', end='')
        if (k := int(input())) == x + y + z:
            break
        print('違いますよ!!')

    if not confirm_retry():                            # 引数を与えない
        break
```

実行例
```
暗算トレーニング開始!!
341 + 616 + 741 = 1678⏎
違いますよ!!
341 + 616 + 741 = 1698⏎
もう一度？<Yes…1／No…0>：1⏎
674 + 977 + 760 = 2411⏎
もう一度？<Yes…1／No…0>：0⏎
```

9-1
関数の基礎

▶ 本プログラムは、100 ～ 999 の乱数 x、y、z を生成して、その和を求める問題を提示します。キーボードから読み込んだ k の値が x + y + z と等しければ正解ですから、break 文によって、while 文を中断・終了します。ただし、不正解であれば、while 文は延々と繰り返されます。

＊

confirm_retry は、もう一度トレーニングを行うかどうかを確認する関数です。キーボードから 0 あるいは 1 が入力されたら、その値を返却します。

関数 confirm_retry のように、受け取る引数がない関数は、（）の中を空にします。

重要 仮引数を受け取らない関数の定義では、（）の中を空にする。

呼出し側も同様です。関数を呼び出す **confirm_retry()** では、呼出し演算子 () の中を空にしています。

▶ if 文の判定式は、関数 confirm_retry の返却値に対して not 演算子を適用した式です（0 以外の数値は真とみなされ、0 は偽とみなされることを思い出しましょう）。

再帰呼出し

　ある事象は、それが自分自身を含んでいたり、自分自身を用いて定義されているときに、再帰的（recursive）であるといわれます。**非負の整数値 n の階乗値**は、次のように再帰的に定義されます。

- 階乗 n! の定義 （nは非負の整数とする）
  - A　Ø! = 1
  - B　n > Ø ならば n! = n × (n - 1)!

▶　たとえば、1Ø! は 1Ø × 9! で求められ、9! は 9 × 8! で求められます。

　この考えをそのまま投影して作られたのが、**List 9-9** のプログラムです。

List 9-9　　　　　　　　　　　　　　　　　　　　　　　chapØ9/listØ9Ø9.py

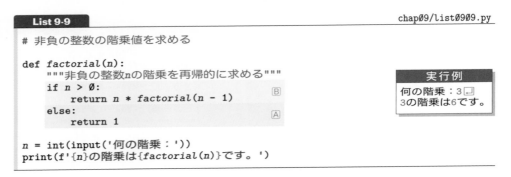

```
# 非負の整数の階乗値を求める

def factorial(n):
    """非負の整数nの階乗を再帰的に求める"""
    if n > Ø:
        return n * factorial(n - 1)        B
    else:
        return 1                           A

n = int(input('何の階乗：'))
print(f'{n}の階乗は{factorial(n)}です。')
```

```
　　　　実行例
何の階乗：3⏎
3の階乗は6です。
```

　関数 *factorial* によって階乗値が求められる様子を、**Fig.9-4** に示している「3 の階乗値を求める」例で理解しましょう。

a　呼出し式 *factorial(3)* の評価によって、関数 *factorial* が呼び出されます。この関数は、仮引数 *n* に 3 を受け取っているため、次の値を返却します。

　　　3 * factorial(2)

　もっとも、この乗算を行うには、*factorial(2)* の値を求めなければなりません。そこで、実引数として整数値 2 を渡して関数 *factorial* を呼び出します。

b　呼び出された関数 *factorial* は、仮引数 *n* に 2 を受け取っています。

　　　2 * factorial(1)

の乗算を行うために、関数 *factorial(1)* を呼び出します。

c　呼び出された関数 *factorial* は、仮引数 *n* に 1 を受け取っています。

　　　1 * factorial(Ø)

の乗算を行うために、関数 *factorial(Ø)* を呼び出します。

d　呼び出された関数 *factorial* は、仮引数 *n* に受け取った値が Ø ですから、1 を返却します。

▶　if 文の else 節に置かれている return 文が初めて実行されます。

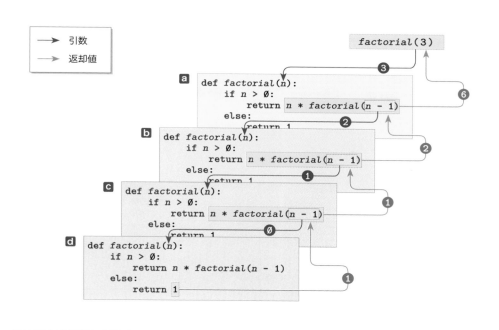

Fig.9-4 階乗値を再帰的に求める（3の階乗値）

c 返却された値 1 を受け取った関数 *factorial* は、1 * *factorial*(0) すなわち 1 * 1 を返却します。

b 返却された値 1 を受け取った関数 *factorial* は、2 * *factorial*(1) すなわち 2 * 1 を返却します。

a 返却された値 2 を受け取った関数 *factorial* は、3 * *factorial*(2) すなわち 3 * 2 を返却します。

これで 3 の階乗値 6 が得られます。

　関数 *factorial* は、n - 1 の階乗値を求めるために、関数 *factorial* を呼び出します。このような関数呼出しが**再帰呼出し**（recursive call）です。

▶ 再帰呼出しは、「"自分自身の関数" の呼出し」と理解するのではなく、「"自分と同じ関数" の呼出し」と理解したほうが自然です。もしも本当に自分自身を呼び出すのであれば、延々と自分を呼び出し続けることになってしまいますから。

　再帰的アルゴリズムが適しているのは、解くべき問題や計算すべき関数、あるいは処理すべきデータ構造が再帰的に定義されている場合です。

　したがって、再帰的手続きによって階乗値を求めるのは、再帰の原理を理解するための一例にすぎないものであり、現実的には適切ではありません。

9-1 関数の基礎

引数やりとりのメカニズム

関数が受け取る仮引数と、呼び出す側が与える実引数について、**List 9-10** で考えていきます。定義されている *sum_1ton* は、1 から *n* までの和を求めて返却する関数です。

List 9-10 chap09/list0910.py

```
# 1からnまでの和を求めるプログラム

def sum_1ton(n):
    """1からnまでの整数の和を求める"""
    s = 0
    while n > 0:
        s += n
        n -= 1
    return s

x = int(input('xの値：'))
total = sum_1ton(x)
print(f'1から{x}までの和は{total}です。')
```

実行例

```
xの値：5
1から5までの和は15です。
```


実行例の場合、関数 *sum_1ton* の実行過程で、仮引数 *n* の値を 5 ⇨ 4 ⇨ 3 ⇨ 2 ⇨ 1 とデクリメントしていきますので、関数終了時の *n* の値は 0 となります。

さて、呼び出す側で *sum_1ton* に与える実引数は *x* です。実行例の場合、関数から戻ってきた後に「1 から 5 までの和は 15 です。」と表示されることから、変数 *x* の値が、呼出し前のままの 5 であることが確認できます。

この結果を見て、次のように勘違いしてはいけません。

✕ 仮引数 *n* には、実引数 *x* の値がコピーされている。

既に学習したように、**仮引数には実引数が代入されます**（p.245）。代入でコピーされるのは、値ではなく参照先ですから、*n* の参照先は、*x* の参照先と同一です（**Fig.9-5 a**）。

仮引数 *n* の値を関数 *sum_1ton* 内で 5 から 0 に書きかえたにもかかわらず、実引数 *x* の値が 5 のままで変更されないのは、整数値が**イミュータブル**（変更不能）だからです。

変数 *n* は、値を更新した時点で、別のオブジェクトへの参照となっているのです（図**b**）。

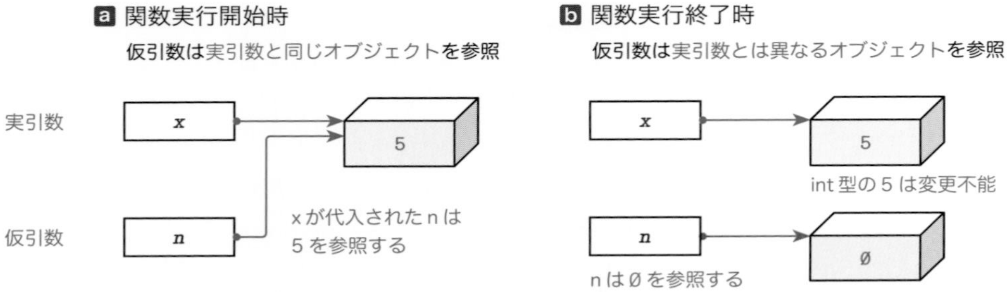

Fig.9-5 イミュータブルな実引数と仮引数（関数内で仮引数の値を変更した際の挙動）

このことは、**List 9-11** のプログラムでも確認できます。

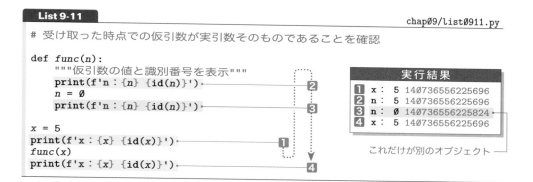

List 9-11

chap09/list0911.py

```python
# 受け取った時点での仮引数が実引数そのものであることを確認

def func(n):
    """仮引数の値と識別番号を表示"""
    print(f'n : {n} {id(n)}')
    n = 0
    print(f'n : {n} {id(n)}')

x = 5
print(f'x : {x} {id(x)}')
func(x)
print(f'x : {x} {id(x)}')
```

実行結果

```
1  x :  5  140736556225696
2  n :  5  140736556225696
3  n :  0  140736556225824
4  x :  5  140736556225696
```

これだけが別のオブジェクト

9-1

関数 *func* は、仮引数 *n* を受け取り、その識別番号を（代入前後のタイミングで）表示します。実引数と仮引数の挙動は、前のプログラムと同じです。

関数の基礎

▶ すなわち、次のようになっています。

2：関数の実行が開始した直後では図aの状態（仮引数 *n* と実引数 *x* は事実上同一）。

3：仮引数 *n* の値を変更した後では図bの状態（仮引数 *n* は実引数 *x* は別物）。

　　　　　　　　　　　　　＊

Python における引数のやりとりは、実引数であるオブジェクトへの参照が値として渡されて、その参照値が仮引数に代入される、というメカニズムです。

▶ 他の多くのプログラミング言語では、実引数の値が仮引数にコピーされる値渡し（call by value）や、実引数の参照が内部的に仮引数にコピーされる結果、仮引数が実引数と実質的に同一となる参照渡し（call by reference）の一方あるいは両方が採用されています。

Python の引数の受渡しは、これらの中間的な参照の値渡しです。なお、Python 公式ドキュメントでは、オブジェクト参照渡し（call by object reference）という用語で説明されています。

関数間の引数の受渡しをまとめると、次のようになります。

関数の実行開始時点では、仮引数は、実引数のオブジェクトそのものを参照する。

関数内で仮引数の値を変更したときの挙動は、引数の型によって、次のように異なる。

① 引数がイミュータブル（変更不能）であれば、関数内で仮引数の値を変更すると、別のオブジェクトが生成され、そのオブジェクトへの参照へと更新される。

そのため、仮引数の値を変更しても、呼出し側の実引数には影響を与えない。

② 引数がミュータブル（変更可能）であれば、関数内で仮引数の値を変更すると、そのオブジェクト自体が更新される。

そのため、仮引数の値を変更すると、呼出し側の実引数の値が変更される。

二つのプログラムは、いずれも①のケースでした。次は、②のケースを考えましょう。

リストを受け取る関数

引き続き、関数間の引数のやりとりを考えます。前ページの②のケース、すなわち、引数の型がミュータブル（変更可能）な型のケースです。

ここでは、ミュータブルなオブジェクトの代表ともいえる《リスト》をとりあげます。まずは、**List 9-12** のプログラムを実行しましょう。

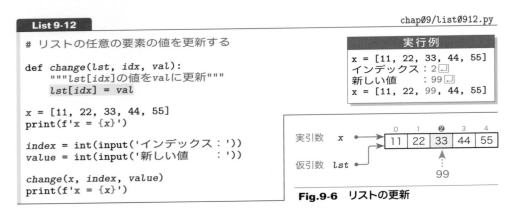

List 9-12   chap09/list0912.py

```python
# リストの任意の要素の値を更新する

def change(lst, idx, val):
    """lst[idx]の値をvalに更新"""
    lst[idx] = val

x = [11, 22, 33, 44, 55]
print(f'x = {x}')

index = int(input('インデックス：'))
value = int(input('新しい値      ：'))

change(x, index, value)
print(f'x = {x}')
```

実行例
```
x = [11, 22, 33, 44, 55]
インデックス：2⏎
新しい値      ：99⏎
x = [11, 22, 99, 44, 55]
```

Fig.9-6　リストの更新

関数 *change* は、リスト *lst* 中のインデックス *idx* の要素、すなわち *lst[idx]* に対して、*val* を代入するだけの単純な関数です。

実行例では、関数から戻ってきた後に、**x[2]** が **33** から **99** に変更されています（**Fig.9-6**）。

引数がミュータブルであれば、関数内で更新した値を呼び出し元へと伝えられることが分かりました。

リストの要素の並びを反転する関数

リストの要素の並びを反転して（全要素の値を逆順に並びかえて）表示するプログラムを作ることにします。まずは、そのためのアルゴリズムを考えていきましょう。

7 個の要素の並び *lst* を反転する手順を示したのが、右ページの **Fig.9-7** です。

まず、図 **ａ** に示すように、先頭要素 *lst[0]* と末尾要素 *lst[6]* の値を交換します。次に、図 **ｂ** と図 **ｃ** に示すように、それぞれ一つ内側の要素の値を交換する作業を繰り返します。

要素数が **n** であれば、交換回数は **n // 2** 回です（剰余を切り捨てるのは、要素数が奇数のときに、中央要素の交換が不要だからです）。

▶ "整数 **//** 整数" の演算では剰余が切り捨てられた整数部が得られるため、好都合です（もちろん、要素数が 7 のときの交換回数は 7**//**2 すなわち 3 です）。

図 **ａ** ⇨ 図 **ｂ** ⇨ … の処理を、変数 *i* の値を 0、1、… とインクリメントすることで表すと、値を交換する 2 個の要素のインデックスは、次のようになります。

- 左側の要素のインデックス（図中の●内の値）… `i`   0 ⇨ 1 ⇨ 2
- 右側の要素のインデックス（図中の●内の値）… `n - i - 1`   6 ⇨ 5 ⇨ 4

そのため、要素数 n のリスト lst の要素の並びを反転するコードは、次のようになります（Pythonと日本語のミックスで表現しています）。

```
for i in range(n // 2):
    lst[i]の値とlst[n - i - 1]の値を交換
```

このアルゴリズムをもとに作ったプログラムが **List 9-13** です。

List 9-13   chap09/list0913.py

```python
# リストの要素の並びを反転する

def reverse_list(lst):
    """lstの要素の並びを反転"""
    n = len(lst)                    # 要素数を取得
    for i in range(n // 2):
        lst[i], lst[n - i - 1] = lst[n - i - 1], lst[i]
x = [22, 57, 11, 32, 91, 68, 77]
print(f'x = {x}')

reverse_list(x)
print(f'x = {x}')
```

実行結果
```
x = [22, 57, 11, 32, 91, 68, 77]
x = [77, 68, 91, 32, 11, 57, 22]
```

配列の要素の並びを反転するのが、関数 `reverse_list` です。

水色部の `for` 文の繰返し回数は `n // 2` 回です。ループ本体では、`lst[i]` と `lst[n - i - 1]` の値の交換を行います。

▶ 2値 a と b の交換を行う `a, b = b, a` については、p.70とp.117とp.210で学習しました。

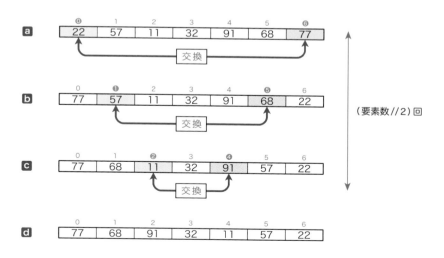

Fig.9-7 リストの要素の並びの反転

引数のデフォルト値

　関数呼出しの際に（ ）の中に与える実引数は、呼出しの際に省略することができます。

　ただし、そのためには、呼び出される側の関数定義で、デフォルト値（default value）の設定が必要です。設定するのは、実引数が省略された際に、仮引数に与えるべき値です。

　List 9-14 に示すのが、引数のデフォルト値を利用するプログラム例です。

| List 9-14 | chap09/list0914.py |

```python
# 敬称を付けて挨拶する関数（デフォルト値をもつ仮引数）

def hello(name, honorific = 'さん'):
    """敬称を付けて挨拶する"""
    print(f'こんにちは、{name}{honorific}。')

hello('田中')              ←1
hello('関根', '君')        ←2
hello('西田', '先生')      ←3
```

```
実行例
こんにちは、田中さん。
こんにちは、関根君。
こんにちは、西田先生。
```

　関数 *hello* は、名前 *name* と敬称 *honorific* を受け取って、敬称付きで挨拶する関数です。第2仮引数 *honorific* のデフォルト値が `'さん'` と指定されています。

　デフォルト値が設定された仮引数に対して実引数を与えずに関数を呼び出すと、仮引数に対して、デフォルト値が "充当" されます。

　そのため、各関数呼出しは、次のように行われます。

1　第2引数を与えずに呼び出していますので、仮引数 *honorific* には、`'さん'` が代入されます。関数呼出し *hello*(`'田中'`) は、*hello*(`'田中'`, `'さん'`) とみなされ、『こんにちは、田中さん。』と表示されます。

2 3　いずれも第2引数を省略せずに呼び出しています。それぞれ、『こんにちは、関根君。』『こんにちは、西田先生。』と表示されます。

　▶　仮引数 *honorific* には、実引数で与えられた `'君'` あるいは `'先生'` が代入されますので、デフォルト値 `'さん'` が代入されることはありません。

| Column 9-1 | デフォルト（default）の意味 |

　辞書レベルでの default の意味は、名詞としては『不履行』『怠慢』『債務不履行』『欠席』『欠場』であり、動詞としては『義務を怠る』『債務を履行しない』『欠席する』です。

　ところが、IT業界では、『最初から（初期状態で）設定されている値』『特に指定しなければ採用される値』といった、『既定』に近いニュアンスで使われます。

　"怠慢して（わざわざ値を渡さなくて）も設定されるため"、この言葉が当てられるようになり、広く使われています。

　デフォルト値は、後ろ側の引数から順に、途中の引数を飛ばさずに連続して設定可能です。
いくつかの例を示します（関数頭部のみを示しています）。

```
def func1(a = 1, b = 2):          // OK
def func2(a = 1, b):              // エラー

def func3(a, b, c = 3):           // OK
def func4(a, b = 2, c = 3):       // OK
def func5(a = 1, b, c = 3):       // エラー
```

重要　仮引数の宣言でデフォルト値を与えておけば、関数呼出し時に実引数を省略できる。
省略した場合には、仮引数にデフォルト値が代入される。

▶　デフォルト値の評価が行われるのは1回だけです。そのため、デフォルト値がリストや辞書のような
ミュータブルな型であれば、関数が呼び出されるたびにデフォルト値が更新される可能性があります。
次に示すのが、その一例です（'chap09/list_apnd.py'）。

```
def list_apnd(a, lst=[]):
    """呼び出されるたびにリストを連結して表示"""
    lst += a
    print(lst)
```

```
[1]
[1, 2]
[1, 2, 3, 4]
```

```
list_apnd([1])     # []    に[1]を追加。    lstのデフォルト値は[1]になる。
list_apnd([2])     # [1]   に[2]を追加。    lstのデフォルト値は[1, 2]になる。
list_apnd([3, 4])  # [1, 2]に[3, 4]を追加。 lstのデフォルト値は[1, 2, 3, 4]になる。
```

　関数 list_apnd の第2引数にデフォルト値が指定されています。引数 lst に [] が代入されるのは、
最初に呼び出されたときだけです（2回目以降は代入されません）。
　そのため、lst += a によって、受け取った a が変数 lst に累積追加されてデフォルト値が更新され
ます。そうなるのは、リストに対する累算代入 += が、インプレースに行われる（p.177）からです。

Column 9-2	**実引数と仮引数の表記**

▪ **関数定義と関数呼出しにおける余分なコンマ**

　リストやタプルの生成式では、[1, 2, 3,] や (1, 2, 3,) のように、末尾要素の後ろにコンマ , を
置けます。それと同様に、関数定義や関数呼出しでも、仮引数や実引数の並びの末尾引数の後ろにも
コンマ , を置ける仕様となっています。

▪ **関数定義と関数呼出しにおける ( ) の中での改行**

　( ) の中では自由に改行できる、という第3章で学習した規則は、関数定義や関数呼出しの ( ) にも
適用されます。

　以上の2点は、実引数の式が長い場合や、詳細なコメント（や次節で学習するアノテーション）を記
述する際に有用です。

```
def func(para1,     # 仮引数para1の詳細なコメント
         para2,     # 仮引数para2の詳細なコメント
         para3,     # 仮引数para3の詳細なコメント
        ):

x = func(long_long_name_argument1,     # 実引数の詳細なコメント
         long_long_name_argument2,     # 実引数の詳細なコメント
         long_long_name_argument3,     # 実引数の詳細なコメント
        )
```

位置引数とキーワード引数

　本章の最初に作った関数 *put_star* は、表示するのがアスタリスク記号 * に限定されています。任意の文字列を、任意の個数だけ連続表示する関数を作りましょう。

　List 9-15 がそのプログラムです。

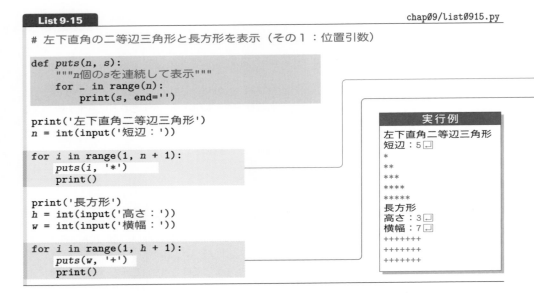

List 9-15　　chap09/list0915.py

```
# 左下直角の二等辺三角形と長方形を表示（その１：位置引数）

def puts(n, s):
    """n個のsを連続して表示"""
    for _ in range(n):
        print(s, end='')

print('左下直角二等辺三角形')
n = int(input('短辺：'))

for i in range(1, n + 1):
    puts(i, '*')
    print()

print('長方形')
h = int(input('高さ：'))
w = int(input('横幅：'))

for i in range(1, h + 1):
    puts(w, '+')
    print()
```

実行例
```
左下直角二等辺三角形
短辺：5⏎
*
**
***
****
*****
長方形
高さ：3⏎
横幅：7⏎
+++++++
+++++++
+++++++
```

　関数 *puts* の第1引数は表示する文字列の個数で、第2引数は表示する文字列です。2箇所の呼出しでは、それらの仮引数に対して、適切な実引数を与えています。

＊

　本プログラムでは、呼出し演算子 **( )** 内の実引数が、同じ位置（1番目、2番目、…）の仮引数に渡されます。このような引数は、位置引数（position argument）と呼ばれます。

　Fig.9-8 に示すように、仮引数用のスロット（slot）が用意されていて、与えられた実引数は、対応する同じ位置のスロットに代入されます。

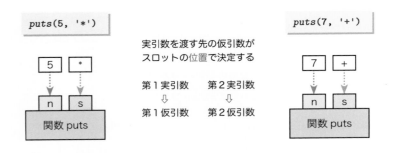

Fig.9-8　位置引数の受渡し

さて、実引数の個数が多くなると、引数の順序の管理・運用は大変です。実際、引数が2個しかない関数 *puts* ですら、「第1引数と第2引数は、どっちが個数で、どっちが文字列だったかな?」、となりかねません。

そこで有用なのが、キーワード引数（keyword argument）です。呼び出す際の実引数を、"**仮引数名 = 値**" とします。これを使って書きかえたのが、**List 9-16** のプログラムです。

List 9-16　　　　　　　　　　　　　　　　　　　　　　　　　　chap09/list0916.py

```python
# 左下直角の二等辺三角形と長方形を表示（その2：キーワード引数）

for i in range(1, n + 1):
    puts(n = i, s = '*')    ←■1
    print()

for i in range(1, h + 1):
    puts(s = '+', n = w)    ←■2
    print()
```

引数の受渡しは、次のように行われます（**Fig.9-9**）。

■1 名前 *n* の仮引数に *i* を渡して、名前 *s* の仮引数に **'*'** を渡す。
■2 名前 *s* の仮引数に **'+'** を渡して、名前 *n* の仮引数に *w* を渡す。

▶ 図は、変数 *i* の値が 5 で、変数 *w* の値が 7 のときの状態を表しています。

位置引数とキーワード引数は混在可能です。ただし、混在させる場合は、キーワード引数を末尾側に置きます。

```
○   puts(5, s = '+')
×   puts(s = '+', 5)
```

重要　関数呼出しでの引数のやりとりは、実引数が同じスロット位置の仮引数に渡される位置引数による受渡しだけでなく、呼出し側で仮引数名を指定するキーワード引数による受渡しも行える。

▶ print 関数に与える sep='' や end='' などが、キーワード引数の指定であることが分かりました。

Fig.9-9　キーワード引数の受渡し

位置引数のタプル化による可変個引数の受渡し

　本章では、2値の最大値を求める関数 *max2* と、3値の最大値を求める関数 *max3* を作りました。**List 9-17** の *max2more* は、2個以上の任意の個数**の値**の最大値を求める関数です。

List 9-17　　　　　　　　　　　　　　　　　　　　　　　chap09/list0917.py

```
# 2個以上の任意の個数の値の最大値を求める
                                        [0個以上の実引数をタプルとして受け取る]
def max2more(a, b, *num):
    """2個以上の任意の個数の値の最大値を求める"""
    max = a if a > b else b                    ┌──────実 行 結 果──────┐
    for n in num:                              max2more(1, 2)       =  2
        if n > max:                            max2more(1, 2, 3)    =  3
            max = n                            max2more(1, 2, 3, 4, 5) = 5
    return max

print(f'max2more(1, 2)          = {max2more(1, 2)}')
print(f'max2more(1, 2, 3)       = {max2more(1, 2, 3)}')
print(f'max2more(1, 2, 3, 4, 5) = {max2more(1, 2, 3, 4, 5)}')
print(f'max2more(1)             = {max2more(1)}')        [bに対する実引数が欠如]

        Traceback (most recent call last):
          File "MeikaiPython\chap09\lit0917.py", line 14, in <module>
            print(f'max2more(1)             = {max2more(1)}')

        TypeError: max2more() missing 1 required positional argument: 'b'
```

　プログラムと実行結果
を対比しましょう。
　3番目の仮引数 *num* に
前置きされたアスタリスク * は、0個以上の任意の個数の値を受け取る指定です（**Fig.9-10**）。
　関数が呼び出されたときに、3番目以降のすべての実引数が1個のタプルにパックされて、そのタプルが仮引数 *num* に代入される、という仕組みです。

　▶　3番目の実引数が与えられていない図**a**では、**空タプル**が作られて仮引数 *num* に渡されます。

　呼出し側の実引数の個数が任意、すなわち可変個となることから、可変個実引数（arbitrary argument）と呼ばれます。
　なお、関数 *max2more* の本体では、"**a**" と "**b**" と "タプル *num* の全要素" の最大値を求めます。

　▶　最後の呼出し *max2more(1)* は、仮引数 *b* に対して実引数を与えていないため、エラーとなります。

┌───┐
│　　　　　　　可変個引数はタプルとしてやりとりされる　　　　　　　│
└───┘

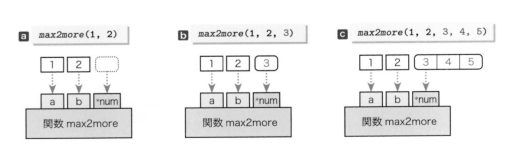

Fig.9-10　可変個引数の受渡し

アステリスク * 付きで宣言された仮引数がタプルであることを確認しましょう。**List 9-18** に示すのが、そのプログラムです。

List 9-18 chap09/list0918.py

```python
# 可変個引数の情報を表示する

def print_args(*args):
    """可変個の引数を受け取るargsの情報を表示"""
    print(f'type(args) = {type(args)}')
    print(f'len(args)  = {len(args)}')
    print(f'args       = {args}')

print_args()
print()
print_args(1, 2, 3)
```

実行結果
```
type(args) = <class 'tuple'>
len(args)  = 0
args       = ()

type(args) = <class 'tuple'>
len(args)  = 3
args       = (1, 2, 3)
```

関数 print_args では、唯一の仮引数 args が、アステリスク * 付きで宣言されています。そのため、この関数は、0個以上の任意の個数**の値を受け取る**ことになります。

9-1
関数の基礎

重要 アステリスク * 付きで宣言された仮引数は、0個以上の任意の個数の値をタプルとして受け取る。呼出し側の可変個の実引数は、暗黙裏にパックされる。

次は、1個以上の任意の個数**の値を受け取る**関数を作ります。それが、**List 9-19** のプログラムです。関数 print_sum は、引数の和を、式を表示しながら求めます。

List 9-19 chap09/list0919.py

```python
# 引数の和を表示しながら求める

def print_sum(a, *no):
    """引数の和を返却（式も表示）"""
    sum = a
    print(a, end='')
    n = len(no)
    if n > 0:
        print(' + ', end='')
        for i in range(n - 1):
            sum += no[i]
            print(f'{no[i]} + ', end='')
        sum += no[n - 1]
        print(no[n - 1], end='')
    print(f' = {sum}')
    return sum

print_sum(5)

print_sum(9, 3)

print_sum(3, 6, 8, 2, 7)
```

実行結果
```
5 = 5
9 + 3 = 12
3 + 6 + 8 + 2 + 7 = 26
```

▶ プログラムの詳細な解説は省略します。解読にチャレンジしましょう。

可変個引数は、その性格上、仮引数の末尾に置くのが基本です。可変個引数よりも後ろに置く仮引数は、位置引数ではなく、キーワード引数に限定されます。

イテラブル型実引数のアンパック

List 9-4（p.246）で作成した関数 *max3* を再び考えます。最大値を求めるべき３個の値が、リストやタプルにまとめられていれば、関数に与える前に、個々の値をアンパックして取り出す作業が必要です。次に示すのが、その例です。

```
lst1 = [1, 3, 5]      # 最大値を求める対象の３値がリストに入っている
x, y, z = lst1        # アンパックして個々の値を取り出す
m = max3(x, y, z)     # ３値の最大値を求める
```

この煩らわしさを解消したのが、**List 9-20** のプログラムです。実引数の前に * を付けるだけで、アンパックが自動的に行われた上で関数に渡される仕組みを利用しています。

List 9-20　　　　　　　　　　　　　　　　　　　　　　chap09/list0920.py

```
# リストにまとめられている３値の最大値を求める

def max3(a, b, c):
    """aとbとcの最大値を求めて返却"""
    max = a
    if b > max: max = b
    if c > max: max = c
    return max

lst1 = [1, 3, 5]
m = max3(*lst1)
print(f'{lst1}の最大値は{m}です。')
```

List 9-4（p.246）と同じ

実行結果
[1, 3, 5]の最大値は5です。

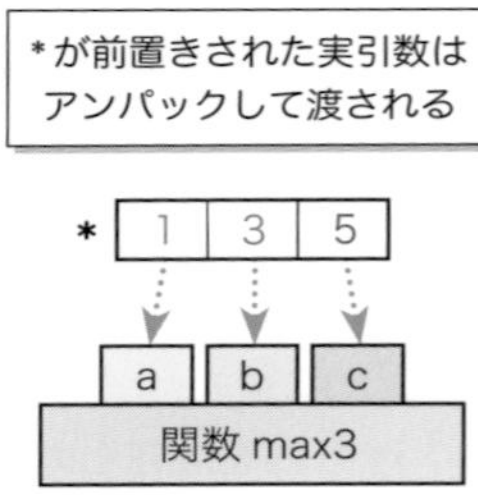

*が前置きされた実引数はアンパックして渡される

Fig.9-11　実引数のアンパック

Fig.9-11 に示すように、リスト *lst1* からアンパックされて取り出された３個の値が、仮引数 *a*、*b*、*c* に渡されて、最大値 5 が正しく求められます。

なお、リスト *lst1* をタプルに置きかえても、プログラムは正しく動作して、最大値が求められます（'chap09/list0920a.py'）。

> **重要** 関数に与えるべき値がリストやタプルなどのイテラブルオブジェクトにまとめられていれば、アステリスク * を前置きした実引数として与えると、それがアンパックされて関数に渡される。

▶ *を前置きする実引数はイテラブルオブジェクトであればよいため、0と1と2の最大値を求めるコードは次のように実現できます。

```
max3(*range(3))      # 数列0、1、2の最大値を求める
```

いくつかの細かい規則を学習しましょう。

■実引数のリストやタプルの要素数と、仮引数の個数が一致しない場合

たとえば、要素数が2や4のリストに * を付けて *max3* 関数に与えると、**TypeError** 例外が発生します。

■ 関数側でデフォルト値が指定されている場合

実引数側の要素数が少なければ、デフォルト値が使われます。

たとえば、関数 max3 の定義で def max3(a, b, c=0): とデフォルト値が指定されていれば、次のように、要素数2のリストを実引数として渡せます。

```
m = max3(*[-3, -1])        # -3と-1と0の最大値を求める
```

この例では、-3 と -1 と 0 の最大値 0 が求められて返却されます。

■ 関数が可変個引数を受け取る場合

関数が可変個引数を受け取る場合、位置引数に取り出されなかった要素が "充当" されます。

List 9-21 のプログラムで確認しましょう。これは、List 9-19（p.261）の関数 print_sum を呼び出す例です。

List 9-21

chap09/list0921.py

```
# 引数の和を表示しながら求める（実引数のアンパック）

def print_sum(a, *no):
    # --- 中略：List 9-19と同じ --- #

lst1 = [1, 3, 5, 7]
print_sum(*lst1)
```

実 行 結 果
```
1 + 3 + 5 + 7 = 16
```

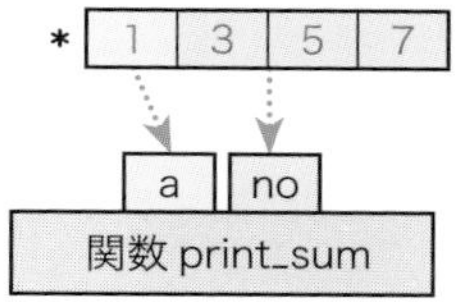

引数の受け渡しのイメージを **Fig.9-12** に示しています。

実引数 lst1 の最初の要素 1 が第1仮引数 a に渡されて、それ以降の要素 [3, 5, 7] が第2仮引数 no に渡されます。

Fig.9-12 実引数のアンパック

print 関数によるリストの表示

List 9-21 のプログラムの lst1 と *lst1 を print 関数に渡すと、どのような表示が行われるのかを確かめましょう（'chap09/print_list1.py'）。

```
print(lst1)
print(*lst1)
```

```
[1, 3, 5, 7]
1 3 5 7
```

前者 print(lst1) は、lst1 を "リストとして" 渡すため、print 関数によってリストの形式で表示されます。

▶ すなわち、全要素を , （とスペース）で区切ったものが [ ] で囲まれて表示されます。

後者 print(*lst1) は、全要素がアンパックされた print(1, 3, 5, 7) とみなされ、4個の int 型引数が print 関数に与えられます。print 関数は、受け取った4個の値を、区切り文字列 sep のデフォルト値であるスペースで区切って表示します。

▶ sep を指定すれば、出力形式を柔軟に変更できます（'chap09/print_list2.py'）。たとえば：

```
print(*lst1, sep='  ')    # 要素の区切りをスペース2個にする
print(*lst1, sep='\n')    # 要素を表示するたびに改行（各行に1個の要素）
```

辞書化されたキーワード引数の受渡し

名前の前に ** を置いて宣言された仮引数は（ある規則に基づいた）辞書を受け取ります。まずは、**List 9-22** のプログラムで確認しましょう。

List 9-22   chap09/list0922.py

```python
# 辞書化されたキーワード引数の情報を表示する

def print_kwargs(s, **kwargs):
    """辞書化されたキーワード引数を受け取るkwargsの情報を表示"""
    print(s)
    print(f'type(kwargs) = {type(kwargs)}')
    print(f'len(kwargs)  = {len(kwargs)}')
    print(f'kwargs       = {kwargs}')

print_kwargs('１番', spring='春', summer='夏')   ■1
print()
print_kwargs('２番', spring='春')   ■2
```

```
実行結果
１番
type(kwargs) = <class 'dict'>
len(kwargs)  = 2
kwargs       = {'spring': '春',
                'summer': '夏'}

２番
type(kwargs) = <class 'dict'>
len(kwargs)  = 1
kwargs       = {'spring': '春'}
```

仮引数 *s* は、通常の位置引数です。もう一つの仮引数 *kwargs* は、辞書化されたキーワード引数です。

関数本体では、*s* の値と、*kwargs* の型／要素数／中身を表示します。

呼出し側に着目しましょう。■1と■2の先頭の実引数 '１番' と '２番' が、位置引数 *s* に渡されることは、いうまでもありません。

kwargs に渡される残りの実引数は、■1では2個で、■2では1個です。プログラムと、実行結果と、■1のイメージ図である **Fig.9-13** とを対比すると、次のことが分かります。

仮引数 *kwargs* は、（任意の個数の要素をもつ）辞書を受け取る **dict** 型の変数である。

- "キーワード実引数の**名前**"を文字列化したものが、辞書の要素のキーとなる。
- "キーワード実引数の 値 "が、　　　　　　　　　　辞書の要素の値となる。

▶ たとえば、キーワード実引数 *spring*='春' では、実引数の名前である *spring* を文字列化した 'spring' が辞書の要素のキーで、'春' が辞書の要素の値です。

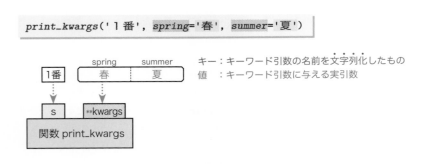

Fig.9-13 辞書化されたキーワード引数の受渡し

次は、**List 9-23** のプログラムを考えましょう。

```
List 9-23                                               chap09/list0923.py
# 辞書に格納されている人物の情報を表示

def put_person(**person):
    """辞書person内の情報を表示"""
    if 'name' in person: print(f'名前 = {person["name"]}', end='　')
    if 'visa' in person: print(f'国籍 = {person["visa"]}', end='　')
    if 'age'  in person: print(f'年齢 = {person["age"]}',  end='　')
    print()  # 改行

put_person(name='中田', visa='日本', age=27) ←①
put_person(name='趙', visa='中国') ←②
```

実行結果
```
名前 = 中田　国籍 = 日本　年齢 = 27
名前 = 趙　国籍 = 中国
```

9-1
関数の基礎

　関数呼出し時に与えているキーワード引数の個数は、①では3個、②では2個です。

　それぞれの引数は、次の辞書に変換された上で、関数 put_person に渡されます。

① `{'name': '中田', 'visa': '日本', 'age':27}`　# 実引数から生成される辞書
② `{'name': '趙', 'visa': '中国'}`　# 実引数から生成される辞書

　関数本体では、`'name'`、`'visa'`、`'age'` の各キーが辞書 person に含まれているかどうかを判定して、含まれていれば、その値を表示します。

▶ `**` 形式の仮引数と、`*`形式の仮引数の混在も可能です。その場合、`*`形式のほうを先頭側に置かなければなりません。

　なお、`**` 形式の仮引数を使わずに実現すると、プログラムは **List 9-24** のようになります。

```
List 9-24                                               chap09/list0924.py
# 辞書に格納されている人物の情報を表示

def put_person(name=None, visa=None, age=None):
    """キーワード引数に受け取った人物の情報を表示"""
    if name != None: print(f'名前 = {name}', end='　')
    if visa != None: print(f'国籍 = {visa}', end='　')
    if age  != None: print(f'年齢 = {age}',  end='　')
    print()  # 改行

put_person(name='中田', visa='日本', age=27)
put_person(name='趙', visa='中国')
```

実行結果
```
名前 = 中田　国籍 = 日本　年齢 = 27
名前 = 趙　国籍 = 中国
```

　一見すると、単純になっていますが、この手法には、次のようなデメリットがあります。

- 受け取り得るすべての仮引数を宣言しなければならない。
  ※未知のキーをもつ辞書は受け取れない。
- すべての仮引数にデフォルト値 None を指定しなければならない。

マッピング型実引数の ** によるアンパック

ここまで、アステリスク記号 * を、仮引数に1個、実引数に1個、仮引数に2個付ける方法を学習してきました。残りは、実引数に2個付ける方法です。

辞書型（厳密にはマッピング型）の実引数の前に、2個のアステリスク記号 ** を前置きすると、その辞書の全要素がアンパックされます。そして、各要素のキーがキーワード引数になって、そのキーに対応する値が、その引数に渡される値となります。

たとえば、関数 func を呼び出す

```
func(**{'key1': value1, 'key2': value2, 'key3': value3})
```

は、次の呼出しとみなされます。

```
func(key1=value1, key2=value2, key3=value3)
```

実引数の ** によるアンパックを行うプログラム例を **List 9-25** に示します。

List 9-25   chap09/list0925.py

```
# 辞書型実引数の**によるアンパックの例

def puts(n, s):
    """n個のsを連続して表示"""
    for _ in range(n):          List 9-15 と同じ
        print(s, end='')

d1 = {'n': 3, 's': '*'}    # 3個の'*'
d2 = {'s': '+', 'n' :7}    # '+'を7個

puts(**d1)
print()
puts(**d2)
```

実行結果
```
***
+++++++
```

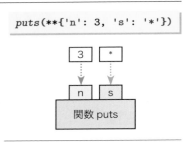

```
puts(**{'n': 3, 's': '*'})
```

Fig.9-14 辞書型引数のアンパック

▶ 関数 puts は、**List 9-15**（p.258）と同じです。
なお、**Fig.9-14** に示すのは、puts(**d1) における引数の受渡しの様子です。

d1 と d2 は、関数 puts に渡すべき値をまとめた辞書です。キーとなる実引数名が、' と ' で囲んだ文字列であることに注意しましょう。

▶ すなわち、右に示すように、引数名が文字列でなければ、エラーとなります。

```
d1 = {n: 3, s: '*'}
d2 = {s: '+', n: 7}
```

関数 puts の呼出し時に与えられた d1 と d2 の各辞書は、アンパックされて渡されます。

キーワード引数の強制

関数の引数には、位置引数とキーワード引数があることや、* や ** による呼出し時のパックやアンパックなどを学習してきました。引数の構成が複雑な場合、受渡しのミスをしないように注意が必要です。

　関数 *puts* は、2個の仮引数を受け取ります。これらの引数のいずれもが、位置引数としてもキーワード引数としても機能することは、既に学習したとおりです。

　もし次のように（引数の順序を逆にして）位置引数として呼び出すとエラーが発生します。

✗ `puts('+', 3)` 　　 # **エラー** ：'+'個の3を表示？

　　▶ 関数 *puts* 内の **for** 文における **range('+')** の呼出しに対して、「**range** 関数に整数以外の値が与えられた」ことによるエラーが発生します。

　この解決法の一つが、表示すべき文字列と個数の両方を、強制的にキーワード引数にして、位置引数として使えないようにすることです。そのプログラムが **List 9-26** です。

List 9-26　　　　　　　　　　　　　　　　　　　　　　　chap09/list0926.py

```
# キーワード引数の強制
                            ┌── これ以降の引数はキーワード引数としてのみ使える
def puts(*, n, s):
    """n個のsを連続して表示"""
    for _ in range(n):
        print(s, end='')
                        ┌──────── 実行結果 ────────┐
puts(n = 3, s = '*')     ***
print()                  ++++++
puts(s = '+', n = 7)     Traceback (most recent call last):
print()                    File "/MeikaiPython/chap09/list0926.py", line 12,
puts(3, '*')    # エラー     in <module>
                             puts(3, '*')
                         TypeError: puts() takes 0 positional arguments but 2
                         were given
```

　関数 *puts* の仮引数の先頭が、
アステリスク記号 * となっています。このように、仮引数の宣言に（名前を伴わずに）単独で置かれた * は、それ以降の仮引数を、強制的にキーワード引数にします。

　　▶ キーワード引数を指定しない *puts(3, '*')* は、エラーとなります。
　　　なお、* よりも前に宣言されている引数は位置引数となります。例を示します：

```
def func(a, b, *, k1, k2=4):     func(1, 2)              # ○ K
    pass                         func(1, 2, k1=3, k2=4)  # ○ K
                                 func(1, 2, k2=4, k1=3)  # ○ K
                                 func(1, 2, 3)           # エラー ：位置引数は 2 個
                                 func(1, 2, 3, 4)        # エラー ：位置引数は 2 個
                                 func(1, 2, ky1=10)      # エラー ：引数名が誤っている
```

▢ 位置引数の強制

　関数の引数を強制的に位置引数にする（キーワード引数として呼び出せないようにする）こともできます。仮引数の宣言に（名前を伴わずに）単独で置かれた / は、それより前の仮引数を、強制的に位置引数にします。

　たとえば、次の例であれば、引数 *p1* と *p2* が位置専用、*p3* と *p4* が位置引数でもキーワード引数のどちらでもOK、*p5* と *p6* はキーワード引数専用となります。

```
def func(p1, p2, /, p3, p4, *, p5, p6):
    # …中略…
```

9-2 文書化文字列とアノテーション

　本節では、関数の動作には直接は関わらないものの、そのあり方を豊かにする、文書化文字列とアノテーションを学習します。

文書化文字列と help 関数

　前節では、関数頭部の次の行に、`"""` … `"""` 形式の文書化文字列（docstring）を記述してきました。**文書**（doc）は、**ドキュメント**（document）のことであって、『解説文』『仕様書』『マニュアル』に近いイメージです。

　さて、ソースプログラムに埋め込まれた文書化文字列は、いろいろな手段で活用できるようになっています。

　インタラクティブシェル（基本対話モード）で確認しましょう。

　まずは、文書化文字列を含む関数全体を打ち込みます。

例 9-1　文書化文字列の設定とhelp関数による表示

```
>>> def puts(n, s):⏎
...     """n個のsを連続して表示"""⏎
...     for _ in range(n):⏎
...         print(s, end='')⏎
... ⏎
>>> help(puts)⏎
Help on function puts in module __main__:

puts(n, s)
    n個のsを連続して表示
```

──▶ **関数 puts のドキュメントが表示される**

　関数 *puts* の定義の後で **help(*puts*)** と打ち込むことで、**関数 *puts* の形式**（関数頭部から末尾のコロンを除いたもの）と、**文書化文字列**とが表示されます。

　▶　表示される先頭行の `__main__` については、次章で学習します。

　組込みの help 関数は、引数で与えられた関数（やクラス、メソッド、モジュールなど）の**ドキュメントを表示する関数**です。

　ここでは、ユーザ定義関数 *puts* のドキュメントの表示を行いました。おなじみの組込み関数 **max** のドキュメントを表示しましょう。

例 9-2　組込み関数maxのドキュメントをhelp関数で表示

```
>>> help(max)⏎
Help on built-in function max in module builtins:

max(...)
    max(iterable, *[, default=obj, key=func]) -> value
    max(arg1, arg2, *args, *[, key=func]) -> value

    With a single iterable argument, return its biggest item. The
    default keyword-only argument specifies an object to return if
    the provided iterable is empty.
    With two or more arguments, return the largest argument.
```

次は、スクリプトプログラム内で **help** 関数を使います。ユーザ定義関数 *puts* と、組込み関数 **max** のドキュメントを表示するのが、**List 9-27** のプログラムです。

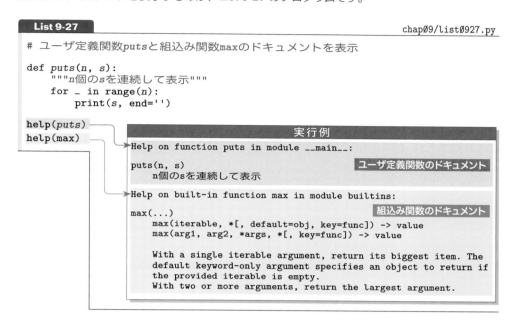

List 9-27   chap09/list0927.py

```python
# ユーザ定義関数putsと組込み関数maxのドキュメントを表示

def puts(n, s):
    """n個のsを連続して表示"""
    for _ in range(n):
        print(s, end='')

help(puts)
help(max)
```

実行例

```
Help on function puts in module __main__:

puts(n, s)                                    ユーザ定義関数のドキュメント
    n個のsを連続して表示

Help on built-in function max in module builtins:

max(...)                                      組込み関数のドキュメント
    max(iterable, *[, default=obj, key=func]) -> value
    max(arg1, arg2, *args, *[, key=func]) -> value

    With a single iterable argument, return its biggest item. The
    default keyword-only argument specifies an object to return if
    the provided iterable is empty.
    With two or more arguments, return the largest argument.
```

二つの関数のドキュメントが表示されました。関数 *puts* のドキュメントは、**max** のドキュメントに比べると、何だか貧弱です。ドキュメントの書き方を学習していきましょう。

Column 9-3 | **基本対話モードにおけるヘルプユーティリティ**

基本対話モードで、**help** 関数に引数を与えずに **help()** と打ち込むと、ヘルプユーティリティが起動して、プロンプトが **help>** に変更されます。この状態でキーワードや関数の名前を打ち込むと、そのドキュメントが表示されます。なお、ヘルプユーティリティの終了コマンドは、**quit** です。

例 9-3 ヘルプユーティリティ

```
>>> help()⏎                              ⇦ ヘルプユーティリティを起動
Welcome to Python 3.11's help utility!

…中略…

help> if⏎                                ⇦ キーワードifのヘルプ
The "if" statement
******************

The "if" statement is used for conditional execution:

    if_stmt ::= "if" expression ":" suite
                ("elif" expression ":" suite)*
                ["else" ":" suite]

…中略…

help> quit⏎                              ⇦ ヘルプユーティリティを終了
>>>
```

アノテーション

表示された `max` 関数のドキュメントでは、関数の形式が次のようになっています。

```
max(iterable, *[, default=obj, key=func]) -> value
max(arg1, arg2, *args, *[, key=func]) -> value
```

次のことに気付くでしょう。

① 関数の形式が、2種類あること。
② `*` や `[ ]` などの記号が使われていること。
③ 末尾が " `-> value`" となっていること。

それぞれの点を理解します。

①は、`max` 関数が（少なくとも）2個存在することを示しています。与えられた実引数の型や個数に応じて、どの関数を呼び出すべきかを Python 側で判断して、適切な関数を内部的に呼び出す、という仕組みが使われているのです。

▶ その仕組みは、入門書である本書の範囲を超えますので、本書の学習の対象外とします。

②は、既に学習ずみです。`*` は、それ以降の引数を強制的にキーワード引数にして、位置引数として利用できなくするための記号です。また、`[ ]` は、その中の引数が省略可能であることを示す、解説上の表記です。

▶ 第6章の文字列の各種メソッドにおいて、`[ ]` 形式の表記を使って学習しました。

③の " `-> value`" は、これから学習するアノテーション（annotation）です。

▶ annotation は、『注釈』『注記』という意味です。

アノテーションは、"プログラムの動作には影響を与えないものの、それなりの意味をもったコメント" といったニュアンスです。動作に影響を与えないという点では、あってもなくてもよい性質のものです。

`max` 関数の " `-> value`" は、"単一の値" を返却することを示す注釈です。

＊

アノテーションを記述して関数 *puts* を書きかえたプログラムが、右ページの **List 9-28** です。関数アノテーションは、**Fig.9-15**（右ページ）に示すように、次の形式で与えます。

- **仮引数** ： 注釈　仮引数の名前の後ろ（デフォルト値より前）に置く。
- **返却値** -> 注釈　関数頭部の) と : のあいだに置く。

関数 *puts* のアノテーションは、次の意図で記述されています。

- 仮引数 *n*: int　… この仮引数は `int` 型の整数を受け取ることを期待しています。
- 仮引数 *s*: str　… この仮引数は `str` 型の文字列を受け取ることを期待しています。
- 返却値 -> None　… `None` を返却します（返却すべき値がありません）。

List 9-28

```
# アノテーション付きの関数puts

def puts(n: int, s: str) -> None:
    """n個のsを連続して表示"""
    for _ in range(n):
        print(s, end='')

puts(5, '*')
print()
print(puts.__annotations__)
print()
puts('*', 5)
```

順序が逆

実行結果
```
*****
{'n': <class 'int'>, 's': <class 'str'>, 'return': None}
Traceback (most recent call last):
  File "MeikaiPython\chap09\list0928.py", line 12, in <module>
    puts('*', 5)
  File "MeikaiPython\chap09\list0928.py", line 5, in puts
    for _ in range(n):
TypeError: 'str' object cannot be interpreted as an integer
```

▶ 関数に対するアノテーションの標準的なコーディングスタイルは、次のとおりです。
- 仮引数に対するアノテーションでは、: の前にスペースを置かず、: の後ろにスペースを置く。
- 返却値に対するアノテーションでは、-> の前後にスペースを置く。

9-2
文書化文字列とアノテーション

　関数を呼び出すコードを記述する際は、関数アノテーションの内容に留意しながら行えるようになります。

　もっとも、アノテーションは、期待することの表明にすぎず、その内容に強制力はありません。そのため、引数の順序を誤っている関数呼び出し *puts('*', 5)* は、プログラム実行前にチェックされることはなく、プログラム実行時にエラーが発生します。

仮引数に対するアノテーション　　返却値に対するアノテーション

```
def puts(n : int , s : str ) -> None :
    """n個のsを連続して表示"""
    for _ in range(n):
        print(s, end='')
```

Fig.9-15　アノテーション

　さて、**print(*puts.__annotations__*)** の実行結果から、"関数名 .__annotations__" が、その関数のアノテーションを**辞書化**したものであることが分かります。

重要　関数を定義する際は、仮引数や返却値にアノテーションを記述して、仮引数や返却値の性格を利用者に伝えるとよい。アノテーションの各項目の内容を辞書化したものは、"関数名 .__annotations__" で取り出せる。

　なお、式として認識できない独自のアノテーションは、文字列として自由に記述できます。たとえば、仮引数のアノテーションを integer と string にするのであれば、次のようになります。

```
def puts(n: 'integer', s: 'string') -> None:
```

☐ 文書化文字列 ─────────────

　これまでは、文書化文字列を、関数頭部の次の行に単一行で記述してきましたが、組込み
の **max** 関数のドキュメントは、複数行で詳細に記述されています。

　単一行形式でも複数行形式でも、次の点は共通です。

> ▪ 関数本体の先頭行（関数頭部の次の行）から記述を開始する。
> ▪ 3個の引用符で囲む（単一引用符 `'''` でも構わないが二重引用符 `"""` で囲むのが基本）。

　それでは、二つの形式の記述方法を学習しましょう。

▪ 単一行の文書化文字列

　関数の概要を簡潔に記述します。関数頭部や関数アノテーションで宣言されている内容を、
そのまま重複して記述するようなことは避けます。

▪ 複数行の文書化文字列

　具体的な記述方法は自由ですが、次のように記述するとよいでしょう。

> ▪ **先頭行**　関数の概要を、`"""` 以降に簡潔に記述します。
>
> ▪ **空行**　　読みやすくするために1行空けます。
>
> ▪ **中間行**　詳細な解説を記述します。
> 　　　　　　仮引数、返却値、副作用※、発生する可能性がある例外※、呼び出す際の前提
> 　　　　　　条件などを記述します。仮引数に関しては、省略可能な引数も含めた個々の引
> 　　　　　　数を、1行ずつ記述します。
> 　　　　　　　※　副作用：関数の実行によって別の箇所に何らかの影響を及ぼすこと。
> 　　　　　　　※　例外：第12章で学習します。
>
> ▪ **空行**　　読みやすくするために1行空けます。
>
> ▪ **最終行**　`"""` だけを記述します。

> ▶　ここで紹介した文書化文字列の記述法は、おおむね PEP 257 "Docstring Conventions" のスタ
> イルにそったものです。この他にも、いろいろな記述法が考案されています。

　なお、アノテーションは、関数に対してだけでなく、スクリプトファイルに対しても記述でき
ます。その場合は、ファイルの先頭行から記述します。

> ▶　より厳密に解説すると、アノテーションの記述対象は、スクリプトファイルではなく、モジュールです。
> 次章で学習します。

＊

　アノテーションと文書化文字列を埋め込んだ関数 *puts* は、右ページの **List 9-29** のようにな
ります。

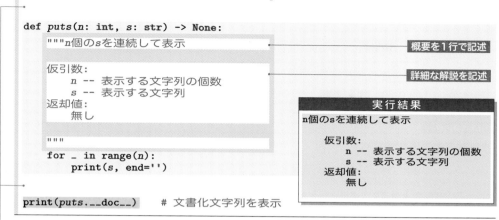

List 9-29　　　　　　　　　　　　　　　　　　　　　　　　chap09/list0929.py

```python
"""アノテーションと文書化文字列付きの関数puts"""


def puts(n: int, s: str) -> None:
    """n個のsを連続して表示

    仮引数:
        n -- 表示する文字列の個数
        s -- 表示する文字列
    返却値:
        無し

    """
    for _ in range(n):
        print(s, end='')


print(puts.__doc__)    # 文書化文字列を表示
```

- 概要を1行で記述
- 詳細な解説を記述

実行結果
```
n個のsを連続して表示

    仮引数:
        n -- 表示する文字列の個数
        s -- 表示する文字列
    返却値:
        無し
```

── 関数の前後は2行ずつ空ける

PEP 8 では、関数定義（やクラス定義）の前後には2個の空行を入れることが望ましいとされていますので、それにしたがっています。

▶ 本書では、本プログラム以外は、提示スペース節約のため関数の前後の空行を1個としています。

さて、最終行に置かれた **print(puts.__doc__)** の実行結果から、"関数名.__doc__"が、その関数の文書化文字列であることが分かります。

重要 関数を定義する際は、""" … """ 形式の文書化文字列を記述するとよい。その内容は、"関数名.__doc__"で文字列として取り出せる。

Column 9-4　アノテーションと文書化文字列の活用

仮引数や返却値に対するアノテーションに記述している型ヒント（type hint）については、

　PEP 484 "Type Hints"

にまとめられています。また、変数に対するアノテーションの記述構文については、

　PEP 526 "Syntax for Variable Annotations"

にまとめられています。

なお、次に示すような各種のツールを利用すると、アノテーションと文書化文字列が活用できます。

▪ pydocstyle

スクリプトプログラムの文書化文字列が PEP 257 "Docstring Conventions" に準拠しているかどうかのチェックが行えます。

▪ Sphinx

文書化文字列を取り込んで、HTML などの形式で、見た目の美しいドキュメントを生成します。

9-2 文書化文字列とアノテーション

いろいろな関数を作ろう

アノテーションと文書化文字列を埋め込みながら、簡潔で実用的な関数を作っていきます。

閏年の判定

最初に作るのは、ある西暦年が、閏年であるかどうかを判定する関数 *is_leapyear* です。プログラムを **List 9-30** に示します。

```
List 9-30                                        chap09/list0930.py
"""ある年の日数を求める"""

def is_leapyear(year: int) -> bool:
    """西暦year年は閏年か"""
    return y % 4 == 0 and y % 100 != 0 or y % 400 == 0

print('ある年の日数を求めます。')
y = int(input('何年：'))
print(f'その年は{365 + is_leapyear(y)}日です。')
```

```
実行例
ある年の日数を求めます。
何年：2028⏎
その年は366日です。
```

特定の値をもつ辞書内のキーの列挙

次に作るのは、辞書からの探索を行う関数です。"キーありき" の性格をもつ辞書は、キーの探索は **in** 演算子で行えますが、値の探索は容易ではありません。

"特定の値をもつ要素" のキーを求めて返却するのが、**List 9-31** の関数 *keys_of* です。

▶ **List 8-15**（p.228）で作成した、文字列内に含まれる文字の分布を求めるプログラムを書きかえたものであり、文字から個数を引っ張り出すのではなく、個数から文字を引っ張り出します。

```
List 9-31                                        chap09/list0931.py
"""辞書から特定の値をもつキーのリストを生成"""

def keys_of(dic: dict, val: 'value') -> list:
    """辞書dic内の値がvalである要素のキーのリストを返却"""
    return [k for k, v in dic.items() if v == val]

txt = input('文字列：')
count = {ch: txt.count(ch) for ch in txt}
print('分布＝', count)

num = int(input('何個の文字：'))
print(f'{num}個の文字＝{keys_of(count, num)}')
```

```
実行例
文字列：ABAXB⏎
分布＝{'A': 2, 'B': 2, 'X': 1}
何個の文字：2⏎
2個の文字＝['A', 'B']
```

関数 *keys_of* が返却するのは、（単一の値ではなく）リストです。というのも、辞書の中には、**特定の値をもつ要素が複数存在する可能性がある**からです。

実行例では、値が 2 である2個のキー **'A'** と **'B'** を要素とするリストが返却されています。

▶ 辞書ではキーの重複は許されませんので、あるキーをもつ要素は、必ず1個です。

平均値を求める

次に作るのは、任意の個数の引数（可変個引数）を受け取って、その**平均値**を求めて返却する関数 ave です。プログラムを **List 9-32** に示します。

```
List 9-32                                              chap09/list0932.py
"""平均値を求める"""

def ave(*args) -> float:
    """可変個引数の平均を求める"""
    return sum(args) / len(args)

print(f'ave(1, 2, 3) = {ave(1, 2, 3)}')
print(f'ave(5, 7.77, 5) = {ave(5, 7.77, 5)}')
print(f'ave(3.5, 4.7, 8.2) = {ave(3.5, 4.7, 8.2)}')
```

```
                    実行結果
ave(1, 2, 3) = 2.0
ave(5, 7.77, 5) = 5.923333333333333
ave(3.5, 4.7, 8.2) = 5.466666666666666
```

関数 ave は、可変個引数を仮引数 args に受け取ります。返却する平均値は、sum 関数で求めた合計を、len 関数で求めた要素数で割った値です。

リスト形式の文字列を返却する

次は、受け取った可変個引数の値を（全要素を , で区切ったものを [] で囲んだ）**リスト形式の文字列**として返却する関数 list_str です。プログラムを **List 9-33** に示します。

```
List 9-33                                              chap09/list0933.py
"""リスト形式の文字列に変換する"""

def list_str(*args) -> str:
    """可変個引数をリスト形式の文字列に
       変換して返却する"""
    return str(list(args))

print(f'list_str(1, 2, 3) = {list_str(1, 2, 3)}')
print(f'list_str(5, 7.77, 5) = {list_str(5, 7.77, 5)}')
print(f'list_str(3.5, 4.7, 8.2) = {list_str(3.5, 4.7, 8.2)}')
```

```
                    実行結果
list_str(1, 2, 3) = [1, 2, 3]
list_str(5, 7.77, 5) = [5, 7.77, 5]
list_str(3.5, 4.7, 8.2) = [3.5, 4.7, 8.2]
```

args をリストに変換し、そのリストを文字列に変換することで得られた文字列を返却します。

Column 9-5	**関数名と変数名**

次に示すプログラムを実行しましょう（'chap09/max_error.py'）。

```
a, b, c = 3, 7, 5
max = max(a, b, c)              # 1回目：OK   (max = 7)
print(f'aとbとcの最大値は{max}です。')

max = max(a, b, c)             # 2回目：エラー (max = 7(a, b, c))
```

1回目の呼出し時の代入によって、max には、整数 7 への参照が代入されます。その結果、2回目の呼出しの右オペランド max(a, b, c) は、"整数 (a, b, c)" となるため、エラーが発生します。

なお、**List 9-4**（p.246）のように、関数内で変数 max を利用した場合、その名前が通用する範囲が関数に局所的となり、関数の外におよびません（名前の通用する範囲については、次節で学習します）。

9-3 名前空間とスコープ

関数や変数などは、定義する場所によって、その名前が通用する範囲が変わります。本節で学習するのは、そのことと深く関わる名前空間とスコープです。

関数定義の位置に関する考察

本節の最初にとりあげる題材は、《乗算表》を表示する **List 9-34** のプログラムです。これは、**List 4-17**（p.108）で作成した《九九の表》の表示プログラムを拡張して、掛ける数を 1 〜 31 の範囲で自由に設定できるようにしたものです。

```
List 9-34                                            chap09/list0934.py
"""乗算表を表示"""

upper = int(input('1から何まで：'))

def multiplication_table(n: int) -> bool:
    """1〜nまでの乗算表を表示"""
    if    1 <= n <=  3: w = 2
    elif  4 <= n <=  9: w = 3
    elif 10 <= n <= 31: w = 4
    else              : return False

    print('-' * n * w)
    for i in range(1, n + 1):
        for j in range(1, n + 1):
            print(f'{i * j:{w}d}', end='')
        print()
    print('-' * n * w)
    return True

multiplication_table(upper)
```

```
                          実行例
① 1から何まで：3⏎
   ------
    1 2 3
    2 4 6
    3 6 9
   ------

② 1から何まで：5⏎
   ----------------
    1  2  3  4  5
    2  4  6  8 10
    3  6  9 12 15
    4  8 12 16 20
    5 10 15 20 25
   ----------------

③ 1から何まで：11⏎
   ----------------------------------------------
    1   2   3   4   5   6   7   8   9  10  11
    2   4   6   8  10  12  14  16  18  20  22
    3   6   9  12  15  18  21  24  27  30  33
    4   8  12  16  20  24  28  32  36  40  44
    5  10  15  20  25  30  35  40  45  50  55
    6  12  18  24  30  36  42  48  54  60  66
    7  14  21  28  35  42  49  56  63  70  77
    8  16  24  32  40  48  56  64  72  80  88
    9  18  27  36  45  54  63  72  81  90  99
   10  20  30  40  50  60  70  80  90 100 110
   11  22  33  44  55  66  77  88  99 110 121
   ----------------------------------------------
```

まずは、実行しましょう。

上限値の入力が促されますので、キーボードから 1 〜 31 の値を打ち込みます。

さて、数値の（区切りのためのスペースを含めた）表示桁数は、上限値に応じて変えています。具体的な表示桁数は、次の3種類です。

- 上限が 1 〜 3 ⇨ 2桁　　- 上限が 4 〜 9 ⇨ 3桁　　- 上限が 10 〜 31 ⇨ 4桁

▶ 表示桁数を表すのが、変数 w です。出力桁数を可変にする手法は、**List 5-7**（p.127）で学習しました。

　なお、関数 multiplication_table は、仮引数 n に受け取った値が 1 〜 31 でなければ False を返却します（本来ならば、引数に 1 〜 31 の整数値を与えなければならないことなどを、文書化文字列として記述すべきです）。

さて、本章の前半で、次のことを学習しました。

▪ 関数は呼び出されたときに実行される（呼び出されない限り実行されない）。

▪ 関数定義は、呼出しよりも前に置く。

　関数の定義は、呼出しより前であれば、スクリプトプログラムの（先頭ではなく）途中に置いてもよいわけです。本プログラムでは、乗算表を表示する関数 *multiplication_table* をプログラムの途中（変数 *upper* の読込みの後ろ）に置いています。

　よく考えると、関数 *multiplication_table* は、引数を受け取る必要がありません。

　というのも、引数 *n* ではなく、変数 *upper* をそのまま使えばよいからです。

　実際に確認しましょう。プログラムを右のように変更します（'chap09/list0934a.py'）。

▶ プログラム中の赤文字が変更点です。次の点を変更しています：

　　▪ 関数頭部の仮引数の宣言を削除。

　　▪ 関数本体のすべての *n* を *upper* に変更。

　　▪ 関数呼出しの実引数 *upper* を削除。

　実行すると、正しく動作します。

　変更後のプログラムから、いろいろなことが分かります。

```python
upper = int(input('1から何まで：'))
def multiplication_table() -> bool:
    """1～nまでの乗算表を表示"""
    if     1 <= upper <=  3: w = 2
    elif   4 <= upper <=  9: w = 3
    elif  10 <= upper <= 31: w = 4
    else                   : return False

    print('-' * upper * w)
    for i in range(1, upper + 1):
        for j in range(1, upper + 1):
            print(f'{i * j:{w}d}', end='')
        print()
    print('-' * upper * w)
    return True

multiplication_table()
```

▪ 関数は、その外側で定義された変数の値を利用できること

　これまで、関数の中では、仮引数、あるいは、関数の中で定義された変数のみを使ってきました。変更後のプログラムでは、関数 *multiplication_table* の中で、その関数の外側で定義された変数 *upper* の値を利用しています。

▪ 変更したプログラムにはデメリットがあること

　関数 *multiplication_table* は、変数 *upper*（の存在と値）に縛られる結果として、

　変数 *upper* 以外の上限値をもつ乗算表の表示が行えない。

といったデメリットがあります。

　また、次のような疑問も湧いてきます。

　関数 *multiplication_table* の中で、変数 *upper* の値を誤って（あるいは恣意的に）書きかえてしまうと、どうなるだろうか？

　関数や変数を定義する位置や、定義ずみの関数や変数の使い方などについて、詳しく学習していきましょう。

278

内部関数

まずは、関数定義の位置です。実は、関数定義は、関数の中にも置けます。

それを利用して書きかえたのが、**List 9-35** のプログラムです。乗算表の先頭と末尾で `'-'` を連続表示する処理を独立させて、関数 *put_bar* として定義しています。

List 9-35   chap09/list0935.py

```python
"""乗算表を表示（内部関数）"""

upper = int(input('1から何まで：'))

def multiplication_table(n: int) -> bool:
    """1～nまでの乗算表を表示"""

    def put_bar(n: int) -> None:
        """n個の'-'を連続表示して改行"""
        print('-' * n)

    if   1 <= n <=  3: w = 2
    elif 4 <= n <=  9: w = 3
    elif 10 <= n <= 31: w = 4
    else             : return False

    put_bar(n * w)
    for i in range(1, n + 1):
        for j in range(1, n + 1):
            print(f'{i * j:{w}d}', end='')
        print()
    put_bar(n * w)
    return True

multiplication_table(upper)
```

内部関数 → 内部関数

実行例

① 1から何まで：3⏎
```
------
 1 2 3
 2 4 6
 3 6 9
------
```

② 1から何まで：5⏎
```
---------------
 1  2  3  4  5
 2  4  6  8 10
 3  6  9 12 15
 4  8 12 16 20
 5 10 15 20 25
---------------
```

関数 *put_bar* は、関数 *multiplication_table* の中でのみ呼び出せる関数です。このように、特定の関数の中で呼び出されて**下請け的な処理**を行う関数は、内部関数（inner function）と呼ばれます。その内部関数 *put_bar* を呼び出しているのが、2箇所の **put_bar(n * w)** です。

▶ 内部関数のインデントは、外側の関数より一つ深くしなければなりません。

それでは、本プログラムの二つの関数について、次の2点を検討しましょう。

- **外側の関数と内部関数が受け取る同じ名前の仮引数 n**

内側の関数 *put_bar* の仮引数 n には、呼出し側の実引数 n * w が代入されます。外側の関数 *multiplication_table* の n と、関数 *put_bar* の n が "別物" であることが推測されます。

▶ たとえば、1～5の乗算表を表示するときは、前者の n は 5 で、後者の n は 15 です。

- **内部関数の定義位置**

（前ページの検討事項と同じように）w を求める if 文の後ろに関数 *put_bar* の定義を移動すれば、引数のやりとりが不要となります（'chap09/list0935a.py'）。

▶ 関数 *put_bar* の定義と呼出しを次のように変更します。

関数定義　　def put_bar() -> None:　　# w を求める if 文の後ろに移動
　　　　　　　　print('-' * n * w)

関数呼出し　put_bar()

□ **広域名前空間と局所名前空間**

次は、**List 9-36** のプログラムを検討します。少々複雑ですから、プログラムと実行結果とをじっくりと読み比べましょう。

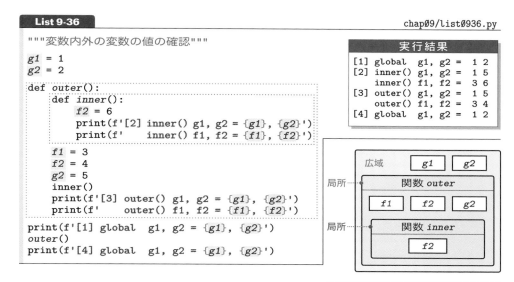

```
List 9-36                                          chap09/list0936.py
"""変数内外の変数の値の確認"""
g1 = 1
g2 = 2

def outer():
    def inner():
        f2 = 6
        print(f'[2] inner() g1, g2 = {g1}, {g2}')
        print(f'    inner() f1, f2 = {f1}, {f2}')

    f1 = 3
    f2 = 4
    g2 = 5
    inner()
    print(f'[3] outer() g1, g2 = {g1}, {g2}')
    print(f'    outer() f1, f2 = {f1}, {f2}')

print(f'[1] global  g1, g2 = {g1}, {g2}')
outer()
print(f'[4] global  g1, g2 = {g1}, {g2}')
```

```
実行結果
[1] global  g1, g2 = 1 2
[2] inner() g1, g2 = 1 5
    inner() f1, f2 = 3 6
[3] outer() g1, g2 = 1 5
    outer() f1, f2 = 3 4
[4] global  g1, g2 = 1 2
```

変数 *g2* と *f2* の値が、何だか奇妙です。

Fig.9-16　変数と関数

まずは、変数 *g2* です。**[1]** で 2 と表示されます。その後、関数 *outer* 内で 5 に更新され、そのことが **[2]** と **[3]** で表示されているものの、最後の **[4]** では 2 と表示されます。

次は、変数 *f2* です。内部関数 *inner* 内で値を 6 に更新した直後の **[2]** では 6 と表示されているものの、関数 *outer* に戻ってきた後の **[3]** では 4 と表示されます。

このような結果となるのは、**Fig.9-16** に示すように、変数 *g1* と *f1* が、それぞれ 1 個のみ存在するのに対して、変数 *g2* と *f2* は、同一名のものが 2 個ずつ存在するからです。

＊

水色は広域名前空間（global namespace）と呼ばれ、赤色と緑色は、それぞれの関数に局所的であることから、局所名前空間（local namespace）と呼ばれます。

さらに、広域名前空間に所属する変数は、広域変数（global variable）と呼ばれ、局所名前空間に所属する変数は、局所変数（local variable）と呼ばれます。

プログラムの各変数の網の色と、図の網の色とを見比べましょう。表示している変数の対応関数は、次のとおりです。

　関数 *inner* 内の **[2]** … 広域の *g1* 、*outer* に局所の *g2* と *f1* 、*inner* に局所の *f2* 。
　関数 *outer* 内の **[3]** … 広域の *g1* 、*outer* に局所の *g2* と *f1* と *f2* 。
　広域の **[1]** と **[4]** 　… 広域の *g1* と *g2* 。

どうして、このようになるのでしょう。順を追って学習しましょう。

名前空間とスコープ

　広域名前空間、局所名前空間という用語が出てきました。名前空間（namespace）とは、変数や関数などの実体であるオブジェクトと、そのオブジェクトを参照する名前（変数名、関数名など）の対応付け（mapping）のことです。

▶ 名前空間は、ユーザ（プログラマ）が作るものではなく、プログラムによって自動的に作られるものです。名前空間ごとに対応付けが行われるため、異なる名前空間に所属していれば、同じ名前の変数や関数が存在できます（山田家の太郎君と、鈴木家の太郎君とを区別できるイメージです）。

　前ページのプログラムの名前空間の概略を示したのが、**Fig.9-17** です。

▶ 左側の 1、2、…、6の6個の箱が、整数オブジェクトです。また、本来、対応表には関数（やクラスなど）も登録されますが、ここでは省略しています。

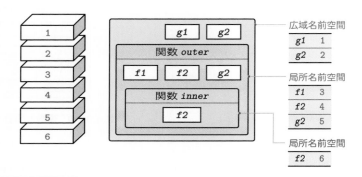

Fig.9-17　名前空間の概略

▶ 対応表は、次のように作られます。

▪ 広域名前空間

　すべての関数の外側で、変数 *g1* と *g2* への値の代入が行われています。初めて出会う名前の変数への代入は、定義（新しく変数を作ること）ですので、それらの対応表が作られます。

▪ 関数 *outer* 用の名前空間

　変数 *f1* と *f2* と *g2* への値の代入が行われていますので、それらの対応表が作られます。

▪ 関数 *inner* 用の名前空間

　変数 *f2* への値の代入が行われていますので、その対応表が作られます。

　ここでは、関数内で定義された（値が代入されることによって新規に作られた）変数について考えましたが、**仮引数**も同様です。関数に仮引数があれば、その仮引数は、その関数専用の名前空間に入ります（対応表に登録されます）。

　さて、関数 *outer* では、自身の関数専用の局所名前空間に所属する *f1*、*f2*、*g2* だけでなく、広域名前空間に所属する *g1* の値の読取りも行っていました。

　それが可能であることを理解するために必要なのが、スコープ（scope）の考え方です。

　スコープとは、ある名前が、そのまま通用する、スクリプトプログラム上の範囲のことであり、次の3種類があります。

① 組込みスコープ（built-in scope）

　Python が提供する、"特別な" スコープです。このスコープ中で定義された名前は、組込み名前空間（built-in namespace）に所属します。

> ▶ 組込み関数 `print` や `len` や `max` などは、組込み名前空間に所属しています。そのため、Python のシステム全体で通用します。

② 広域スコープ（global scope）

　関数の外で定義された識別子がもつスコープであり、スクリプトプログラム全体です。

> ▶ たとえば、*g1* と *g2* と *outer* がもつスコープです。この名前は、スクリプトプログラム `'list0936.py'` 全体で通用します。なお、広域スコープ内で定義された名前は、広域名前空間に所属します。

③ 局所スコープ（local scope）

　関数の中で定義された識別子がもつスコープであり、関数全体です。関数の中で関数を定義した場合は、そのスコープは入れ子になります。

> ▶ たとえば、関数 *outer* に所属する *f1* と *f2* と *g2* と *inner* がもつスコープです。この名前は、関数 *outer* 全体で通用します。なお、局所スコープ内で定義された名前は、局所名前空間に所属します。

　ある関数の実行中に、初めての名前（たとえば関数 *outer* 実行中に *g1*）に出会ったら、Python のシステムは、その名前を、その関数専用の**局所名前空間**から探索します。探索に失敗すると（*g1* は表にはないため）、**広域名前空間**から探索します（ここで *g1* が見つかります）。もし、そこでも探索に失敗すると、**組込み名前空間**を探索します。

　関数外の箇所の実行中に、初めての名前（たとえば `print`）に出会ったら、Python のシステムは、その名前の変数や関数が定義されているかどうかを**広域名前空間**から探索します。探索に失敗すると、**組込み名前空間**を探します（ここで `print` 関数が見つけられます）。

　すなわち、名前の探索は、次の順で行われます。

---
　③ 局所名前空間 ➡ ② 広域名前空間 ➡ ① 組込み名前空間

> ▶ 関数が入れ子になっているときは、その深さに応じて、③が多重に探索されます。

　念のために、関数 *outer* での *g1* と *g2* について確認しましょう。

- **■ *g1*** … この変数は、値を読み取っているだけです。③➡②の探索が行われて、広域名前空間の対応表から *g1* が見つけられます。

- **■ *g2*** … この変数には値を代入していますので、名前 *g2* は、関数 *outer* の名前空間の対応表に登録されています。すなわち、（広域の *g2* とは無関係の）関数 *outer* 専用の変数となります。

global 文と nonlocal 文

名前空間とスコープの考え方が分かりました。もう一つ学習すべきことがあります。それは、関数の中から、広域変数の値を更新したいときに、どうすればよいのか、ということです。

▶ 関数の中から広域変数の値を読み取るだけだと OK ですが、関数内で一度でも値を代入すると、同じ名前の別の変数を新しく作る《定義》となってしまうからです。

このようなときに利用するのが、次の形式の global 文（global statement）です。

> `global 識別子`　　　　　　　　　　　　　　　　　　　　　　　global文

▶ コンマで区切ることで、複数の識別子を指定することができます。

global 文は、指定した識別子（名前）を、強制的に広域変数と解釈させる宣言です。ここでは、**List 9-37** と **List 9-38** のプログラムの対比で理解しましょう。

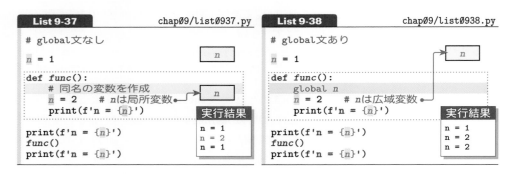

- **List 9-37** … これまでのプログラムと同様です。関数 *func* 内で値が代入された変数 n は、広域の n とは無関係の、関数 *func* 特有の局所変数として作られます。
  値の代入によって、広域の変数 n の値が更新されることはありません。

- **List 9-38** … global 文で指定されている n は、関数 *func* の対応表には登録されず、広域の n と解釈されます。
  値の代入によって、広域の変数 n の値が 1 から 2 へと更新されます。

まとめると、次のようになります。

> 広域名前空間に入っている変数を関数内で使いたいときは：
> - 代入することなく値を取り出すだけであれば、そのまま使う。
> - 値を一度でも代入するのであれば、global 文で指定した上で使う。

＊

以上と同様のことを、入れ子の関数で行うのが、次の形式（右ページ）の nonlocal 文（nonlocal statement）です。

---

nonlocal 識別子　　　　　　　　　　　　　　　　　　　　　nonlocal 文

▶　コンマで区切ることで、複数の識別子を指定することができます。

ここでは、**List 9-39** と **List 9-40** のプログラムの対比で理解しましょう。

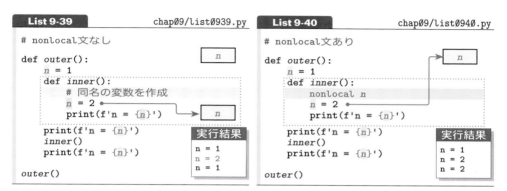

List 9-39	chap09/list0939.py

```python
# nonlocal文なし

def outer():
    n = 1
    def inner():
        # 同名の変数を作成
        n = 2
        print(f'n = {n}')
    print(f'n = {n}')
    inner()
    print(f'n = {n}')

outer()
```

実行結果
```
n = 1
n = 2
n = 1
```

List 9-40	chap09/list0940.py

```python
# nonlocal文あり

def outer():
    n = 1
    def inner():
        nonlocal n
        n = 2
        print(f'n = {n}')
    print(f'n = {n}')
    inner()
    print(f'n = {n}')

outer()
```

実行結果
```
n = 1
n = 2
n = 2
```

両プログラムとも、関数 *outer* の冒頭で変数 n が定義されています。

- **List 9-39** … 関数 *inner* 内で値が代入された変数 n は、外側の関数 *outer* に所属する n とは無関係の、関数 *inner* に所属する、独自の局所変数として作られます。

- **List 9-40** … nonlocal 文で指定された n は、関数 *inner* の対応表には登録されません。そのため、関数 *inner* 内での変数 n は、一つ外側の関数 *outer* に所属する n と解釈されます。

まとめると、次のようになります。

外側の関数に所属する名前空間に入っている変数を使いたいときは:
- 代入することなく値を取り出すだけであれば、そのまま使う。
- 値を一度でも代入するのであれば、nonlocal 文で指定した上で使う。

▶　p.281 では、スコープを『ある名前が、そのまま通用する、スクリプトプログラム上の範囲』と学習しました。裏を返すと、名前は "そのまま" では通用しないことがある、ということです。
　たとえば、次のようなときです。

- **他のモジュール（スクリプトプログラム）で定義されたオブジェクトを利用するとき**
　たとえば、**List 4-6** (p.98) の数当てゲームでは、random モジュール内の randint 関数を、randint そのままの名前ではなく、random.randint で呼び出しました。randint 関数を定義する広域スコープ（すなわち 'random.py' の中）では、名前 randint がそのまま通用するのですが、別のファイルから利用するときは、そのままでは使えません（モジュールに関しては、次章で学習します）。

- **クラスに所属する名前を利用するとき**
　クラス *C* や、そのクラス型のオブジェクト *x* に所属する名前 *name* は、クラス *C* の定義内では、名前 *name* がそのまま通用するのですが、クラスの外部から利用するときは、そのままではなく、*C.name* や *x.name* とします（クラスについては、第 12 章で学習します）。

9–4 高階関数

すべてをオブジェクトとみなす Python では、関数もオブジェクトです。本節では、関数定義が
関数オブジェクトを生成することや、高階関数について学習します。

関数はオブジェクトである

Python では、すべてがオブジェクトですから、当然、本章で学習している関数もオブジェク
トです。まずは、**List 9-41** のプログラムで検証しましょう。

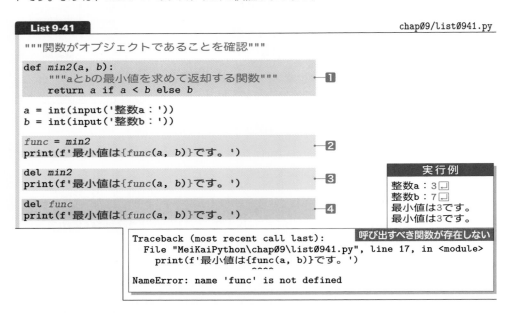

List 9-41　　　　　　　　　　　　　　　　　　　　　　　　chap09/list0941.py

```python
"""関数がオブジェクトであることを確認"""

def min2(a, b):
    """aとbの最小値を求めて返却する関数"""            # 1
    return a if a < b else b

a = int(input('整数a：'))
b = int(input('整数b：'))

func = min2                                           # 2
print(f'最小値は{func(a, b)}です。')

del min2                                              # 3
print(f'最小値は{func(a, b)}です。')

del func                                              # 4
print(f'最小値は{func(a, b)}です。')
```

実行例
```
整数a：3 ⏎
整数b：7 ⏎
最小値は3です。
最小値は3です。
```

呼び出すべき関数が存在しない
```
Traceback (most recent call last):
  File "MeiKaiPython\chap09\list0941.py", line 17, in <module>
    print(f'最小値は{func(a, b)}です。')
                    ^^^^
NameError: name 'func' is not defined
```

1 関数の定義です。この定義は、大きく二つのことを行います。

① 関数**オブジェクト**（function object）を生成する。

② 生成した関数オブジェクトに対して *min2* という名前を結び付ける（*min2* は、関数オブジェ
クトを参照する名前となる）。

すなわち、関数定義によって、《関数オブジェクトの生成》と、《生成された関数オブジェ
クトに対する名前付け》が行われます（**Fig.9-18 a**）。

1個の関数オブジェクトに2個の名前が与えられる

Fig.9-18　関数オブジェクトとそれを参照する変数

2 *min2* を *func* に代入しています。変数の代入と同様に、参照先がコピーされますので、代入後の *func* は、*min2* が参照している関数オブジェクトを参照します（図**b**）。

> ▶ 右辺の *min2* は、呼出し演算子 **( )** が付いていませんので、関数 *min2* を呼び出す式ではなく、関数 *min2* そのものを表します。

　この状態で、呼出し式 *func***(a, b)** を実行する（*func* が参照している関数を呼び出す）と、2値の最小値を求める関数（もともと *min2* が参照している関数）が呼び出されます。

3 **del** 文によって *min2* を削除します。削除されるのは、関数オブジェクトそのものではなく、それを参照している名前です。

　この状態で、呼出し式 *func***(a, b)** を実行する（*func* が参照している関数を呼び出す）と、2値の最小値を求める関数が呼び出されます（**2**と同じです）。

4 **del** 文によって *func* を削除します。*func* という名前が削除される結果、2値の最小値を求める関数オブジェクトは、どこからも参照されなくなります。当然、*func* の呼出しを行うと、エラーが発生します。

＊

　さて、このプログラムで定義されている "関数 *min2*" は、*min2* という名前では一度も呼び出されておらず、*func* という名前でのみ呼び出されています。

　関数がオブジェクトであり、関数名は、そのオブジェクトを参照する名前にすぎないことが分かりました。

　なお、関数の型と識別番号を調べる方法は、変数と同じです（というよりも、全オブジェクトで共通です）。**List 9-42** で確認しましょう。

List 9-42　　　　　　　　　　　　　　　　　　　　chap09/list0942.py

```python
"""関数の型と識別番号を表示"""

def min2(a, b):
    """aとbの最小値を求めて返却する関数"""
    return a if a < b else b

func = min2

print(f'type(min2), id(min2) = {type(min2)} {id(min2)}')
print(f'type(func), id(func) = {type(func)} {id(func)}')
```

実行例
```
type(min2), id(min2) = <class 'function'> 3142847414752
type(func), id(func) = <class 'function'> 3142847414752
```

　この実行結果から、関数オブジェクトの型が **function** 型であることが分かります。当然ながら、*min2* と *func* の型と識別番号は、同じものが表示されます。

重要　関数の実体は **function** 型の関数オブジェクトである。関数名は関数オブジェクトを参照する（結び付けられた）名前にすぎない。

高階関数

次は、**List 9-43** のプログラムを考えましょう。二つの整数値を読み込んで、その積と和を求めるプログラムです。

List 9-43	chap09/list0943.py

```python
"""一つの名前で二つの関数を呼び出す"""

def mul2(x, y):
    return x * y

def add2(x, y):
    return x + y

a = int(input('整数a：'))
b = int(input('整数b：'))

func = mul2
print(f'aとbの積は{func(a, b)}です。')      # 1

func = add2
print(f'aとbの和は{func(a, b)}です。')      # 2
```

```
実行例
整数a：5 ⏎
整数b：7 ⏎
aとbの積は35です。
aとbの和は12です。
```

定義されている二つの関数は、いずれも単純なものです。

- 関数 *mul2* … *x* と *y* の積を求めて返却する。
- 関数 *add2* … *x* と *y* の和を求めて返却する。

プログラムでは、二つの関数は、*mul2* と *add2* という名前で定義されていますが、それらの名前では呼び出されていません（この点は、**List 9-41**：p.284 と同様です）。

1 の代入では、関数 *mul2* に *func* という名前を与えます。変数 *func* は *mul2* を参照するようになるため、*func(a, b)* は、実質的に *mul2(a, b)* と同じです。関数 *mul2* が呼び出されて積が求められます。

2 も同様です。*func(a, b)* は、実質的に *add2(a, b)* と同じです。関数 *add2* が呼び出されて和が求められます。

本プログラムでは、*func* という名前を通じて、二つの関数 *mul2* と *add2* を呼び出しました。このプログラムが理解できれば、より現実的な、右ページの **List 9-44** のプログラムが理解できるようになります。

▶ 関数 *mul2* と関数 *add2* は、**List 9-43** と同じです。

■ 関数 kuku

kuku は、9行9列の表形式で81個の値を3桁で表示する関数です。*func* を仮引数として受け取って、*func(i, j)* の値を表示しています。

List 9-44

```python
"""九九の掛け算表・足し算表を表示"""

def kuku(func):
    """九九の表を表示"""
    for i in range(1, 10):
        for j in range(1, 10):
            print(f'{func(i, j):3d}', end='')
        print()

def mul2(x, y):
    return x * y                        # List 9-43 と同じ

def add2(x, y):
    return x + y                        # List 9-43 と同じ

n = int(input('掛け算[0]／足し算[1]：'))

if n == 0:
    print('九九の掛け算表')
    kuku(mul2)                          # ■1
elif n == 1:
    print('九九の足し算表')
    kuku(add2)                          # ■2
```

```
                    実行例
① 掛け算[0]／足し算[1]：0␛
   九九の掛け算表
    1  2  3  4  5  6  7  8  9
    2  4  6  8 10 12 14 16 18
    3  6  9 12 15 18 21 24 27
    4  8 12 16 20 24 28 32 36
    5 10 15 20 25 30 35 40 45
    6 12 18 24 30 36 42 48 54
    7 14 21 28 35 42 49 56 63
    8 16 24 32 40 48 56 64 72
    9 18 27 36 45 54 63 72 81

② 掛け算[0]／足し算[1]：1␛
   九九の足し算表
    2  3  4  5  6  7  8  9 10
    3  4  5  6  7  8  9 10 11
    4  5  6  7  8  9 10 11 12
    5  6  7  8  9 10 11 12 13
    6  7  8  9 10 11 12 13 14
    7  8  9 10 11 12 13 14 15
    8  9 10 11 12 13 14 15 16
    9 10 11 12 13 14 15 16 17
   10 11 12 13 14 15 16 17 18
```

9-4

高階関数

▪ プログラム主要部分

■1の kuku(mul2) では、関数 kuku に対して、実引数として mul2 を与えています。その実引数 mul2 が仮引数 func に代入されますので、仮引数 func の参照先が関数 mul2 となります（前のプログラムの代入とまったく同じです）。

func を呼び出す式 func(i, j) の実行は、実質的に mul2(i, j) と同じですから、i と j の積が得られます。

そのため、関数 kuku 全体としては、『九九の掛け算表』を表示することになります。

■2の kuku(add2) も同様です。実引数として add2 を与えていますので、func を呼び出す式 func(i, j) の実行は、実質的に add2(i, j) と同じであって、i と j の和が得られます。

そのため、関数 kuku 全体としては、『九九の足し算表』を表示することになります。

関数 kuku 内の呼出し式 func(i, j) だけを見ても、具体的にどの関数を呼び出すのかは分かりません。プログラムを実行していて、仮引数 func に関数オブジェクトへの参照を受け取った時点で、どの関数を呼び出すのかが、初めて決定するからです。

関数への参照をうまく利用することによって、次のようなメリットが生まれます。

▪ 呼び出すべき関数を、プログラム開発時に静的に（static）決定するのではなく、プログラム実行時に動的に（dynamic）決定できるようになる。
▪ 下請け的に呼び出す関数を、条件などに応じて変化させるようなコードが記述できる。

関数を引数として受け取ったり、関数を返却値としたりする関数は、高階関数（higher-order function）と呼ばれます。

▶ 次節では、ラムダ式を高階関数に応用します。

9–5　ラムダ式

本節で学習するのは、"複合文" としての構造をもつ関数を、"単一の式" として実現するラムダ式です。

ラムダ式

関数定義が、一種の複合文であることを、本章の冒頭で学習しました。文ではなく、式として関数を実現するのが、ラムダ式（lambda expression）です。

ラムダ式の基本的な形式は、次のとおりです。

```
lambda 仮引数並び ： 返却値                          ラムダ式
```

▶ 複数の仮引数を受け取る場合は、コンマで区切って並べます。

ラムダ式と呼ばれる理由は単純明快です。lambda が演算子だからです。

▶ 既に学習したように、〇〇演算子を適用した式は、〇〇式と呼ばれるのでした。

なお、ラムダ式の中に文を含めることはできません（そもそも式の中に文を入れることはできないからです）し、アノテーションを含めることもできません。

さて、lambda 演算子が行うのは、無名関数（anonymous function）と呼ばれる、名前のない関数オブジェクトを生成することです

▶ 無名関数は、匿名関数とも呼ばれます。

List 9-45 に示すのは、二つの値の和を求める関数オブジェクトをラムダ式によって生成して、それを呼び出すプログラムです。

```
List 9-45                                      chap09/list0945.py
"""2値の和を求めるラムダ式（その1）"""

a = int(input('整数a：'))
b = int(input('整数b：'))

add2 = lambda x, y: x + y
print(f'aとbの和は{add2(a, b)}です。')
```

実行例
```
整数a：5
整数b：7
aとbの和は12です。
```

lambda x, y: x + y がラムダ式です。ちょうど、（文法上の扱いなどの詳細は異なるものの）次の関数定義と同じような働きをします。

```
def 名前無し(x, y):
    return x + y
```

ラムダ式は、lambda 演算子の後ろに、上記の緑色部を並べたものです。

さて、ラムダ式が作った関数オブジェクトが変数 add2 に代入されていますので、add2 は関数オブジェクトを参照する名前（関数名）となります。赤色部では、add2 という名前を通じて関数オブジェクトを呼び出しています（呼出しの形式は、通常の関数呼出しと同じです）。

さて、プログラム中で1回しか呼び出さないのであれば、わざわざ関数に名前を与える必要がありません。

一般的に、式は、他の式の一部になり得ますので、ラムダ式も、他の式の一部として記述できます。それを利用して書きかえたのが、**List 9-46** のプログラムです。

List 9-46   chap09/list0946.py

```
"""2値の和を求めるラムダ式（その2）"""

print(f'aとbの和は{(lambda x, y: x + y)(a, b)}です。')
```

ラムダ式による関数定義と、その呼出しが、一つの式の中に収まりました。

＊

さて、2値の和を求める関数は、前節の高階関数のプログラム例でも使いました。

九九の掛け算表と足し算表を表示する **List 9-44**（p.287）のプログラムを、ラムダ式で書きかえたのが、**List 9-47** のプログラムです。

9-5
ラムダ式

List 9-47   chap09/list0947.py

```
"""九九の掛け算表・足し算表を表示"""

def kuku(func):
    """九九の表を表示"""                       List 9-44 と同じ
    for i in range(1, 10):
        for j in range(1, 10):
            print(f'{func(i, j):3d}', end='')
        print()

n = int(input('掛け算[0]／足し算[1]：'))

if n == 0:
    print('九九の掛け算表')
    kuku(lambda x, y: x * y)
elif n == 1:
    print('九九の足し算表')
    kuku(lambda x, y: x + y)
```

```
                    実行例
① 掛け算[0]／足し算[1]：0⏎
   九九の掛け算表
    1  2  3  4  5  6  7  8  9
    2  4  6  8 10 12 14 16 18
    3  6  9 12 15 18 21 24 27
    4  8 12 16 20 24 28 32 36
    5 10 15 20 25 30 35 40 45
    6 12 18 24 30 36 42 48 54
    7 14 21 28 35 42 49 56 63
    8 16 24 32 40 48 56 64 72
    9 18 27 36 45 54 63 72 81

② 掛け算[0]／足し算[1]：1⏎
   九九の足し算表
    2  3  4  5  6  7  8  9 10
    3  4  5  6  7  8  9 10 11
    4  5  6  7  8  9 10 11 12
    5  6  7  8  9 10 11 12 13
    6  7  8  9 10 11 12 13 14
    7  8  9 10 11 12 13 14 15
    8  9 10 11 12 13 14 15 16
    9 10 11 12 13 14 15 16 17
   10 11 12 13 14 15 16 17 18
```

書きかえたのは、関数 *kuku* ではなく、それを呼び出す式です。関数 *kuku* に与える実引数が、ラムダ式に変更されています。

そのため、2値の積あるいは和を求める（無名の）関数オブジェクトが生成されるとともに、その参照が関数 *kuku* に渡されます。

重要 ラムダ式を使えば、無名の関数オブジェクトを、文ではなく式として生成できる。

なお、ラムダ式では、関数の引数と同様に、引数のデフォルト値、キーワード引数、可変個引数なども指定できます。

map 関数とラムダ式

　ラムダ式の応用例として、組込みの map 関数を学習します。この関数の基本的な呼出し形式は、次のとおりです。

```
map ( 関数 , イテラブルオブジェクト )
```

　map 関数は、第2引数のイテラブルオブジェクトの全要素に対して、第1引数の関数を適用した結果生成されるイテレータを、map 型の map オブジェクトとして返却します。

　List 9-48 と **List 9-49** に示すのが、プログラム例です。

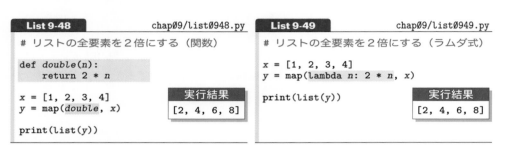

```
List 9-48                    chap09/list0948.py
# リストの全要素を2倍にする（関数）

def double(n):
    return 2 * n

x = [1, 2, 3, 4]
y = map(double, x)

print(list(y))
```
実行結果
```
[2, 4, 6, 8]
```

```
List 9-49                    chap09/list0949.py
# リストの全要素を2倍にする（ラムダ式）

x = [1, 2, 3, 4]
y = map(lambda n: 2 * n, x)

print(list(y))
```
実行結果
```
[2, 4, 6, 8]
```

　いずれも、リスト [1, 2, 3, 4] に入っている全要素の値を2倍したリストを生成・表示するプログラムです。

　List 9-48 は、**関数版**です。受け取った引数の2倍の値を返却する関数 double を定義して関数オブジェクトを生成した上で、それを map 関数の第1引数として与えています。

　map 関数が生成・返却するのは、x の全要素に関数 double を適用した結果の並びです。型が map オブジェクトなので、そのままでは表示できません。そのため、y をいったんリストに変換した上で出力しています（表示は [2, 4, 6, 8] とリスト形式で行われます）。

　List 9-49 は、**ラムダ式版**です。前ページのプログラムと同様に、関数オブジェクトを生成するラムダ式を、そのまま引数として渡しています。

　▶　ラムダ式が生成する関数オブジェクトが受け取る仮引数が n で、返却するのは 2 * n です。

＊

map 関数を用いた変換の例をいくつか考えましょう（x は [1, 2, 3, 4] とします）。

■ **全要素を文字列に変換する**（'chap09/map_sample01.py'）

```
list(map(str, x))
```

　　str 関数は、受け取った引数を文字列に変換する組込み関数です（第2章）。そのため、生成されるリストは、['1', '2', '3', '4'] となります。

■ **全要素の単位をセンチメートルからインチに変換する**（'chap09/map_sample02.py'）

```
list(map(lambda n: 2.54 * n, x))
```

　　生成されるリストは、[2.54, 5.08, 7.62, 10.16] です。

▢ filter 関数とラムダ式

次にラムダ式を応用するのは、組込みの filter 関数です。この関数の基本的な呼出し形式は、次のとおりです。

```
filter(関数, イテラブルオブジェクト)
```

この関数は、第2引数のイテラブルオブジェクトの全要素の中で、第1引数の関数を適用した結果が真となる要素のみを抽出したイテレータを、filter 型の filter オブジェクトとして返却します。

List 9-50 に示すのが、プログラム例です。

List 9-50   chap09/list0950.py

```python
# 80点以上の点数のみを抽出
import random
number = int(input('学生の人数：'))
tensu = [None] * number
for i in range(number):
    tensu[i] = random.randint(0, 100)
print(f'全員の点数＝{tensu}')
print(f'合格者の点数＝{list(filter(lambda n: n >= 80, tensu))}')
```

実行例
学生の人数：11⏎ 全員の点数＝ [29, 71, 68, 57, 61, 50, 92, 98, 58, 71, 53] 合格者の点数＝ [92, 98]

tensu は、0 点～ 100 点のテストの点数を格納したリストです。人数＝要素数はキーボードから読み込んで、点数＝各要素の値は乱数で決定します。

filter 関数に依頼しているのは、合格者（80 点以上）の点数の抽出です。

そのために、引数の値が 80 以上であれば **True** を、そうでなければ **False** を返却する関数をラムダ式で生成して第1引数として与えています。

呼び出された **filter** 関数は、第2引数に受け取ったリストの全要素を順に走査します。その際、各要素に第1引数に受け取った関数を適用し、真となった 80 点以上の点数のみを抽出して、新しい並びを **filter** オブジェクトとして生成します。

返却された **filter** オブジェクトは、そのままでは表示できませんので、いったんリストに変換した上で表示しています。

まとめ

● 関数は、仮引数を受け取って処理を行い、その結果を返却値として返すプログラムの部品である（複合文の構文をもっている）。

● 関数定義によって、関数の実体である**function**型の関数オブジェクトが作られる。関数名は、関数オブジェクトを参照する（結び付けられた）名前である。

● 関数定義は、それを呼び出すコードより前に置く。関数は、呼び出されない限り実行されない。

● 関数呼出しが行われると、プログラムの流れは、その関数に移る。呼出し側で呼出し演算子（）の中に与えた実引数は、関数が受け取る仮引数に代入される。

● 引数のやりとりは、参照の値渡し（オブジェクト参照渡し）で行われる。そのため：
  ▪ 引数がイミュータブル（変更不能）であれば、関数内で仮引数の値を変更すると、別のオブジェクトが生成され、そのオブジェクトへの参照へと更新される。
  ▪ 引数がミュータブル（変更可能）であれば、関数内で仮引数の値を変更すると、そのオブジェクト自体が更新される。

● **return**文は、関数の実行を終了させて、プログラムの流れを呼出し元に戻すとともに、値を返却する。タプルを返却すれば、複数の値を呼出し元に渡せる。**return**文で返却値を指定しない、あるいは**return**文がない関数は、**None**を返却する。

● 呼出し式を評価すると、関数によって返された返却値が得られる。返却値は切り捨てても（使わずに無視しても）構わない。

● 関数の中で、自身の関数を呼び出すことで、再帰呼出しが実現できる。

● 実引数を省略して呼び出すためには、仮引数に対してデフォルト値を設定する。

● 引数のやりとりは、実引数が同じ**スロット位置**の仮引数に渡される位置引数による受渡しに加えて、呼出し側で仮引数名を指定する**キーワード引数**による受渡しが行える。

● アステリスク * 付きで宣言された**仮引数**は、可変個引数（∅個以上の任意の個数の値）を**タプル**として受け取る。呼出し側の可変個の実引数は、暗黙裏に**パック**して渡される。

● 関数に与えるべき値がリストやタプルなどのイテラブルオブジェクトにまとめられているのであれば、アステリスク * を前置きした実引数として与える。その実引数は、**アンパック**された上で関数に渡される。

● ２個の連続するアステリスク ** 付きで宣言された**仮引数**は、**辞書化されたキーワード引数**を受け取る。

- 辞書型（マッピング型）の**実引数**の前に、２個のアステリスク記号 ** を付けると、その辞書の全要素が**アンパック**される。各要素の“キー”がキーワード引数になって、そのキーに対応する“値”が、そのキーワード引数に渡される値となる。

- 仮引数の宣言に（名前を伴わずに）単独で置かれた / は、それ以前の仮引数を強制的に**位置引数**にする。また、 * は、それ以降の仮引数を強制的に**キーワード引数**にする。

- 関数を定義する際は、 `"""` … `"""` 形式の文書化文字列を記述するとよい。その内容は、“関数名 `.__doc__`”で文字列として取り出せ、 `help` 関数で表示できる。

- 関数を定義する際は、仮引数や返却値に対して型ヒントなどのアノテーションを記述して、仮引数や返却値の性質や特徴などを利用者に伝えるとよい。アノテーションの各項目の内容を**辞書化**したものは、“関数名 `.__annotations__`”で取り出せる。

- 関数の中で定義された関数は、内部関数となる。

- 名前空間は、変数や関数などの実体であるオブジェクトと、そのオブジェクトを参照する名前（変数名、関数名など）の対応付けであり、広域名前空間と局所名前空間とがある。

- スコープは、ある名前が、そのまま通用する、スクリプトプログラム上の範囲のことであり、組込みスコープ、広域スコープ、局所スコープがある。

- `global` 文は、指定した名前を、強制的に広域変数と解釈させる。
  `nonlocal` 文は、指定した名前を、外側の関数の局所変数と解釈させる。

- 高階関数は、引数として関数を受け取ったり、関数を返却値としたりする関数である。高階関数を利用することにより、呼び出すべき関数をプログラム実行時に動的に決定できる。

- ラムダ式は、 `lambda` 演算子の適用によって、無名関数と呼ばれる関数オブジェクトを生成する式である。

- `map` 関数を使うと、第２引数のイテラブルオブジェクトの全要素に対して第１引数の関数を適用した結果を生成できる。

- `filter` 関数を使うと、第２引数のイテラブルオブジェクトの要素の中で、第１引数の関数を適用した結果が真である要素のみを抽出した結果を生成できる。

9

まとめ

```
# 第 9 章 まとめ                                    chap09/gist.py

def range_of(*v):
    """最大値と最小値の差を返却"""
    return abs(max(v) - min(v))

print(f'{range_of(1, 5)              = }')
print(f'{range_of(1, -3, 2, 5, 4) = }')
```

```
              実行 結果
range_of(1, 5)              = 4
range_of(1, -3, 2, 5, 4) = 8
```

| Column 9-6 | Python3.8 以降の新機能とアノテーション |

Python 3.8 以降の新機能

　プログラミングの教育や開発の現場では、最新のバージョンの Python が利用できるとは限らず、その際は、新しいバージョンで導入された機能を避けてプログラミングを行うことになります。

　本書の改訂前の『新・明解 Python 入門』（第 1 版）では Python 3.7 の言語仕様をもとに解説を行っていましたので、Python 3.8 以降に導入された新機能と代替手段を紹介します。

代入演算子 := 　　　　　　　　　　　　　　　　　　　　　　　　　　　Python 3.8

　代入演算子 := が Python 3.8 で導入され、代入の実現を文ではなく式で行えるようになりました。

　演算子のオペランドが代入式となっている式は、古い Python では、= 使った代入文と演算を行う式とに分離する必要があります。

　たとえば、式 "`(i := int(input())) != 0`" は、文 "`i = int(input())`" と、式 "`i != 0`" とに分けて実現する必要があります。

match 文 　　　　　　　　　　　　　　　　　　　　　　　　　　　　Python 3.10

　Python 3.10 では **match** 文が導入され、多種多様なマッチング結果に応じたプログラムの流れの分岐を簡潔に実現できるようになりました。

　match 文は、古い Python では **if** 文で代替します。

* によるアンパックを for 文の繰返しの対象とする 　　　　　　　　　　Python 3.11

　List4C-4（p.107）で紹介した "`for i in *list(range(1, 8)), *list(range(9, 13)):`" といった方法です（1 から 13 までを、8 を飛ばして繰り返す **for** 文です）。

　古い Python では、同ページの **List4C-3** のように実現することで代替します。

f 文字列における { 式 = } 形式の書式化 　　　　　　　　　　　　　　　Python 3.8

　第 6 章の p.158 で学習した、f 文字列における { 式 = } 形式の書式化は Python 3.8 で導入されました。それ以前のバージョンでは、"`f'{a = }'`" ではなく、"`f'a = {a}'`" によって実現します。

辞書に対する | 演算子と |= 演算子の適用 　　　　　　　　　　　　　　Python 3.9

　Python 3.9 では、辞書に対して | 演算子と |= 演算子が適用できるようになりました。

　古い Python では **update** メソッドで代替します。

位置引数の強制 　　　　　　　　　　　　　　　　　　　　　　　　　Python 3.8

　Python 3.8 で、関数の仮引数の宣言に置かれた / より前側（左側）の引数を、位置引数に強制できるようになりました。

　古いバージョンでは代替できません（関数を作る側と使う側とで、受け取る／渡す引数に留意しながらコーディングすることになります）。

アノテーションに関する補足

　本章では、関数の仮引数と返却値に対するアノテーションについて学習しました。Python 3.9 からは変数アノテーションも導入されています。

第10章

モジュールとパッケージ

本章では、プログラムの部品の再利用化を支援するモジュールとパッケージについて学習します。

- モジュール
- ブロックとコードブロック
- モジュールのインポート
- モジュールオブジェクトの初期化
- モジュール（スクリプトファイル）の構成
- __name__ と '__main__'
- モジュールの検索パス
- sys.path の取得
- sys.path への検索パスの追加
- 完全修飾名（完全限定名）
- 単純名
- import 文によるインポート
- パッケージとモジュール
- 正規パッケージ
- __init__.py
- 絶対インポート
- 暗黙的相対インポート
- 明示的相対インポート
- 名前空間パッケージ

10–1 モジュール

前章では、関数の定義と呼出しを、単一のスクリプトプログラムで行いました。モジュール化することによって、関数は、別のスクリプトプログラムから呼び出せるようになります。

■ モジュールとブロック

randomというモジュール（module）のインポートによって、乱数を生成する**randint**関数が利用可能になることを第4章で学習しました。このような再利用可能なモジュールは、自作できます。というよりも、これまでに数多くのモジュールを作成してきています。

なぜなら、**単一のスクリプトファイルが、そのままモジュールになるからです。**

Pythonのプログラムは、**コードブロック**（code block）、略して**ブロック**（block）で構成されます。1個のスクリプトプログラム全体がブロックであるとともに、その中の関数本体や、クラス定義（次章）なども、ブロックです。

スクリプトファイルとして実現されるモジュールは、関数やクラスなどのブロックを内包する、大きな単位のブロックです。

重要 一つのスクリプトファイルは、そのままモジュールというブロック単位となる。

*

それでは、ユーザ定義（自作）のモジュールに含まれる関数を、別のモジュールから利用することを考えましょう。最初にとりあげるのは、**List 10-1** の関数 *min_max2* です。

List 10-1   chap10/min_max2.py

```
"""2値の最小値と最大値を求める"""

def min_max2(a, b):
    """aとbの最小値と最大値を求めて返却"""        List 9-6（p.247）と同じ
    return (a, b) if a < b else (b, a)

n1 = int(input('整数n1：'))
n2 = int(input('整数n2：'))

minimum, maximum = min_max2(n1, n2)
print(f'最小値は{minimum}で最大値は{maximum}です。')
```

拡張子 **.py** を含まないファイル名がそのままモジュール名となりますので、本プログラムのモジュール名は *min_max2* です。

重要 拡張子を含まないファイル名が、そのままモジュール名となる。

モジュール *min_max2* 内の関数 *min_max2* を利用するプログラムを右ページの **List 10-2** に示しています。関数 *min_max2* を呼び出して、実数2値の最小値と最大値を求めます。

▶ 二つのプログラムは、同一のディレクトリ（フォルダ）に置かなければなりません（p.300）。

List 10-2 chap10/min_max2_test.py

```
"""min_max2モジュールのmin_max2関数を呼び出す"""

import min_max2                            ←1

x = float(input('実数x：'))
y = float(input('実数y：'))

mini, maxi = min_max2.min_max2(x, y)  ←2
print(f'最小値は{mini}です。')
print(f'最大値は{maxi}です。')
```

```
                実行例
整数n1：3 ⏎                      List 10-1
整数n2：7 ⏎
最小値は3で最大値は7です。
実数x：5.2 ⏎                     List 10-2
実数y：6.4 ⏎
最小値は5.2です。
最大値は6.4です。
```

"import モジュール名" の import 文を置く（1）と、"モジュール名.関数名(...)" の呼出し式で、モジュール内の関数を呼び出せる（2）ことは学習ずみです。

さて、このプログラムを実行すると、**List 10-1** 内の、関数 min_max2 以外の部分、すなわち赤色部のコードまでもが実行されてしまいます。

すべてをオブジェクトとみなす Python では、モジュールもオブジェクトです。モジュールは、別のプログラムから初めてインポートされたタイミングで、そのモジュールオブジェクトが生成・初期化される仕組みとなっているのです（**Fig.10-1**）。

今回の場合、1の import 文の実行によってモジュールオブジェクト min_max2 が生成・初期化される結果として、スクリプトプログラム **'min_max2.py'** の赤色部が実行されます。

10-1

モ
ジ
ュ
ー
ル

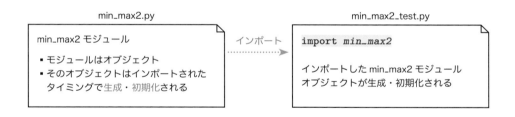

min_max2.py

min_max2 モジュール
▪ モジュールはオブジェクト
▪ そのオブジェクトはインポートされた
　タイミングで生成・初期化される

インポート →

min_max2_test.py

`import min_max2`

インポートした min_max2 モジュール
オブジェクトが生成・初期化される

Fig.10-1 インポートとモジュールオブジェクトの初期化

これを避けるための最も簡単な対処は、**List 10-1** の赤色部のコードを削除することです。ただし、次のようなデメリットがあります。

▪ いったん完成したスクリプトファイルの修正を余儀なくされる。
▪ 単一のスクリプトファイルのみで関数をテスト・デバッグすることが不可能になる。

モジュールの作成

検討した問題を解決したモジュールを **List 10-3** に示します。

ファイル名が `'min_max.py'` ですから、モジュール名は *min_max* です。なお、今回のモジュールには、3値の最小値と最大値を求める関数 *min_max3* を追加しています。

▶ さらに関数 *min_max2* を、組込み関数 `min` と `max` で最小値と最大値を求めるように変更しています。

```
List 10-3                                              chap10/min_max.py

"""最小値と最大値を求めるモジュール"""

def min_max2(a: 'value', b: 'value') -> 'value':
    """aとbの最小値と最大値を求めて返却"""
    return min(a, b), max(a, b)

def min_max3(a: 'value', b: 'value', c: 'value') -> 'value':
    """aとbとcの最小値と最大値を求めて返却"""
    return min(a, b, c), max(a, b, c)

if __name__ == '__main__':
    x = int(input('整数x：'))
    y = int(input('整数y：'))              直接起動されたときにのみ実行されて
    z = int(input('整数z：'))              インポートされたときは実行されない

    print('xとyの最小値は{}で最大値は{}です。'.format(*min_max2(x, y)))
    print('yとzの最小値は{}で最大値は{}です。'.format(*min_max2(y, z)))
    print('xとzの最小値は{}で最大値は{}です。'.format(*min_max2(x, z)))
    print('xとyとzの最小値は{}で最大値は{}です。'.format(*min_max3(x, y, z)))
```

このモジュールには、二つの関数定義とは別に、**if** 文が置かれています。

__name__ と '__main__'

if 文では __name__ と '__main__' の等価性が判定されています。

左オペランドの __name__ はモジュールの名前を表す変数であり、次のように決定されます。

変数 __name__ は、スクリプトファイルが

- 直接実行されたとき　：'__main__' となる。
- インポートされたとき：本来のモジュール名（この場合は *min_max*）となる。

そのため、水色部は、`'min_max.py'` を直接起動したときにのみ実行されて、他のスクリプトファイルからインポートされたときは実行されなくなります。

▶ 水色部では、整数値 x と y と z を読み込んで、それらの最小値と最大値を *min_max2* と *min_max3* で求めて表示します。実引数の前に * を付けて、タプルのアンパック（p.262）を行った上で format メソッド（p.156）に渡しています。

なお、モジュールオブジェクトの中には、__name__ の他にも、__loader__、__package__、__spec__、__path__、__file__ などの変数（属性）が入っています。

Fig.10-2（右ページ）に示すのが、一般的なモジュール（スクリプトファイル）の構成です。

1 関数定義（やクラス定義）などの定義を置きます。

2 外部からインポートされたときに、自動的に実行される部分です。モジュールの初期化のためのコードなどを置きます。

▶ この部分は、`min_max` にはありません。

3 外部からインポートされたときに実行されない部分です。**1**の関数（やクラスなど）をテスト・デバッグするためのコード（が必要であれば、そのコード）を置きます。

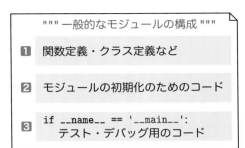

```
""" 一般的なモジュールの構成 """
```
1 関数定義・クラス定義など

2 モジュールの初期化のためのコード

3 `if __name__ == '__main__':`
　　テスト・デバッグ用のコード

Fig.10-2　一般的なモジュールの構成

モジュール `min_max` 内の関数を利用するプログラム例を **List 10-4** に示します。

```
List 10-4                                              chap10/min_max_test.py
"""min_maxモジュールの関数群を呼び出す"""

import min_max

x = float(input('実数x : '))
y = float(input('実数y : '))
z = float(input('実数z : '))

print('xとyの最小値は{}で最大値は{}です。'.format(*min_max.min_max2(x, y)))
print('yとzの最小値は{}で最大値は{}です。'.format(*min_max.min_max2(y, z)))
print('xとzの最小値は{}で最大値は{}です。'.format(*min_max.min_max2(x, z)))
print('xとyとzの最小値は{}で最大値は{}です。'.format(*min_max.min_max3(x, y, z)))
```

```
実 行 例
実数x：5.2↵
実数y：6.4↵
実数z：7.2↵
xとyの最小値は5.2で最大値は6.4です。
yとzの最小値は6.4で最大値は7.2です。
xとzの最小値は5.2で最大値は7.2です。
xとyとzの最小値は5.2で最大値は7.2です。
```

三つの実数値を読み込んで、それらの最小値と最大値を `min_max2` と `min_max3` で求めて表示するプログラムです。

今回は、**List 10-4** のコードのみが実行されています。インポートされたモジュール `min_max` 内の、関数以外のコードが実行されることはありません。これで問題が解決しました。

Column 10-1 ┃ **デバッグとコメントアウト**

プログラムの欠陥や誤りのことをバグ（bug）といいます。また、バグを見つけたり、その原因を究明したりする作業が、デバッグ（debug）です。

デバッグの際に、『この部分が間違っているかもしれない。もしこの部分がなかったら、実行時の挙動はどう変化するだろうか。』と試しながらプログラムを修正することがあります。その際に、プログラムの該当部を削除してしまうと、もとに戻すのが大変です。

そこで、よく使われるのがコメントアウトという手法です。コメントとしてではなくプログラムとして記述されている部分の先頭に # を付けてコメントにしてしまうのです。

ただし、コメント化の根拠が、その部分が不要になったためなのか、何らかのテストを目的とするものなのか、などが分からないため、読み手にとって紛らわしく、誤解されやすくなります。

コメントアウトの手法は、あくまでもその場しのぎのための一時的な手段と割り切って使いましょう。

▢ モジュール検索パス

　ここまでのインポートの対象は、同一ディレクトリに存在するユーザ定義のモジュールでした。しかし、たとえば乱数用の **random** モジュールの **'random.py'** は、異なるディレクトリ（ユーザが作成したプログラムの格納場所）からインポートされて利用されます。

　▶ ディレクトリ（フォルダ）などの基本用語に関しては、**Column 13-3**（p.364）で学習します。

　モジュールのインポートの際は、優先順位にしたがって、読み込むべきディレクトリが決定する仕組みとなっています。原則として、次の順序です。

---
① カレントディレクトリ（現在作業を行っているディレクトリ＝フォルダ）
② 環境変数 **PYTHONPATH** に設定されているディレクトリ
③ 標準ライブラリのモジュールディレクトリ
④ サードパーティライブラリのディレクトリ

　現在の検索パスの順位は、**sys.path** という変数に入っています。**List 10-5** のプログラムで調べましょう。

　▶ **sys** モジュールは、システムに関する各種の変数や関数などが定義されているモジュールです。

List 10-5　　　　　　　　　　　　　　　　　　　　　　　　　　　　　　chap10/sys_path.py

```
"""モジュール検索パスを表示"""

import sys

print(sys.path)
```

実行例
['\\MeikaiPython\\chap10', '\\Users\\user\\AppData\\Local\\Programs\\Python\\Python311\\Lib\\idlelib', …中略…]

　実行すると、パス名の文字列がリスト形式でズラズラっと表示されます。先頭に表示されているのが、本スクリプトプログラム **'sys_path.py'** が格納されているディレクトリです。

　▶ 表示されるディレクトリは、実行する環境や各種設定などによって異なります。

　このような結果が得られるのは、**スクリプトファイルの実行の開始に伴って、現在のディレクトリのパスが、sys.path のリストの先頭要素として入れられる**からです。

　ただし、インタラクティブシェルでは事情が異なります。確認しましょう。

例 10-1　sys.pathの表示

```
>>> import sys ⏎
>>> sys.path
>>> ['', '\\Users\\user\\AppData\\Local\\Programs\\        ⇐ 以下省略
```

sys.path を表示させていますが、リストの先頭要素は、空文字列 **''** となっています。

　▶ ユーザがプログラム上で **sys.path** を変更することも可能です。次の呼出しによって、検索パスを追加します。

　　　sys.path.append('追加したい検索パスを含む文字列')

　　なお、具体的なプログラム例は、p.307 で学習します。

完全修飾名

　最小値と最大値のプログラムに戻って、インポートした関数の名前に対する検討を行います。
次のようになっていました。

> $min\_max.min\_max2$：モジュール min_max に所属する関数 min_max2
> $min\_max.min\_max3$：モジュール min_max に所属する関数 min_max3

　このような、モジュール名とオブジェクト名（関数名、変数名、クラス名、…）の組合せを
ドット記号 . で区切って連結した名前は、完全修飾名（fully qualified name）と呼ばれます。
さしずめ、《フルネーム》といったところです。

> ▶ 次節で学習しますが、$abc.def.xyz$ のように、ドット . が複数になることもあります。なお、完全
> 限定名という訳語が使われることもあります。

　フルネームを利用する最大のメリットは、異なるモジュールに所属する同一名の関数を使い
分けられることです。

　Fig.10-3 に示すように、モジュール abc に所属する $func$ と、モジュール xyz に所属する $func$ は、
混同することなく識別できます。

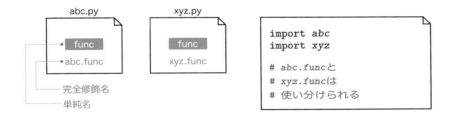

Fig.10-3　完全修飾名と単純名

　なお、本書では、最後のドット . 以降の名前、すなわち、min_max2 や min_max3 のことを
単純名と呼びます。

> **重要**　完全修飾名（完全限定名）を利用することによって、同一の単純名をもつオブジェ
> クトの使い分けが可能である。

> ▶ モジュールの中では、単純名が利用できます（たとえば、`'abc.py'` や `'xyz.py'` の中では単純名
> $func$ がそのまま通用します）が、その名前で他のモジュールから呼び出すことはできません。
> 　このようになるのは、モジュール（スクリプトプログラム）ごとに、そのモジュール専用の名前空間が
> 作られるからです。

import 文によるインポート

オブジェクト（関数、変数、クラスなど）の名前に、**単純名**と**完全修飾名**があることが分かりました。インポートの方法によっては、それらを使い分けることが可能です。

`import` 文には数多くの形式があります。代表的な形式を学習していきましょう。

> ▪ `import` モジュール名

これまでのプログラムで利用してきた `import` 文の形式です。

指定されたモジュール内のオブジェクトが "**モジュール名 . オブジェクト名**" でアクセスできるようになります。

> ▶ 次のように、複数のモジュールをコンマで区切ってインポートすることも可能です。
>
> `import` モジュール名1，モジュール名2，...
>
> ただし、この方法は使わないようにします。PEP 8 では、単一の `import` 文では、1個のモジュールをインポートすべきであって、複数個のモジュールをインポートすべきでない、とされています。

> ▪ `import` モジュール名 `as` 別名

この形式は、モジュール名に別名（**あだ名**）を与えます。モジュール名が長いときに、手短な名前で呼べるようにするために使います。

次に示すのは、モジュール *min_max* に *mm* という別名を与える例です。

```
import min_max as mm

a, b = mm.min_max2(x, y)
a, b, c = mm.min_max3(x, y, z)
```

関数 *min_max.min_max2* が *mm.min_max2* という名前で、関数 *min_max.min_max3* が *mm.min_max3* という名前で、アクセスできるようになります。

> ▪ `from` モジュール名 `import` 名前 1，名前 2，…

モジュール内の特定のオブジェクトの名前（名前 1，名前 2，…）を指定してインポートした上で、それを単純名でアクセスできるようにします。

次に示すのは、モジュール *min_max* から *min_max2* をインポートする例です。

```
from min_max import min_max2

a, b = min_max2(x, y)
```

このように、モジュール *min_max* 内の関数 *min_max2* が、単純名 *min_max2* でアクセスできるようになります。

このインポート法は、一見すると便利なのですが、多用すべきではありません。

というのも、同じ単純名のオブジェクトを、異なるモジュールからインポートするときに問題が生じるからです。

▶ 次に示すのが問題が生じる例です。

```
a = 1
# ただの"a"は"変数a"のこと

from module1 import a
# ただの"a"は"module1.a"のこと

from module2 import a
# ただの"a"は"module2.a"のこと
```

このように、名前の参照先は、後からインポートされたほうで上書きされていきます。

インポートするモジュール内の名前のすべてを把握していれば、このような問題の発生は避けられるでしょうが、現実的には不可能です。

· from モジュール名 import *

指定したモジュールのすべてのオブジェクトをインポートして、単純名でアクセスできるようにします。

```
from min_max import *

a, b = min_max2(x, y)
a, b, c = min_max3(x, y, z)
```

前のインポート法と同様、名前の上書きを避けるためにも、この方法は原則として使うべきではありません。

▶ このインポート法では、下線 _ で始まる名前はインポートの対象外となります。

· from モジュール名 import 名前 as 別名

インポートした名前に別名を与えます。

```
from min_max import min_max2 as m2
from min_max import min_max3 as m3

a, b = m2(x, y)
a, b, c = m3(x, y, z)
```

名前が短くなって便利です。ただし、この方法を使う際は、別名を与えるルールを統一するなどの工夫を行って、ミスが起こらないようにしなければなりません。

*

モジュールのインポートは、プログラムの先頭で行うのが基本です。なお、存在しないモジュールをインポートしようとすると、**ModuleNotFoundError** 例外が発生し、存在するモジュールから存在しないオブジェクトをインポートしようとすると、**ImportError** 例外が発生します。

▶ モジュールのインポートは、関数の中でも行えます。ただし、関数の中での * 形式のインポートは、Python 3 からは行えないようになっています。

> モジュールが集まったのがパッケージです。パッケージを導入すると、モジュールを階層的に
> 運用・管理できるようになります。

正規パッケージ

　前節では、二つの関数が入ったプログラムを例にとって、モジュールを学習しました。モジュールに格納すべき関数（やクラス）が増えると、単層的な構成では破綻をきたします。

　そこで、複数のスクリプトファイルを"ひとまとめ"に扱えるようにする（さらに、階層的にも扱えるようにする）のが、パッケージ（package）です。

　基本的な考え方としては、次のとおりです。

- スクリプトファイルが、モジュールとなる。
- スクリプトファイルが格納されているディレクトリ（フォルダ）が、パッケージとなる。

　なお、パッケージのディレクトリに `'__init__.py'` という名前のファイルを置くのが標準的な構成であり、そのようなパッケージは正規パッケージ（regular package）と呼ばれます。

　Fig.10-4 に示す例を考えましょう。ここでは、パッケージ *pack* を作り、その中のサブ（部分）パッケージとして、パッケージ *sub* を作る例です。

　パッケージ *pack* の中には、モジュール *abc* とモジュール *xyz* とがあり、サブパッケージ *sub* の中にもモジュール *abc* とモジュール *xyz* とがあります。

　なお、**List 10-6** 〜 **List 10-9**（いずれも右ページ）に示すように、すべてのモジュールの中に、*func* という名前の関数の定義があるものとします。

　▶　ここでは、`'__init__.py'` の中身は、空であるとします。

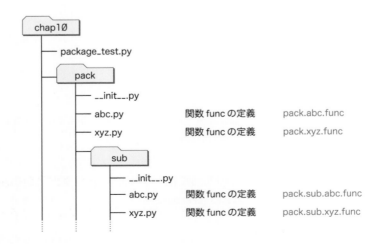

Fig.10-4　正規パッケージとモジュールの構成例

List 10-6	chap1Ø/pack/abc.py

```
# pack.abcモジュール
def func():
    print('pack.abc.func()')
```

List 10-7	chap1Ø/pack/xyz.py

```
# pack.xyzモジュール
def func():
    print('pack.xyz.func()')
```

List 10-8	chap1Ø/pack/sub/abc.py

```
# pack.sub.abcモジュール
def func():
    print('pack.sub.abc.func()')
```

List 10-9	chap1Ø/pack/sub/xyz.py

```
# pack.sub.xyzモジュール
def func():
    print('pack.sub.xyz.func()')
```

図中、赤字で示しているのが、各関数の完全修飾名です。"親パッケージ名 . 子パッケージ名 . モジュール名 . 関数名" のように、ドット記号 . でつなげます。

＊

四つのモジュール内の関数 func を呼び出すプログラム例を **List 10-10** に示しています。

4個のモジュールをインポートして、その中に含まれる関数 func を呼び出すだけの単純な構造であり、期待どおりの実行結果が得られます。

List 10-10	chap1Ø/package_test.py

```
"""パッケージ内のモジュールのインポート"""
import pack.abc
import pack.xyz
import pack.sub.abc
import pack.sub.xyz

pack.abc.func()
pack.xyz.func()
pack.sub.abc.func()
pack.sub.xyz.func()
```

```
実行結果
pack.abc.func()
pack.xyz.func()
pack.sub.abc.func()
pack.sub.xyz.func()
```

10-2

パッケージ

＊

なお、パッケージをインポートすると、インポート先ディレクト内の '__init__.py' の中身が、モジュールとして初期化・実行されます。

今回は、'__init__.py' を空にしていますが、何らかのコードを置いていれば、そのコードが実行されます。

重要 パッケージの初期化のためのコードは '__init__.py' に記述する。

▶ パッケージに関する規則は極めて複雑です。おおむね、次のように理解しておきましょう。

- '__init__.py' は、正規パッケージであることをPythonに伝えるためのファイルです。このファイルがなければ、正規パッケージとして認識されません（**List 10-10** も実行できなくなります）。

- パッケージをインポートすると、'__init__.py' のモジュールが初期化・実行されます。そのため、その中に（次章で学習する）クラス定義を置くようなテクニックも使われます。

- '__init__.py' の中に、__all__という名前で、オブジェクトの名前の文字列のリストを定義すると、その名前のオブジェクトが * 形式でインポートできるようになります。

  たとえば、ディレクトリ pack 内の '__init__.py' に、

  ```
  __all__ = ['abc', 'xyz']
  ```

  という定義を入れておけば、from pack import * によって、pack.abc と pack.xyz がインポートされます。

☐ 絶対インポートと相対インポート

さて、パッケージに所属するモジュールの中でのインポートは、通常のモジュールとは手続きが異なります。たとえば、モジュール *pack* 内の *abc* すなわち `'pack/abc.py'` で、同一パッケージ内のモジュール xyz をインポートするために、

```
import xyz          # エラー ：暗黙的相対インポートは行われない
```

という import 文を置いても、エラーが発生します。

というのも、パッケージ内のモジュールでは、（同一ディレクトリのモジュールを最優先して探すという）**暗黙的相対インポート**（implicit relative import）が行われないからです。

▶ 暗黙的相対インポートは、Python 2 では可能でした。

パッケージに所属するモジュールのインポートは、次のいずれかによって行います。

10

モジュールとパッケージ

▪ 絶対インポート（absolute import）

"パッケージ名 **.** モジュール名" のように、すべての階層を並べたフルネームでインポートします。上記の例であれば、次のようになります。

```
import pack.xyz      # 絶対インポート （pack/abc.pyからpack/xyz.py）
```

なお、*pack.sub* 内のモジュール *abc* すなわち `'pack/sub/abc.py'` で、同一パッケージ内のモジュール xyz をインポートするのであれば、次のようになります。

```
import pack.sub.xyz   # 絶対インポート （pack/sub/abc.pyからpack/sub/xyz.py）
```

ちょうど、ファイルシステムの**絶対パス**（**Column 13-3**：p.364）に相当します。

▪ 明示的相対インポート（explicit relative import）

同一階層や親階層を簡潔に指定するのが、明示的相対インポートです。

同一階層のパッケージを **.** で指定して、親階層のパッケージを **..** で指定します（ファイルシステムの**相対パス**と同じです）。

`'pack/abc.py'` で、同一パッケージ内のモジュール xyz をインポートするのであれば、

```
from . import xyz          # 同一階層のxyzを明示的相対インポート
```

なお、*pack.sub* 内のモジュール *abc* すなわち `'pack/sub/abc.py'` から、一つ上の階層のパッケージ内のモジュール xyz をインポートするのであれば、次のようになります。

```
from .. import xyz          # 一つ上の階層のxyzを明示的相対インポート
```

名前空間パッケージ

パッケージがディレクトリに対応し、モジュールがファイルに対応するのが原則ですが、パッケージの構成と、物理的なディレクトリの構成を一対一に対応させたくない（あるいは、対応できない）ということもあります。

そのようなときに利用するのが、名前空間パッケージ（namespace package）です。

たとえば、パッケージ *npack* 内のモジュール *abc* と *xyz* を別のディレクトリに格納する **Fig.10-5** の構成で考えましょう。

なお、名前空間パッケージを使う際は、'__init__.py' ファイルは入れません。

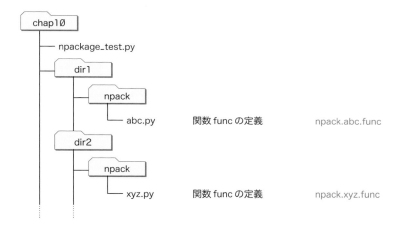

Fig.10-5　名前空間パッケージとモジュールの構成例

インポートを行う前に、ディレクトリ 'dir1' と 'dir2' をモジュール検索パス sys.path に登録する必要があります。具体的には、'npackage_test.py' の先頭に次のコードを置きます。

```
import sys
sys.path.append('dir1')    # ディレクトリ'dir1'を検索パスに追加
sys.path.append('dir2')    # ディレクトリ'dir2'を検索パスに追加
```

この登録を行った上で、インポートを次のように行います。

```
import npack.abc           # 'dir1/npack/abc.py'からインポート
import npack.xyz           # 'dir2/npack/xyz.py'からインポート
```

モジュール *npack.abc* はディレクトリ 'dir1' から検索され、*npack.xyz* はディレクトリ 'dir2' から検索されますので、インポートに成功します。

▶ ソースコードは、'chap10/npacakge_test.py'、'chap10/dir1/npack/abc.py'、'chap10/dir2/npack/xyz.py' です。

なお、名前空間パッケージは、Python 3.3 で導入されました。

まとめ

- スクリプトプログラムはモジュールであり、拡張子を含まないファイル名が、モジュール名となる。モジュールは、大きなコードブロックである。

- モジュールはオブジェクトの一種であり、モジュールオブジェクトと呼ばれる。モジュールオブジェクトは、直接実行されたときだけでなく、インポートされた時点でも生成・初期化される。

- スクリプトプログラムが直接実行されると、`__name__` の値は '`__main__`' となり、他のスクリプトプログラムからインポートされると、`__name__` の値はモジュール名となる。

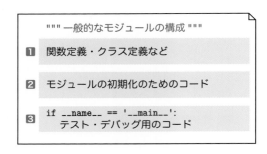

- モジュールの検索順位は、『①カレントディレクトリ ➡ ②環境変数 `PYTHONPATH` に設定されているディレクトリ ➡ ③標準ライブラリのモジュールディレクトリ ➡ ④サードパーティライブラリのディレクトリ』である。

- モジュールの検索パスは `sys.path` で取得できる。さらに、`sys.path.append` メソッドによる追加も行える。

- パッケージは、スクリプトファイルを、ひとまとめ、あるいは、階層的に取り扱えるようにしたものである。

- パッケージ名、モジュール名、オブジェクト名をドット `.` で連結した名前は完全修飾名（完全限定名）である。この名前を利用することで、異なるパッケージやモジュールに含まれている単純名が同じオブジェクトを使い分けられる。

- パッケージには、ディレクトリやファイルの構成と対応した構造をもつ正規パッケージと、そうでない構造をもつ名前空間パッケージとがある。

- 正規パッケージには '`__init__.py`' が必要である。モジュールの初期化・実行のためのコードを置くのが基本であるが、中身は空であってもよい。

- 同一パッケージに所属するモジュールは、絶対インポートあるいは明示的相対インポートのいずれかでインポートする（**暗黙的相対インポート**は行えない）。

● `import` 文によるモジュールのインポートは、数多くの方法で行える。

   ▪ `import モジュール名`
   ▪ `import モジュール名 as 別名`
   ▪ `from モジュール名 import 名前1, 名前2, …`
   ▪ `from モジュール名 import *`
   ▪ `from モジュール名 import 名前 as 別名`

なお、`import` 文は、スクリプトプログラムの先頭に置くのが基本である。

```
"""表示モジュールput                                          chap10/put.py
    関数:
        puts -- n個のsを連続して表示
        put_star -- n個の'*'を連続して表示
"""

def puts(*, n: int, s: str) -> None:
    """n個のsを連続して表示
    仮引数:
        キーワード引数n -- 表示する文字列の個数
        キーワード引数s -- 表示する文字列
    返却値:
        無し
    """
    for _ in range(n):
        print(s, end='')

def put_star(n: int) -> None:
    """n個の'*'を連続して表示
    仮引数:
        引数n -- 表示する個数
    返却値:
        無し
    """
    puts(n=n, s='*')
```

```
"""表示モジュールputの利用例"""                                 chap10/gist.py

import put

print('左下直角二等辺三角形')
n = int(input('短辺:'))

# 短辺nの左下直角二等辺三角形を'*'で表示
for i in range(1, n + 1):
    put.put_star(i)
    print()

print('長方形')
h = int(input('高さ:'))
w = int(input('横幅:'))

# 高さhで横幅wの長方形を'+'で表示
for _ in range(1, h + 1):
    put.puts(n=w, s='+')
    print()

# モジュールputの文書化文字列を表示
print('\n' + put.__doc__)
```

```
                        実行例
左下直角二等辺三角形
短辺:3⏎
*
**
***
長方形
高さ:2⏎
横幅:7⏎
+++++++
+++++++

表示モジュールput
    関数:
        puts -- n個のsを連続して表示
        put_star -- n個の'*'を連続して表示
```

| オブジェクトと型

Python では、**あらゆるものがオブジェクト**であることを、これまで学習してきました。変数を始めとして、型も、関数も、（本章で学習した）モジュールもオブジェクトです。

List 10C-1 のプログラムで確認しましょう。これは、オブジェクトの**占有バイト数**と型を表示するプログラムです。

```
List 10C-1                                                    chap10/size_type.py
# 型、データ、関数、モジュールがオブジェクトであることを確認
# 占有記憶域サイズと型を表示

import sys

n = 13
x = 3.14

def add2(x, y):
    """xとyの和を求めて返却する関数"""
    return x + y

print( '    バイト数 型')

print(f'5      {sys.getsizeof(5)    :5} {type(5)}')
print(f'n      {sys.getsizeof(n)    :5} {type(n)}')
print(f'int    {sys.getsizeof(int)  :5} {type(int)}')

print(f'0.17   {sys.getsizeof(0.17) :5} {type(0.17)}')
print(f'x      {sys.getsizeof(x)    :5} {type(x)}')
print(f'float  {sys.getsizeof(float):5} {type(float)}')

print(f'add2   {sys.getsizeof(add2) :5} {type(add2)}')

print(f'sys.modules[__name__]\n               {sys.getsizeof(sys.modules[__name__]):5}'
      f' {type(sys.modules[__name__])}')
```

```
                        実行例
      バイト数 型
5           28 <class 'int'>
n           28 <class 'int'>
int        424 <class 'type'>
0.17        24 <class 'float'>
x           24 <class 'float'>
float      424 <class 'type'>
add2       152 <class 'function'>
sys.modules[__name__]
            72 <class 'module'>
```

表示の対象は、次の8個のオブジェクトです。

`int` 型リテラル 5	`int` 型変数 n	`int` 型
`float` 型リテラル 0.17	`float` 型変数 x	`float` 型
関数 add2	本モジュール（スクリプトプログラム 'size_type.py'）	

実行すると、これらのオブジェクトの占有バイト数と型が表示されます（占有バイト数は、環境によって異なる可能性があります）。

さて、"整数5" の型は `<class 'int'>` ですが、"int 型" の型は、`<class 'type'>` であることに注意しましょう。冗談のようですが、『"型の型" は型（`type`）』ということです。

＊

※ 補足：

- `sys.getsizeof(obj)` は、obj の占有バイト数を返却する関数です。
- `type(obj)` は、obj の型を文字列として返却する関数です（第1章で学習しました）。
- `sys.modules` は、名前とモジュールオブジェクトをマッピングした辞書です。
- `__name__` は、スクリプトプログラムのモジュール名を保持する変数です（本章で学習しました）。
- 物理的な1個のスクリプトプログラム（この場合は 'size_type.py'）が、論理的な1個のモジュールになります。すなわち、「1個のプログラムも1個のオブジェクト」ということです。

第11章

クラス

本章では、データとメソッドをまとめた部品であり、オブジェクト指向プログラミングの根幹ともなるクラスについて学習します。

- クラスとクラス定義
- 動的型付け
- 属性（データ属性とメソッド属性）と属性参照演算子
- ステートと振舞い
- インスタンスとインスタンス化
- コンストラクタと __init__ メソッド
- self と cls
- インスタンス変数とインスタンスメソッド
- クラス変数とクラスメソッド
- 呼出し可能オブジェクト
- データ隠蔽とカプセル化
- 名前修飾（名前難読化）
- セッタ／ゲッタ／アクセッサ
- @property デコレータ
- @classmethod デコレータと @staticmethod デコレータ
- __str__ メソッドによる文字列化
- 継承
- 基底（スーパー）クラス／派生（サブ）クラス
- オーバライドと多相性

11–1 クラス

本章で学習するのは、クラスです。クラスは、オブジェクトの状態を表すデータと、その振舞いを規定するメソッドとで構成されるプログラムの部品です。

クラスとは

文字列、リスト、タプルなどの型が、データだけでなくメソッドをもっていることを学習しました。**データとメソッドをまとめた型**が、本章で学習する**クラス**（class）です。

ここでは、あるスポーツクラブの《会員》を表すクラスを例にとりあげます。なお、会員には数多くのデータがありますが、ここでは次の3個のみを考えます。

- 会員番号 *no*
- 氏名 *name*
- 体重 *weight*

これらのデータをもつクラスを定義・利用するのが、**List 11-1** のプログラムです。

List 11-1　　　　　　　　　　　　　　　　　　　　chap11/Member01.py

```
# スポーツクラブの会員クラス（第1版）

class Member:
    """スポーツクラブの会員クラス（第1版）"""   ←1
    pass

# 会員クラスのテスト

yamada = Member()          ←2
yamada.no = 15
yamada.name = '山田太郎'
yamada.weight = 72.7

sekine = Member()          ←3
sekine.no = 37
sekine.name = '関根信彦'
sekine.weight = 65.3

print(f'{yamada.no}: {yamada.name} {yamada.weight}kg')   ←4
print(f'{sekine.no}: {sekine.name} {sekine.weight}kg')
```

実行結果
```
15: 山田太郎 72.7kg
37: 関根信彦 65.3kg
```

クラス定義とインスタンスの生成

プログラム冒頭の1が、**クラス定義**（class definition）です。"class **クラス名**:" の次の行に、クラス本体のスイートを置く構造です。

クラス名は、*Member* のように、先頭文字を大文字とするのが基本です。

▶ より具体的には、クラス名はキャメルケース（camel case）とします。*SpecialMember* のように、複数の単語で構成される場合に、各単語の先頭文字を大文字にする方法です。見た目が「ラクダのコブ」のようであることに由来する名前です。

11
クラス

クラス *Member* の本体は、（文書化文字列と）**pass** 文のみです。このような、クラス本体が実質的に **pass** 文のみとなっているのが、最小のクラス定義です。

☐ インスタンス（クラス型オブジェクト）の生成

クラス *Member* 型のオブジェクトを生成するのが、**2**と**3**の箇所です。右辺の *Member()* が、クラス *Member* 型のオブジェクトを生成する式です。

設計図である**クラス**から生成された**実体**であるオブジェクトは**インスタンス**（instance）と呼ばれ、生成することは**インスタンス化**（instantiation）と呼ばれます（**Fig.11-1**）。

▶ 変数 *yamada* や *sekine* は、インスタンスと結び付いた（インスタンスを参照する）名前です。

☐ 属性参照演算子

yamada と *sekine* の各インスタンスに対して、会員番号、氏名、体重が代入されています。

ここで使っているのが、属性参照演算子（attribute reference operator）と呼ばれる**ドット演算子 .** です（文字列やリストなどのメソッド呼出しで利用しました）。

たとえば *yamada.no* は、日本語での "*yamada* の *no*" と理解するとよさそうです。

さて、*yamada.no*、*yamada.name*、*yamada.weight* への代入によって、*yamada* の参照先インスタンスに対して、*no*、*name*、*weight* という変数が、新しく追加されて値が代入されます。

図に示すように、インスタンス自体が、どんどん拡張していくイメージです。

▶ こうなるのは、代入の左辺が初めて利用する変数であれば、自動的に変数が生成される、という第１章で学習した基本原則に基づくからです。そのため、"*yamada.no = 15*" の代入によって、整数値 15 を参照する変数 *no* が、*yamada* の参照先インスタンス内に新しく生成されて追加されます。

4では、*yamada* と *sekine* に含まれるデータの値を表示しています。

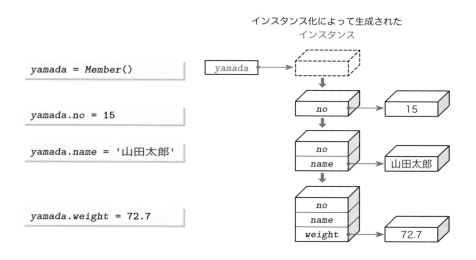

インスタンス化によって生成された
インスタンス

```
yamada = Member()
```
yamada →

```
yamada.no = 15
```
no → 15

```
yamada.name = '山田太郎'
```
no
name → 山田太郎

```
yamada.weight = 72.7
```
no
name
weight → 72.7

Fig.11-1 クラスインスタンスの動的な変化

クラス Member のインスタンス *yamada* と *sekine* は、3個のデータをもっています。このような、クラスに含まれるデータは、データ属性（data attribute）と呼ばれます。

＊

関根君の体重に対する代入を、次のように書きかえましょう（`'chap11/Member01x.py'`）。

```
sekine.weigth = 65.3
```

weight の末尾2文字が、ht ではなく th となっているため、各インスタンスがもつデータ属性は、次のようになります（**Fig.11-2**）。

- 山田太郎君 *yamada* は、`no`、`name`、`weight` の3個のデータ。
- 関根信彦君 *sekine* は、`no`、`name`、`weigth` の3個のデータ。

当然の結果として、■4 の *sekine.weight* を表示する箇所で、実行時エラーが発生します。

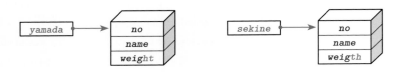

Fig.11-2　クラス Member 型の2個のインスタンス

次のことが分かりました。

- クラスの使い方によっては、同じスポーツクラブの会員である *sekine* と *yamada* のもつデータの型や個数が異なってしまう。
- 各会員のデータに対する値の設定や表示を行うたびに、似たようなコードを繰り返さなければならない。

これらの問題を解決しましょう。

Column 11-1	動的型付け

　会員クラス第1版では、クラスのインスタンスに対して変数（データ属性）をどんどん追加していきました。さらに、本ページでは、インスタンスごとに、異なる名前の変数をもたせました。
　このように、プログラムの実行開始前にはクラスの型が決まっておらず、実行時に変化させられる、というのが、動的型付け（dynamic typing）の特徴の一つです。
　現実の世界でも、会員によって、持ち物（データ）や、行動（メソッド）が異なります。Python のクラスでは、そのような違いが容易に実現できるわけです。
　すなわち、第1版のプログラムは、動的型付けを体験する、という意味では、クラスの初心者向けというよりも、高度なテクニックを使ったプログラムでした。

クラス定義

前のプログラムで浮上した問題を解決したのが **List 11-2** の第2版です。本プログラムでは、会員の2個のインスタンス *yamada* と *sekine* は、判で押したように振る舞います。

　　　　　　　　　　　　　　　　　　　　chap11/Member02.py

```python
# スポーツクラブの会員クラス（第2版）

class Member:
    """スポーツクラブの会員クラス（第2版）"""

    def __init__(self, no: int, name: str, weight: float) -> None:
        """コンストラクタ"""
        self.no = no              # 会員番号
        self.name = name          # 氏名
        self.weight = weight      # 体重

    def print(self) -> None:
        """データ表示"""
        print(f'{self.no}: {self.name} {self.weight}kg')

# 会員クラスのテスト
yamada = Member(15, '山田太郎', 72.7)
sekine = Member(37, '関根信彦', 65.3)

yamada.print()
sekine.print()
```

```
実行結果
15: 山田太郎 72.7kg
37: 関根信彦 65.3kg
```

クラス *Member* の本体では、2個のメソッド（method）が定義されています。メソッドは、第9章で学習した**関数**と似ていますが、いくつかの大きな違いがあります。

▪ クラスに所属すること

二つのメソッド __init__ と *print* は、クラス *Member* に所属します。たとえば、メソッド *print* は、"ただの *print*" ではなく、"**クラス *Member* に所属する *print***" です。

クラスに所属するメソッドは、**メソッド属性**（method attribute）と呼ばれます。

▶　クラスの属性（attribute）に、（少なくとも）**データ属性**と**メソッド属性**があることが分かりました。紛らわしいことに、一般的なオブジェクト指向プログラミングの用語としての《属性》は、データ属性のみのことを指します。

▪ 第1引数が self であること

メソッドの第1引数は、自身のインスタンスを参照する変数です。名前は任意ですが、self とするのが慣例です。

そのため、第2引数以降が、呼出し側とやりとりする実質的な引数です（各メソッドの実質的な引数は、__init__ は3個で、print は0個です）。

▶　self は、『自分』『自身』という意味の英単語 self に由来します。

コンストラクタと __init__ メソッド

プログラムを理解していきましょう（プログラムの一部を再掲します）。

```
class Member:

    def __init__(self, no: int, name: str, weight: float) -> None:
        """コンストラクタ"""
        self.no = no
        self.name = name
        self.weight = weight

    # --- 中略（メソッドprintの定義）--- #

yamada = Member(15, '山田太郎', 72.7)  ←1
sekine = Member(37, '関根信彦', 65.3)  ←2
# --- 中略（メソッドprintの呼出し）--- #
```

11
クラス

先頭の **__init__** メソッドは、**インスタンスを確実かつ適切に初期化するための特別なメソッド**です。このメソッドは、一般に**コンストラクタ**（constructor）と呼ばれます。

▶ **__init__** の名前は、『初期化する』という意味の語句 initialize に由来します。また、動詞の construct は『構築する』という意味であり、コンストラクタは構築子とも呼ばれます。なお、「コンストラクタ」という用語の妥当性については、**Column 11-6**（p.336）で考察します。

2個の下線 **__** が、前だけ、あるいは前と後ろの両方に付いた名前には、特別な意味があります。なお、2個の下線（double underline）は、省略形で dunder と呼ばれます。そのため、**__init__** は、ダンダーイニットダンダー、あるいはダンダーイニットと発音されます。

このコンストラクタが行うのは、仮引数 *no*、*name*、*weight* に受け取った3値を、`self.no`、`self.name`、`self.weight` に代入することです（**Fig.11-3**：右ページ）。

▶ 提示スペースの都合上、図では、引数と返却値のアノテーションを省略しています。

＊

コンストラクタを呼び出す**1**と**2**に着目しましょう。右辺の式は、次の形式です。

クラス名（実引数の並び）　　　　　　　例 `Member(15, '山田太郎', 72.7)`

この式が評価されると、インスタンスが生成されて、**__init__** メソッドが（自動的に）呼び出されて実行されます。図に示すように、論理的には、*yamada* 専用のコンストラクタ、*sekine* 専用のコンストラクタが存在するイメージで捉えると分かりやすくなります。

もちろん、*yamada* に対して呼び出されたコンストラクタでの `self` は、*yamada* を参照し、*sekine* に対して呼び出されたコンストラクタでの `self` は、*sekine* を参照します。

コンストラクタの最初の代入 "`self.no = no`" は、「*yamada* に対して呼び出されたコンストラクタでは *yamada* 内の *no* への代入」であり、「*sekine* に対して呼び出されたコンストラクタでは *sekine* 内の *no* への代入」です。

なお、インスタンスのデータ属性は、**インスタンス変数**（instance variable）と呼ばれます。

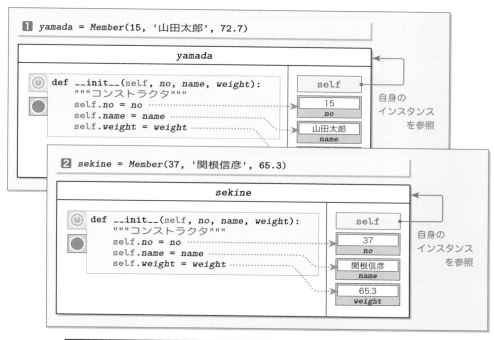

個々のインスタンスが、データと、コンストラクタを含めたメソッドとをもっている。

インスタンス生成直後に呼び出されるコンストラクタ __init__ は、
個々のインスタンスに所属して、そのインスタンスを適切かつ確実に初期化する。

Fig.11-3 コンストラクタとその呼出し

コンストラクタは、インスタンスのパワーを起動して、各インスタンス変数の値を初期化するための《電源ボタン》のような存在です。

各版の会員クラスのインスタンスを生成する箇所に着目します。

```
yamada = Member()                       # 会員クラス第1版
yamada = Member(15, '山田太郎', 72.7)    # 会員クラス第2版
```

"**クラス(実引数の並び)**" によって、そのクラス型のインスタンスが生成・返却されますので、コンストラクタが生成したオブジェクトを yamada が参照するようになります。

▶ 第1版は、クラスにコンストラクタの定義がありませんから、実質的に空の(データ属性が1個もない)インスタンスが生成されます。

さて、いずれの右辺も、クラス名の直後に ( ) が置かれており、関数呼出し式に似ています。関数や、クラスや、クラスのインスタンスのように、**呼出し演算子 ( ) を直後に適用できるオブジェクトは、呼出し可能オブジェクト**(callable object)**と呼ばれます。**

▶ コンストラクタ(メソッド __init__)は、自動的に(return 文を置かなくても)None を返却します。また、return 文で None 以外の値を返すと、TypeError 例外が発生します。

■ メソッド

次は、メソッド **print** を理解していきましょう（プログラムの一部を再掲します）。

```
class Member:
    # --- 中略（コンストラクタの定義）--- #
    def print(self) -> None:
        """データ表示"""
        print(f'{self.no}: {self.name} {self.weight}kg')

# --- 中略（コンストラクタの呼出し）--- #
yamada.print()
sekine.print()
```

メソッド **print** が行うのは、自身の会員番号、氏名、体重の値を表示することです。
クラス **Member** に所属する **print** ですから、完全修飾名は **Member.print** です。

▶ メソッド **Member.print** の中では、組込みの **print** 関数に表示を委ねています（メンバの値を表示する **print(f' … kg')** は、自分自身の **print** を呼び出す再帰呼出し（p.250）ではありません）。

さて、メソッドを呼び出す式が、次の形式であることは、第 6 章で学習しました（p.145）。

| 変数名 **.** メソッド名 **(** 実引数の並び **)** | 例 `yamada.print()` |

▶ もちろん、ここでの "変数名" は "インスタンス名" のことです。またドット **.** の名称が属性参照演算子であることは本章で学習しました。

オブジェクトに対して "依頼する" ことを、オブジェクトに "メッセージを送る" と呼ぶことも学習ずみです。**yamada.print()** が送るのは、次のメッセージです（**Fig.11-4**：右ページ）。

会員 **yamada** さん、あなたのデータ（会員番号と氏名と体重）を表示してください！

yamada に対して呼び出されたメソッド **print** での **self** の参照先は、**yamada** です。同様に、**sekine** に対して呼び出されたメソッド **print** での **self** の参照先は、**sekine** です。
呼び出されたメソッドは、自身のインスタンスに含まれる 3 個のインスタンス変数の値を取り出して（評価によって調べて）表示を行います。

＊

すべてをオブジェクトとみなす Python では、クラスもオブジェクトです。そのため、クラス **Member** の定義によって、クラス **Member** 用の**クラスオブジェクト**が生成されます。このクラスオブジェクトは、**Member** の実体を作り出すための《設計図》となります。
そして、その設計図をもとにして生成されるのが、《クラス型のインスタンス》です。

▶ クラスから作られた《設計図》の実体であるクラスオブジェクトは、型オブジェクトとも呼ばれます。また、《設計図》から作られたインスタンスは、（クラスオブジェクトという用語と対比して）インスタンスオブジェクトとも呼ばれます。
※ **Member** は**クラスオブジェクト**（**型オブジェクト**）で、**yamada** は**インスタンスオブジェクト**です。

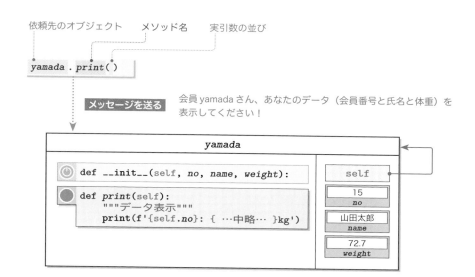

Fig.11-4 メソッドとその呼出し

インスタンス変数の値は、インスタンスの現在の状態を表します。そのため、インスタンス変数の値は、ステート（state）とも呼ばれます。

▶ state は『状態』という意味です。たとえば、インスタンス変数 self.*weight* は、"現在の体重が何キログラムなのか" という会員の状態を int 型の整数値で表します。

一方、メソッドは、インスタンスの振舞い（behavior）をコード化して実現したものであり、インスタンスのステート（状態）を調べたり、変更したりします。

なお、論理的には、メソッドは（データと同様に）個々のインスタンスに所属していますので、インスタンスメソッド（instance method）と呼ばれます。

▶ 次節では、クラスメソッドと呼ばれるメソッドを学習します。なお、インスタンスメソッドは、単に《メソッド》と呼ばれるのが一般的です。

　本書でも、クラスメソッドと対比して解説するとき以外は、インスタンスメソッドのことは、単なるメソッドと呼びます。

Column 11-2	呼出し可能オブジェクトの判定

あるオブジェクトが、呼出し可能オブジェクトであるかどうかは、組込みの callable 関数で判定できます。引数で与えたオブジェクトが呼出し可能であれば True が得られ、そうでなければ False が得られます。

たとえば、callable(max) は True です（組込み関数 max は、呼出し可能です）。

クラス自体（すなわちクラスオブジェクト）は、呼出し可能ですが、インスタンスは呼出し可能ではありません。そのため、callable(*Member*) は True ですが、callable(*yamada*) は False です。

なお、クラスに __call__ メソッドを定義すれば、そのクラスのインスタンスが呼出し可能となります。

データ隠蔽とカプセル化

次は、会員クラスに対して、二つの変更を行います。

① 会員番号、氏名、体重の値を、クラスの外部から書きかえられないようにする。
② 減量メソッド *lose_weight* を追加する。

この改良を行った会員クラス第3版のプログラムが **List 11-3** です。

List 11-3   chap11/Member03.py

```python
# スポーツクラブの会員クラス（第3版）

class Member:
    """スポーツクラブの会員クラス（第3版）"""

    def __init__(self, no: int, name: str, weight: float) -> None:
        """コンストラクタ"""
        self.__no = no
        self.__name = name
        self.__weight = weight

    def lose_weight(self, loss: float) -> None:
        """lossキロ減量"""
        self.__weight -= loss

    def print(self) -> None:
        """データ表示"""
        print(f'{self.__no}: {self.__name} {self.__weight}kg')

# 会員クラスのテスト

yamada = Member(15, '山田太郎', 72.7)
sekine = Member(37, '関根信彦', 65.3)

yamada.lose_weight(3.5)      # 山田君が3.5kg減量
sekine.lose_weight(5.3)      # 関根君が5.3kg減量

yamada.print()
sekine.print()
```

実行結果
```
15: 山田太郎 69.2kg
37: 関根信彦 60.0kg
```

① インスタンス変数の名前が、2個の下線 __ で始まっています。これは、クラスの属性を、外部からアクセス困難にするためのネーミングです（**Column 11-3**）。みなさんが、各種のパスワードや暗証番号を秘密にしていることに相当します。

　このように、クラス内のデータを、外部からアクセス不可能（あるいは困難）にすることは、データ隠蔽（data hiding）と呼ばれます。

▶ データ属性がクラスの外部からアクセスできなくなるため、クラスの外部に yamada.__no という式を置くとエラーとなります。

② メソッド *lose_weight* は、仮引数 *loss* に受け取った分だけ体重を減らすメソッドです。実行結果から、二人とも減量に成功していることが分かります。

メソッドは、所属するインスタンスのデータの値をもとに処理を行ったり、その値を更新したりします。

▶ たとえば、`yamada.lose_weight(3.5)` は、インスタンス `yamada` の体重の値を 3.5 だけ減らします。また、`sekine.print()` は、インスタンス `sekine` の全インスタンス変数の値を調べた上で表示します。

データとメソッドをうまく連携させることは、カプセル化（encapsulation）と呼ばれます。

▶ 成分を詰めて、それが有効に働くようにカプセル薬を作ること、と考えればいいでしょう。

Column 11-3 ┃ **名前修飾によるアクセス制御**

C++ や Java などのプログラミング言語におけるアクセス制御（公開：`public` ／非公開：`private` ／限定公開：`protected` などの指定によって、クラス内外からアクセスできるかどうかのアクセスレベルを分ける仕組み）に相当するものは、Python では提供されません。**すべての属性（データ属性とメソッド属性）は、公開されるのが基本原則です。**

そこで、メンバを非公開（もどき）にするために使われるのが、メンバ名の先頭を `__` とする手法です。これは、クラス *C* 中に含まれる、先頭が 2 個以上の下線文字で、末尾が 1 個以下の下線文字の名前 *__abc* が、*_C__abc* に置換される、という名前修飾（name mangling）の仕組みを利用したものです。

※ `__init__` などの特別な名前は、名前修飾の対象外です。

ちなみに、mangle は、『めちゃくちゃにする』という意味であり、名前難読化とも呼ばれます。

List 11C-1 のプログラムで確認しましょう。

List 11C-1   `chap11/list11c01.py`

```
# 名前修飾を確認

class C():
    __abc = 5

# ＯＫ：変更後の名前でアクセス可能
print(C._C__abc)                    ←1

# エラー：本来の名前ではアクセス不能    ←2
print(C.__abc)
```

```
実行結果
1  5
2  Traceback (most recent call last):
     File "MeikaiPython\chap11\list11c01.py",
   line 10, in <module>
       print(C.__abc)
   ~~~~~~~~~~~
   AttributeError: type object 'C' has no
   attribute '__abc'. Did you mean: '_C__abc'?
```

1 変更後の名前 `C._C__abc` であれば、`__abc` にアクセスできるため、その値が表示されます。

2 本来の名前である `C.__abc` ではアクセスできません（「型オブジェクト `C` は `__abc` 属性をもっていない」というエラーが発生します）。

「名前をごまかして、外部から見えにくいようにしているだけ」ということが分かります。

なお、本プログラムでは、"**インスタンス名 . 属性名**" ではなく、"**クラス名 . 属性名**" でデータ属性にアクセスしています。この式については、次節で学習します。

＊

クラス *Member* とクラス *C* では、データ属性の名前の先頭を `__` としました。クラスの内部でのみ利用する下請け的なメソッドがあれば、その名前の先頭も `__` にするとよいでしょう（外部から誤って呼び出される危険性を抑えられます）。

アクセッサ（ゲッタとセッタ）

スポーツクラブの運営の都合上、各会員の体重の値を頻繁に取得・設定する必要が生じたことにあわせて、体重の値を取得・設定する機能をクラスに追加することにします。

そこで思いつくのが、次の二つのメソッドを定義することです。

```
def get_weight(self) -> float          def set_weight(self, weight: float) -> None
    """体重を取得"""                         """体重を設定"""
    return self.__weight                    self.__weight = weight
```

これらのメソッドが提供されると、体重の取得・設定は次のように行えます。

```
w = yamada.get_weight()        # 山田君の体重を取得
sekine.set_weight(72.5)        # 関根君の体重を72.5に設定
```

このような、データ属性の値を**取得・設定**するメソッドは、ゲッタ（getter）とセッタ（setter）と呼ばれます。なお、二つの総称は、アクセッサ（accessor）です。

ゲッタとセッタを定義する際の定石は、@property デコレータを使うことで、ゲッタとセッタを**同一名の短い名前**とする手法です。**List 11-4** に示すのが、そのプログラムです。

List 11-4　　　　　　　　　　　　　　　　　　　　　　　　　　chap11/Member04.py

```python
# スポーツクラブの会員クラス（第4版）

class Member:
    """スポーツクラブの会員クラス（第4版）"""

    # --- 中略：__init__, lose_weight, printは、第3版と同じ --- #

    @property
    def weight(self) -> float:
        """体重を取得（ゲッタ）"""
        return self.__weight

    @weight.setter
    def weight(self, weight: float) -> None:
        """体重を設定（セッタ）"""
        self.__weight = weight if weight > 0.0 else 0.0

# 会員クラスのテスト
yamada = Member(15, '山田太郎', 72.7)
yamada.weight = 67.3                        # 山田君の体重を設定
print('yamada.weight =', yamada.weight)     # 山田君の体重を取得
```

実行結果
```
yamada.weight = 67.3
```

▪ **ゲッタの定義**

前置きとして "@property" を付けて定義します。

メソッド名は、値を調べるデータ属性を表すのに適切な名前とします。この名前を**アクセッサ名**と呼ぶことにします（データ __weight のアクセッサ名が weight です）。

なお、ゲッタの本体では、データの値の返却を行います。

▪ セッタの定義

前置きとして "@ アクセッサ名 .setter" を付けて定義します。

メソッドの名前は、ゲッタと同じ名前、すなわち、アクセッサ名とします。

セッタの本体で行うことは、仮引数で受け取った値を、データに代入することです。なお、本プログラムでは、体重が負値とならないよう、仮引数 `weight` に `0.0` 以下の値を受け取った場合、データ `__weight` には `0.0` を代入します。

> ▶ 文法的には、`weight` は、アクセッサ名ではなく、プロパティ名です。ゲッタの定義で `weight` というプロパティ名を作ると、その後で @ プロパティ名 .setter の指定が可能になります。

▪ ゲッタとセッタの呼出し

セッタとゲッタを定義すると、"**インスタンス名 . アクセッサ名**" 形式の式で、値の取得・設定の両方が行える（そのため、代入の右辺と左辺に同一綴りの式を置ける）ようになります。

プログラムでは、`yamada.weight` への代入と値の取出しを行っています。

＊

本プログラムでは、ゲッタとセッタの両方を定義しました。**ゲッタのみを定義すれば、「外部からいつでも値を調べられるものの、値を書きかえられないデータ属性」が実現できます。**

11-1 クラス11-1 クラス

> ▶ セッタとゲッタの他に、もう一つ、データ属性を削除するためのデリータ（deleter）を定義することが可能です。`__weight` のデリータの定義は、次のようになります。

```
@weight.deleter
def weight(self):
    del self.__weight
```

Column 11-4	**@property デコレータ**

ここでは、@property デコレータについて補足します。

▪ デコレータ

デコレータは、別の関数を返す関数を作り出すための仕組みです。左下のように定義しておくと、内部的に右下のように変換されます。

すなわち、@deco 付きの関数 `func` を定義すると、`deco(func)` を `func` で呼び出せるようになります。

▪ property クラス

`property` は、標準で提供されるクラスです。次のデータをもちます（コンストラクタの呼出しの際に、これらの値をキーワード引数で指定できるようになっています）。

- ▪ 属性値を取得するための関数 `fget`
- ▪ 属性値を設定するための関数 `fset`
- ▪ 属性値を削除するための関数 `fdel`
- ▪ 属性の文書化文字列を表す `doc`

文字列化のための __str__ メソッド

　次に作るのは、ペットクラス *Pet* です。ペット自身の名前と、主人（飼い主）の名前の2個のデータをもつものとします。**List 11-5** に示すのが、そのプログラムです。

List 11-5

```python
# ペットクラス

class Pet:
    """ペットクラス"""

    def __init__(self, name: str, master: str) -> None:
        """コンストラクタ"""
        self._name = name          # 名前
        self._master = master      # 主人の名前

    def introduce(self) -> None:
        """自己紹介"""
        print(f'僕の名前は{self._name}です！')
        print(f'ご主人様は{self._master}です！')

    def __str__(self) -> str:                                    # 文字列化
        """文字列化"""
        return self._name + ' <<' + self._master + '>>'

    def print(self) -> None:
        """表示（__str__が返却する文字列を表示して改行）"""
        print(self.__str__())

# ペットクラスのテスト
kurt = Pet('Kurt', 'アイ')
kurt.introduce()
print(kurt)                          # ←■1
print('str(Kurt) = ' + str(kurt))    # ←■2
kurt.print()                         # ←■3
```

```
実行結果
僕の名前はKurtです！
ご主人様はアイです！
Kurt <<アイ>>
str(Kurt) = Kurt <<アイ>>
Kurt <<アイ>>
```

　コンストラクタ __init__ と、自己紹介をするメソッド *introduce* は、ここまで学習した知識で理解できますので、残り二つのメソッド __str__ と *print* を理解していきましょう。

▪ __str__ メソッド

　コンストラクタと同様に、名前の最初と最後が __ であって、特別なメソッドです。

　__str__ メソッドが行うのは、そのインスタンスを表現する文字列を返却することです。

　▶　本クラスの __str__ メソッドが返却するのは、'名前 <<主人の名前>>' 形式の文字列です。

このメソッドを定義することのありがたみは、呼出し側を見ると理解できます。

　■1では、**print** 関数に *kurt* を渡すだけで表示が行われています。__str__ メソッドが暗黙の内に呼び出されて文字列に変換された上で **print** 関数に渡されるからです。

　そのため、**print** 関数は、受け取った文字列 'Kurt <<アイ>>' を表示します。

　■2では **str** 関数を呼び出しています。このように、**str** 関数を呼び出すと、与えた実引数（この場合 *kurt*）に所属するメソッド __str__ が自動的に呼び出される仕組みです。

さて、**1**と**2**は、数値の表示・文字列化と同じ形式です。

```
# ペットクラスPet型
kurt = Pet('Kurt', 'アイ')
print(kurt)
print('str(Kurt) = ' + str(kurt))
```
```
# int型
x = 15
print(x)
print('str(x) = ' + str(x))
```

__str__ メソッドを定義しておけば、組込み型と同じように、文字列化が行える（さらに、その文字列を使った表示が行える）ことが分かりました。

メソッド print

メソッド **print** は、__str__ メソッドが返却する文字列を、そのまま表示するメソッドです。組込みの **print** 関数に対して、self.__str()__ を表示するように依頼しています。

クラスのメソッドの中では、自身の（同一の）クラスに所属する他のメソッドを"self.メソッド名（実引数の並び）"で呼び出せることが分かりました。

メソッド **print** をクラスの外部から呼び出しているのは**3**です（**1**と同じ表示が行われます）。

Column 11-5	__str__ メソッドと __repr__ メソッド

__str__ メソッドは、人間にとって読みやすい文字列を返却する（ように定義する）メソッドです。返却するのは、"非公式な文字列"であって、**str** 関数で取り出せます。

__str__ と似た使命が与えられた __repr__ メソッドは、そのインスタンスを表す"公式な文字列"を返却するメソッドであって、返却された文字列は **repr** 関数で取り出せます。その文字列は、（可能であれば）もとのクラスのインスタンスが復元できるようなものとします。

次の例は、**datetime** 型（**Column 13-6**：p.372）の __str__ と __repr__ を対比する例です。

__repr__ が生成した文字列を組込みの **eval** 関数に与えると **datetime** 型のインスタンスを復元して生成できます。一方、__str__ が生成した文字列からはインスタンスの復元は行えません。

```
>>> import datetime
>>> crnt = datetime.datetime.now()       ⇐ 現在の日付・時刻
>>> repr(crnt)                                          1
'datetime.datetime(2029, 10, 25, 14, 6, 15, 645785)'
>>> eval(repr(crnt))                                    2
datetime.datetime(2029, 10, 25, 14, 6, 15, 645785)
>>> str(crnt)                            3
2029-10-25 14:06:15.645785
>>> eval(str(crnt))                      4
Traceback (most recent call last):
  File "<stdin>", line 1, in <module>
  File "<string>", line 1
    2029-10-25 14:06:15.645785
             ^
SyntaxError: … 以下省略…
```

__repr__ が返却する文字列は、**1**読みにくいものの、**2**それをもとに **datetime** 型インスタンスを復元できる。

__str__ が返却する文字列は、**3**人間には読みやすいものの、**4**それをもとに **datetime** 型インスタンスは復元できない。

実用的なクラスの開発時は、__repr__ メソッドを定義するとデバッグ作業などが行いやすくなります。なお、**print** 関数がクラスオブジェクトを表示する際の挙動は、次のとおりです。

- __str__ のみが定義されていれば __str__ が呼び出される。
- __repr__ のみが定義されていれば __repr__ が呼び出される。
- 両方が定義されていれば __str__ が呼び出される。

11–2　クラス変数とクラスメソッド

個々のインスタンスに所属するのではなく、クラス全体に所属するのが、本節で学習するクラス変数とクラスメソッドです。

クラス変数

本節で考えるのは、武将を表すクラス *Commander* です。

インスタンスに対して 1、2、3、… という識別番号が自動的に与えられるようにクラスを定義します。**Fig.11-5** に示すのが、そのイメージです。

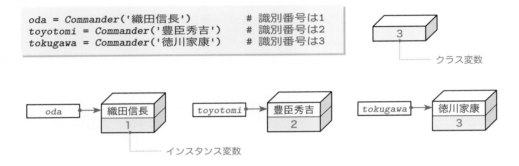

Fig.11-5　インスタンス変数とクラス変数

この図は、3個のインスタンスを生成した後の状態です。1、2、3、… という識別番号は、各インスタンスがもつデータです。このデータとは別に、赤い箱で示している、

現時点で、何番までの識別番号を与えたのか

を表す変数が必要です。その変数の名前を __counter とすると、__counter は、各インスタンスがもつものではなく、クラス *Commander* のインスタンスで共有すべきものです。

＊

前節のクラスのデータ属性は、コンストラクタやメソッドの中で、"self. **データ属性名**" の形で定義されて利用されてきました。このような、個々のインスタンスに所属するデータ属性は、インスタンス変数と呼ばれるのでした（p.316）。

識別番号は、個々のインスタンスに所属するため、インスタンス変数として実現されています。

＊

一方、何番までの識別番号を与えたのかを表す __counter は、クラス *Commander* のインスタンスで共有すべきデータ属性です。

このような、クラスには所属するものの、個々のインスタンスには所属しないデータ属性は、

インスタンス変数としては実現できないため、クラス変数（class variable）と呼ばれるデータ属性として実現することになります。

List 11-6 に示す武将クラス *Commander* を見ながら、理解していきましょう。

List 11-6 【A】　　　　　　　　　　　　　　　　　　　　chap11/Commander.py
```
# 識別番号付き武将クラス

class Commander:
    """武将クラス"""

    __counter = 0    # 何番までの識別番号を与えたか ──────── クラス変数の定義

    def __init__(self, name: str) -> None:
        """コンストラクタ"""
        self.__name = name
        Commander.__counter += 1
        self.__id = Commander.__counter

    def id(self) -> int:
        """識別番号を取得"""
        return self.__id

    @classmethod
    def max_id(cls) -> int:
        """現時点で何番までの識別番号を与えたのか"""
        return cls.__counter

    def print(self) -> None:
        """データ表示"""
        print(f'{self.__name}:{self.__id}番')
```

p.329 に続く ▶

右側：**11-2** クラス変数とクラスメソッド

赤色部が、クラス変数 __counter を定義・利用している箇所です。

クラスの冒頭部では、"self." の付かない単純名 __counter で定義しています。

▶ 既に学習したように、クラス定義によって、クラスオブジェクトが生成されます。
その生成時に、クラスオブジェクトに含まれる __counter が 0 になります（すなわち、0 の代入が行われるのは 1 回限りです）。

まずは、最初と最後に定義されている二つのメソッドを理解しましょう。

▪ コンストラクタ __init__

コンストラクタを含めたメソッドの中では、クラス変数を "**クラス名 . 変数名**" 形式でアクセスします。

コンストラクタでは、クラス変数 Commander.__counter をインクリメントした上で、その値をインスタンス変数である self.__id に代入しています。そのため、インスタンスが生成されるたびに、そのインスタンスの識別番号 self.__id に 1、2、3、… が代入されます。

▪ メソッド print

メソッド *print* は、インスタンス変数である名前 self.__name と、識別番号 self.__id の値を表示します（このメソッドは、クラス変数にはアクセスしていません）。

クラスメソッド

次は、メソッド **id** とメソッド **max_id** を理解していきます（クラス定義の一部を再掲します）。

```
class Commander:
    # --- 中略（コンストラクタの定義）--- #
    def id(self) -> int:          インスタンスメソッド
        """識別番号を取得"""
        return self.__id          ─── インスタンス変数

    @classmethod
    def max_id(cls) -> int:       クラスメソッド
        """現時点で何番までの識別番号を与えたのか"""
        return cls.__counter      ─── クラス変数
```

▪ インスタンスメソッド id

このメソッドは、識別番号（**oda** であれば 1、**toyotomi** であれば 2、…）を取得する（調べる）ためのメソッドです。このような、**個々のインスタンスに所属するメソッドは、インスタンスメソッド**と呼ばれます（p.319 で学習しました）。

インスタンスメソッドが受け取る第1引数 self は、自身のインスタンスを参照する変数ですから、メソッド **id** は、自身のインスタンスの識別番号の値を "self.__id" で取り出して返却します。

既に学習したように、呼出しの形式は "**インスタンス名 . メソッド名 (実引数の並び)**" ですから、本プログラムの **1**（右ページ）では、**oda.id()**、**toyotomi.id()**、**tokugawa.id()** と呼び出しています。

▪ クラスメソッド max_id

このメソッドは、現時点で何番までの識別番号を与えたのかを調べるメソッドです。このような、**クラスに所属するメソッドは、クラスメソッド**（class method）**と呼ばれます。**

クラスメソッドであることを示すための前置きが、@classmethod デコレータです。

また、メソッドが受け取る第1引数 cls は、自身が所属するクラスオブジェクトを参照する変数です。

すなわち、このメソッドの中での "cls.__counter" は、クラス変数 **Commander.__counter** のことです。

> ▶ cls は、クラス class の略です。既に学習したように、クラス定義によって《クラスオブジェクト》が生成されます。仮引数 cls が受け取るのは、その《クラスオブジェクト》への参照です。

さて、プログラム **2**（右ページ）では、**Commander.max_id()** と呼び出しています。すなわち、このクラスメソッドの呼出しは、次の形式です。

クラス名 . メソッド名 (実引数の並び)　　　　クラスメソッドの呼出し形式Ⓐ

List 11-6 [B]　　　　　　　　　　　　　　　　　　　　　　　chap11/Commander.py

```
oda = Commander('織田信長')          # 識別番号は1
toyotomi = Commander('豊臣秀吉')      # 識別番号は2
tokugawa = Commander('徳川家康')      # 識別番号は3

print(f'oda.id() = {oda.id()}')
print(f'toyotomi.id() = {toyotomi.id()}')      ←■1
print(f'tokugawa.id() = {tokugawa.id()}')

print(f'Commander.max_id() = {Commander.max_id()}')   ←■2
print(f'oda.max_id() = {oda.max_id()}')               ←■3
```

```
実行結果
oda.id() = 1
toyotomi.id() = 2
tokugawa.id() = 3
Commander.max_id() = 3
oda.max_id() = 3
```

ただし、『"みんなの max_id" は、"oda の max_id" でもあって、"toyotomi の max_id" でもあって、"tokugawa の max_id" でもある』といえないこともありません。

そのため、■3のように、次の形式でも呼び出せるようになっています。

> インスタンス名 . メソッド名 (実引数の並び)　　　クラスメソッドの呼出し形式Ⓑ

ただし、Ⓑの形式は紛らわしいため、Ⓐの形式を使うのが原則です。

▶ クラス変数も同様です。クラス C 型のクラス変数 x は、形式Ⓐの C.x でアクセスします。
　また、c1 と c2 がクラス C 型のインスタンスであれば、『"みんなの x" は、"c1 の x" でもあり "c2 の x" でもある』わけですから、クラス変数 C.x は、形式Ⓑの c1.x と c2.x でもアクセス可能です。

　　　　　　　　　　　　　　　　　　　　＊

クラスメソッドは self をもたないため、インスタンス変数にはアクセスできません。

▶ すなわち、クラスメソッド max_id の中に、self.__name や self.__id をアクセスしようとする式は置けない、ということです。

一方、インスタンスメソッドの中では、クラス変数へのアクセスは自由です。事実、コンストラクタ（インスタンスメソッド __init__）の中では、クラス変数 Commander.__counter の値を参照・更新しています。

▶ インスタンス変数、インスタンスメソッド、クラス変数、クラスメソッドのいずれも、クラスの外部からアクセスするときは、必ず . 演算子が必要であり、単純名ではアクセスできません。
　クラス定義によって、新しい名前空間が生成されるからです（クラス Member、クラス Pet、クラス Commander それぞれに、専用の名前空間が生成されています）。

なお、クラスに所属メソッドの種類としては、インスタンスメソッドとクラスメソッドの他に、静的メソッドがあります。

▶ 静的メソッドについては、**Column 11-7**（p.340）で学習します。

11-2

クラス変数とクラスメソッド

11-3　継承

前節までに学習したクラスによるカプセル化、本節で学習する継承と多相性は、オブジェクト指向プログラミング（OOP：object-oriented programming）の三大要素です。

継承

既存のクラスをもとにして、その資産を受け継いだ新しいクラスを簡単に作れるようになっています。既存のクラスの資産を受け継ぐことが継承（inheritance）であり、継承によって作られるクラスは、次のように呼ばれます（いろいろな呼び方があります）。

- 継承のもとになるクラス
  基底クラス（base class）／スーパークラス（super class）／親クラス（parent class）
- 継承によって新しく作られたクラス
  派生クラス（derived class）／サブクラス（sub class）／子クラス（child class）

ここでは、**List 11-5**（p.324）のペットクラス *Pet* を基底クラスとし、その派生クラスとしてロボットペットクラス *RobotPet* を作ることを考えます。**Table 11-1** に示すのが、その仕様です。

Table 11-1　クラス RobotPet の仕様の概略

データ	名前	`_name`	*Pet* から継承。
〃	主人の名前	`_master`	*Pet* から継承。
〃	型番	`_type_no`	*RobotPet* で新しく追加。
メソッド	自己紹介	`introduce`	型番も表示するように仕様変更。
〃	文字列化	`__str__`	返却する文字列内に型番も含むように仕様変更。
〃	表示	`print`	`__str__` メソッドが返却する文字列を表示する仕様を *Pet* から継承。
〃	家事を行う	`work`	掃除、洗濯、炊事をするメソッド。*RobotPet* で新しく追加。

右ページの **List 11-7** に示すのが、この方針で作成したクラス *Pet* と、*Pet* からの派生によって作られた派生クラス *RobotPet* です。仕様の表に示すように、基底クラスの資産の継承・仕様変更を行うとともに、データとメソッドの新規追加も行っています。

派生クラスの定義とコンストラクタ

派生クラスは、次の形式で定義します。

```
class 派生クラス名（基底クラス名）:
    クラス本体
```

このように、継承のもとになるクラスの名前を ( ) の中に置きます。*RobotPet* の定義の場合、『これから定義するクラス *RobotPet* は、クラス *Pet* を親にします。』といったニュアンスです。

```python
# ペットクラスとロボットペットクラス

class Pet:
    """ペットクラス"""                          # 基底クラス：List 11-5 と同じ

    def __init__(self, name: str, master: str) -> None:
        """コンストラクタ"""
        self._name = name          # 名前
        self._master = master      # 主人の名前

    def introduce(self) -> None:
        """自己紹介"""
        print(f'僕の名前は{self._name}です！')
        print(f'ご主人様は{self._master}です！')

    def __str__(self) -> str:
        """文字列化"""
        return self._name + ' <<' + self._master + '>>'

    def print(self) -> None:
        """表示（__str__が返却する文字列を表示して改行）"""
        print(self.__str__())

class RobotPet(Pet):                             # 派生クラス：クラス Pet の資産を継承
    """ロボットペットクラス"""

    def __init__(self, name: str, master: str, type_no: str) -> None:
        """コンストラクタ"""
        super().__init__(name, master)  # 基底クラスのコンストラクタを呼び出す ←１
        self._type_no = type_no          # 型番 ←２
```

11-3

継承

次ページに続く▶

電源ボタンに相当する**コンストラクタは、派生クラスで新しく定義し直します。**というのも、既存のクラスに対してデータやメソッドなどの属性が追加された派生クラスでは、基底クラスの電源ボタンは、そのままでは使え（るはずが）ないからです。

クラス RobotPet のコンストラクタは、3個の値（名前、主人の名前、型番）を受け取って、それらの値をインスタンス変数に代入します。

▶ クラス Pet では、データの名前が _name と _master であって、先頭が __ ではないため、クラスの外部からアクセスできます。クラス RobotPet では、_name と _master のデータ属性を基底クラス Pet から継承し、_type_no を新規追加していますので、データ属性は全部で3個です。

_name と _master への代入は、基底クラス Pet のコンストラクタに委ねており、それを行っているのが１の箇所です。このように、基底クラスのメソッドは、次の形式で呼び出します。

> super().メソッド名 (実引数の並び)   基底クラスのメソッドの呼出し

コンストラクタの名前は __init__ ですから、この場合、super().__init__(実引数の並び) の形式で基底クラス Pet のコンストラクタを呼び出しています。

▶ 基底クラスはスーパークラスとも呼ばれるのでした。super() によって、スーパークラスへの参照を取り出して、そのクラスの __init__ メソッドを呼び出します。

なお、新規追加したデータ属性 _type_no への値の代入は、２で行っています。

```
List 11-7 [B]                                                     chap11/RobotPet.py
    def introduce(self) -> None:                          クラス RobotPet
        """自己紹介"""                                       の定義の続き
        print(f'◆僕はロボット。名前は{self._name}。')
        print(f'◆型番は{self._type_no}。')
        print(f'◆僕の主人は{self._master}。')

    def __str__(self) -> str:
        """文字列化"""
        return(self._name + ' [[' + self._type_no + ']]'
                          + ' <<' + self._master + '>>')

    def work(self, sw: int) -> None:
        """家事を行う"""
        match sw:
            case 0: print('掃除します。')
            case 1: print('洗濯します。')
            case 2: print('炊事します。')

# ペットクラス群のテスト
kurt = Pet('Kurt', 'アイ')
kurt.introduce()
print(kurt)                                    ━1

r2d2 = RobotPet('R2D2', 'ルーク', 'R2')
r2d2.introduce()
print(r2d2)                                    ━2

def self_introduce(obj: object) -> None:
    """objに対して自己紹介をお願いする"""
    obj.introduce()

self_introduce(kurt)                           ━3
self_introduce(r2d2)                           ━4
```

```
                          実行結果
1  僕の名前はKurtです！
   ご主人様はアイです！
   Kurt <<アイ>>
2  ◆僕はロボット。名前はR2D2。
   ◆型番はR2。
   ◆僕の主人はルーク。
   R2D2 [[R2]] <<ルーク>>
3  僕の名前はKurtです！
   ご主人様はアイです！
4  ◆僕はロボット。名前はR2D2。
   ◆型番はR2。
   ◆僕の主人はルーク。
```

p.334 に続く▶

11
クラス

■ メソッドのオーバライドと多相性

　メソッド introduce と __str__ は、仕様の変更に伴って、クラス RobotPet で定義され直しています。このように、基底クラスに存在するメソッドと同じ名前のメソッドを、派生クラス内で定義することをオーバライド（override）といいます。

　▶　override は、『〜に優先する』『踏みにじる』『無視する』『無効にする』『くつがえす』『征服する』といった意味の語句です。

　クラス RobotPet のメソッド introduce と __str__ は、表示あるいは文字列化の対象に、データ属性である《型番》を加えています。

　これらのメソッドを、基底クラス Pet 型インスタンスに対して呼び出すのが1で、派生クラス RobotPet 型インスタンスに対して呼び出すのが2です。

　これらの箇所は、理解できるでしょう。

＊

　さて、赤色部では、self_introduce という名前の関数が定義されています。この関数は、受け取った引数 obj に対して、メソッド introduce を呼び出す、という単純なものです。

その関数 *self_introduce* を呼び出しているのが、**3**と**4**です。

3：関数 *self_introduce* に対して *Pet* 型のインスタンス **kurt** を与えて呼び出します。
obj.introduce() によって、*Pet* 型のメソッド *introduce* が呼び出されます。

4：関数 *self_introduce* に対して *RobotPet* 型のインスタンス **r2d2** を与えて呼び出します。
obj.introduce() によって、*RobotPet* 型のメソッド *introduce* が呼び出されます。

これらは、ごく自然な振舞いです。

ところが、関数 *self_introduce* の立場で考えると、意外と大変な作業であることが分かります。というのも、プログラムの仮引数 *obj* に受け取ったインスタンスの型に応じて、次のように挙動を変えなければならないからです。

- 仮引数 *obj* に受け取ったのが *Pet* 型であれば、*Pet.introduce* を呼び出す。
- 仮引数 *obj* に受け取ったのが *RobotPet* 型であれば、*RobotPet.introduce* を呼び出す。

しかし、心配は無用です。異なる型のインスタンスに対して同一のメッセージを送る（この場合はメソッド *introduce* を呼び出す）と、自身の型を知っているインスタンスが適切な行動を起こすからです。

このメカニズムは、多相性＝ポリモーフィズム（polymorphism）と呼ばれます。

▶ polymorphism は、『複数』『多』を表す接頭語 poly と、『形』『形態』を表す morph と、接尾語 ism を合わせて作られた言葉です。圧力や温度などの条件によって化学組成の同じ物質が異なる結晶構造をとることや、同一種の生物の個体の形質・形態が多様であることを表します。

なお、多相性は、『多様性』あるいは『多態性』とも呼ばれます。

▢ object クラス

関数 *self_introduce* の引数 *obj* には “object” というアノテーションが与えられています。object クラスは、Python のすべての型の直接あるいは間接的な基底クラスです。

実は、基底クラス *Pet* の定義は、次の定義と同等です。

```
class Pet(object):
    クラス本体
```

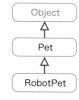

というのも、クラス名に続く “(基底クラス名)” の部分は省略可能であって、省略した場合、そのクラスは object クラスの派生クラスとなる、という規則があるからです。

図に示すように、クラス *Pet* は、object クラスの子クラスであり、クラス *RobotPet* は、object クラスの孫クラスということです。

▶ 関数 *self_introduce* が引数として受け取るのは、ペット *Pet* やロボットペット *RobotPet* とは派生関係になくても、*introduce* メソッドをもつクラス型でさえあればよいことに気付きましたか。
　たとえ直接的な派生関係がないクラス型であっても、それらのインスタンスに対して、同じメッセージを送れる、という手法は、ダックタイピング（duck typing）と呼ばれます。

List 11-7 [C]　　　　　　　　　　　　　　　　　　　　chap11/RobotPet.py

```
# ペットクラス群のテスト（続き）

# kurtはPet型インスタンス
kurt.print()                    ←1

# r2d2はRobotPet型インスタンス
r2d2.print()                    ←2

r2d2.work(1)                    ←3
```

```
実行結果
1  Kurt <<アイ>>
2  R2D2 [[R2]] <<ルーク>>
3  洗濯します。
```

メソッドの多相的な振舞い

次に学習するのは、メソッド *print* です（クラス *Pet* の定義の一部を再掲します）。

このメソッドが行うのは『 `__str__` メソッドが返却する文字列を表示すること』です。

ここで注意すべき点は、メソッド *print* は、クラス *Pet* では定義されているものの、クラス *RobotPet* では定義されていないことです。

```
class Pet:
    """ペットクラス """

    def print(self) -> None:
        """表示（__str__が返却する
           文字列を表示して改行）"""
        print(self.__str__())
```

すなわち、基底クラスの資産であるメソッド *print* は、派生クラスでオーバライドされることなく、そのまま継承されています。

メソッド *print* を各型のインスタンスに対して呼び出している**1**と**2**に着目します。

1の挙動は単純です。*Pet.print* が呼び出され、名前と主人の名前が表示されます。

2では、クラス *RobotPet* 型インスタンス *r2d2* に対してメソッド *print* を呼び出しています。

データが2個のクラス *Pet* のメソッド *print* をそのまま継承しているにもかかわらず、データが追加されて3個になったクラス *RobotPet* のインスタンスに対して *print* を呼び出すと、ちゃんと3個のデータが表示されます。

魔法のような振舞いの秘密は、`self.__str__()` にあります（**Fig.11-6**）。

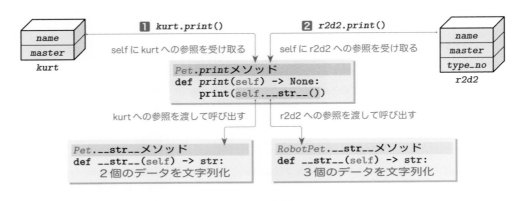

Fig.11-6　基底クラスのメソッドの多相的な振舞い

図に示すように、**1**で呼び出された際の `self.__str()__` は `Pet.__str()__` を呼び出して、**2**で呼び出された際の `self.__str()__` は `RobotPet.__str()__` を呼び出します。

`self.__str__()` が多相的に振る舞う結果として、メソッド *print* も多相的に振る舞うことが分かりました。

▶ 次のように、クラス *RobotPet* に、まったく同じメソッドの定義を置くことも可能です。

```
class RobotPet(Pet):
    # --- 中略 --- #
    def print(self) -> None:
        """表示（__str__が返却する文字列を表示して改行）"""
        print(self.__str__())
```

ただし、これは NG です。同一コードの繰返しが無駄である、というだけではありません。

そもそも、クラス *Pet* のメソッド *print* は『`__str__` メソッドが返却する文字列を表示する』仕様であり、クラス *RobotPet* では、その仕様を受け継いでいました（**Table 11-1**：p.330）。

その仕様自体を変更する（たとえば、文字列を表示した後に改行文字を2個出力するように変更する）とします。その場合、クラス *Pet* の *print* の定義を変更するだけで作業が完了します。

もし、上記のようなメソッド定義を、クラス *RobotPet*（だけでなく、*Pet* から派生したクラス）に置いていれば、それらのすべてを変更しなければなりません。

＊

新規追加したメソッド *work* は、受け取った引数の値に応じて、『掃除します。』、『洗濯します。』、『炊事します。』のいずれかを表示します。

3では、*r2d2* に対して、洗濯を命じています。

```
def work(self, sw: int) -> None:
    """家事を行う"""
    match sw:
        case 0: print('掃除します。')
        case 1: print('洗濯します。')
        case 2: print('炊事します。')
```

▶ もしロボットでないクラス *Pet* 型インスタンスに対して *work* メソッドを呼び出すと、エラーが発生します。

11-3
継承

☐ is–A の関係とクラスの判定

RobotPet は *Pet* の一種ですが、*Pet* だからといって *RobotPet* であるとは限りません。成立する前者の関係は、"RobotPet is a Pet." から、is–A の関係と呼ばれます。

▶ 小文字を使った is–a の関係、あるいは kind–of–A の関係などとも呼ばれます。

組込みの `isinstance` 関数を使うと、インスタンスが、**"ある特定のクラス、もしくは、そのクラスの派生クラス"** のインスタンスであるかどうかが調べられます。

呼出しの形式は、次のいずれかであり、**True** あるいは **False** が返却されます。

`isinstance(インスタンス名 , クラス名 )`

`isinstance(インスタンス名 , ( クラス名 1, クラス名 2, … ))` ※ タプルで指定

---

kurt と *r2d2* の場合、次のようになります（結果は is–A の関係と一致します）。

`isinstance(kurt, Pet)` ➡ True		`isinstance(r2d2, Pet)` ➡ True
`isinstance(kurt, RobotPet)` ➡ False		`isinstance(r2d2, RobotPet)` ➡ True

なお、「Python のすべての型は **object** の一種」です（p.333）。

Column 11-6	クラスに関する補足

　本書は入門書であるため、クラスの基礎のみを学習しました。ここでは、今後の学習の展望のために、いくつかのことがらを紹介します（現時点では、すべて理解できなくても構いません）。

▪ 文書化文字列は "クラス名.__doc__" で取得できる

　関数に対する文書化文字列が "関数名.__doc__" で取得できるのと同様に、クラスに対する文書化文字列は "クラス名.__doc__" で取得できます。

▪ メソッドは関数である

　type 関数でメソッドの型を調べると、`<class 'function'>` が得られます。すなわち、メソッドは、関数の一種という扱いです。

▪ すべての型はクラスである

　int 型や list 型などを含め、Python のすべての型はクラスです。たとえば、type 関数で int 型の型を調べると、`<class 'int'>` が得られます（第 1 章で学習しました）。

　内部的に 0 または 1 の整数値をもつ bool 型は、int 型の派生クラスです。そのため、*obj* が数値型オブジェクトであるかどうかは、`isinstance(obj, (int, float, complex))` で調べられます（bool の指定は不要です。bool が int の一種（派生クラス）だからです）。

▪ 組込み関数 dir による属性の取得

　x がクラスのインスタンスであるとします。`dir(x)` は、インスタンス属性とそのクラスで定義されたメソッドや属性を含む名前の**アルファベット順リスト**を返します。

　たとえば、`dir(int)` が返却するのは、次のリストです。

```
['__abs__', '__add__', '__and__', '__bool__', '__ceil__', '__class__', '__
delattr__', '__dir__', '__divmod__', '__doc__', '__eq__', '__float__', '__
floor__', '__floordiv__', '__format__', '__ge__', '__getattribute__', '__
getnewargs__', '__gt__', '__hash__', '__index__', '__init__', '__init_
subclass__', '__int__', …中略… 'bit_length', 'conjugate', 'denominator',
'from_bytes', 'imag', 'numerator', 'real', 'to_bytes']
```

※ 赤文字は、これ以降の解説で紹介する属性です。

▪ int 関数や list 関数はコンストラクタである

　既に学習した `int('53')` や `list(1, 2, 3)` などの、"型名（実引数の並び）" 形式で呼び出す関数は、引数の値をその型に変換する関数というよりも、その型のインスタンスを生成するコンストラクタです。

　上記の `dir(int)` が返却するリストの中には、__init__ メソッドが含まれています。

▪ クラス名は "インスタンス名.__class__" で取得できる

　インスタンスのクラス名は、"インスタンス名.__class__" で取得できます（ユーザ定義のクラス型だけでなく、int 型や list 型などでも同様です）。

▪ インスタンスの属性は "インスタンス名.__dict__" で取得できる

　ユーザ定義クラス型のインスタンスの属性は "インスタンス名.__dict__" によって**辞書として取得**できます。たとえば、会員クラス第 1 版（**List 11-1**：p.312）であれば、*sekine*.__dict__ によって、`{'no': 37, 'name': '関根信彦', 'weight': 65.3}` という辞書が取得できます。

11

クラス

▪ 演算子の多重定義

int 型などの数値型や、文字列の str 型は、+ 演算子で加算や連結が行えます。このような + 演算子が利用可能な型には __add__ メソッドが定義されています。ユーザ定義クラスでも __add__ などの各種演算子を定義すれば、そのクラスのインスタンスに対して、対応する演算子が適用可能となります。

▪ __new__ メソッドとコンストラクタ

既に学習したように、__init__ メソッドは、インスタンスオブジェクトが生成された直後に、その初期化（値の設定など）を行うメソッドです。

__init__ メソッドよりも先に呼び出されるのが、__new__ メソッドです。この __new__ メソッドをクラスで定義すれば、オブジェクトの生成法をカスタマイズできます。

ちなみに、__init__ メソッド自体は、**オブジェクトの生成（構築）自体には何も関与しないため**、厳密な意味では、__init__ メソッドをコンストラクタ（構築子）と呼ぶのは不正確です。

▪ イテラブルとイテレータ

クラスのインスタンスをイテラブルオブジェクト（p.237）にする必要があれば、そのクラスに対して __iter__ メソッドあるいは __getitem__ メソッドを定義します。

なお、イテレータを作るには、__iter__ メソッドと __next__ メソッドを定義します。

11-3

継
承

▪ type 関数による動的なクラス生成

第 1 章で学習した type 関数は、オブジェクトの型を調べる関数として知られていますが、クラスを動的に生成する、という用途でも利用できます。

▪ 抽象基底クラス

抽象基底クラス（abstract base class）を実現するには、abc モジュールを使います。抽象クラスの定義には、ABCMeta メタクラスを使います。また、抽象基底クラスに含まれる**抽象メソッド**の定義には、@abstractmethod デコレータを指定します。

※ **抽象メソッド**とは、派生クラスでのオーバライドが必須となる（メソッドの詳細を、基底クラスでは完全に定義せず、派生クラス内で定義する）、ある意味で"不完全な"メソッドです。その不完全なメソッドを有するクラスが**抽象基底クラス**です。

クラスを《設計図》とすれば、抽象基底クラスは、《設計図の設計図》といった感じです。

なお、Java などの言語における**インタフェース**は、Python では直接的にはサポートされないため、抽象基底クラスを使って実現することになります。

▪ 多重継承

2 個以上のクラスの資産を継承するのが、**多重継承**（multiple inheritance）です。たとえば、2 個のクラス *A* と *B* から、クラス *C* を派生するのであれば、次のように定義します。

```
class C(A, B):
    # クラス本体
```

内部の取扱いが極めて複雑になる多重継承は、C++ ではサポートされていますが、Java ではサポートされていません。

Java での「複数のインタフェースの実装」に相当することは、Python では「複数の抽象基底クラスの継承」で実現します。

まとめ

- データとメソッドをまとめた設計図に相当するのが、型すなわちクラスである。
  int 型や **float** 型などの組込み型を含め、Python のすべての型はクラスである。
  ユーザ定義のクラス名は、キャメルケースとする。

- クラス定義は、キーワード class で開始する複合文の一種であり、クラスオブジェクト（型オブジェクト）を生成する。

- 設計図であるクラスから、そのクラス型の実体（オブジェクト）＝インスタンスオブジェクト（略してインスタンス）を生成することをインスタンス化という。

- クラスの属性には、データ属性とメソッド属性とがあり、それらをうまく連携させることはカプセル化と呼ばれる。
  ※一般的なオブジェクト指向プログラミング用語としての"属性"は、データ属性のみを指す。

- クラスのすべての属性は、クラスの外部に公開される。
  他の言語でサポートされるアクセス制御（クラスの外部に対して、**公開／非公開／限定公開**といったアクセスレベルを使い分けること）は行えない。
  ただし、変数名の先頭を __ にすると、名前修飾（名前難読化）のメカニズムによって、不完全ではあるもののデータ隠蔽を実現できる。

- Python は動的型付けを行うため、データ属性とメソッド属性を、プログラム実行時に変化させることができる。すなわち、同一型のインスタンスオブジェクトに所属する属性が、すべて同一である必要はないし、同一であるとは限らない。

- クラスの属性は、属性参照演算子 . を利用してアクセスする。

- 個々のインスタンスオブジェクトがもつデータとメソッドは、インスタンス変数とインスタンスメソッドである。

- インスタンス変数の値は、所属するインスタンスオブジェクトのステート＝状態を表す。

- インスタンスメソッドは、所属するインスタンスオブジェクトの振舞いを表すものであり、インスタンス変数の値をもとに処理を行ったり、インスタンス変数の値を更新したりする。
  その第1引数 self は、自身のインスタンスオブジェクトへの参照である。

- インスタンスメソッド __init__ は、インスタンスを初期化するための特別なメソッドであり、一般にコンストラクタと呼ばれる。インスタンス変数の初期化などを行って、**None** を返却する。
  ※オブジェクトの構築自体には関与しないため、厳密な意味でのコンストラクタではない。

- 呼出し式"クラス名(実引数の並び)"を評価・実行すると、インスタンスオブジェクトが生成されてコンストラクタが呼び出される。

- 必要であれば、@property デコレータを用いて、アクセッサ（ゲッタとセッタ）やデリータを定義するとよい。セッタを定義せずにゲッタのみを定義すれば、外部から値を調べられるものの、書きかえられないデータ属性を実現できる。

- クラスに所属するデータとメソッドは、クラス変数とクラスメソッドである。

- @classmethod デコレータ付きで定義するクラスメソッドの第 1 引数 cls は、自身が所属するクラスオブジェクトへの参照である。クラスメソッドは self をもたないため、インスタンス変数にはアクセスできない。

- クラス変数は、"クラス名 **. 変数名**" でアクセスする。
  ※ "**インスタンス名 . 変数名**" でもアクセス可能である。

- クラスメソッドは、"クラス名 **. メソッド名 (実引数の並び)**" で呼び出す。
  ※ "**インスタンス名 . メソッド名 (実引数の並び)**" でも呼出し可能である。

- 静的メソッドは、@staticmethod デコレータを付けて定義する。クラスメソッドと同様に、インスタンスではなくクラスに所属するものの、cls は受け取らない。

- 非公式な文字列を返却する __str__ メソッドと、公式な文字列を返却する __repr__ メソッドを定義すると、クラスが使いやすくなる。

- 派生を行うと、既存のクラスをもとにして、その資産を継承した新しいクラスを作れる。もとになる上位のクラスは基底クラス／スーパークラス／親クラスと呼ばれ、新しく作られた下位のクラスは派生クラス／サブクラス／子クラスと呼ばれる。

- 派生クラスのメソッド内では、基底クラスのメソッドを "super(). メソッド名 (実引数の並び)" で呼び出せる。

- 同一名のメソッドを派生クラスで定義すると、基底クラスのメソッドをオーバライドすることになる。多相的（多態的／多様的）に振る舞うため、ポリモーフィズムが実現できる。

- 基底クラスを指定せずにクラス定義を行うと、object クラスの派生クラスとなる。Python のすべてのクラスは、object クラスの直接あるいは間接的な派生クラスである。

- クラス B がクラス A から派生したとき、「クラス B は、クラス A の一種」となる。この関係は、is–A の関係（kind–of–A の関係）と呼ばれる。

- isinstance 関数を使うと、インスタンスオブジェクトが、ある特定のクラス型（もしくは、そのクラス型の派生クラス型）であるかどうかを判定できる。

- 関数、クラス、クラスのインスタンスのように、呼出し演算子 ( ) を直後に適用できるオブジェクトは、呼出し可能オブジェクトと呼ばれる。特定のオブジェクトが呼出し可能オブジェクトであるかどうかは、callable 関数で判定できる。

Column 11-7	静的メソッド

インスタンスメソッドと**クラスメソッド**の他に、もう一つ、**静的メソッド**（static method）があります。これは、クラスに所属するという意味ではクラスメソッドと同じですが、次の点が異なります。

- @staticmethod デコレータを前置きして定義する。
- メソッドの引数として cls を受け取らない。

静的メソッドは cls を受け取らないため、クラス変数のアクセスは、"**クラス名 . クラス変数名**" 形式の式で行うことになります。

クラスメソッドと静的メソッドの違いを **List 11C-2** のプログラムで確認しましょう。

List 11C-2	chap11/class_static.py

```
# クラスメソッドと静的メソッド

class Super():
    name = '親クラス'

    @classmethod
    def class_method(cls) -> None:          クラスメソッド
        print(f'class_method : {cls.name}')

    @staticmethod
    def static_method() -> None:            静的メソッド
        print(f'static_method : {Super.name}')

class Sub(Super):
    name = '子クラス'

Super.class_method()    ←■1
Super.static_method()   ←■2
print()

Sub.class_method()      ←■3
Sub.static_method()     ←■4
```

実行結果
```
class_method  : 親クラス
static_method : 親クラス

class_method  : 子クラス
static_method : 親クラス
```

クラス *Super* では、二つのメソッドが定義されています。

- **クラスメソッド class_method**
  自身のクラス cls に所属する文字列 name の値 '親クラス' を表示する。
- **静的メソッド static_method**
  クラス *Super* に所属する文字列 name の値 '親クラス' を表示する。

クラス *Sub* では、二つのメソッドをそのまま継承している一方、文字列 name が '子クラス' に変更されています。

■1 の *Super.class_method()* と、■2 の *Super.static_method()* の両方で『親クラス』と表示されることは分かるでしょう。残り二つの呼出しの挙動を理解しましょう。

■3 *Sub.class_method()* 　　　　　　　　　　　　　　　　クラスメソッドの呼出し

class_method は、『自身のクラスに所属する文字列 name の値を表示する』という振る舞いを継承しています。クラス *Sub* における自身のクラスは *Sub* のことであり、『子クラス』と表示されます。

■4 *Sub.static_method()* 　　　　　　　　　　　　　　　　静的メソッドの呼出し

static_method は、『クラス *Super* に所属する文字列 name の値を表示する』という振る舞いを継承しています。そのため、『親クラス』と表示されます。

第 12 章

例外処理

プログラム上で想定不能あるいは想定困難な例外的な状況に遭遇した際に、
致命的な状況に陥ることなく回復させるのが、例外処理です。

- 例外
- 例外処理
- 例外の送出
- raise 文
- 例外の伝播
- 例外の捕捉と対処
- try 文（try 節／ except 節／ else 節／ finally 節）
- try–finally 文（try 節／ finally 節）
- 例外安全と例外中立
- 例外の型
- 例外型の互換性
- 例外オブジェクト
- Exception クラス
- BaseException クラス
- 標準組込み例外
- ユーザ定義の例外
- トレースバック
- traceback モジュール
- 例外の関連値

12-1 例外処理

プログラムの実行時にエラーが発生すると、実行が中断・終了します。本章では、エラー発生時に適切な対処を行うための例外処理について学習します。

例外と例外処理

Python のエラーには、次に示す2種類があることを、p.82 で学習しました。

▪ 構文エラー（syntax error）

プログラムの字句上の問題です。正しい式や文とみなせない記述がされている、綴りやインデントの指定が誤っている、といったエラーです。

▪ 例外（exception）

プログラムが構文上正確であるにもかかわらず、実行時に発生するエラーです。本章で学習するのは、こちらのエラーです。

▶ 厳密に説明すると、構文エラーは "例外の一種" という扱いです。

まずは、**List 12-1** の単純なプログラムで、例外の発生を体験しましょう。

List 12-1   chap12/list1201.py

```python
# 二つの整数値を読み込んで乗算と除算を行う

a = int(input('整数a：'))
b = int(input('整数b：'))

print(f'a * b は {a * b} です。')
print(f'a / b は {a / b} です。')
```

実行例

① 整数a：12⏎
　 整数b：5⏎
　 a * b は 60 です。
　 a / b は 2.4 です。

② 整数a：12⏎
　 整数b：3.14⏎
　 Traceback (most recent call last):
　　 File "MeikaiPython\chap12\list1201.py", line 4, in <module>
　　　 b = int(input('整数b：'))
　 ValueError: invalid literal for int() with base 10: '3.14'

③ 整数a：12⏎
　 整数b：0⏎
　 a * b は 0 です。
　 Traceback (most recent call last):
　　 File "MeikaiPython\chap12\list1201.py", line 7, in <module>
　　　 print('a / b は', a / b, 'です。')
　 ZeroDivisionError: division by zero

実行例②では、変数 b に対して実数値を入力しています。整数には変換できない文字列 '3.14' を、**int** 関数で変換しようとするため、エラーが発生しています。

```
ValueError: invalid literal for int() with base 10:
    値エラー：基数 10 の int() に対する無効なリテラル
```

　実行例③では、変数 *b* に対して 0 を入力しています。乗算は正しく行われますが、続く除算でエラーが発生しています。

```
ZeroDivisionError: division by zero
    ゼロ除算エラー：ゼロによる除算
```

　いずれの例も、発生によってエラーメッセージが表示された後に、プログラムの実行が**中断**して**終了**しています。

　それでは、エラー発生の際は、具体的にどのような《対処》を行えばよいでしょうか。たとえば、次のような方策が考えられます。

① プログラムを強制的に終了する。
② エラーが発生したことを画面に表示して処理を続行する。
③ エラーの内容をファイルに書き込んでプログラムを終了する。
　　　⋮

　このような方策の中から対処法を一意に決めると、どうなるでしょう。
　①のように、除算を行う前に値がゼロであるかどうかを確認して、プログラムを強制終了するような関数やクラスを作るのは容易です。
　とはいえ、**すべての利用者が、そのような解決法を望んでいるとは限りません。**
　関数やクラスなどの《部品》を開発する際には、次のような壁にぶつかります。

エラーの発生を見つけるのは容易だが、そのエラーに対してどのように対処すべきであるのかの決定が、困難あるいは不可能である。

　というのも、エラーに対する対処法は、プログラムの部品の開発者ではなく、利用者によって決められるべき場合が多いからです。部品の利用者が、状況に応じた対処法を決定できるようにすれば、ソフトウェアは柔軟になります。

＊

　エラー対処のジレンマを解消する手段が、**例外処理**（exception handling）です。
　プログラムの実行中、何かうまく処理できそうにないことに遭遇すると、そのことを例外（exception）**というメッセージとして送出**（raise）**します。**
　発信されたメッセージに対して何を行うかは、利用者が自由に決定できますので、柔軟に対応できます。

ⓐ メッセージを無視する（**List 12-1** のプログラムがそうなっています）。
ⓑ メッセージを積極的に捕捉（catch）して、自分の好みの対処を行う。
　　　⋮

　このような例外処理について学習していきましょう。

try 文（例外ハンドラ）

前のプログラムに例外処理のコードを埋め込んだのが、**List 12-2** のプログラムです。三つの実行例で、先ほどと同じ値を入力していますが、いずれもプログラムは中断しません。

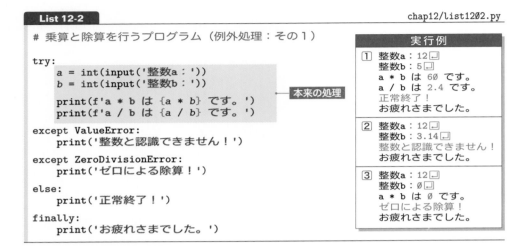

List 12-2　　　　　　　　　　　　　　　　　　　　　　chap12/list1202.py

```
# 乗算と除算を行うプログラム（例外処理：その１）

try:
    a = int(input('整数a：'))
    b = int(input('整数b：'))

    print(f'a * b は {a * b} です。')       ← 本来の処理
    print(f'a / b は {a / b} です。')
except ValueError:
    print('整数と認識できません！')
except ZeroDivisionError:
    print('ゼロによる除算！')
else:
    print('正常終了！')
finally:
    print('お疲れさまでした。')
```

実行例

① 整数a：12⏎
　 整数b：5⏎
　 a * b は 60 です。
　 a / b は 2.4 です。
　 正常終了！
　 お疲れさまでした。

② 整数a：12⏎
　 整数b：3.14⏎
　 整数と認識できません！
　 お疲れさまでした。

③ 整数a：12⏎
　 整数b：0⏎
　 a * b は 0 です。
　 ゼロによる除算！
　 お疲れさまでした。

12
例外処理

例外処理を行う **try 文**（try statement）は、**例外ハンドラ**（exception handler）と呼ばれる複合文の一種です。**Fig.12-1** に示す２種類があり、ここでは図**ⓐ** の try 文を利用しています。

try 節

例外を積極的に捕捉する意志を示すのが、**try** で始まる **try 節**です。その中のスイートでは、**《本来の処理》**を行います（本プログラムの水色部は、前のプログラムと同じです）。

例外処理の優れた点の一つが、本来の処理を行うコードと、エラー発生時の対処を行うコードを分離できることです。"もしもエラーが発生したら、○○の処理をする" といった、対処のための **if** 文などを、本来の処理内に織り込む必要がありません。

　　　　　　　　　　　　　　　　ⓐ 一般的なtry文　　　　　　　　ⓑ try−finally文

try 節　　本来の処理

except 節　例外の捕捉と対処

else 節　捕捉しなかった

finally 節　後始末

```
try: スイート

except 例外: スイート   ← 1個以上

else: スイート          ← 省略可能

finally: スイート       ← 省略可能
```

```
try: スイート

finally: スイート
```

Fig.12-1　２種類の try 文の構文

☐ except 節

　さて、**try** 節のスイート（本来の処理）の実行中に例外が発生すると、**try** 節の残りの部分の実行はスキップされて、発生した例外の捕捉が except 節で試みられます。

　なお、**except** 節は、1個以上置くことができるため、本プログラムでは、2個の **except** 節を配置しています。

　　▶　エラーを野球のボールとすると、《**ValueError** を受け取るキャッチャー》と《**ZeroDivisionError** を受け取るキャッチャー》といったところです。

　さて、その **except** 節のスイートで行うのが、例外に対する《**対処**》です。

　本プログラムでは、それぞれ、『整数と認識できません！』、『ゼロによる除算！』と表示します（実行例②と実行例③で表示されています）。

　なお、本プログラムでは表示のみを行っていますが、もしエラーから回復できそうな状況であれば、そのためのコードを except 節に配置して実行します。

☐ else 節

　except 節で例外が捕捉されなかった場合に実行されるのが、省略可能な else 節のスイートです。

　例外が発生しない実行例①では、『正常終了！』と表示されます。

☐ finally 節

　例外発生の有無にかかわらず、《後始末》的な処理として最後に実行されるのが、省略可能な finally 節のスイートです。

　例外が発生しない実行例①、例外が発生する②と③のいずれでも、この finally 節の実行によって『お疲れさまでした。』と表示されます。

　　▶　本プログラムから、二つの **except** 節と **else** 節を省略すると、図 **b** の try-finally 文になります。その **try-finally** 文は、except 節が含まれないため、例外に対する対処が行われることはありませんが、**finally** 節は必ず実行されます（'**chap12/list1202a.py**'）。
　　　なお、**try-finally** 文の **try** 節のスイート内で **return** 文、**break** 文、**continue** 文が実行された場合、まず **finally** 節が実行され、それから関数やループを抜け出します。

　例外処理のメカニズムが、本来の処理のためのコードと、その対処のためのコードを分離できる構造であり、プログラムの実行を中断・終了させないことなどが分かりました。

＊

　なお、本プログラムでの例外の捕捉は完全ではありません。

　たとえば、変数 **a** や **b** への入力中に、[Control] キーを押しながら [C] キーを押すと、**Keyboard Interrupt** という例外が発生して、プログラムの実行が中断・終了します。**except** 節での捕捉が行われないため、対処されないままとなります。

　　▶　**finally** 節によって『お疲れさまでした。』と表示された後に、プログラムの実行が中断・終了します。

□ except 節による例外の捕捉と対処 ─────

例外の捕捉と対処を行う **except** 節に関しては、次の規則があります。

① **except** 節は1個以上置ける。
② 捕捉できるのは、**except** 節で指定した例外と互換性のある例外である。
③ 単一の **except** 節で複数の例外をタプルとして指定できる。
④ 捕捉した例外を変数に受け取れる。
⑤ 捕捉する例外を指定しないこともできる。

①は学習しました。

②は、**except** 節で指定したクラスに加えて、その派生クラスも捕捉できる、ということです。

すなわち、例外 *B* が例外 *A* の派生クラスであれば、"**except *A*:**" は、例外 *A* はもちろん、例外 *B* も捕捉します。というのも、"*B* は *A* の一種" だからです。

さて、③を利用して書きかえたのが、**List 12-3** のプログラムです。

List 12-3   chap12/list1203.py

```python
# 乗算と除算を行うプログラム（例外処理：その２）

try:
    a = int(input('整数a：'))
    b = int(input('整数b：'))

    print(f'a * b は {a * b} です。')
    print(f'a / b は {a / b} です。')
except (ValueError, ZeroDivisionError):
    print('認識不能orゼロ除算！')

else:
    print('正常終了！')
finally:
    print('お疲れさまでした。')
```

実行例

① 整数a：12⏎
　 整数b：5⏎
　 a * b は 60 です。
　 a / b は 2.4 です。
　 正常終了！
　 お疲れさまでした。

② 整数a：12⏎
　 整数b：3.14⏎
　 認識不能orゼロ除算！
　 お疲れさまでした。

③ 整数a：12⏎
　 整数b：0⏎
　 a * b は 0 です。
　 認識不能orゼロ除算！
　 お疲れさまでした。

単一の **except** 節で二つの例外を捕捉しています。**複数の異なる例外に対して、同一の対処を行うため**です。

▶ 本プログラムは、文法的な理解を目的としたものです。性格の異なる例外に対して、同一の対処を行うべきかどうかは、ケースバイケースです。

次は④です。すべてをオブジェクトと考える Python では、例外もオブジェクトの一種です。

捕捉した例外オブジェクトを変数に受け取る際に、名前を与えることができます（関数での引数の受取りに似ています）。

捕捉した例外オブジェクトに名前を与える **except** 節の構文は、

```
except 例外 as 変数名： スイート
```

という形式です。

この形式を使って書きかえたのが、**List 12-4** のプログラムです。

List 12-4 `chap12/list1204.py`

```
# 乗算と除算を行うプログラム（例外処理：その３）

except (ValueError, ZeroDivisionError) as e:
    print(type(e))
    print('認識不能orゼロ除算！')
```

実行例
```
2 整数a：12⏎
  整数b：3.14⏎
  <class 'ValueError'>
  認識不能orゼロ除算！
  お疲れさまでした。

3 整数a：12⏎
  整数b：0⏎
  a * b は 0 です。
  <class 'ZeroDivisionError'>
  認識不能orゼロ除算！
  お疲れさまでした。
```

　except 節の頭部に "**as e**" が加えられていますので、変数 *e* は、捕捉した例外オブジェクトを参照することになります。

　スイートの先頭行では、**type(e)** を出力しますので、捕捉した例外の型が表示されます。

　実行例②では、**<class 'ValueError'>** が、実行例③では **<class 'ZeroDivisionError'>** が表示されています。

▶　ここでの *e* のように、**except** 節の頭部で宣言した変数は、その **except** 節でのみ有効です。

12-1

例外処理

　最後は⑤です。例外の種類を指定しない **except** 節は、すべての例外を捕捉します。この形式の **except** 節は、（他にも **except** 節があれば）最後に置かなければなりません。

　この形式を利用して書きかえたのが、**List 12-5** のプログラムです。

List 12-5 `chap12/list1205.py`

```
# 乗算と除算を行うプログラム（例外処理：その４）

except ValueError:
    print('整数と認識できません！')
except ZeroDivisionError:
    print('ゼロによる除算！')
except:
    print('例外発生！')
```

実行例
```
2 整数a：12⏎
  整数b：3.14⏎
  整数と認識できません！
  お疲れさまでした。

3 整数a：12⏎
  整数b：0⏎
  a * b は 0 です。
  ゼロによる除算！
  お疲れさまでした。

4 整数a：[Control] + [C]
  例外発生！
  お疲れさまでした。
```

　最後の **except** 節では、それより前の **except** 節で明示されている例外（および、それらの例外と互換性のある例外）以外のすべての例外が捕捉されます。

　実行例②と実行例③は、**List 12-2**（p.344）と同じです。

　実行例④では、入力中に [Control] キーを押しながら [C] キーを押すことによって発生する **KeyboardInterrupt** 例外が捕捉されています。

▶　サードパーティー製の統合開発環境では、入力時に [Control]+[C] の操作を受け付けないような仕組みとなっていることがあります（というよりも、そうなっているのが一般的です）。そのような環境では、例外は発生しませんし、捕捉も行われません。

raise による例外の送出

例外を捕捉して対処する方法を学習してきました。例外は、プログラム上のコードによって、意図的に送出する（raise）ことが可能です。

例外の送出は、次の形式の raise 文（raise statement）で行います。

```
raise 式                                                    raise 文
```

ここでの "式" は、**例外オブジェクト**であり、BaseException クラスの**サブクラス**のインスタンスでなければなりません。その BaseException クラスとは、例外クラスの最上位に位置するクラスです（例外クラスの階層関係は **Column 12-1**：p.350 に示しています）。

raise 文を使って、例外を恣意的に発生させるプログラムを **List 12-6** に示します。

List 12-6
chap12/list1206.py

```python
# raise文による例外の送出

def func(sw: int) -> None:
    match sw:
        case 0: raise ValueError
        case 1: raise ZeroDivisionError

sw = int(input('sw: '))

try:
    func(sw)
except BaseException as e:
    print('例外捕捉！')
    print(type(e))
```

実行例

```
1 sw : 0⏎
  例外捕捉！
  <class 'ValueError'>

2 sw : 1⏎
  例外捕捉！
  <class 'ZeroDivisionError'>

3 sw : 2⏎
```

関数 func は、仮引数 sw に受け取った値が 0 であれば ValueError 例外を送出し、1 であれば ZeroDivisionError 例外を送出します。

try 文では、関数 func で送出された例外を、単一の except 節で捕捉しています。ここでは、BaseException クラスが指定されていますので、その派生クラスである ValueError 例外や ZeroDivisionError 例外も、この except 節で捕捉可能です。

例外を捕捉した場合は、画面に『例外捕捉！』と表示し、さらに、捕捉した例外 e の型を type(e) で調べた上で表示します。

ユーザ定義の例外

raise 文の仕様から、次のことが分かります。

BaseException クラスを継承すれば、ユーザ定義の例外クラスを作成できる。

ユーザ定義の例外クラスを定義・利用するプログラムが、**List 12-7** です。

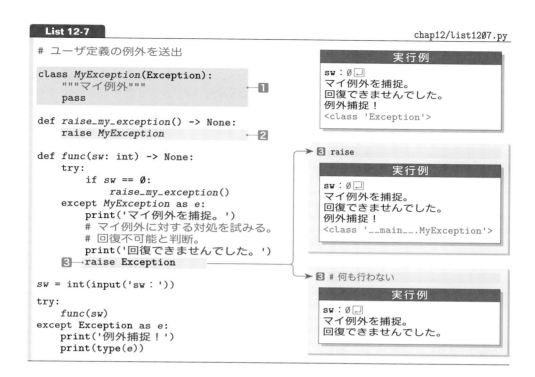

chap12/list1207.py

List 12-7　　　　　　　　　　　　　　　　　　　　　　　chap12/list1207.py

```python
# ユーザ定義の例外を送出

class MyException(Exception):
    """マイ例外"""
    pass                                     ┃1┃

def raise_my_exception() -> None:
    raise MyException                        ┃2┃

def func(sw: int) -> None:
    try:
        if sw == 0:
            raise_my_exception()
    except MyException as e:
        print('マイ例外を捕捉。')
        # マイ例外に対する対処を試みる。
        # 回復不可能と判断。
        print('回復できませんでした。')
        ┃3┃→raise Exception

sw = int(input('sw：'))

try:
    func(sw)
except Exception as e:
    print('例外捕捉！')
    print(type(e))
```

実行例
```
sw：0⏎
マイ例外を捕捉。
回復できませんでした。
例外捕捉！
<class 'Exception'>
```

┃3┃ raise

実行例
```
sw：0⏎
マイ例外を捕捉。
回復できませんでした。
例外捕捉！
<class '__main__.MyException'>
```

┃3┃ # 何も行わない

実行例
```
sw：0⏎
マイ例外を捕捉。
回復できませんでした。
```

12-1

例
外
処
理

┃1┃がユーザ定義の例外クラス *MyException* の定義です。基底クラスとして Exception クラスを指定するとともに、クラスの本体を pass 文のみとしています（**Column 12-1**：p.350）。

関数 *raise_my_exception* は、例外 *MyException* を送出する関数です。┃2┃で例外を送出するのみであり、ここでは対処は行いません。

sw に 0 を読み込んだときのプログラムの挙動を考えましょう。関数 *raise_my_exception* から例外 *MyException* が送出され、その例外が、関数 *func* 内の except 節で捕捉されます。

さて、**捕捉した例外に対する対処を試みても、回復可能とは限りません。**そのことを伝えるために、┃3┃では Exception 例外を送出して呼出し元に伝えています。送出された Exception 例外は、呼出し元の try 文中の except 節で捕捉されます。

なお、プログラムの┃3┃を、単なる "raise" に変更すると、**現在対処中の例外が、そのまま再送出されます**（'chap12/list1207a.py'）。

また、┃3┃を削除すると、捕捉した例外に対する対処が完了した（エラーから回復した）とみなされます（'chap12/list1207b.py'）。

＊

本プログラムでは、関数内で対処していない、あるいは対処しきれなかった例外が、その呼出し元へと伝播^{でんぱ}する様子を確認するとともに、その途中で異なる例外に変更できることを確認しました。発生した例外に対して適切な処理を行うことを**例外安全**といい、すべての例外を呼出し側に伝えることを**例外中立**といいます。

Column 12-1	トレースバックと例外の型

ここでは、トレースバックと例外の型について学習します。

▪ トレースバック

　例外処理を行わないプログラムでは、例外が発生すると、プログラムが中断して、エラーメッセージが表示されます。たとえば、本章冒頭の **List 12-1** (p.342) では、次のような表示が行われていました。

```
Traceback (most recent call last):
  File "MeikaiPython\chap12\list1201.py", line 4, in <module>
    b = int(input('整数b : '))
ValueError: invalid literal for int() with base 10: '3.14'
```

　メッセージの先頭の**トレースバック**（traceback）は、プログラムが中断した箇所から、例外発生箇所までの伝播の様子を表す用語です。

　トレースバック関連の関数などは、トレースバックモジュール **traceback** で提供されます。前ページのプログラムに、トレースバックの表示を追加したプログラムは 'chap12/list1207c.py' です。

▪ 例外の型

　本文で学習したように、例外処理の対象となる例外は、**BaseException** クラスの派生クラスです。すなわち、**BaseException** クラスは、すべての例外クラスの最上位クラスです。

　さて、本文でも登場した **ValueError** クラスや **ZeroDivisionError** クラスなど、Python によって提供される例外は、標準組込み例外と呼ばれます。

　標準組込み例外の一部を示したのが、右ページの **Fig.12C-1** です（線は継承関係を表し、矢印の先が基底クラスです）。

　プログラムの実行そのものに依存する、特殊な例外（**GeneratorExit**、**KeyboardInterrupt**、**System Exit**）は、**BaseException** クラスから派生しています。これらの例外は、プログラム上での捕捉・対処は行わないのが一般的です（捕捉は可能であるものの、完全な回復が極めて困難だからです）。

　この他の例外クラスは、（**BaseException** クラスではなく）**Exception** クラスから直接あるいは間接的に派生していますので、このクラスを事実上の最上位クラスと考えることができます。

　List 12-6 (p.348) では、原理を理解するために except 節の指定を **BaseException** クラスとしていましたが、実用的なプログラムであれば、**BaseException** ではなく **Exception** とします。

　プログラマが作成するユーザ定義例外は、BaseException クラスではなく、Exception クラスから派生するのが原則です。というのも、**BaseException** クラスは、ユーザ定義クラスが派生することを前提としていない仕様だからです。

　そのため、**List 12-7** (p.349) のプログラムでは、ユーザ定義クラス *MyException* の派生元を **Exception** クラスにしていたのです。

　ただし、ユーザ定義例外の派生元は、必ずしも **Exception** クラスでなくても構いません。たとえば、算術エラーを表す独自の例外クラスを定義するのであれば、派生を **ArithmeticError** クラスから行うことを検討すべきです。

＊

　例外クラスは、エラーの原因などを表すための関連値（associated value）をもっています。これは、エラーコードや、そのコードを意味する文字列などの情報群の文字列もしくはタプルです。通常は、例外クラスのコンストラクタに引数として渡して設定を行います。

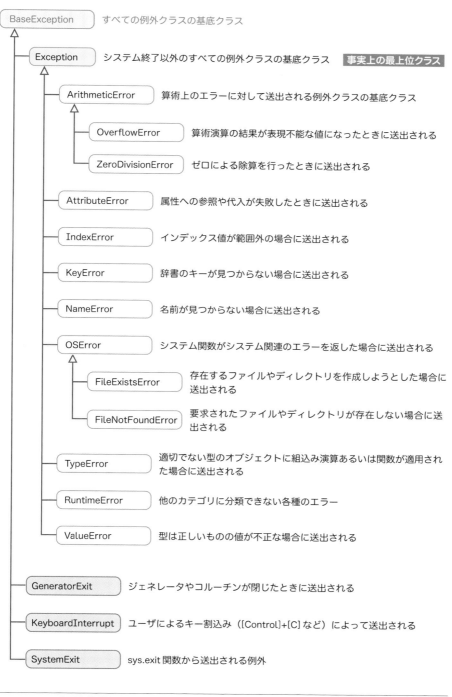

Fig.12C-1　主要な標準組込み例外クラスの階層

まとめ

● エラーの発生を見つけるのは容易だが、それに対する対処の決定は、困難あるいは不可能である。というのも、エラーに対する対処法は、プログラムの部品の**開発者**ではなく、**利用者**によって決められるべき場合が多いからである。

● Python のプログラムの実行中のエラーは、例外というメッセージとして送出される。構文エラーも例外の一種である。

```
chap12/gist1.py
# 第12章 まとめ（その1）

class RangeException(Exception):
    """範囲外の例外"""
    pass

class ParameterRangeException(RangeException):
    """仮引数範囲外の例外"""
    pass

class ResultException(RangeException):
    """返却値範囲外の例外"""
    pass

def is_valid(value: int) -> bool:
    """valueは0〜9か？"""
    return 0 <= value <= 9

def add(a: int, b: int) -> int:
    """aとbの和を返却

    事前条件：aとbは0〜9であること
            満たされない場合はParameterRangeExceptionを送出

    事後条件：返却する和は0〜9であること
            満たされない場合はResultRangeExceptionを送出

    """
    if not is_valid(a):
        raise ParameterRangeException
    if not is_valid(b):
        raise ParameterRangeException

    result = a + b

    if not is_valid(result):
        raise ResultException
    return result

a = int(input('整数a：'))
b = int(input('整数b：'))

try:
    print(f'それらの和は{add(a, b)}です。')
except RangeException:
    print('範囲外です。')
except:
    print('何らかの例外が発生しました。')
finally:
    print('お疲れさまでした。')
```

実行例
1. 整数a：3⏎
   整数b：5⏎
   それらの和は8です。
   お疲れさまでした。
2. 整数a：12⏎
   整数b：6⏎
   範囲外です。
   お疲れさまでした。
3. 整数a：7⏎
   整数b：5⏎
   範囲外です。
   お疲れさまでした。

- 例外が送出されると、その例外は伝播し、最終的にはエラーメッセージが表示された上で、プログラムの実行が中断する。エラーの伝播の様子を表すのが**トレースバック**である。

- 例外を捕捉して対処を行うのが、**例外処理**である。適切な例外処理を行えば、エラーからの回復によってプログラムの実行の中断を回避できる。
  例外処理の優れた点の一つが、本来の処理のコードと、エラー発生時の対処のコードを分離できることである。

- 例外処理を行うための **try** 文は、**例外ハンドラ**とも呼ばれ、**try** 節と **except** 節と **else** 節と **finally** 節で構成される。
  なお、**try** 節と **finally** 節のみで構成される **try-finally** 文も利用できる。

- **try** 節の実行中に例外が発生すると、**except** 節で捕捉が試みられる。
  try 文には 1 個以上の **except** 節を置ける。各 **except** 節で捕捉できるのは、指定した例外と"互換性のある"例外である。捕捉する例外をタプル化すれば、複数の例外を指定できる。なお、例外を変数に受け取ることも可能である。捕捉する例外を指定しなければ、未捕捉のすべての例外を捕捉する。

- **except** 節で例外が捕捉されなかった場合、**else** 節のスイートが実行される。

- 例外発生の有無にかかわらず行うべき後始末的な処理は、**finally** 節のスイートで実行する。

12
まとめ

- 例外オブジェクトは、**raise** 文によって送出できる。

- 標準組込み例外は、**BaseException** クラスと、そこから直接あるいは間接的に派生したクラスとして提供される。

- ユーザ定義例外は、**Exception** クラスの派生クラスとして定義する。

- 発生した例外に対して適切な処理を行うことを**例外安全**といい、すべての例外を呼出し側に伝えることを**例外中立**という。

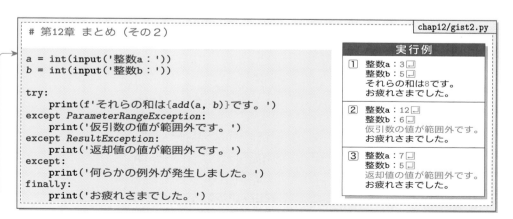

```
# 第12章 まとめ（その２）                          chap12/gist2.py

a = int(input('整数a : '))
b = int(input('整数b : '))

try:
    print(f'それらの和は{add(a, b)}です。')
except ParameterRangeException:
    print('仮引数の値が範囲外です。')
except ResultException:
    print('返却値の値が範囲外です。')
except:
    print('何らかの例外が発生しました。')
finally:
    print('お疲れさまでした。')
```

実行例

① 整数a：3⏎
整数b：5⏎
それらの和は8です。
お疲れさまでした。

② 整数a：12⏎
整数b：6⏎
仮引数の値が範囲外です。
お疲れさまでした。

③ 整数a：7⏎
整数b：5⏎
返却値の値が範囲外です。
お疲れさまでした。

第13章

ファイル処理

本章では、テキストファイルやバイナリファイルの読み書きの方法を中心に
ファイル処理について学習します。

- ファイル
- テキストファイルとテキスト入出力
- バイナリファイルとバイナリ入出力
- 生ファイルと生入出力
- ファイルオブジェクト
- ファイルのオープン（組込み関数 open）
- ファイルのオープンモード
- ファイルのクローズ（close メソッド）
- read メソッド／readline メソッド／readlines メソッド
- write メソッド／writelines メソッド／print 関数
- 文字コードとエンコーディングと UTF−8
- テキストファイルにおける改行文字／ユニバーサル改行モード
- with 文
- パス（絶対パス／相対パス）
- ストリーム位置（tell による取得と seek による変更）
- os モジュールによるパスの操作
- ファイルのダンプ
- pickle モジュール
- ピクル化と反ピクル化

13–1 ファイル処理の基礎

本節では、文字情報をそのまま保存するテキストファイルを読み書きする方法を中心に、ファイル処理の基礎を学習します。

ファイルとファイルシステム

データを長期保存するファイル（file）は、オペレーティングシステムによって管理されており、階層的な構造のディレクトリ（フォルダ）の中に格納されます。

本節で学習するのは、ファイルのオープン、読み書き、クローズなどの基本的な処理です。

▶ ディレクトリやパスなどの用語については、**Column 13-3**（p.364）でまとめて学習します。

ファイルのオープンとクローズ

私たちがノートを使うときは、まず最初に開きます。それと同じで、ファイルを使うときは、まず最初に開き、それから、目的の場所に対して読み書きを行います。

ファイルを開くオープン（open）の処理を行うのが、組込みの open 関数です。

たとえば、`'hello.txt'` という名前のファイルを、書込み用にオープンする作業は、次のように行います（**Fig.13-1**）。

```
f = open('hello.txt', 'w')     # ファイル'hello.txt'を書込み用にオープン
```

最初の引数に与えるのが、オープンする**ファイル名**（パス名）の文字列です。

キーワード引数 mode には、ファイルの取扱いモードを与えます。与えるのは、右ページの **Table 13-1** に示す文字を、単独あるいは組み合わせた文字列です。ここでの `'w'` は、書込み用に開く（ファイルが存在する場合は、既存の内容を切り捨てる）ことの指定です。

▶ 本章のプログラムでは、オープンするファイルのパスを指定しませんので、読み書きするファイルは、スクリプトプログラムと同一のディレクトリに存在することを前提とします。

オープンに成功した **open** 関数は、**ファイルオブジェクト**（file object）を返却します。

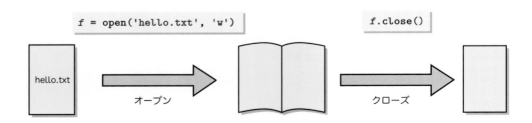

Fig.13-1 ファイルのオープンとクローズ

Table 13-1 open 関数の mode 引数に与えるモード用の文字

文字	概　要	
'r'	読込み用に開く。	※既定
'w'	書込み用に開く。ファイルが存在する場合は、既存の内容を切り捨てる。	
'x'	排他的な生成に開き、ファイルが存在する場合は失敗する。	
'a'	書込み用に開く。ファイルが存在する場合は、末尾に追記する。	
't'	テキストモード。	※既定
'b'	バイナリモード。	
'+'	更新用に開く（読込み／書込み）。	

　ファイルと結び付けられたファイルオブジェクトには、読み書きに必要な情報が蓄えられます。
ファイルに対する入出力などの処理は、そのファイルオブジェクトを通じて行います。

　▶　open 関数は、ファイルのオープンに失敗すると OSError 例外（厳密には、その派生クラスである
　　 FileNotFoundError 例外）を送出します。

![] ファイルへの書込み

　それでは早速、ファイルに対して書込みを行うプログラムを作りましょう。
　List 13-1 は、ファイル 'hello.txt' に、2 行分の文字列 'Hello!\n' と 'How are you?\n' を
書き込むプログラムです。

List 13-1　　　　　　　　　　　　　　　　　　　　　　　　　　chap13/list1301.py

```python
# ファイルに2行分の文字列を書き込む

f = open('hello.txt', 'w')      # オープン（テキスト＋書込みモード）

f.write('Hello!\n')
f.write('How are you?\n')

f.close()                       # クローズ
```

　オープン時に指定しているモードは 'w' です。（バイナリモードではなく）既定のテキスト
モード（text mode）でファイルが開かれます。

　▶　すなわち、'w' は 'wt' と同じ意味です。

　なお、オープン時にファイル 'hello.txt' が存在する場合は、既存の内容を消去した上で
出力します。
　ファイルオブジェクト f に対して呼び出している write メソッドは、ファイルに文字列を書き
込むメソッドです。print 関数とは異なり、末尾に改行文字を自動的に出力しません。

　▶　write 関数は、書き込んだ文字数を返却します（この点も print 関数と異なります）。

　プログラムの末尾で呼び出している close メソッドは、ファイルを閉じるクローズ（close）
の処理を行うとともに、オープン時に取得した各種の資源を解放します。

ファイルへの追記と読込み

さて、ファイルに正しく書き込めたかどうかの確認が必要です。OSのコマンドや付属ツールなどでも行えますが、プログラムを作成して確認しましょう。

List 13-2 に示すのが、そのプログラムです。

List 13-2   chap13/list1302.py

```
# ファイルから2行分の文字列を読み込んで表示

f = open('hello.txt')          # オープン（テキスト＋読込みモード）

line1 = f.readline()           # 1行分読み込む
line2 = f.readline()           # 1行分読み込む

print(line1, end='')
print(line2, end='')

f.close()                      # クローズ
```

実行結果
```
Hello!
How are you?
```

今回のプログラムでは、ファイルのオープン時にモードの指定を行っていません。前ページの表に示すように、"**r**の読込み"と"**t**のテキスト"が既定値ですから、自動的に **'rt'** モードとみなされます。

さて、ファイルオブジェクト **f** に対して呼び出している **readline** メソッドは、行の先頭から改行文字までの1行分の文字列をファイルから読み込んで返却するメソッドです。

▶ 返却される文字列の末尾には、改行文字が含まれます。ただし、ファイルの最終行に改行文字が含まれていなければ、読み込まれた文字列には改行文字は含まれません。
また、ファイルの末尾を超えて読み込もうとした場合は、空文字列 **''** が返却されます。

実行すると、前ページのプログラムでファイル **'hello.txt'** に書き込んだ2行分の文字列が、ファイルから読み込まれて画面に表示されます。

＊

さて、ファイルに対して、さらに2行分の文字列を**追加**しましょう。**List 13-3** に示すのが、そのプログラムです。

List 13-3   chap13/list1303.py

```
# ファイルに2行分の文字列を追加する

f = open('hello.txt', 'a')  # オープン（テキスト＋追記モード）

f.write('Fine, thanks.\n')
f.write('And you?\n')

f.close()                   # クローズ
```

ファイル **'hello.txt'** を"**a**の追記"でオープンして、2行分の文字列 **'Fine, thanks.\n'** と **'And you?\n'** を、ファイルの終端位置から書き込みます。

そのため、本プログラムを実行するたびに、ファイル **'hello.txt'** に2行分の文字列が追記
されます。そのイメージを示したのが、**Fig.13-2** です。

なお、ファイルを読み込む **List 13-2** のプログラムは、2行分しか読み込みません。ファイル
が何行であっても、すべての行を読み込んで表示するのが、**List 13-4** のプログラムです。

List 13-4   chap13/list1304.py

```python
# ファイルからすべての行の文字列を読み込んで表示

f = open('hello.txt')          # オープン（テキスト＋読込みモード）

while True:
    line = f.readline()
    if not line:               # 読み込めなかった（末尾に達した）
        break
    print(line, end='')

f.close()                      # クローズ
```

すべての行を読み込むために、読込み処理を **while** 文で制御しています。

ループ本体の先頭では、**readline** メソッドの呼出しによって1行分の文字列を読み込みます。
読み込んだ文字列が空文字列になったら、**break** 文で繰返しを強制的に終了します。

▶ 図は、**List 13-1** を1回実行して、その後 **List 13-3** を2回実行したときの様子です（さらに、ファ
イルの内容確認のために、**List 13-4** を3回実行しています）。

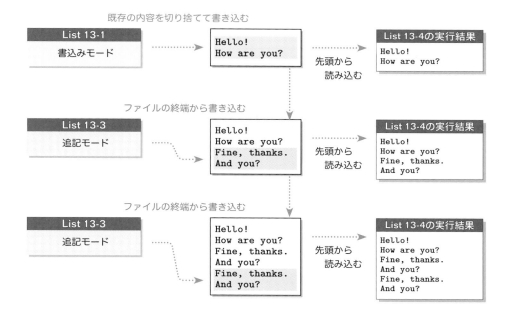

Fig.13-2 一連のプログラムの実行による 'hello.txt' ファイルの読み書き

ファイルからの読込みの方法

　ファイルから文字列を読み込むための手段には、豊富なバリエーションがあります。それらを学習していきましょう。

read メソッド

　ファイルの末尾である EOF（end of file）までを読み込み、**単一の文字列**として返却するのが、read メソッドです。

```
lines = f.read()
print(lines, end='')
```

　そのため、右のコードだけで、ファイルの内容がすべて表示されます（`'chap13/list1304a.py'`）。

▶ 省略可能な引数 size を与えた場合、最大で size バイトを読み込みます。省略時のデフォルト値は -1 であり、負の値あるいは None を受け取ると、ファイルの内容をすべて読み込みます。

readline メソッド

　readline メソッドは学習しました（右に示すのは、前ページのプログラムと同じコードです）。

```
while True:
    line = f.readline()
    if not line:
        break
    print(line, end='')
```

　このメソッドは、行の先頭から改行文字までの1行分を読み込んで、**単一の文字列**として返却します。

▶ 省略可能な引数 size を与えた場合、最大で size バイトを読み込みます。省略時のデフォルト値は -1 であり、改行文字までの1行を読み込みます。

readlines メソッド

　複数の行を読み込むのが readlines メソッドです。読み込んだ行を、**文字列のリスト**として返却します。

```
lines = f.readlines()
for line in lines:
    print(line, end='')
```

　右のコードは、lines に代入されたリスト内の要素（文字列）を1個ずつ表示します（`'chap13/list1304b.py'`）。

▶ 省略可能な引数 hint を与えた場合、最大で hint 行を読み込みます。省略時のデフォルト値は -1 であり、すべての行を読み込みます。

ファイルオブジェクトからの直接の取出し

　テキストファイルオブジェクトは、イテラブルオブジェクトであり（p.237）、for 文の走査によって行単位で取り出せる構造となっています。

```
for line in f:
    print(line, end='')
```

　そのため、右のコードのように、簡潔に記述できます。
なお、このコードは、高速かつ効率のよい方法として知られています（`'chap13/list1304c.py'`）。

☐ ファイルへの書込みの方法

次は、ファイルへの書込みを行う方法を学習します。

☐ write メソッド

既に学習したとおり、write メソッドは文字列を書き込んで、書き込んだ文字数を返却します。末尾に改行文字が出力されませんので、必要に応じて明示的な改行の出力が必要です。

☐ writelines メソッド

writelines メソッドは、文字列のリストを書き込むメソッドです。write メソッドと同様に、末尾に改行文字は出力されません。

▶ List 13-1 と同じように書き込むには、次のようにします（'chap13/list1301a.py'）。

```
f.writelines(['Hello!\n', 'How are you?\n'])
```

なお、ファイルへの書込みには print 関数も使用可能です。次に示すように、キーワード引数 file に書込み先のファイルオブジェクトを与えます（'chap13/list1301b.py'）。

```
print('Hello!\nHow are you?', file=f)    # 末尾に改行文字が自動的に出力される
```

Column 13-1	エンコーディングと UTF–8

文字コードと、その一種である ASCII について、**Column 7-3**（p.199）で学習しました。Python でのテキストファイルの入出力は、その環境に適した文字コードを利用して行われるのが基本です。

ファイルの読み書きを行うプログラムを、特定の環境でのみ動作させるぶんには問題ないのですが、ある環境で書き込んだファイルを他の環境で読み込む場合などに正常な読み書きが行えません。

そのため、**open** 関数の第3引数（キーワード引数名は『文字をコード化する』意味の encoding です）に、文字コードを指定できるようになっています。次に示すのが、その一例です。

```
'ascii'    'cp932'    'euc-jp'    'euc-jis-2004'    'utf-8'
```

'ascii' は英語用の文字コード ASCII です。'cp932'（シフト JIS コードを拡張した CP932）と 'euc-jp' と 'euc-jis-2004' は、日本語用の文字コードです（この他にも中国語、韓国語など、各国語用のエンコーディングがあります）。

（Python で読み書きするファイルではなく）Python のスクリプトファイルでは、最後の 'utf-8' が利用されています。UTF–8 は、多くの言語の文字を扱えるように作られた世界規格の文字コードであり、広く利用されています。

読み書きするファイルを多くの環境に対応させるには、UTF–8 の採用を検討すべきです。たとえば、**List 13-1**（p.357）であれば、次のように encoding 引数に 'utf-8' を指定してファイルをオープンします。

```
f = open('hello.txt', 'w', encoding='utf-8')
```

既に学習したように、モード用の引数のキーワード引数名は mode ですから、明示的にキーワード引数を指定するのであれば、次のように順序を変えることも可能です。

```
f = open('hello.txt', encoding='utf-8', mode='w')
```

▢ with 文によるファイル処理

さて、ファイルへの読み書きを行う際は、次のようなエラーがつきものです。

- ファイルがオープンできない。
- ファイルに対する読み書きが行えない。

本章のここまでのプログラムは、ファイル処理の理解に集中するために、例外処理を省略していました。行うべき例外処理を埋め込んだプログラムは、**List 13-5** のようになります。

▶ 構造を理解することが主目的ですから、例外発生時の《対処》を **pass** 文としています。

List 13-5　　　　　　　　　　　　　　　　　　　　　　　　　chap13/list1305.py

```python
# ファイルから文字列を読み込んで表示（例外処理）

try:
    f = open('hello.txt', 'r')
    try:
        for line in f:
            print(line, end='')
    except OSError:
        pass                    # 読込み失敗時の対処
    finally:
        f.close()
except OSError:
    pass                        # オープン失敗時の対処
```

実行例
※ ファイル'Hello.txt'の中身すべてが表示されます。

例外処理が入れ子の構造となっています。というのも、ファイルがオープンできなかったら、読込みを行うべきではないからです（オープン失敗時の例外を外側の **try** 文で捕捉します）。

＊

さて、ファイル処理を行う際は、**with** 文（with statement）を使うと、すっきりした記述が可能です。**with** 文を用いて書きかえたのが、**List 13-6** のプログラムです。

List 13-6　　　　　　　　　　　　　　　　　　　　　　　　　chap13/list1306.py

```python
# ファイルから文字列を読み込んで表示（with文）

with open('hello.txt', 'r') as f:
    for line in f:
        print(line, end='')
```

---

with 文は、《開始処理》と《終了処理》を有するオブジェクトの扱いを簡易化する複合文です。**with** 文の頭部で行うことは、《開始処理》です。ここでは、ファイル **'hello.txt'** を **f** としてオープンしています。

with 文が制御するスイートの実行が終了すると、頭部で行った《開始処理》に対応する《終了処理》が自動的に行われる仕組みとなっています。この場合は、開始の **open** 関数に対応する、**close** メソッドが自動的に呼び出されます。

　なお、スイートの実行中に例外が発生した場合でも、《終了処理》は実行される規則となっていますので、きちんと close メソッドが呼び出されます。

　with 文を使うことで、**資源の獲得**を伴うオブジェクトの初期化と、**資源の解放**を伴うオブジェクトの破棄を確実に行うコードを簡潔に実現できます。

▶ with 文は、対象オブジェクトのコンテクストマネージャに含まれる開始処理 __enter__() と終了処理 __exit__() を自動的に行う複合文です。

　with 文の対象がファイルオブジェクトの場合、open 関数の呼出しが __enter__() に対応して、close メソッドの呼出しが __exit__() に対応します。

　with 文の頭部では __enter__() によって open 関数が呼び出され、その返却値が、as の後ろに置かれた変数 *f* に代入されます。スイートの実行が終了すると、自動的に close メソッドが呼び出されます。

　なお、オープンするファイルが複数であれば、次のようにコンマで区切ります。

```
with open('input.txt', 'r') as fin, \
     open('output.txt', 'w') as fout:
     # --- 以下省略 --- #
```

Column 13-2	テキストファイルにおける改行文字

　テキストファイルでの改行文字（行区切り文字）の表し方は、OS によって異なります。代表的なものとして、次の3種類があります。

　　LF　　　　：UNIX、Linux、macOS など
　　CR　　　　：バージョン 9 までの Mac OS など
　　CR + LF ：MS–Windows など（CR と LF の2文字）

　LF（line feed）は、ASCII 文字コード 0x0a の文字 '\n' であり、狭義の改行（コンソール画面であれば、カーソルを次の行に移動すること）を意味します。

　CR（carriage return）は、ASCII 文字コード 0x0d の文字 '\r' であり、復帰（コンソール画面であれば、カーソルを行頭に戻すこと）を意味します。

　改行文字を表す文字数が1文字であるか2文字であるか、また、その文字コードの具体的な値が、OS によって異なるため、open 関数では、改行に関する挙動をキーワード引数 newline に指定できるようになっています。指定できるのは、None、空文字列 ''、'\n'、'\r'、'\r\n' のいずれかです。

▪読込み時

　newline が None であれば、ユニバーサル改行モード（'\n' と '\r' と '\r\n' のすべてを改行文字と解釈するモード）になった上で、読み取った改行文字を文字列化する際に '\n' に変換します。newline が '' であれば、ユニバーサル改行モードにはなるものの、変換は行われません。newline が '\n'、'\r'、'\r\n' のいずれかであれば、その指定された文字列を改行文字とみなして読み取り、そのまま文字列として返却します。

▪書込み時

　newline が None であれば、書き込む改行文字 '\n' が、そのシステムの改行文字（os.linesep）に変換されます。newline が '' または '\n' であれば、変換は行われません。newline が、その他の正当な文字の場合、すべての '\n' が、与えられた文字に変換されます。

Column 13-3	ファイルとパス

　膨大な数のファイルを一元的に管理するのは困難であるため、ほとんどのオペレーティングシステムでは、**ディレクトリ**（directory）の概念が導入されています。なお、ディレクトリは、**フォルダ**（folder）とも呼ばれます。

※ ちなみに、directory は『住所録』『名鑑』という意味で、folder は『紙ばさみ』『書類ばさみ』という意味です。

　ディレクトリは、複数のファイルをまとめてグループ化するためのものであると考えればよいでしょう。ただし、ディレクトリの中には、ファイルだけでなく、ディレクトリも置くことが可能です。そのため、ディレクトリは階層的な構造となります。

　当然のことですが、「ファイルの中にディレクトリが格納される」といったことはありません。

　なお、ディレクトリ中のファイルやディレクトリは0個でも構いません。そのようなディレクトリは、一般に、**空ディレクトリ**と呼ばれます。

＊

　以下、ディレクトリに関する基本的な概念を学習しましょう。

▪ルートディレクトリ（root directory）

　最も上位に位置するディレクトリであり、1個のみが存在します。ただし、MS-Windows では各ドライブごとにルートディレクトリが1個ずつ存在します。

　UNIX では、ルートディレクトリを **/** で表し、日本語版の MS-Windows では **¥** で表します。

▪サブディレクトリ（sub directory）

　階層的なディレクトリ構造において、下位に位置する（すなわち、あるディレクトリの中に含まれる）ディレクトリです。**子ディレクトリ**とも呼ばれます。

▪スーパーディレクトリ（super directory）

　階層的なディレクトリ構造において、上位に位置する（すなわち、あるディレクトリを含んでいる）ディレクトリです。**親ディレクトリ**とも呼ばれます。

　ルートディレクトリ以外のディレクトリは、必ず1個の親ディレクトリをもちます（複数の親をもつことはありません）。

▪ホームディレクトリ（home directory）

　各ユーザに対して与えられている専用のディレクトリです。通常は、他のユーザからはアクセスできないような仕組みがとられています。

▪ワーキングディレクトリ（working directory）

　現在作業を行っているディレクトリです。**カレントディレクトリ**（current directory）、あるいは、**カレントワーキングディレクトリ**（current working directory）とも呼ばれます。

　多くの OS では、ログインした直後は、ホームディレクトリがカレントディレクトリとなります（すなわち、ホームディレクトリが作業場所となります）。

　なお、カレントディレクトリは、OS のコマンドなどで自由に移動できるようになっています。

※ ちなみに、current は『現在の』という意味で、working は『作業中の』という意味です。

任意のファイルやディレクトリの位置を表すのがパス（path）です。次の二つの表し方があります。

▪ 絶対パス（absolute path）

ルートディレクトリからの全経路で表します。カレントディレクトリとは無関係に決定します。

▪ 相対パス（relative path）

特定のディレクトリ（通常はカレントディレクトリ）からの経路で表します。

パスの表現では、次の記号を利用します。

- `..` 親ディレクトリを表す。
- `.` そのディレクトリ自身を表す。
- `~` ホームディレクトリを表す。
- `/` パス表現の先頭にある場合はルートディレクトリを表し、中間にある場合は、ディレクトリ名またはファイル名の区切りを表す（日本語版の MS–Windows では ￥ を用います）。

Fig.13C-1 に示す図で確認しましょう。

▪ 絶対パス

先頭は必ず **/** です。表すべきファイルあるいはディレクトリまでのディレクトリを **/** で区切ります。

ファイル **F1**	/D1/D2/F1
ファイル **F3**	/D1/F3
ファイル **F4**	/F4
ディレクトリ **D3**	/D1/D3

※ MS–Windows であれば、先頭に **C:** などのドライブ番号とコロンが付きます。

▪ 相対パス

先頭が **/** となることはありません。兄弟（同一フォルダ内のファイルやディレクトリ）に行くには、いったん親にのぼって、再び下ります。

▪ カレントディレクトリが **D2** のとき

ファイル **F1**	F1
ファイル **F3**	../F3
ファイル **F4**	../../F4
ディレクトリ **D3**	../D3

▪ カレントディレクトリが **D1** のとき

ファイル **F1**	D2/F1
ファイル **F3**	F3
ファイル **F4**	../F4
ディレクトリ **D3**	D3

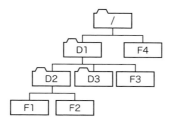

Fig.13C-1 ファイルとディレクトリの構成例

13-2 バイナリファイル

> 人間が読み書きする文字の並びとして表現できないデータを保存するのが、バイナリファイルです。本節では、バイナリファイルの読み書きを学習します。

テキストファイルとバイナリファイル

　前節では、文字の並びであるテキストファイルの読み書きを中心に、ファイル処理を学習しました。画像や音声を格納したファイルや、実行ファイルなどは、文字の並びとしての読み書きはできません。このようなファイルは、バイナリファイル（binary file）と呼ばれます。

　まずは、**List 13-7** のプログラムでバイナリファイルを作成します。

List 13-7　　　　　　　　　　　　　　　　　　　　　　　　　　　　chap13/list1307.py

```
# バイナリファイルに0x00〜0xffを書き込む

with open('binfile.bin', 'bw') as f:      # バイナリの書込みモード
    f.write(bytes(range(0, 256)))
```

13
ファイル処理

　ファイル `'binfile.bin'` を、"**b** のバイナリ" かつ "**w** の書込み" モードでオープンします。

　オープンに成功すると、256 個の整数値 0 〜 255 を並べた**バイト列**を生成して、**write** メソッドで書き込みます。0 から 255 までの整数値は、8 桁の 2 進数で 00000000 〜 11111111 であり、2 桁の 16 進数で 00 〜 ff です。すなわち、1 バイトで表現できるすべての値です。

> ▶ オープン時にファイルが存在する場合は、既存の内容が切り捨てられます。なお、バイト列については、7–3 節で学習しました。

　このファイルの中身を覗いたのが、**Fig.13-3** です。きちんと書き込めています。

> ▶ この図は、**List 13-10**（p.370）の実行によって得られます。

```
00000000 00 01 02 03 04 05 06 07 08 09 0a 0b 0c 0d 0e 0f  ................
00000010 10 11 12 13 14 15 16 17 18 19 1a 1b 1c 1d 1e 1f  ................
00000020 20 21 22 23 24 25 26 27 28 29 2a 2b 2c 2d 2e 2f   !"#$%&'()*+,-./
00000030 30 31 32 33 34 35 36 37 38 39 3a 3b 3c 3d 3e 3f  0123456789:;<=>?
00000040 40 41 42 43 44 45 46 47 48 49 4a 4b 4c 4d 4e 4f  @ABCDEFGHIJKLMNO
00000050 50 51 52 53 54 55 56 57 58 59 5a 5b 5c 5d 5e 5f  PQRSTUVWXYZ[\]^_
00000060 60 61 62 63 64 65 66 67 68 69 6a 6b 6c 6d 6e 6f  `abcdefghijklmno
00000070 70 71 72 73 74 75 76 77 78 79 7a 7b 7c 7d 7e 7f  pqrstuvwxyz{|}~.
00000080 80 81 82 83 84 85 86 87 88 89 8a 8b 8c 8d 8e 8f  ................
00000090 90 91 92 93 94 95 96 97 98 99 9a 9b 9c 9d 9e 9f  ................
000000a0 a0 a1 a2 a3 a4 a5 a6 a7 a8 a9 aa ab ac ad ae af  ................
000000b0 b0 b1 b2 b3 b4 b5 b6 b7 b8 b9 ba bb bc bd be bf  ................
000000c0 c0 c1 c2 c3 c4 c5 c6 c7 c8 c9 ca cb cc cd ce cf  ................
000000d0 d0 d1 d2 d3 d4 d5 d6 d7 d8 d9 da db dc dd de df  ................
000000e0 e0 e1 e2 e3 e4 e5 e6 e7 e8 e9 ea eb ec ed ee ef  ................
000000f0 f0 f1 f2 f3 f4 f5 f6 f7 f8 f9 fa fb fc fd fe ff  ................
```

Fig.13-3　List 13-7 で作成したバイナリファイルの中身

　次は、作成したバイナリファイルからの読込みを行います。それが、**List 13-8** のプログラム
です。

List 13-8　　　　　　　　　　　　　　　　　　　　　　　　　　chap13/list1308.py

```
# バイナリファイルから読み込む

with open('binfile.bin', 'br') as f:
    bin = f.read()                    # すべてを読み込む
    for c in bin:
        print(int(c))
```

実行結果
Ø
1
… 中略 …
254
255

　ファイル 'binfile.bin' を、"**b** のバイナリ" かつ "**r** の読込み" モードでオープンします。

　オープン後は、まず **read** メソッドを利用して、ファイルの中身をすべて読み込みます。変数
bin は、バイト列型となって、先頭から順に 10 進数での 0 ～ 255 が入ります。

　for 文では、それを 1 個ずつ取り出して、**int** 型に変換した上で表示します。

Column 13-4　　**ファイルと入出力の内部**

　テキストファイルとバイナリファイルの読み書きは、それぞれテキスト入出力（text I/O）とバイナリ
入出力（binary I/O）で行われます。

　すなわち、テキスト／バイナリといった、ファイルの種類によって、それを扱うクラスが変わるという
ことです。

　これまでのプログラムの変数 *f* の型を調べて出力する（すなわち **print(type(f))** を実行する）と、
次のように表示されます。

　　`<class '_io.TextIOWrapper'>`　　　　テキストファイル（前節のプログラム）
　　`<class '_io.BufferedWriter'>`　　　　バイナリファイルの書込み（**List 13-7**）
　　`<class '_io.BufferedReader'>`　　　　バイナリファイルの読込み（**List 13-8**）

　同じ関数 **open** が返却した、同じ名前の変数 *f* であるものの、テキストファイルでの *f* と、バイナリファ
イルでの *f* は、まったくの別物です（なお、バイナリを読み書きするための `'r+b'` や `'w+b'` でオープン
すると、`BufferedRandom` となります）。

　テキスト入出力を担当するクラス、バイナリファイル入出力を担当するクラス、また、それぞれに含ま
れる各種のメソッドが、ファイルの種類に応じた処理を行う仕組みです。

　異なる種類のファイルを、それほど意識せずに同じように扱えるのは、上記のクラスが共通のクラス
から派生しているからです。

　もちろん、テキスト入出力の **write** と、バイナリ入出力の **write** は、異なる働きをします。なお、
バイナリ入出力専用のメソッドとして、**read1** メソッドなどが提供されます。

　　　　　　　　　　　　　　　　　　　　　＊

　バイナリファイルのオープン時に、キーワード引数 **buffering** に 0 を指定すると、ファイルは生ファイ
ル（raw file）となり、生入出力（raw I/O）が行われます（テキスト入出力やバイナリ入出力よりも低
水準の入出力であるため、一般的には、プログラマが直接扱うことはありません）。

　この入出力を表すクラスは、`FileIO` です。

　※ `TextIOWrapper`、`Buffered` 系クラス、`FileIO` クラスは、すべて `io` パッケージに所属します。

ストリーム位置とシーク

ファイルに対して読み書きしている場所は、**ストリーム位置**（stream position）と呼ばれます。

ファイルをオープンすると、ストリーム位置はファイルの先頭に設定されます（ただし追記モードでは末尾です）。ファイルに対する入出力を行うと、読み書きしたバイト数分だけ、ストリーム位置が末尾側へと移動していきます。

ストリーム位置を取得・設定するのが、次に示す **tell** メソッドと **seek** メソッドです。

`f.tell()` 現在のストリーム位置を調べる

tell メソッドは、現在のストリーム位置を返却します。

`f.seek(offset[, whence])` ストリーム位置を変更する

指定された **offset** バイトにストリーム位置を変更します（このことは "シークする" といいます）。**offset** は **whence** で指定された位置からの相対的な位置として解釈されます。**whence** に指定するのは、次の値であり、省略した場合のデフォルト値は **SEEK_SET** です。

SEEK_SET または **0**：ストリームの先頭。**offset** は **0** 以上の値でなければなりません。

SEEK_CUR または **1**：現在のストリーム位置。**offset** は負の値も可能です。

SEEK_END または **2**：ストリームの末尾。**offset** には負の値を指定します。

返却するのは、変更後のストリーム位置です。

▶ ここに示したのは、バイナリファイルのメソッドの仕様です。テキストファイル用の **tell** メソッドは、不定値を返却します。また、**seek** メソッドは機能が制限されています。

seek メソッドを利用すると、読み書きを**ファイル上の任意の位置**に対して行えます。

さきほど作成したファイル **'binfile.bin'** の "任意の位置のバイト" を読み込んで表示しましょう。それを行うのが、**List 13-9** のプログラムです。

List 13-9 chap13/list1309.py

```python
# バイナリファイルの任意の位置の文字を読み込む

with open('binfile.bin', 'br') as f:
    while True:
        pos = int(input('位置：'))
        f.seek(pos)
        c = f.read(1)
        print(c[0])

        retry = input('もう一度[Y/N]：')
        if retry in {'N', 'n'}:
            break
```

```
実行例
位置：5 ⏎
5
もう一度[Y/N]：Y ⏎
位置：128 ⏎
128
もう一度[Y/N]：N ⏎
```

ファイル **'binfile.bin'** を、"**b** のバイナリ" かつ "**r** の読込み" モードでオープンします。

キーボードから読み込んだ値で指定された **pos** バイトの位置にシークした後に、1 バイトだけ読み込んで、その値を表示します。

▶ 本プログラムは、ファイルからの読込みのみを行います。任意の位置の読み書きを行うプログラムは、章末の『まとめ』にあります（**'chap13/gist2.py'**）。

Column 13-5 | **os モジュールによるパスの操作**

　ファイルの削除や、ファイルの存在の確認などのファイルそのものの操作のための関数は、os モジュールで提供されます。Table 13C-1 に示すのが、主要な関数の一覧です。

Table 13C-1　パスを操作する主要な関数（すべて os モジュール）

`chdir(path)`	ワーキング（カレント）ディレクトリを path に変更する
`getcwd()`	ワーキング（カレント）ディレクトリを取得する
`listdir(path)`	path に含まれる一覧を取得する
`makedirs(name)`	再帰的にディレクトリ name を作成する（必要となる中間ディレクトリも作成する）
`mkdir(path)`	ディレクトリ path を作成する
`remove(path)`	ファイル path を削除する
`removedirs(name)`	再帰的にディレクトリ name を削除する
`rename(src, dst)`	ファイル／ディレクトリ名を src から dst に変更する
`rmdir(path)`	ディレクトリ path を削除する
`walk(path)`	path を頂点とするディレクトリツリー内の全ファイル名を取得する
`path.basename(path)`	パス path のファイル名部分を取得する
`path.dirname(path)`	パス path のディレクトリ名を取得する
`path.exists(path)`	パス path が存在するかどうかを判定する
`path.getatime(path)`	パス path のアクセス日時を取得する
`path.getmtime(path)`	パス path の最終変更日時を取得する
`path.getsize(path)`	パス path のファイルサイズをバイト数で取得する
`path.isabs(path)`	パス path が絶対パスであるかどうかを判定する
`path.isdir(path)`	パス path がディレクトリであるかどうかを判定する
`path.isfile(path)`	パス path がファイルであるかどうかを判定する
`path.join(path, *paths)`	1 個以上の要素を連結してパスにする
`path.samefile(path1, path2)`	二つのパスが同一のファイル／ディレクトリを参照しているかどうかを判定する
`path.split(path)`	パス path をベースと末尾（パスの最後の要素）に分割する
`path.splitext(path)`	パス path をベースとファイル拡張子に分割する

　注：この表に示すのは概要のみです。返却値や省略可能な引数などの解説は省略しています。

　なお、os モジュール以外にも、次のようなモジュールが提供されます。

`filecmp` モジュール	ファイルやディレクトリの比較
`fnmatch` モジュール	UNIX 形式のファイル名のパターン照合
`glob` モジュール	UNIX 形式のパス名のパターン展開
`pathlib` モジュール	オブジェクト指向のファイルパス
`shutil` モジュール	高水準のファイル操作
`tempfile` モジュール	一時ファイルやディレクトリの作成

13-2

バイナリファイル

■ ファイルのダンプ

　バイナリモードで書き出したファイルは、テキストエディタなどでは中身の確認を行えません。
そこで、ファイルの中身を文字コードで表示するプログラムを作ることにしましょう。
　List 13-10 に示すのが、そのプログラムです。

List 13-10　　　　　　　　　　　　　　　　　　　　　　　　　chap13/list1310.py

```python
# ファイルをダンプ（ファイルの中身をコードと文字とで表示）

import string

def is_print(ch: str) -> bool:
    """文字chは印字可能文字であるか？"""
    return (ch == ' ' or ch in string.digits or ch in string.ascii_letters
                      or ch in string.punctuation)

fname = input('ファイル名：')

with open(fname, 'rb') as f:
    count = 0    # アドレス（先頭から何バイト目か）
    while True:
        buf = f.read(16)                                          ←1
        n = len(buf)
        if n == 0:                                                ←2
            break
        print(f'{count:08x}', end=' ')        # アドレス            ←3
        for i in range(n):                    # 文字コード
            print(f'{buf[i]:02x}', end=' ')
        if n < 16:
            print('   ' * (16 - n), end='')
        for i in buf:                         # 文字                ←4
            ch = chr(i)
            print(f'{ch if is_print(ch) else "."}', end='')
        print()
        if n < 16:
            break
        count += 16
```

　本プログラムは、ファイルをオープンして、格納されている内容すべてを先頭から１文字ずつ、
16 進数の文字コードと、文字の両方で表示します。
　このように、ファイルやメモリの内容を一気に書き出す（表示する）処理は、一般にダンプ
（dump）と呼ばれます。

　▶　ダンプカーが一度に荷を下ろすさまにたとえた用語です。

　関数 **is_print** は、引数で受け取った文字が**印字可能文字**（画面やプリンタなどに、目に見
える文字として出力できる文字）であるかどうかを判定する関数です。空白、数字文字、アス
キー文字、区切り文字のいずれかであれば真を返却します。

　▶　この関数では、*ch* が、スペース' 'であるか、または、**string.digits** と **string.ascii_letters**
と **string.punctuation** のいずれかに含まれるかどうかを判定しています。**string** モジュールで提供
される各文字列については、**Column 6-3**（p.147）で学習しました。

プログラムのメイン部では、ファイルを "**b** のバイナリ" かつ "**r** の読込み" モードでオープンし、アドレス（ファイルの先頭から何バイト目であるか）を記憶する変数 *count* を **0** にします。

while 文のループ本体の主要部を理解していきましょう。まず、1 行分の 16 文字を読み込み、読み込んだ文字数を *n* に代入します（**1**）。

n が **0** であれば、ファイルの終端に達していますので、**break** 文によって **while** 文を中断・終了します（**2**）。*n* が正であれば、まず現在の位置を表示して（**3**）、それから *n* 文字分の、各文字の 16 進数の文字コードと各文字を表示します（**4**）。なお、最終行に限り、*n* の値が 16 未満である可能性があることに注意しましょう。

▶ 各文字の表示では、関数 *is_print* によって表示できないと判断された場合は、文字の代わりにピリオド **.** を表示します。

本プログラムを実行して、**List 13-10** のスクリプトプログラムの中身をダンプした結果を **Fig.13-4** に示します。

▶ 実行例は一例であり、実行環境における文字コードなどに依存します。なお、この実行結果は、テキストファイルをバイナリモードでオープンして読み込んでいます。

```
ファイル名：list1310.py⏎
00000000 23 20 e3 83 95 e3 82 a1 e3 82 a4 e3 83 ab e3 82  # ..............
00000010 92 e3 83 80 e3 83 b3 e3 83 97 ef bc 88 e3 83 95  ...............
00000020 e3 82 a1 e3 82 a4 e3 83 ab e3 81 ae e4 b8 ad e8  ................
00000030 ba ab e3 82 92 e3 82 b3 e3 83 bc e3 83 89 e3 81  ................
00000040 a8 e6 96 87 e5 ad 97 e3 81 a8 e3 81 a7 e8 a1 a8  ................
00000050 e7 a4 ba ef bc 89 0d 0a 0d 0a 69 6d 70 6f 72 74  ..........import
00000060 20 73 74 72 69 6e 67 0d 0a 0d 0a 64 65 66 20 69   string....def i
00000070 73 5f 70 72 69 6e 74 28 63 68 3a 20 73 74 72 29  s_print(ch: str)
00000080 20 2d 3e 20 62 6f 6f 6c 3a 0d 0a 20 20 20 20 22   -> bool:..    "
00000090 22 22 e6 96 87 e5 ad 97 63 68 e3 81 af e5 8d b0  """......ch......
000000a0 e5 ad 97 e5 8f af e8 83 bd e6 96 87 e5 ad 97 e3  ................
000000b0 81 a7 e3 81 82 e3 82 8b e3 81 8b ef bc 9f 22 22  ..............""
000000c0 22 0d 0a 20 20 20 20 72 65 74 75 72 6e 20 28 63  "..    return (c
000000d0 68 20 3d 3d 20 27 20 27 20 6f 72 20 63 68 20 69  h == ' ' or ch i
000000e0 6e 20 73 74 72 69 6e 67 2e 64 69 67 69 74 73 20  n string.digits 
000000f0 6f 72 20 63 68 20 69 6e 20 73 74 72 69 6e 67 2e  or ch in string.
00000100 61 73 63 69 69 5f 6c 65 74 74 65 72 73 0d 0a 20  ascii_letters.. 
00000110 20 20 20 20 20 20 20 20 20 20 20 20 20 20 20 20                  
00000120 20 20 20 6f 72 20 63 68 20 69 6e 20 73 74 74        or ch in stt
00000130 72 69 6e 67 2e 70 75 6e 63 74 75 61 74 69 6e  ring.punctuation
00000140 29 0d 0a 0d 0a 66 6e 61 6d 65 20 3d 20 69 6e 70  )....fname = inp
00000150 75 74 28 27 e3 83 95 e3 82 a1 e3 82 a4 e3 83 ab  ut('............
00000160 e5 90 8d ef bc 9a 27 29 0d 0a 0d 0a 77 69 74 68  ......')....with
00000170 20 6f 70 65 6e 28 66 6e 61 6d 65 2c 20 27 72 62   open(fname, 'rb
00000180 27 29 20 61 73 20 66 3a 0d 0a 20 20 20 20 63 6f  ') as f:..    co
00000190 75 6e 74 20 3d 20 30 20 20 20 20 23 20 e3 82 a2  unt = 0    # ...
000001a0 e3 83 89 e3 83 ac e3 82 b9 ef bc 88 e5 85 88 e9  ................
000001b0 a0 ad e3 81 8b e3 82 89 e4 bd 95 e3 83 90 e3 82  ................
                        … 中略 …
000003b0 27 27 29 0d 0a 20 20 20 20 20 20 20 20 70 72 69  '')..        pri
000003c0 6e 74 28 29 0d 0a 20 20 20 20 20 20 20 69 66  nt()..        if
000003d0 20 6e 20 3c 20 31 36 3a 0d 0a 20 20 20 20 20 20   n < 16:..      
000003e0 20 20 20 20 20 20 62 72 65 61 6b 0d 0a 20 20 20        break..   
000003f0 20 20 20 20 63 6f 75 6e 74 20 2b 3d 20 31 36       count += 16
00000400 0d 0a
```

┗ 文字コード（16 進数）　　　　　　　　　　┗ 文字

Fig.13-4 List 13-10 の実行例

| Column 13-6 | pickle モジュールによるオブジェクトの保存と復元 |

List 13C-1 のプログラムを実行しましょう。

初めて実行したときは、『本プログラムを実行するのは初めてですね。』と表示され、2回目以降の実行では、前回の日付と時刻が表示されます。

List 13C-1　　　　　　　　　　　　　　　　　　　chap13/list13c01.py

```
# 前回実行時の日付と時刻を表示

import os.path
import pickle
import datetime

CONFIG_FILE = 'config.dat'

previous = None

if os.path.exists(CONFIG_FILE):
    with open(CONFIG_FILE, 'rb') as f:
        previous = pickle.load(f)
        print(f'前回：{previous}')
        pass
else:
    print('本プログラムを実行するのは初めてですね。')

# いろいろな処理

current = datetime.datetime.now()

with open(CONFIG_FILE, 'wb') as f:
    pickle.dump(current, f)
```

• 初回の実行結果

実行結果

本プログラムを実行するのは初めてですね。

• 2回目以降の実行の一例

実行例

前回：2031-11-18 15:13:27.741089

本プログラムでは、'config.dat' という名前のファイルを読み書きしています。これは、前回のプログラム実行終了時の日付・時刻を格納するためのファイルです。

プログラムの流れを大まかに理解しましょう。

プログラムの冒頭では、ファイル 'config.dat' が存在するかどうかをチェックしています。その判定のために利用しているのが、os.path.exists 関数（**Table 13C-1**：p.369）です。
判定結果に応じて、次のように選択的に実行します。

▪ ファイルが存在しない場合

ファイルが存在しなければ、『本プログラムを実行するのは初めてですね。』と表示します。

▪ ファイルが存在する場合

ファイル 'config.dat' をオープンします。そして、前回書き込んだ日付・時刻をファイルから読み込んで表示します。

なお、いずれの場合も、プログラムの実行終了時に、現在（プログラム実行時）の日付・時刻をファイル 'config.dat' に書き込みます。

本プログラムで利用している datetime モジュールと pickle モジュールを理解していきましょう。

▪ datetime モジュール

datetime モジュールは、日付と時刻に関するデータを扱うクラス群を提供するモジュールです。

提供されるのは、日付を表す date、時刻を表す time、日付と時刻を組み合わせた datetime などのクラスです。

本プログラムでは、現在の日付・時刻の取得を datetime.datetime.now() で行っています（now は、モジュール datetime に所属するクラス datetime に所属するクラスメソッドです）。

▪ pickle モジュール

日付・時刻の情報をファイルに読み書きするために利用しているのが、pickle モジュールです。そもそも pickle は、『漬ける』『漬物』という意味です（食べ物の『ピクルス（pickles）』は、pickle の複数形です）。

オブジェクトをピクルス（漬物）に変換してファイルに保存します。ファイルからピクルスを読み込んで、それをもとに戻せば、オリジナルのオブジェクトが復元できる、という仕組みが利用できます。

なお、Python のオブジェクトをバイトストリームに変換する処理はピクル化と呼ばれ、その逆の処理は反ピクル化と呼ばれます。

なお、一般には（他の言語では）、ピクル化に相当するものは直列化（serialization）と呼ばれます。

ピクル化と反ピクル化は、次のように行います。

▪ dump 関数によるピクル化とファイルへの書込み

dump(obj, file) と呼び出すことで、オブジェクト obj をピクル化した上で、ファイルオブジェクト file に書き込みます。

なお、ピクル化できるのは、次のオブジェクトです。

> None、True、False
> 整数、浮動小数点数、複素数
> 文字列、バイト列、バイト配列
> ピクル化可能なオブジェクトで構成されるタプル、リスト、集合、辞書
> モジュールのトップレベルで、def によって定義された関数（ラムダ式は対象外）
> モジュールのトップレベルで定義された組込み関数
> モジュールのトップレベルで定義されたクラス
> __dict__ 属性をもつクラス、あるいは __getstate__ メソッドの返却値がピクル化可能なクラス

ピクル化には、バージョン 0 から 4 までの 5 種類のプロトコルがあります（本書執筆時点）。dump 関数の呼出し時に protocol 引数に与えると、明示的な指定が可能です。

本プログラムでは、プログラム終了時に、現在の日付・時刻を格納しているオブジェクト current をピクル化してファイルに書き込んでいます。

▪ load 関数によるファイルからの読込みと反ピクル化

load(file) と呼び出すと、ファイルオブジェクト file から読み込んだ上で反ピクル化したオブジェクトが返却されます。

本プログラムでは、ファイルから読み込んで反ピクル化したものを、オブジェクト previous に格納した上で、前回実行時の日付・時刻として表示しています。

まとめ

● ファイルのオープンは、組込みの open 関数で行う。オープンするファイルのパスや、モードなどを引数として与える。

● ファイルをオープンする際のモードの指定は、open 関数に与えるキーワード引数 mode によって行う。省略時は「r の読込み」かつ「t のテキスト」となる。

`'r'`	読込み用。 ※既定
`'w'`	書込み用。存在する場合は既存の内容を切り捨てる。
`'x'`	排他的な生成。存在する場合は失敗する。
`'a'`	書込み用。存在する場合は末尾に追記する。
`'t'`	テキストモード。 ※既定
`'b'`	バイナリモード。
`'+'`	更新用に開く（読込み／書込み）。

● ファイルのオープンに成功した open 関数は、ファイルオブジェクトを返却する。ファイルに対する各種の操作は、ファイルオブジェクトを通じて行う。

● ファイルオブジェクトの型は、オープン時のモードに依存し、`TextIOWrapper`、`BufferedWriter`、`BufferedReader`、`BufferedRandom`、`FileIO` などになる。

● ファイルを使い終わった後のクローズは、`close` メソッドで行う。

● 開始処理と終了処理を有するオブジェクトを取り扱う with 文を使うと、ファイルのオープンおよびクローズ処理が簡潔に行えるとともに、例外処理を導入することなく資源の確保と解放が確実に行える。

● テキストファイルの読み書きは、文字列として行う。エンコーディングや改行文字に留意する必要がある。

● バイナリファイルへの読み書きは、バイト列として行う。

● ファイルからの読込みを行うメソッドとして、`read` メソッド、`readline` メソッド、`readlines` メソッドがある。

● ファイルへの書込みを行うメソッドとして `write` メソッド、`writelines` メソッドがある。

```
chap13/gist1.py
# 第13章 まとめ（その1：自身のファイルの内容を行番号付きで表示）

with open('gist1.py', 'r', encoding='utf8') as f:
    for i, line in enumerate(f, 1):
        print(f'{i:04} {line}', end='')
```

実行結果
```
0001 # 第13章 まとめ（その1：自身のファイルの内容を行番号付きで表示）
0002
0003 with open('gist1.py', 'r', encoding='utf8') as f:
0004     for i, line in enumerate(f, 1):
0005         print(f'{i:04} {line}', end='')
```

13 ファイル処理

- `print` 関数のキーワード引数 `file` にファイルオブジェクトを指定すれば、ファイルへの書込みが行える。

- ファイルに対して読み書きしている位置であるストリーム位置は、`tell` メソッドで取得でき、`seek` メソッドで変更できる。これらのメソッドは、原則としてバイナリファイルに適用する。

- パスを操作するための基本的な関数は、`os` モジュールで提供される。パス（ファイルやディレクトリ）が存在するかどうかの判定は、`os.path.exists` 関数で行える。

- 日付と時刻に関するデータを扱うためのクラスは、`datetime` モジュールで提供される。現在の日付・時刻の取得は、`datetime.datetime.now` メソッドで行える。

- **ピクル化**と**反ピクル化**を行うための関数は、`pickle` モジュールで提供される。

- オブジェクトをピクル化してファイルに書き込んで保存するには、`pickle.dump` 関数を利用する。ファイルから `pickle.load` 関数を使って読み込んで反ピクル化すれば、オブジェクトが復元できる。

13 まとめ

```python
# 第13章 まとめ（その２）                                    chap13/gist2.py
# List 13-7で作ったバイナリファイルの任意の位置の文字を読み書き

with open('binfile.bin', 'br+') as f:
    while True:
        pos = int(input('位置：'))
        f.seek(pos)
        c = f.read(1)
        print(c[0])

        retry = input('値の変更[Y/N]：')
        if retry in {'Y', 'y'}:
            value = int(input('０〜255の値：'))
            if 0 <= value <= 255:
                f.seek(pos)
                f.write(bytes([value]))
            else:
                print('不正な値です。')

        retry = input('もう一度[Y/N]：')
        if retry in {'N', 'n'}:
            break
```

実行例
```
位置：7⏎
7
値の変更[Y/N]：Y⏎
０〜255の値：300⏎
不正な値です。
もう一度[Y/N]：Y⏎
位置：7⏎
7
値の変更[Y/N]：Y⏎
０〜255の値：123⏎
もう一度[Y/N]：N⏎
```

整数 ➡ リスト ➡ バイト列
例 123 ➡ [123] ➡ b'{'

```
List 13-10 の実行例
ファイル名：binfile.bin⏎
00000000 00 01 02 03 04 05 06 7b 08 09 0a 0b 0c 0d 0e 0f .......{........
00000010 10 11 12 13 14 15 16 17 18 19 1a 1b 1c 1d 1e 1f ................
00000020 20 21 22 23 24 25 26 27 28 29 2a 2b 2c 2d 2e 2f  !"#$%&'()*+,-./
00000030 30 31 32 33 34 35 36 37 38 39 3a 3b 3c 3d 3e 3f 0123456789:;<=>?
00000040 40 41 42 43 44 45 46 47 48 49 4a 4b 4c 4d 4e 4f @ABCDEFGHIJKLMNO
00000050 50 51 52 53 54 55 56 57 58 59 5a 5b 5c 5d 5e 5f PQRSTUVWXYZ[\]^_
00000060 60 61 62 63 64 65 66 67 68 69 6a 6b 6c 6d 6e 6f `abcdefghijklmno
00000070 70 71 72 73 74 75 76 77 78 79 7a 7b 7c 7d 7e 7f pqrstuvwxyz{|}~.
… 以下省略 …
```

付録

インストールと実行

A–1 Python のインストール

Python の学習をするには、コンピュータに Python をインストールする必要があります。ここでは、Microsoft Windows 11 を例に、各種の手順を説明します。

Python のダウンロード

まず最初に行うのは、Python のダウンロードです。

▶ 32 ビット版と 64 ビット版が提供されていることに注意しましょう。

もしお使いの Microsoft Windows（以下、単に Windows と呼びます）が 32 ビット版であれば、32 ビット版の Python のみがインストール可能です。

一方、Windows が 64 ビット版であれば、32 ビット版／ 64 ビット版のいずれの Python もインストール可能ですが、64 ビット版をインストールするのが基本です。

それでは、下記のホームページにアクセスしましょう。

Python ソフトウェア財団（Python Software Foundation）
```
https://www.python.org/
```

Fig.A-1 に示す図は、■『Downloads』にマウスカーソルをのせた後で表示されるメニューの■『Windows』にマウスカーソルをのせた状態です。

右側の■『Python 3.11.4』のボタンをクリックすると、ダウンロードが開始します。

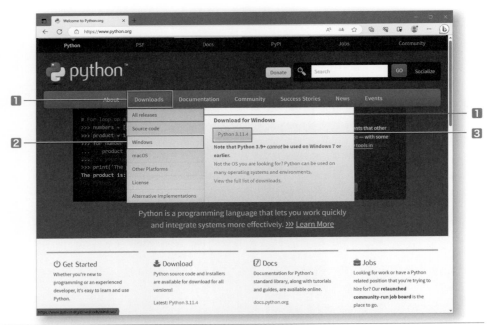

Fig.A-1 Python のダウンロード（その1）

　他のバージョンの Python が必要であれば、**1**『All releases』をクリックして、**Fig.A-2 a**
の**2**『Windows』をクリックします。図**b**のページに移動して各バージョンが表示されますので、
目的とするバージョンの**4**『Windows installer(64bit)』をクリックして、ダウンロードを行い
ます。

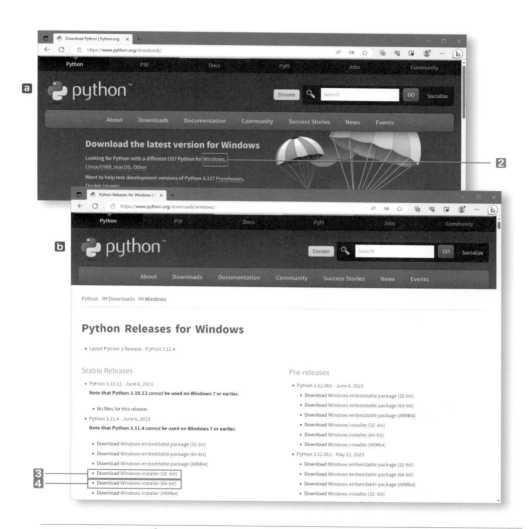

Fig.A-2　Python のダウンロード（その2）

　なお、**3**『Windows installer(32bit)』をクリックすると、32 ビット版 Python がダウンロー
ドできます。

　▶　ここで紹介したのは、本書執筆時点でのものです。バージョンアップなどに伴って、サイトの画面
　　　や構成などが変更される可能性があります。

Python のインストール

ダウンロードしたファイル名は、次のとおりです。

- 32 ビット版 Python のインストーラ：`python-3.11.4.exe`
- 64 ビット版 Python のインストーラ：`python-3.11.4-amd64.exe`

ダウンロードしたファイルを実行します。**Fig.A-3** の画面が表示されます。

▶ この図は、64 ビット版インストーラの実行画面です。

Fig.A-3 Python のインストール（その１）

まず**1**『Add python.exe to PATH』にチェックを入れ、それから**2**『Install Now』をクリックします。なお、インストール先のディレクトリの変更やインストールする機能の取捨選択などが必要であれば、『**Customize installation**』を選択します。

▶ コマンド（アプリ／ソフトウェア）を単純にインストールするだけだと、そのコマンドを（コマンド名だけで）実行することはできません。コマンドの実行が指示されたときは、"`PATH`" という名前の環境変数に登録されているディレクトリのみからコマンドの探索が行われ、そこで見つかったら実行する、という仕組みとなっているからです（コマンドを実行するたびに、コンピュータのすべてのディスクのすべてのディレクトリを探索するのは現実的ではないからです）。

『Add python.exe to PATH』をチェックしてインストールすると、Python がインストールされるディレクトリが環境変数 `PATH` に登録されます。そのため、PowerShell などから「`python` コマンド」を実行した際に、Windows が自動的にディレクトリを見つけて起動できるようになります（このように、環境変数 `PATH` に、アプリケーションやコマンドのパスを登録することを "**パスを通す**" といいます）。

このオプションをチェックせずにインストールすると、コマンド起動するたびに、Python がインストールされているディレクトリの指定などが必要になり、不便です。

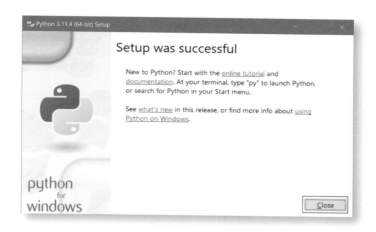

Fig.A-4 Python のインストール（その2）

インストールが完了すると **Fig.A-4** の画面が表示されますので、『Close』をクリックします。

それでは、Windows のスタートメニューに、Python 関連のメニューが登録されていることを確認しましょう（**Fig.A-5**）。

▶ スタートメニューを開いて『すべてのアプリ』をクリックします。

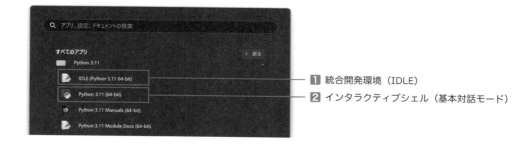

1 統合開発環境（IDLE）
2 インタラクティブシェル（基本対話モード）

Fig.A-5 スタートメニューに表示される Python

四つのメニューが登録されています。

1：IDLE（integrated development environment）と呼ばれる統合開発環境。
2：基本対話モードとも呼ばれるインタラクティブシェル。

▶ 残りの二つは、マニュアルとドキュメントです。

A–2 プログラムの実行

　Python のインストールが終了しました。次は、Python のプログラムを実行する方法に進みます。実行する方法は三つです。

プログラムの実行方法

Python のプログラムを実行する方法としては、主として3種類があります。

インタラクティブシェル（基本対話モード）

プログラムを1行ずつ実行します。第 1 章では、この方法のみを使います。

統合開発環境での実行

IDLE と呼ばれる統合開発環境ツールを使って実行します。

python コマンドによる実行

python コマンドに対して、保存ずみのプログラムを与えて、実行します。

A
インストールと実行

インタラクティブシェル（基本対話モード）

　前ページ **Fig.A-5** の **2**『Python 3.11（64–bit）』をクリックすると、基本対話モードとも呼ばれるインタラクティブシェルが起動します（**Fig.A-6**）。

Fig.A-6　インタラクティブシェル（基本対話モード）

インタラクティブシェル自体の使い方は、第1章で詳しく学習しますので、ここではカスタマイズの方法を学習しましょう。

左上のアイコンをクリックするとシステムメニューが開きます（**Fig.A-7**）ので、『プロパティ（P）』をクリックしましょう。

▶ [Alt] キーを押しながらスペースキーを押すことでも、システムメニューの表示は行えます。

Fig.A-7　インタラクティブシェルのシステムメニュー

そうすると、『プロパティ』のダイアログが表示されます（**Fig.A-8**）。

この画面では、カーソルサイズ、フォント（書体やサイズ）、ウィンドウのサイズ、画面の色（文字色や背景色）などを細かく設定できます。好みにあわせて設定します。

▶ システムメニューやプロパティは、Python 側で提供されるものではなく、Windows のシステム側で行う設定です。

Fig.A-8　インタラクティブシェルのプロパティ

統合開発環境（IDLE）

次は、統合開発環境である IDLE（Integrated DeveLopment Environment）です。

Fig.A-5（p.381）のメニュー **1**『IDLE（Python 3.11 64–bit）』をクリックすると、起動します（**Fig.A-9**）。

Fig.A-9　統合開発環境（IDLE）

基本対話モードとは異なり、『File』、『Edit』など、いろいろなメニューが用意されています。

▶　『Options』メニューから『Configure IDLE』を選ぶと、フォントや色分けなど、数多くの項目がカスタマイズできるようになっています。好みにあわせて設定しましょう。

プログラムの作成と編集

『File』メニューから『New File』を選ぶと、編集用のウィンドウが別に表示されます。なお、保存ずみのプログラムを編集する場合は、『File』メニューから『Open...』を選びます（『開く』ダイアログが表示されますので、目的とするファイルを選びます）。

新規に打ち込んだ場合は、『File』メニューから『Save』あるいは『Save As...』を選びます。『名前を付けて保存』ダイアログが表示されますので、目的とするディレクトリに適切な名前で保存します（拡張子は '.py' とします）。

Fig.A-10 は、第 4 章の List 4-5（p.97）のプログラムの打込みと保存が終わった状態です。'MeikaiPython\chap04' ディレクトリに、'list0405.py' という名前で保存しています。

▶ Windows の場合、パスの先頭に 'C:' などのドライブ文字も付加されます。

Fig.A-10　統合開発環境でのプログラムの実行

[F5] キーを押すと、プログラムの実行が開始されます。なお、プログラムの実行（画面への表示やキーボードからの入力など）は、編集ウィンドウではなく、統合開発環境の本体側のウィンドウで行われます。

▶ 実行は、『Run』メニューから『Run Module』を選ぶことでも行えますが、[F5] キーのほうが素早く操作できます。

A-2
プログラムの実行

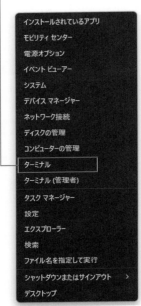

☐ python コマンド

最後は、**python** コマンドです。このコマンドを使う際は、Windows が提供する PowerShell の起動が必要です。

多くの起動法があります。最も簡単なのが**クイックリンク**です。

— これをクリック

スタートメニューを右クリックすると、**Fig.A-11** のクイックリンクが表示されます。

▶ [Windows] キー（🏁）を押しながら [X] キーを押すことによっても表示されます。

なお、表示されるメニューは Windows のバージョンによって異なります。

この中から**ターミナル**を選択します。

なお、PowerShell の利用にあたっては、ファイル、ディレクトリ（フォルダ）、カレントディレクトリ、パスなどに精通している必要があります。

▶ まずは、**Column 13-3**（p.364）で、ファイル、ディレクトリ、パスなどの基礎的な概念を学習します。

それから、Windows（や macOS や Linux など）のコマンドや、その使い方（カレントディレクトリの移動や表示、ディレクトリ全般の操作、ファイルのコピーや移動などの基本的な操作など）を学習しましょう。

それらの内容は、Python ではなく、オペレーティングシステムに関わることですので、本書では解説しません。

各 OS ごとに丁寧に解説すると、それだけで数十ページを要すること、その知識をおもちの読者の方には、まったくの無駄な解説となってしまうこと、などが、その理由です。

Fig.A-11　クイックリンク

python コマンドは、次のように実行するのが基本形式です。

```
python スクリプトファイル名
```

Fig.A-12 に示すのが、プログラム実行の具体例です。**python list0405.py** によって、前ページと同様に、**List 4-5**（p.97）のプログラムを実行しています。

▶ カレントディレクトリに保存されているスクリプトプログラムを実行する場合は、スクリプトファイル名のみを指定しますが、カレントディレクトリ以外のディレクトリに保存されているスクリプトプログラムを実行する場合は、パスの指定が必要となります。

また、**python** コマンドにパスが通っていない場合は、**python** コマンド自体にパスの指定が必要です。

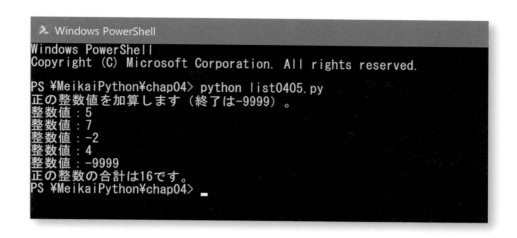

Fig.A-12 PowerShell 上での python コマンドによるプログラムの実行

本書のスクリプトプログラム

本書では、327 編のスクリプトプログラムを作成しながら学習を進めます。すべてのプログラムは、下記サイトからダウンロードできるようになっています。

https://www.bohyoh.com/ 柴田望洋後援会オフィシャルホームページ

ソースプログラムは、単一の書庫ファイルに格納されています。**Fig.A-13** に示すように、お使いのコンピュータの適当なディレクトリの中に MeikaiPython ディレクトリを作成し、その中にファイルを格納するようにしましょう。

IDLE で、スクリプトプログラムを開いて [F5] キーを押せば実行できます。

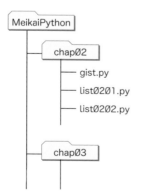

Fig.A-13 本書のスクリプトプログラムの構成

おわりに

ようやく、プログラミングを含めた Python の基礎の学習が終了しました。

みなさんは、学習の途中で、いろいろなことに気付いたでしょう。たとえば、

『変数、さらには、変数への代入には、こんなに深い意味があったのか。』

『この機能を使えば、最初の頃に作ったプログラムは、もっと簡潔に実現できる。』

といった感じです。

もちろん、このようなことは、Python に限ったことではなくて、すべての道の学習に共通です。どんな道であっても、最初から、その道の《全体像》を完全に知りつくした上で学習することは不可能（あるいは、極めて困難）だからです。

本書をまとめるにあたっては、みなさんが、全体像を見失うことなく、Python 言語の道、Python 言語を用いたプログラミングの道を少しずつ歩めるように心がけました。そのため、最初の段階では、難易度の高いことや細かいことなどを隠して解説しておいて、"種明かし"を事後に行うこともありました。

もっとも、本文を 400 ページ未満に収めたこともあり、ジェネレータ、クラスの応用、応用的なアルゴリズム、スレッドプログラミング、GUI などの題材は、本書では取り上げていません。そのため、すべての種明かしが完了したわけではありません（ただし、次のステップに進みやすいように配慮していますので、安心してください）。

＊

さて、これまでに、本当に数え切れないくらいの人数の、学生やプロのプログラマの方々を対象に、プログラミングやプログラミング言語を指導してきました。受講者が 100 人いれば、100 種類のテキストが必要となるのではないか、と感じるくらい、学習の目的・学習の進度・理解の様子など、あらゆる点が個人ごとに大きく異なります。

たとえば、学習の目的もさまざまです。『趣味として勉強したい。』、『プログラミングを専門としない学部学科に所属しているけれど単位取得のために学習しなければならない。』、『情報系を専門とする学生であって、その修得が必須である。』、『プロのゲームプログラマになりたい。』といった感じです。

本書は幅広い読者層を想定して、簡単になりすぎないように、かつ、難しくなりすぎないように配慮しました。それでも、本書を簡単に感じた方もいらっしゃるでしょうし、あまりにも難しいと感じた方もいらっしゃるでしょう。

ここでは、本書を読み進める上で、参考としていただきたいポイントを示します。

▶ 本書を読んで、次のようなことを感じられた方もいらっしゃるでしょう。

『こんな知識（たとえば専門用語の英語表記）は、私には不要だ。』、『似たようなプログラムが多すぎる。』、『なぜ、こんな細かいことまで解説しているのだろうか。』、『章の構成がおかしいのではないか。』、『実際のソフトウェア開発では、こんなプログラムは作らないはずだ。』…。

本書は、幅広い層の読者を想定した上で、私なりに考え抜いた上で執筆したものです。以下の解説は、これまで、（私の他の書籍に対して）いただいた質問やご意見に対する回答ともなっています。

■ 専門用語について

専門用語は、“キーワード（keyword）”のスタイルで、日本語と英語を併記しています（英語の語句は、Python ソフトウェア財団のドキュメントに原則として準拠しています）。これに対して『英語表記は不要。』『英語の知識をひけらかすな。』といった御意見をいただきます。

英語の専門用語に対してあてる訳語は、書籍やサイトによって異なります。そのため、英語を併記しなければ、オリジナルの Python ドキュメントのどの語句に対する日本語の用語なのかが分かりません。

▶ 本書の日本語の語句（訳語）は、上記財団のサイト上の日本語ドキュメントを参考にしていますが、適切ではないと感じられる訳語については、独自の訳語をあてています。

また、情報系の大学生であれば、プログラミング関連の英語の専門書を読むことになります。本書に示している英語の専門用語は、ほとんどが基本的な語句ですから、すべてを習得しておくべきです（大学院生であれば、なおさらです）。

■ 掲載するプログラムについて

ある目的を実現するプログラムは、短く単純なものでも数通りの実現法がありますし、複雑なものになれば、無限ともいえる実現法があります。

たとえば、1 から n までの和を求めるプログラムは、**List 4-3**（p.94）では while 文による実現法を学習し、p.183 では、sum 関数と range 関数を組み合わせた別解を学習しました。

このことからも分かるように、本書のプログラムは、より高度な技術を使うと、もっと簡潔に、あるいは、実用的に使えるように実現できるものが数多くあります。

▶ 前ページで申し上げましたように、すべての種明かしが終わったわけではありません。なお、基礎的な理解のためには、提示するプログラムが類似したものとなることも少なくありません。ただし、教育効果を考えた上でのものです。

■ 章の構成について

理解の早い読者の方や、他のプログラミング言語の経験者の方などは、なかなか先に進まないことをもどかしく感じ、後半の章を物足りなく感じられたかもしれません。

しかし、このような構成としている理由の一つが、if 文（第3章）や、for 文や while 文などの繰返し文（第4章）の段階で挫折する学習者が決して少なくないことです。

事実、『if 文や繰返し文の段階で多くの学生がつまずいてしまう。どのように教えればよいのでしょうか。』との相談を、教育現場の先生方から数多くいただいています。

算数の学習の最初の段階を考えてみましょう。まず数の基本から始まって、足し算や引き算などを学習していきます。たとえば「1 ＋ 3 を求める問題」を解きます。もちろん、現実の世界では、「1 ＋ 3 を求める問題」自体を解くことはありません（足し算は、たとえば技術計算やお金の計算などの中で使われるだけです）。

また、「3 × 5」は、ほとんどの方が「15」という解を瞬時に導けるはずです。しかし、掛け算を学習する前は、“3 を 5 回加える”という足し算として行っていたでしょう。

『最初から○○（たとえば、オブジェクト指向プログラミング）を教えるべきだ。』とか『掲載されているプログラムが実用的でない。』というご意見をいただくのですが、足し算を知らない（あるいは、足し算を難しく感じる）人の存在を完全に無視して、『最初から"掛け算"や"方程式を解く方法"を教えるべきだ。』という意見に感じられます。

もちろん、たとえばJavaなどの他のオブジェクト指向プログラミング言語に習熟していることを前提にすれば、「すべての型はクラスである。」、「すべてのクラスは、**object**クラスの派生クラスである。」といったところから学習を開始することが可能です。とはいえ、数値計算だけのためにPythonを使う、という方々も数多くいらっしゃいます（プログラミング言語に限らず、どんなものであっても、その用途は、使う人によって決められます）。

さらに、入門書は、教育の現場によって、まったく異なる位置付けで利用されます。たとえば、本書のような入門用テキストを使う基礎的なプログラミングの他に、計算機工学、アルゴリズムとデータ構造、オブジェクト指向プログラミングといった講義科目を教えるカリキュラムもあります。このようなカリキュラムであれば、たとえば"探索"や"ソート"、"デザインパターン"などは、他のテキストでの学習が可能です。

その一方で、本書のような入門用テキスト1冊だけでプログラミングを教えるカリキュラムもあります。その場合、"探索"や"配列をある程度自在に操るための技術"などの学習が必要です。

多様な教育現場やテキストの使われ方などを広く深く考慮すると、上級者やプロの方々が想像する以上に、基礎に重点を置かざるを得ない、というのが私の持論です。

最後となりますが、本書をまとめる上で気になったことをお伝えいたします。それは、まったくの知識不足のもとで書かれた、明らかに"嘘"の内容の書籍やWebサイトが、あまりにも数多く見受けられた、ということです。以下、気になった点の、ごく一部を示します。

✕ 変数には記憶域期間がある。

記憶域期間とは、たとえば、『関数の中で定義されたオブジェクトは、その関数が実行されているあいだのみ存在する』といった、C言語などで使われる概念です。

> ▶ 関数の外で定義されたオブジェクトには、プログラムの開始から終了までの寿命をもつ**静的記憶域期間**が与えられ、関数の中（ブロックの中）で定義されたオブジェクトには、そのブロックの終了までの寿命をもつ**自動記憶域期間**が与えられます。

オブジェクトありきのPythonでは、変数は、オブジェクトを参照する（結び付いた）名前にすぎません。そのため、関数の実行の開始と終了に伴って、オブジェクトが生成されたり、破棄されたりすることはありません（たとえば、**List 9-36**（p.279）のプログラムからも明らかです。このプログラムの整数オブジェクト1、2、3、4、5、6が、各関数の開始と終了のタイミングで生成されたり破棄されたりすることはありません）。

記憶域期間という概念が、Pythonというプログラミング言語に存在し得る余地は、まったくありません（この点については、**Column 5-1**（p.120）でも簡単に補足していますし、Pythonの公式ドキュメントでは記憶域期間という概念は説明されていません）。

✕論理演算子 and と or は、True あるいは False の論理値を生成する。

論理式 "x and y" や "x or y" の評価で得られるのが、x もしくは y のいずれかである（具体的には、判定において最後に評価されたオペランドとなる）ことは、第 3 章で詳しく学習しました。たとえば、式 5 or 3 の評価によって得られるのは、True ではなく 5 です。

x や y 自体が論理値でない限り、and 演算子と or 演算子は True や False を生成しません。

そもそも、真（true）であることと True は同一ではありませんし、偽（false）であることと False は同一ではありません。

論理式 "x and y" や "x or y" が生成するのが、x あるいは y であることを利用するプログラミングテクニックが、現実の Python プログラムで有効利用されることも本書で学習しました。

✕if 文は判定式が True のときにスイートを実行する。

if 文の判定式は、論理値（True または False）である必要はありません。"if 5:" とか、"if [1, 2, 3]:" など、整数、リストなど何でも OK です。というのも、すべての値は、真あるいは偽とみなされるからです。

ちなみに、if 文を含めた「複合文」が制御するスイートを、必ず頭部の次の行に書かなければならない、という誤った解説も数多く見受けられます（そうでないことは、3–2 節で詳しく学習しました）。

✕代入演算子は右結合の演算子である。

代入文で使われる = が演算子でないことは、第 1 章から繰り返し学習しました。演算子ではないため、右結合とか左結合などの結合性は存在しません。

代入演算子が右結合であるという誤った前提に基づいて、"a = b = 1" が "a = (b = 1)" とみなされるという解説を見受けますが、"a = (b = 1)" は Python ではエラーとなります。

▶ Python の公式ドキュメントの演算子の一覧に = は含まれていません。当然のことですが、代入については、『式』ではなく『文』の章で解説されています。

✕関数の引数の受渡しは「値渡し」あるいは「参照渡し」で行われる。

一部のプログラミング言語では、int 型などの引数は値渡し（実引数の値が仮引数にコピーされる）が行われ、配列（リスト）などの引数は、事実上の参照渡し（実引数のアドレスが仮引数に渡される）が行われます。

Python における関数間の引数の受渡しは、**「実引数が仮引数に代入される」**という極めて**シンプルな規則に基づいて行われます**（もちろん、代入されるのは、値ではなく、オブジェクトへの参照です）。

引数がイミュータブルな型であるかどうかで、見かけ上の挙動が変わるだけであって、引数の型や性質に応じて、「値渡し」と「参照渡し」が使い分けられることなど一切ないことは、本書でしっかりと学習しました。

ごく一部を示しました。上記の指摘は、私の個人的な見解ではなく、すべて Python の公式ドキュメントの内容に基づいたものです。

変数がオブジェクトに与えられた名前にすぎないことや、代入／代入文の本質すら理解していない著者によって書かれた（巻末に参考文献が一つも示されていない）入門書があります。

そのようなテキストで学習すると、Python の本質を完全に誤解してしまうのではないかと危惧します。

世の中にはいろいろな情報が溢れています。Python に限らず、いろいろな情報は、鵜呑みにすることなく選別し、ご自身で裏を取って、判断いただきたいと考えます。

＊

さて、本書では「変数は、値を格納する箱のようなものである。」と最初に"嘘"をついておいて、その後で"種明かし"を行いました。

入門書という性格上、文法規則やライブラリの仕様などの《細かい》部分は"切り捨てて"解説していますので、本書で解説されている文法事項や関数の仕様なども完全ではありません。

必要に応じて、みなさん自身が Python 公式ドキュメントでの発展学習をされることを期待しています。

参考文献

1) Python Software Foundation, "Python 3.11.4 documentation",
   https://docs.python.org/3/

2) Python Software Foundation, "Python Developer's Guide",
   https://www.python.org/dev/

3) Naomi Ceder ／新丈 径 監訳,『空飛ぶ Python 即時開発指南書』, 翔泳社, 2013

4) 石本 敦夫『Python 文法詳解』, オライリー・ジャパン, 2014

5) Paul Barry ／嶋田 健志 監訳／木下 哲也 訳,『Head First Python 第2版』,
   オライリー・ジャパン, 2018

索引

索引

索引

著者紹介

しばた　ぼうよう
柴田 望洋

工学博士

福岡工業大学 情報工学部 情報工学科 准教授

福岡陳氏太極拳研究会 会長

- 1963年、福岡県に生まれる。九州大学工学部卒業、同大学院工学研究科修士課程・博士後期課程修了後、九州大学助手、国立特殊教育総合研究所研究員を歴任して、1994年より現職。2000年には、分かりやすいC言語教科書・参考書の執筆の業績が認められ、㈳日本工学教育協会より著作賞を授与される。大学での教育研究活動だけでなく、プログラミングや武術（1990年〜1992年に全日本武術選手権大会陳式太極拳の部優勝）、健康法の研究や指導に明け暮れる毎日を過ごす。

- **主な著書**（*は共著／*は翻訳書）

　『秘伝C言語問答ポインタ編』，ソフトバンク，1991（第2版：2001）

　『C：98 スーパーライブラリ』，ソフトバンク，1991（新版：1994）

　『Cプログラマのための C++ 入門』，ソフトバンク，1992（新装版：1999）

　『超過去問 基本情報技術者 午前試験』，ソフトバンクパブリッシング，2004

　『新版 明解 C++ 入門編』，ソフトバンククリエイティブ，2009

　『解きながら学ぶ C++ 入門編*』，ソフトバンククリエイティブ，2010

　『プログラミング言語 C++ 第4版*』，ビャーネ・ストラウストラップ（著），ＳＢクリエイティブ，2015

　『C++ のエッセンス*』，ビャーネ・ストラウストラップ（著），ＳＢクリエイティブ，2015

　『新・明解C言語 ポインタ完全攻略』，ＳＢクリエイティブ，2016

　『新・解きながら学ぶ Java*』，ＳＢクリエイティブ，2017

　『新・明解 C++ 入門』，ＳＢクリエイティブ，2017

　『新・明解 C++ で学ぶオブジェクト指向プログラミング』，ＳＢクリエイティブ，2018

　『新・明解 Python 入門』，ＳＢクリエイティブ，2019

　『新・明解 Python で学ぶアルゴリズムとデータ構造』，ＳＢクリエイティブ，2020

　『新・明解 Java 入門 第2版』，ＳＢクリエイティブ，2020

　『新・明解 Java で学ぶアルゴリズムとデータ構造 第2版』，ＳＢクリエイティブ，2020

　『新・明解C言語で学ぶアルゴリズムとデータ構造 第2版』，ＳＢクリエイティブ，2021

　『新・明解C言語 入門編 第2版』，ＳＢクリエイティブ，2021

　『新・解きながら学ぶC言語 第2版*』，ＳＢクリエイティブ，2022

　『新・明解C言語 中級編 第2版』，ＳＢクリエイティブ，2022

　『新・明解C言語 実践編 第2版』，ＳＢクリエイティブ，2023

本書をお読みいただいたご意見、ご感想を以下の QR コード、URL よりお寄せください。

https://isbn2.sbcr.jp/17837/

装　丁　…　bookwall
編　集　…　杉山 聡

新・明解Python入門 第2版
しん めいかいぱいそんにゅうもん だいにはん

2023 年 9 月　7 日　初版発行
2024 年 7 月 19 日　第 2 刷発行

著　者　…　柴田 望洋
　　　　　　しばた ぼうよう
発行者　…　出井 貴完
発行所　…　ＳＢクリエイティブ株式会社
　　　　　　〒105-0001　東京都港区虎ノ門 2-2-1
　　　　　　https://www.sbcr.jp/
印　刷　…　昭和情報プロセス株式会社

Printed in Japan　　　　　　　　　　ISBN978-4-8156-1783-7

Python で学ぶアルゴリズムとデータ構造入門書の決定版 !!

新・明解Pythonで学ぶアルゴリズムとデータ構造

基本アルゴリズムとデータ構造を学習するための
プログラムリスト 136 編　図表 213 点

B5 変形判、376 ページ

　三値の最大値を求めるアルゴリズムに始まって、探索、ソート、再帰、スタック、キュー、文字列処理、線形リスト、2 分木などを、明解かつ詳細に解説します。難しい理論や概念を視覚的なイメージで理解できるように、213 点もの図表を提示しています。

　本書に示す 136 編のプログラムは、アルゴリズムやデータ構造を紹介するための単なるサンプルではなく、実際に動作するものばかりです。すべてのプログラムを読破すれば、かなりのコーディング力が身につくでしょう。

　初心者から中上級者まで、すべての Python プログラマに最良の一冊です。もちろん、情報処理技術者試験対策のための一冊としても最適です。

Java で学ぶアルゴリズムとデータ構造入門書の決定版 !!

新・明解 Java で学ぶアルゴリズムとデータ構造 第2版

基本アルゴリズムとデータ構造を学習するための
プログラムリスト 102 編　図表 217 点

B5 変形判、376 ページ

　Java によるアルゴリズムとデータ構造を学習するためのテキストの決定版です。三値の最大値を求めるアルゴリズムに始まって、探索、ソート、再帰、スタック、キュー、文字列処理、線形リスト、2 分木などを、明解かつ詳細に解説します。

　本書に示す 102 編のプログラムは、アルゴリズムやデータ構造を紹介するための単なるサンプルではなく、実際に動作するものばかりです。スキャナクラス・列挙・ジェネリクスなどを多用したプログラムを読破すれば、相当なコーディング力が身につくはずです。

　もちろん、情報処理技術者試験対策のための一冊としても最適です。

アルゴリズムとデータ構造学習の決定版!!

新・明解C言語で学ぶアルゴリズムとデータ構造 第2版

アルゴリズム体験学習ソフトウェアで
　アルゴリズムとデータ構造の基本を完全制覇！

B5 変形判、432 ページ

　三値の最大値を求める初歩的なアルゴリズムに始まって、探索、ソート、再帰、スタック、キュー、線形リスト、2分木などを、学習するためのテキストです。

アルゴリズムの動きが手に取るように分かる〔アルゴリズム体験学習ソフトウェア※〕が、学習を強力にサポートします。数多くの演習問題を解き進めることで、学習内容が身につくように配慮しています。

　C言語プログラミング技術の向上だけでなく、**情報処理技術者試験対策**のための一冊としても最適です。

　※購入者特典として、出版社サポートサイトからダウンロードできます。

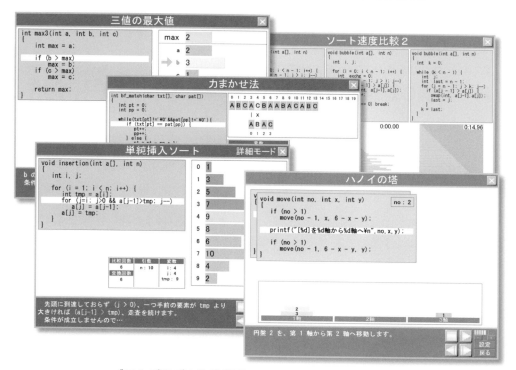

《アルゴリズム体験学習ソフトウェア》の実行画面例

C言語入門書の最高峰!!

新・明解C言語 入門編 第2版

C言語の基礎を徹底的に学習するための
プログラムリスト 243 編　図表 245 点

B5 変形判、440 ページ

　数多くのプログラムリストと図表を参照しながら、C言語の基礎を学習するための入門書です。6色によるプログラムリスト・図表・解説は、すべてが見開きに収まるようにレイアウトされていますので、『読みやすい。』と大好評です。全編が語り口調ですから、著者の講義を受けているような感じで、読み進められるでしょう。

　解説に使う用語なども含め、標準C（ISO ／ ANSI ／ JIS 規格）に完全対応していますので、各種の資格試験の学習にも向いています。

　独習用としてはもちろん、大学や専門学校の講義テキストとして最適な一冊です。

楽しいプログラムを作りながら、中級者への道を着実に歩もう!!

新・明解C言語 中級編 第2版

たのしみながらC言語を学習するための
プログラムリスト 118 編　図表 152 点

B5 変形判、384 ページ

　『新人研修で学習したレベルと、実際の仕事で要求されるレベルが違いすぎる。』、『プログラミングの講義で学習したレベルと、卒業研究で要求されるレベルが違いすぎる。』と、多くのプログラマが悲鳴をあげています。

　本書は、**作って楽しく、動かして楽しいプログラムを通して、初心者が次のステップへの道をたどるための技術や知識を伝授します。**

　『数当てゲーム』、『じゃんけん』、『キーボードタイピング』、『能力開発ソフトウェア』などのプログラムを通じて、配列、ポインタ、ファイル処理、記憶域の動的確保などの各種テクニックをマスターしましょう。

ポインタのすべてをやさしく楽しく学習しよう！

新・明解C言語 ポインタ完全攻略

ポインタを楽しく学習するための
プログラムリスト 169 編　図表 133 点

B5 変形判、304 ページ

　『初めてポインタが理解できた。』、『他の入門書とまったく異なるスタイルの解説図がとても分かりやすい。』と各方面で絶賛されたばかりか、なんと情報処理技術者試験のカリキュラム作成の際にも参考にされたという、あの『秘伝C言語問答ポインタ編』をベースにして一から書き直した本です。

　ポインタという観点からC言語を広く深く学習できるように工夫されています。ポインタや文字列の基礎から応用までを徹底学習できるようになっています。

　ポインタが理解できずC言語に挫折した初心者から、ポインタを確実にマスターしたい上級者まで、すべてのCプログラマに最適の書です。

　本書を読破して、ポインタの〔達人〕を目指しましょう。

たくさんの問題を解いてプログラミング開発能力を身につけよう!!

解きながら学ぶ C++ 入門編

作って学ぶプログラム作成問題 203 問 !!
スキルアップのための錬成問題 1096 問 !!

B5 変形判、512 ページ

　「C++ のテキストに掲載されているプログラムは理解できるのだけど、どうも自分で作ることができない。」と悩んでいませんか？

　本書は、全部で 1299 問の問題集です。『新版 明解 C++ 入門編』の全演習問題も含んでいます。教育の現場で学習効果が確認された、これらの問題を制覇すれば、必ずや、C++ を用いたプログラミング開発能力が身につくでしょう。

　少しだけ C++ をかじって挫折した初心者の再入門書として、C++ のサンプルプログラム集として、**あなたの C++ プログラミング学習における、頼れるお供となるでしょう。**

C++ 入門書の最高峰!!
バイブル

新・明解 C++ 入門

C++ とプログラミングの基礎を学習するための
プログラムリスト 307 編　図表 245 点

B5 変形判、544 ページ

　C 言語をもとに作られたという性格をもつため、ほとんどの C++ 言語の入門書は、読者が『C 言語を知っている』ことを前提としています。

　本書は、プログラミング初心者に対して、段階的かつ明快に、語り口調で C++ 言語の基礎とプログラミングの基礎を説いていきます。分かりやすい図表や、豊富なプログラムリストが満載です。

　全 14 章におよぶ本書を読み終えたとき、あなたの身体の中には、C++ 言語とプログラミングの基礎が構築されているでしょう。

※台湾 DrMaster Press 社より旧版の中国語版（繁体字）が発売中。

C++ を使いこなして新たな飛躍を目指そう!!

新・明解C++で学ぶオブジェクト指向プログラミング

オブジェクト指向プログラミングを学習するための
プログラムリスト 271 編　図表 132 点

B5 変形判、512 ページ

　本書は、C++ を用いたオブジェクト指向プログラミングの核心を学習するための教科書です。

　まずは、クラスの基礎から学習を始めます。データと、それを扱う手続きをまとめることでクラスを作成します。それから、派生・継承、仮想関数、抽象クラス、例外処理、クラステンプレートなどを学習し、C++ という言語の本質や、オブジェクト指向プログラミングに対する理解を深めていきます。

　さらに、最後の三つの章では、ベクトル、文字列、入出力ストリームといった、重要かつ基本的なライブラリについて学習します。

・・ ホームページのお知らせ ・・・・・・・・・・・・・・・・・・・・・・・・

　ご紹介いたしました、すべての著作について、本文の一部やソースプログラムなどを、インターネット上で閲覧したり、ダウンロードしたりできます。
　以下のホームページをご覧ください。

　柴田望洋後援会オフィシャルホームページ
　　https://www.bohyoh.com/